江苏省文学艺术界联合会

年鉴2009

江苏省文学艺术界联合会 编

南京师范大学出版社
NANJING NORMAL UNIVERSITY PRESS

2008 年 12 月 8 日至 14 日，“2005—2008 · 中国百家金陵画展”在北京中国美术馆举办，中共中央政治局委员、国务委员刘延东参观画展。

中共中央政治局委员、书记处书记、中组部部长李源潮参观“2005—2008·中国百家金陵画展”。

2008 年 10 月 15 日，第五届中国曲艺“牡丹奖”颁奖晚会“金陵牡丹曲”在南京举办，全国政协副主席、中国文联主席孙家正宣布晚会开幕。

晚会现场。

省委书记、省人大常委会主任梁保华，省长罗志军为第五届中国曲艺"牡丹奖"颁奖晚会揭幕。

2008 年 2 月 21 日，梁保华、罗志军、张连珍等省领导与全省文化艺术界老中青艺术家代表欢聚一堂，共同庆祝中华民族的传统佳节元宵节。

2008 年 2 月 25 日至 26 日，省文联在南京召开七届五次全委会。

省委常委、宣传部部长杨新力出席省文联全委会并讲话。

出席省文联七届五次全委会的省文联委员正在听取讲话和工作报告。

2008 年 10 月 25 日，“数风流人物 2008 · 中国百家金陵画展”在江苏省美术馆隆重开幕。

出席“数风流人物 2008 · 中国百家金陵画展”的领导和嘉宾们兴致勃勃地观看画展。

观众络绎不绝。

2008 年 9 月 13 日，“我们的节日——中国 · 江苏首届中秋民俗节”在南京中山陵景区盛大开幕。“今晚月儿圆”文艺晚会结束后，领导、嘉宾与演职人员一道，向热情的观众祝福中秋美好。

民俗节上异彩纷呈的表演。

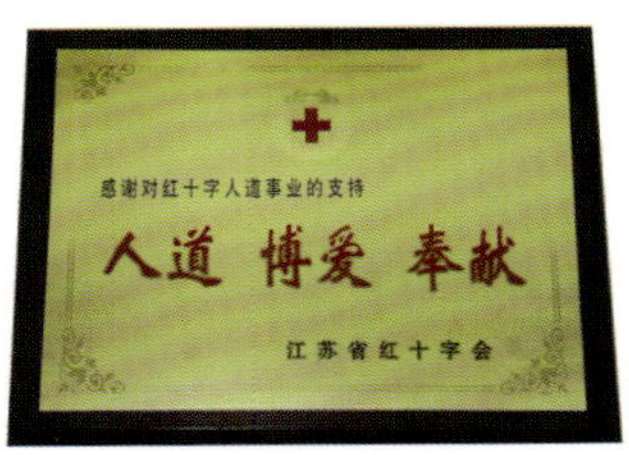

省文联获得“支援抗震救灾特别贡献奖”。图为省红十字会授予省文联的奖牌。

文艺界真情如潮，以各种形式支援灾区。

2008 年 4 月 3 日，“奥运情 · 翰墨缘——江苏省书画名家 · 体育明星联谊活动暨书画捐赠仪式”在南京举办，艺术家们向省发展体育基金会捐赠作品 230 件。

北京奥运会专用礼品“中国著名画家陶艺挂盘”。

省文联主席顾浩接受由省发展体育基金会名誉理事长陈焕友授予省文联的“资助江苏省体育公益事业爱心单位”奖牌。

为纪念北京申奥成功七周年，《我的中国心——草书长卷〈何振梁在莫斯科申办第二十九届奥运会的陈述演讲〉》由北京荣宝斋出版发行。

2008 年 11 月 23 日，省妇联、省文联联合举办纪念改革开放 30 周年“我家的 30 年”摄影图片展。

2008 年 12 月 14 日，“在灿烂的阳光下——江苏省纪念改革开放 30 周年合唱比赛”在南京艺术学院音乐厅落下帷幕。

2008 年 12 月 5 日，“春天的故事·江苏省纪念改革开放三十周年美术书法作品大展”在南京博物院隆重举行。

2008 年 2 月 26 日，“翔宇情——纪念周恩来总理诞辰 110 周年中国书法家走进古城楚州”暨“中国书法之乡”挂牌仪式在淮安举行。同年，苏州、徐州获全国首批“中国书法名城”称号。

2008 年 7 月 19 日，常熟被授予“中国曲艺之乡”称号。

2008 年 12 月 29 日，在南京举行“2008 江苏省商业吉祥物原创设计大赛颁奖典礼暨江苏省动漫艺术协会发展推广中心揭牌仪式”。

走进警营
观众的快乐是我们最大的心愿
徐州专场
百名文艺家百场惠民演出
暨美在新江苏系列采风创作活动启动仪式
走进卸甲

1.2008 年省文联开展百名文艺家百场惠民演出活动。

2.2008 年 7 月 25 日至 28 日，“第十二期江苏省文艺家读书班暨第十八期知名演员暑期读书班”在常州举办。

3.2008 年 9 月 18 日，“美式滑稽培训班”在南京举办。

姑苏芦花颂

第二届少儿舞蹈新作品“崇安杯”比赛颁奖典礼

1.2008 年 4 月 11 日，第二届江苏曲艺“芦花奖”揭晓，共评出 8 大类 39 个奖项。

2.2008 年 11 月 16 日，江苏舞蹈“莲花奖”少儿舞蹈比赛新蕾绽放，共评出一、二、三等奖 29 名。

3.2008 年，“首届江苏省优秀青年戏剧人才评选”活动举行。

4.2008 年，省文联艺术人才培训中心面向社会开办各种文艺培训班。

5. 少儿书画考级。

中国音乐金钟奖
荣誉证书
梅花香自苦寒来

中国首部重金打造"孝"题材系列登出荧屏 让你感受亲情就在身边
孝子
SON IN MOUTNING
三十六集电视连续剧
许亚军《空镜子》
咏梅《中国式离婚》
赵亮《神雕侠侣》
于和伟《历史的天空》
严敏求《布衣天子》
王庆
生存争斗跌宕险恶 亲情纠葛刻骨铭心
打造当代亲情伦理不凡巨作
感受心灵空前震撼的大"孝"之道
12片装 DVD
其它主演：陈瑾 王乙竹 张鹰 吴言
导演：杨克 编剧：薛晓路（代表作《不要和陌生人说话》）
中凯电视剧

Six Hundred Years Of Kunqu Opera
大型電視紀錄片
昆曲六百年
昆曲歸來
大美至美

1.2008 年，江苏省文联表彰各艺术门类获得文联系统设立的全国性文艺奖共 28 项。

2.2008 年 8 月 15 日，第二十四届中国电视金鹰奖揭晓，由我省电视艺术家协会推荐的《孝子》等 4 部长篇作品获好作品奖，《昆曲六百年》等获长篇优秀纪录片奖，获奖数量与等级名列全国各省市区第一位。

3.2008 年 4 月 7 日至 8 日，“第三届中国同里电影论坛”举办。

4.2008 年 4 月 26 日，“江苏省文艺著作权服务网开通暨第二届江苏省文学艺术界保护知识产权论坛”举办。

5.2008 年 11 月 13 日至 14 日，“2008 中国新农村文化建设论坛”在南京大学中美文化交流中心举行。

6.2008 年初，“批评的现状与对策”中青年文艺评论家座谈会会场。

1 3 4 2 5 6

协会换届

2008 年 6 月 25 日至 27 日，江苏省美术家协会第四次代表大会在南京召开。

2008 年 10 月 19 日至 21 日，江苏省杂技艺术家协会第五次代表大会在南京召开。

2008 年 10 月 31 日至 11 月 2 日，江苏省摄影家协会第七次代表大会在南京召开。

2008 年 6 月 22 日至 24 日，江苏省基层文联现场交流会在苏州举行。

成立乡镇文联，对于丰富农村群众文化生活起到了积极的作用。

机关建设

1 3
2

1.2008 年 8 月 14 日，江苏省文联召开贯彻落实科学发展观情况群众评议大会。大会投票测评结果表明，群众对省文联组织开展学习实践情况的满意率为 99.88%，对省文联解决突出问题情况满意率为 99.10%。

2.2008 年，在学习实践科学发展观活动中，省文联积极开展工作调研，取得了丰硕的调研成果。

3. 江苏省文联领导在浙江省文联和本省的南京、苏州、扬州等地开展工作调研。

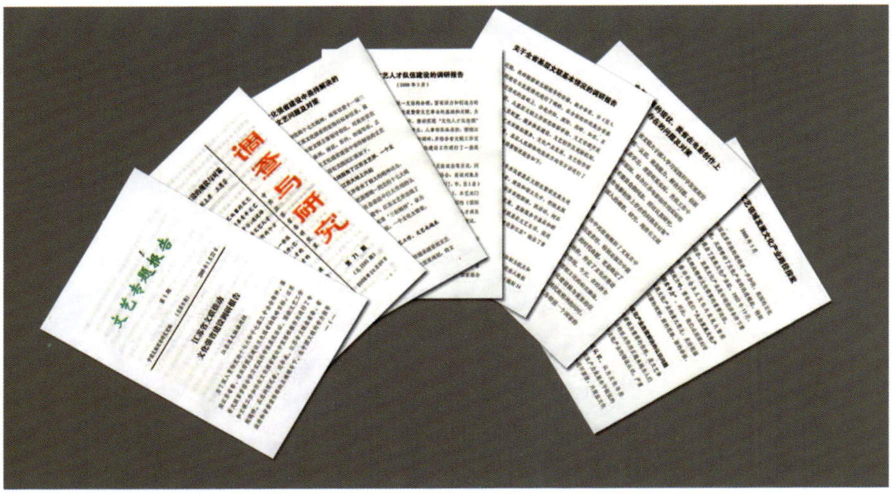

2008 年 7 月 1 日，省文联机关召开先进党支部和优秀共产党员表彰大会，积极发挥优秀党员的模范带头作用。

机关党支部活动。

省文联主办的杂志、内刊和网站。

2008 年 7 月 31 日，省文联庆“八·一”军转干部座谈会。

2008 年 10 月 21 日，省文联离退休干部座谈会。

江苏省文学艺术界联合会年鉴 2009

序

王慧芬

2008年是我国经济社会发展进程中极不寻常、极不平凡的一年，大事多、喜事多，困难和挑战也多。这一年，省文联在省委省政府的正确领导下，深入贯彻落实科学发展观，按照省文联七届五次全委会确定的工作目标，围绕中心，服务大局，团结奋进，扎实工作，认真履行联络、协调、服务、指导职能，坚持在开拓创新中激发创造力，在强化服务中增强凝聚力，在奋发有为中扩大影响力，全面完成了年初确定的各项重点工作，全省文艺事业和文联工作迈上了新台阶。

为了更好地鉴往知来，开阔视野，科学决策，推动文联工作向更高目标迈进，我们经过精心策划和准备，组织编撰了江苏省文联第一本年鉴。编撰人员本着对工作、历史认真负责的精神，力求全面、准确、客观、真实地反映江苏省文联及各团体会员2008年全年的工作成绩、发展情况。

我们要充分发挥年鉴资治、宣传、交流、存世的作用，总结经验、促进交流，努力推进文联各项工作的科学发展。我相信，在各有关单位的关心、支持和编辑人员的共同努力下，《江苏省文学艺术界联合会年鉴》将越办越好。

（作者系江苏省文联党组书记、常务副主席、书记处第一书记）

编辑说明

一、《江苏省文学艺术界联合会年鉴(2009)》是江苏省文学艺术界联合会(简称“省文联”)组织编撰的省级文艺专业年鉴,是第一部全面记载江苏省文艺事业发展情况的资料性工具书。本卷是首卷,收录了全省13个省辖市文联、13个省级文艺家协会,以及省文联各部门、单位,2008年开展各项工作的主要情况,为社会各界人士了解和研究江苏文艺事业发展提供全面、准确、系统的信息资料。

二、本年鉴收录的资料为11个部分:(1)图版;(2)特载(一);(3)特载(二);(4)有关重要会议讲话;(5)江苏省文学艺术界联合会大事记;(6)重点项目及重大活动;(7)调查与理论研究;(8)文艺评奖;(9)各团体会员(一)(省各文艺家协会);(10)各团体会员(二)(各市文学艺术界联合会);(11)江苏省文学艺术界联合会各部门、单位。

三、本年鉴条目资料收录时间以2008年1月至12月为限,个别事件有所突破,以便于读者了解始末。

四、本年鉴文稿、图片均按江苏省文联年鉴编撰委员会审定的组稿计划和撰稿要求,由省各文艺家协会、各市文联以及省文联各部门、单位指定专人负责组稿、撰写和提供,并经主管负责人审核签发。

五、本年鉴的编辑出版工作得到了广大编撰人员的大力支持和协助,在此谨表谢意。由于编撰人员经验和水平有限,疏漏之处在所难免,请读者批评指正。

目录

文艺评奖

各团体会员(一)

各团体会员(二)

江苏省文学艺术界联合会各部门、单位

特载（一）

共同努力建设文化强省

——在江苏省文化艺术界座谈会上的讲话

(2008年2月24日)

中共江苏省委书记、省人大常委会主任　梁保华

今天是元宵佳节,在这团圆喜庆的美好节日里,我们和文化艺术界的同志们在这里欢聚一堂,共商建设文化强省大计,展望江苏文化大发展大繁荣的前景,感到格外高兴。我代表省委、省政府,向在座各位,并通过你们向全省文化艺术界的同志们致以亲切的问候和崇高的敬意!

文化是人们的精神家园,是民族的血脉和灵魂。江苏历来人文荟萃、人才辈出,在这片锦绣大地上,江苏人民创造了辉耀古今的物质文明,赢得了鱼米之乡、物华天宝的盛誉,也创造了丰富多彩的灿烂文化,博得了文教昌明、人杰地灵的美名。自古以来,江苏涌现的鸿篇巨制不胜枚举,名人名家灿若群星,文学、戏剧、绘画、书法、音乐、曲艺等众多文艺门类都留下了风格独特、特色鲜明的文化瑰宝。我们每一个人都为江苏拥有这样丰厚、悠久的优秀文化而感到自豪。

改革开放以来,江苏人民在中国特色社会主义道路上阔步前进,波澜壮阔的伟大事业为文化建设注入了强大动力,开辟了广阔空间。江苏的文化艺术呈现出百花齐放、异彩纷呈、团结繁荣的生动景象,整体实力和影响力不断提升。全省文化艺术工作者为推动社会发展进步、弘扬时代精神、满足人民群众的文化需求、促进江苏的全面发展付出了辛勤劳动,作出了重要贡献。

当今时代,文化越来越成为民族凝聚力和创造力的重要源泉,越来越成为综合国力竞争的重要因素,丰富精神文化生活越来越成为人民群众的热切愿望。党的十七大鲜明地提出了兴起文化建设新高潮、推动文化大发展大繁荣的战略任务,为社会主义文化建设指明了前进方向。

省委十一届三次全会根据十七大的新要求和胡锦涛总书记对江苏的殷切期望,确立了未来发展的新目标、新任务,明确提出要在科学发展道路上迈出更加坚实的步伐,全面建设更高水平的小康社会,把江苏的明天建设得更加美好。对于一个国家或区域来说,经济竞争力主要看科技,社会影响力主要看文化。全面建设更高水平的小康社会,不仅要有发达的经济,而且要有繁荣的文化;既要有经济的硬实力,也要有文化的软实力。省委提出,要把建设文化强省作为全面小康社会建设的重要内涵,推动江苏文化的大发展大繁荣。建设文化强省,总的要求是文化事业强、文化产业强、文化人才队伍强。

我们要以发展公益性文化为重点,推动文化事业更加繁荣;以提高江苏文化竞争力为重点,推动文化产业更快发展;以多出文化精品和优秀人才为重点,推动人才队伍更加壮大。经过不懈努力,使江苏的明天不但因为经济发达、科教先进而更加富强,而且因为文化繁荣、社会和谐而更加美好!

同志们,朋友们:我们正处在一个大发展、大开放、大变革的伟大时代。党的十七大开辟了全面建设小康社会的新征程,也开拓了社会主义文化建设的新境界。在全面建设更高水平小康社会的进程中,一个文化建设的新高潮正在江苏大地蓬勃兴起。在这个宏大的事业中,对于满足人

民群众精神文化生活的多方面需要，对于提高全社会的思想道德文化水平，对于统一思想、凝聚力量、实现全省人民的共同奋斗目标，广大文化艺术工作者都担负着其他方面不能替代的重要责任。

响应时代召唤，肩负历史使命，是广大文化艺术工作者应有的自觉追求。伟大时代为文化艺术工作者施展才华提供了难得的机遇，也提出了新的更高要求。广大文化艺术工作者要更加自觉、更加主动地投身全省人民创造幸福生活和美好未来的伟大进程，投身建设文化强省、推动文化大发展大繁荣的生动实践，用自己熟悉和擅长的文艺形式和文化方式，为时代发展、社会进步、人民幸福作出自己的独特贡献。

植根人民群众、反映社会生活，是文化艺术事业繁荣发展的活力之源。江苏改革开放、又好又快发展的生动实践，人民群众锐意进取、奋发有为的创造活力，为文化艺术创作提供了广阔舞台和丰富素材。广大文化艺术工作者要牢记人民是文艺工作者的母亲、生活是文艺创作的源泉的真理，坚持为人民服务、为社会主义服务的方向，贴近实际、贴近生活、贴近群众，激情描绘广大人民群众创新实践的万千气象，生动记录神州大地的历史变迁，深刻反映百姓生活和群众心声，努力创作更多的群众喜闻乐见的优秀文艺作品，满足人民群众多层次、多方面、多样化的精神文化需求。

善于继承传统，推进文化创新，是文化艺术事业繁荣发展的必由之路。文化是最需要创新的领域，只有把握时代脉搏、反映时代精神、贴近现实生活、引领人民思想的文化，才能始终赢得人民，才能始终成为社会进步的先导。推动文化发展，继承是基础，创新是关键。不善于继承，就没有创新的基础；不善于创新，就缺乏继承的活力。我们要坚持解放思想、实事求是、与时俱进，贯彻百花齐放、百家争鸣的方针，大力推进文艺观念、风格、流派、内容的创新，不断增强文艺作品的吸引力、感染力；积极推进文化体制机制、生产方式、传播手段的创新，丰富文化的品种、样式、载体，不断增强江苏文化的竞争力、影响力。

增进团结和谐，坚持德艺双馨，是开创文化艺术事业繁荣发展新局面的重要条件。团结是力量之源，和谐是繁荣之基，团结和谐才能出更多精品、更多人才。江苏文化艺术界要提倡文人互勉，反对文人相轻；提倡相互学习，反对门户之见。老艺术家要悉心培养年轻人才，青年才俊要充分尊重老一辈，各个文艺门类、流派都要相互尊重，相互支持，一起担当建设文化强省的责任，共同营造江苏文化万紫千红、春色满园的喜人景象。广大文化艺术工作者要把社会主义核心价值体系融入文化作品创作生产之中，加强自身修养，恪守职业道德，牢记社会责任，传播先进文化，无愧于人类灵魂工程师的光荣职责。

各级党委、政府都要把文化大发展大繁荣作为推进科学发展、建设更高水平小康社会的重要任务，高度重视文化艺术事业，全面贯彻党的文化工作方针和政策，提高领导文化艺术工作的能力和水平，充分调动文化艺术工作者的积极性、创造性，充分尊重文化艺术工作者的劳动创造。省委、省政府正在抓紧制定加快推进文化强省建设的意见和措施，决定设立我省文化领域最高荣誉奖——“紫金文化奖”，表彰为文化强省建设作出突出贡献的文化艺术工作者。各级文化工作部门要密切同广大文化艺术工作者的联系，政治上充分信任，创作上热情支持，生活上真诚关心，为文化艺术工作者施展才华创造良好环境和条件。

同志们，朋友们：伴随着全面建设更高水平小康社会的前进步伐，江苏文化大发展大繁荣的时代正在到来。美好的季节期待我们去耕耘播种，希望的高峰召唤我们去进取攀登。让我们携手奋进，开拓创新，在江苏这片充满生机与活力的土地上，满怀豪情地谱写文化强省的绚丽篇章！

在江苏省文学艺术界联合会七届五次全委会上的讲话

（2008 年 2 月 25 日）

中共江苏省委常委、宣传部部长　杨新力

全省宣传思想工作会议刚刚闭幕，省文联就召开七届五次全委会，认真传达学习贯彻全国、全省宣传思想工作会议精神，总结经验，表彰先进，分析形势，部署工作。会议时机很好，内容重要，体现了文联全委会贯彻中央要求和省委部署的自觉性，推动文化大发展大繁荣的主动性。

过去一年，省文联围绕中心，服务大局，发挥桥梁纽带作用，履行“联络、协调、服务、指导”职能，在组织推动文艺创作、开展对外交流、拓展自身职能、加强队伍建设等方面，做了大量工作。全省文艺创作成果丰硕，一批文艺作品在全国性重大文艺奖项评比中成绩突出，“美在新江苏”系列采风创作活动推出一批新的成果；中国音乐“金钟奖”民乐比赛暨中国江苏二胡之乡民族音乐节、中国民间文艺“山花奖”颁奖活动、“中国百家金陵画展”等重要文化活动影响不断扩大；文化惠民服务更加主动，文艺走进农村、走进社区、走进企业、走进校园、走进军营受到基层欢迎；“江苏省中青年德艺双馨文艺工作者”评比表彰、全省文艺家读书班等措施，有效促进了文艺队伍建设。广大文艺工作者关注实践，深入群众，辛勤耕耘，为丰富人民群众精神文化生活、推进文化强省建设作出了积极贡献。在此，我代表省委和省委宣传部对受表彰的单位、个人表示热烈祝贺，对全省文艺工作者表示衷心感谢，致以崇高敬意！

关于文联工作，一会儿王慧芬同志要做全面安排。下面，我先讲几点意见。

一、抓住机遇，更加奋发有为

当前，文艺事业发展面临极好机遇。党的十七大从中国特色社会主义事业总体布局出发，发出推动文化大发展大繁荣、兴起文化建设新高潮的号召。在全国宣传思想工作会议上，胡锦涛总书记发表的重要讲话，高屋建瓴，总揽全局，思想深刻，内涵丰富，是在新的历史起点上开创宣传思想工作新局面的纲领性文献。李长春、刘云山同志的重要讲话，对当前和今后一个时期宣传思想工作进行了全面部署。会议对党的十六大以来贯彻落实科学发展观要求，在实践中形成的新的文化发展理念作了高度概括提炼，从文化的地位作用、发展方向、发展目的、发展动力、发展思路、发展格局、发展战略、领导力量、依靠力量等八个方面进行全面阐述，创造性地揭示新形势下文化发展规律，为文艺事业发展提供了基本准则。省委十一届三次全会把建设文化更加繁荣、人民具有更高文明素质的省份列入“六个更加注重”目标，全省经济工作会议把大力发展文化产业、推进文化强省建设确定为今年经济工作的五项重要任务之一，政府工作报告对加快建设文化强省、推动文化大发展大繁荣作出具体部署。省委书记梁保华十分关心文化建设，多次到省直文化单位调研指导，帮助解决实际问题，亲自提议在元宵节召开全省文化艺术界座谈会，发表热情洋溢讲话，对全省文化艺术工作者寄予殷切期望。在这次全省宣传思想工作会议上，梁保华书记再次强调，要抓住兴起文化建设新高潮的机遇，依托江苏的经济基础和人文资源，不断加大工作推进力度，加快文化大省向文化强省跨越进程，实现文化事业强、文化产业强、文化人才队伍强。中央和省委高度重视，为我们做好工作指明了前进方向；经济社会又好又快发展，为我们干大事、干成事提供了物质条件；群众精神文化需求快速增长，为我们建设文化强省开辟了广阔空间。我们一定要按照胡锦涛总书记“高举旗帜、围绕大局、服务人民、改革创新”的总要求，深入贯彻落实科学发展观，结合文联工作实际，落实全国、全省宣传思想工作会议部署，抓住机遇，乘势而上，振奋精神，开拓进取，更加自觉更加主动地担负起推动文化大发展大繁荣的重任，为文化强省建设作出新的贡献。

二、潜心创作，更加致力繁荣

优秀文艺作品是一个时代、一个国家、一个地区精神文化水平的集中反映，是文艺繁荣发展的重要标志。努力推出一批讴歌时代发展、弘扬民族精神、展现地域特色的文艺精品，不断攀登文艺新高峰，使江苏文艺创作走在全国前列，是全省广大文艺工作者的历史使命和重要责任。要把社会主义核心价值理念贯穿到文艺创作生产的各个方面，坚持贴近实际、贴近生活、贴近群众，继续开展“美在新江苏”的采风创作系列活动，支持鼓励文艺工作者深入改革开放、又好又快发展的生动实践和火热生活，在人民的鲜活实践中激发创作激情，积淀创作资源，获得创作灵感。要遵循艺术规律，了解受众文化需求，不断研究人民群众精神文化生活的新特点新趋向，密切追踪人民群众审美需求的新变化新规律，以群众欢迎不欢迎、满意不满意、喜欢不喜欢作为衡量创作成败得失的重要标准。文化是最需要创新的领域，创新是文化的生命之魂、魅力之本，也是文化发展的动力之源。要增强创新意识，培育创新精神，在遵循文化规律的基础上，推陈出新，独辟蹊径，使文艺作品在质量上有超越，内容上有独创，形式手段上有新意。当前，省文联要着重鼓励、引导广大文艺工作者紧紧围绕纪念改革开放30周年、迎接建国60周年活动，策划、组织创作一批重点文艺作品、重点出版物，推出一批重点文艺活动，生动形象地展示改革开放以来江苏发生的历史性变化、取得的巨大成就，引导干部群众看成就、谈变化、话改革、谋发展，进一步坚定走中国特色社会主义道路、率先全面建成更高水平小康社会的信心和决心。

三、面向群众，更加注重服务

保障人民群众基本文化权益，满足人民群众精神文化需要，让人民群众共享文化发展成果，是社会主义文艺事业的根本目的。中央和省委高度重视保障人民基本文化权益，采取一系列政策措施，建立完善覆盖全社会的公共文化服务体系。省文联要面向基层，面向群众，在拓展服务渠道、丰富服务形式、增加服务内容上下功夫。要多安排基层群众乐于参与、能够参与、真正得到实惠的文艺活动，多提供满足不同地区、不同年龄、不同文化水平群众需求的文化服务，持续深入开展文艺工作者“五走进”、“送欢乐、下基层”等文化惠民活动。要组织引导文艺工作者深入基层，关注民生，让更多的普通劳动者成为文艺作品的主角，多用人民群众喜闻乐见的形式、人民群众喜爱的语言，创作生产更多基层群众买得起、看得懂的文艺作品。要组织开展基层文艺人才培训服务，建立健全文艺发展基地，吸引更多的群众参与文艺活动，更好地发挥人民群众在文化建设中的主体作用。

四、履行职责，更加凝心聚力

文联是党和政府联系广大文艺工作者的桥梁纽带。随着市场经济体制不断完善、对外开放不断扩大，随着科技进步日新月异，文艺观念、文艺创作方式、文艺队伍构成发生深刻变化，文艺的生产、服务、传播、消费形式日益多样，这对文联和各艺术家协会工作提出了新的要求。文联工作要更加注重在全局中定位，紧紧围绕省委提出的要在科学发展道路上迈出更加坚实的步伐，率先全面建成更高水平小康社会，把江苏明天建设得更加美好的目标要求，始终坚持正确的政治方向和先进文化的前进方向，进一步把全省文艺工作者团结起来，力量凝聚起来，积极性调动起来。要强化服务意识，提高服务质量，注重在服务中尽责，多为文艺工作者办实事、办好事，多做加强交流、增进了解、化解矛盾的工作，使文联真正成为文艺工作者之家。要注意拓宽工作领域，加强与不同体制下文艺工作者的联系，把新的文化组织和自由职业者纳入工作范围。今天在座的各位委员，具有广泛代表性和社会影响力，在做好文联、协会工作方面，有着特殊优势，也有着更大责任。希望各位委员充分发挥表率作用，引领带动广大文艺工作者，共同开创江苏文艺事业繁荣发展的新局面。

同志们，时代在呼唤，人民在期待。我们一定要倍加珍惜党和人民创造的良好条件，倍加珍惜时代和社会赋予的难得机遇，以大团结大鼓劲促进大发展大繁荣，在省委领导下，与全省7 500万人民一道，为把江苏的明天建设得更加美好而努力奋斗！

特载（二）

江苏省文联机关在职领导简介

王慧芬,女,1953年4月生,汉族,江苏无锡人,中央党校研究生学历,一级艺术监督,1970年3月参加工作,1972年7月加入中国共产党。

1970年3月—1973年3月,无锡市电容器厂财务科会计;1973年3月—1976年12月,无锡市电仪局政工科专职团干部、政工科副科长;1976年12月—1977年9月,无锡市市级机关团总支书记;1977年9月—1978年1月,共青团无锡市委党组成员、组织部部长;1978年1月—1983年5月,共青团无锡市委副书记、党组副书记、市青联主席;1983年5月—1983年9月,共青团无锡市委书记、党组书记;1983年9月—1985年6月,江苏省委党校中青年干部培训班学习;1985年6月—1986年7月,无锡市南长区委副书记;1986年7月—1991年9月,无锡市南长区委书记、区人武部党委第一书记、区委党校校长;1991年9月—1994年7月,无锡市丝绸公司党委书记;1994年7月—1996年1月,无锡市文化局局长、党委委员;1996年1月—1998年8月,无锡市文化局局长、党委书记;1998年8月—2008年1月,江苏省文化厅副厅长、党组成员(2004年兼任江苏省文物局局长);2008年1月至今,江苏省文联党组书记、书记处第一书记、常务副主席。

中共江苏省第八次代表大会代表;江苏省第十一届人民代表大会代表。

言恭达,男,1948年2月生,江苏常熟人,本科学历,一级美术师,享受国务院特殊津贴专家。1968年10月参加工作,1992年12月加入中国民主促进会。

1968年10月—1975年9月,常熟县横泾公社潘洪大队插队知青;1975年9月—1980年1月,常熟县服装一厂设计员;1980年1月—1985年12月,常熟县(市)工艺美术研究所组长、副所长;1985年12月—1991年11月,常熟市书画院干部、副院长、院长;1991年11月—1993年2月,常熟市文化局副局长;1993年2月—1994年2月,常熟市政协副主席兼文史资料委员会主任;1994年2月—1998年12月,常熟市人大常委会副主任;1998年12月—2004年11月,江苏省书法家协会秘书长、副主席兼秘书长;2004年11月至今,江苏省文联书记处书记、副主席。

第十一届全国政协委员,中国书法家协会副主席,中国书法家协会篆刻委员会主任,南京大学兼职教授、硕士研究生导师,东南大学兼职教授、博士研究生导师。

杨企鹏,男,1958年1月生,江苏宜兴人,硕士研究生学历,一级艺术监督,1976年6月参加工作,1985年7月加入中国共产党。

1976年6月—1978年12月,南京栖霞区玄武湖公社知青农场插队,任民兵营长;1978年12月—1980年12月,南京师范大学物理系学生,任团支部书记;1980年12月—1982年11月,江苏省农科院遗传研究所工作人员;1982年11月—1992年9月,南京图书馆技术部副主任、办公室主任、南京图书馆副馆长;1992年9月—2001年9月,江苏省文化厅人事处副处长、人事处处长(1997年6月—2001年6月,南京理工大学经管院研究生);2001年9月—2008年1月,江苏艺术剧院、江苏省演艺集团有限公司党委书记;2008年1月至今,江苏省文联党组成员、书记处书记。

有关重要会议讲话

深入学习贯彻党的十七大精神
努力推动江苏文艺大发展大繁荣

——在江苏省文联七届五次全委会上的工作报告

（2008 年 2 月 25 日）

江苏省文联党组书记、常务副主席、书记处第一书记　王慧芬

江苏省文联七届五次全委会，是党的十七大之后省文联召开的第一次全委会，也是全体委员共商江苏文艺工作再上新台阶的重要会议。这次会议的主要任务是以邓小平理论和“三个代表”重要思想为指导，全面贯彻落实科学发展观，深入学习贯彻党的十七大精神和全省宣传思想工作会议精神，回顾去年工作，总结交流经验，表彰先进，研究部署 2008 年工作，团结带领广大文艺工作者，以实际行动更加自觉、更加主动地推进社会主义文化大发展大繁荣。现在，我受省文联主席团委托，向全委会作工作报告。

一、2007 年工作回顾

2007 年，省文联在省委、省政府的坚强领导下，认真学习贯彻党的十七大精神，按照七届四次全委会确定的目标，上下凝心聚力，卓有成效地开展工作。文艺创作取得丰硕成果，文艺品牌活动成绩显著，文艺队伍结构进一步优化，文联工作呈现出欣欣向荣的景象。

（一）围绕迎接宣传贯彻十七大，文艺工作呈现新气象

党的十七大召开前后，以学习贯彻党的十七大精神为主线，联络、协调、组织全省文联系统，以科学发展、共建和谐为主旋律，以欢乐、喜庆、祥和为主基调，以文化惠民为目的，积极组织文艺工作者深入基层，深入群众，开展丰富多彩的文艺活动，讴歌“全面达小康、建设新江苏”的新成就、新风貌。在全省文联系统遴选了 92 项重点活动，推出《盛世繁华——江苏省文艺界迎接庆祝党的十七大胜利召开文艺项目集锦》，先后召开“全省文艺界喜庆党的十七大胜利召开座谈会”等多层次的专题学习会议。通过学习，全省文艺工作者深刻领会了党的十七大精神，切实把思想统一到十七大精神上来，进一步增强了广大文艺工作者的使命感和责任感，各项工作呈现出蓬勃发展的新气象。

（二）“美在新江苏”系列采风创作、“五走进”文化为民服务活动有了新进展

深入开展“美在新江苏”采风创作和“五走进”文化为民服务活动。3 月 18 日，在南京市山西路市民广场举行启动仪式，省各文艺家协会、各省辖市文联的 29 个采风团接过团旗，分赴全省开展“社区之春”“和谐江苏 · 美好家园”采风行。举办“和谐社区”“共同的阳光”“手拉手共建和谐家园”惠民文艺演出，启动“三创之星风采录”系列征集评选活动，组织“美在新江苏”主题歌曲征集评奖等。省文联和各文艺家协会先后组织采风近 50 次，举办了 22 场文艺演出。如举办“映象鼓楼”摄影展；开展了“新农村新农民——江苏农村小康故事”电视作品征评系列活动，并选送 5 部作品参与“中国农村小康故事”电视专题片征评，获奖总量、奖次名列全国之首；举

办“送欢乐下基层”曲艺专场晚会;协同中国文联、中国影协举办“送欢乐下基层”慰问活动;协同中国舞协举办“2007 中国舞蹈名家”苏州采风活动;组织书画家赴南京军区、南京鼓楼社区、泗阳、通州等地,为部队指战员和群众创作书画作品 400 多件;组织知名艺术家赴厂矿举办了多场慰问演出;举办“江苏文艺校园行”系列活动。各市文联也积极响应,开展了形式多样的采风和惠民演出。南京市文联举办了“金陵五月风”大型文学艺术主题活动。苏州市文联举办了“美在新苏州、美在新农村”系列文艺活动;常州市文联开展了“文艺百花”系列活动;镇江市文联开展了“美在新镇江”采风创作和文化为民服务活动;南通市文联开展了“五月风”文艺展示系列活动;泰州市文联开展了“和谐城市·爱心泰州”主题系列活动;盐城市文联举办了“美在盐城·春天送你一首诗”活动;淮安市文联开展了“送欢乐下基层,促和谐树新风”系列文艺活动;宿迁市文联承办了“美在新江苏——走进意杨之乡”采风创作活动,等等,都受到了广泛好评。

为了总结展示“美在新江苏”年度创作成果,省文联精心组织“和谐江苏·美好家园”大型摄影图片展在全省巡回展出,举办了“美在新江苏”壁画展和《三创之星风采录》电视专题片获奖作品首发式。整个活动体现出主题鲜明、范围广泛、形式多样、群众参与性强等特点。

(三)积极推动文艺创作,文艺作品喜获丰收

2007 年,全省文艺工作者创作了一批思想性艺术性俱佳、深受群众喜爱的优秀作品,在包括全国“五个一工程”在内的 15 个全国性文学艺术奖项评选中都获得了可喜成绩。

我省在全国第十届精神文明建设“五个一工程”奖评比中名列全国第二,省文联获江苏省第六届精神文明建设“五个一工程”组织工作奖。在第二十三届中国戏剧“梅花奖”、中国戏剧节、全国小戏小品大赛中,我省均获第一;在第九届全国书法篆刻展中,我省获奖数均位居全国第一,入选数位居第二;在第八届中国民间文艺“山花奖”中,我省获奖总数名列全国第一;在第六届中国音乐“金钟奖”创作、表演、理论等各项评奖中,我省综合成绩在各省市中名列第二;在第八届中国摄影“金像奖”、第二十二届全国摄影艺术展、第十二届中国国际摄影艺术展中,我省获奖总数名列全国第三。省剧协、省音协、省书协、省摄协、省民协都获得了组织工作奖。另外在第二十六届电影“金鸡奖”、第六届中国文联文艺评论奖等评奖中,江苏也取得较好成绩。全年有 300 多人次在省级以上的各项赛事评选中获奖。为了鼓励文艺创作,省文联对优秀作品和创作人员给予奖励。2007 年嘉奖了中国文联所设的全国性文艺奖项获得者 44 名,奖励年度重点作品和重大活动 23 个,进一步调动了创作人员的积极性。

2007 年,我们重点加大对现实题材文艺创作关注的力度,举办了“江苏省现实题材电影、电视剧创作座谈会”,国内 80 余名专家学者就现实题材电影、电视剧创作成功经验以及江苏创作的现状、优势与趋势进行了深入的探讨与分析,并提出进一步优化资源配置,推动江苏现实题材电影、电视剧创作的建议与措施。省剧协、省曲协也举办了各种活动,推动现实题材的文艺创作。省评协以“批评的现状与对策”为题,召开了在宁中青年文艺评论家座谈会,强调文艺评论要关注现实主义创作,促进现实主义文艺创作的繁荣。

(四)提升文艺品牌的综合效应,为可持续发展打下坚实基础

去年,我们与中国文联和中国文艺家协会联手打造的国家级文艺品牌活动的影响力和综合效能进一步提升。《新华日报》刊文《国家级文化活动结缘江苏的背后》,对品牌活动频频结缘江苏发表了述评。

1. 成功举办了中国音乐“金钟奖”民乐比赛暨 2007 中国江苏二胡之乡民族音乐节。

经积极争取,从 2007 年起,“金钟奖”的民乐项目将长期落户江苏,每两年举办一次。2007 年举办了二胡、古筝比赛,赛事期间举办了“盛世金钟”“筝韵吐芳”“胡弓传奇”“香江风韵”以及闭

幕演出等多场音乐会，开办“民乐大师进校园”名家讲坛、“中国民族器乐创作研讨”高层论坛等活动。音乐节还设有苏州、徐州、扬州、江阴、太仓、高邮等6个分会场，活动取得了圆满成功。

2. **成功举办了“2007·中国百家金陵画展(中国画)”**。

画展包括三大活动：一是在江苏省美术馆举办作品展。共展出作品157幅，包括特邀名家作品37幅，2005、2006“中国百家金陵画展”荣获金奖的10幅国画和10幅油画作品。这些作品都体现了中国百家金陵画展弘扬现实主义艺术精神的创意主旨。二是在南京艺术学院举行高层论坛。三是分别在南京大学、东南大学等高等院校，邀请著名美术理论家举行“江苏文艺·名家讲坛”，与高校师生互动。

3. **成功举办第八届“山花奖”颁奖典礼**。

第八届“山花奖”颁奖典礼期间举办了一系列精彩纷呈的活动，包括“山花路”命名仪式、颁奖晚会、民间文艺名家讲坛、中华民间艺术绝技绝活展演、当代中国名家民俗风情书画邀请展、中国民间工艺精品展、“山花奖”纪念明信片和纪念封首发式、中国民间文艺山花博物馆(筹)揭牌仪式，以及同期举办的苏州市第7届民间艺术节等，充分体现了民间性、群众性和参与性，弘扬了民间优秀文化。

4. **举办庆祝中国人民解放军建军80周年主题活动**。

省文联与有关方面联合举办了庆祝建军80周年美术、书法作品展览、“烽火80年，党在我心中”全国征歌评奖、2007·江苏省曲艺家“五走进”送欢笑到军营、“当代江苏书画名家‘八·一’书画义拍——献给最可爱的人”大型慈善公益活动、“庆祝建军80周年扬州评话优秀书(曲)目雅集”等一系列活动。各市文联也以多种文艺形式开展庆祝活动，展现江苏军政军民紧密团结的鱼水深情，推动全社会“拥军爱民、共建长城”，促进了江苏和谐社会的建设。

2007年还开展了一系列重大文艺活动。省文联主办、省水彩画研究会承办了“当代国际水彩画资深名家精品邀请展”，参与承办了第七届中国国际民间艺术节，参与承办了在南通举行的第九届亚洲艺术节，促进了中外文艺交流。为纪念中国话剧百年诞辰，省剧协举行了“话剧与启蒙”高层论坛和10台经典剧目展演；省视协参与主办了“中国军事题材电视剧论坛”；省影协参与主办了“第二届中国同里电影论坛”；省文联委托签约创作的交响序曲《让历史告诉未来——南京大屠杀70周年祭》在厦门首演，引起轰动；省摄协参与举办了《母亲河的呼唤——郑云峰摄影展》；省书协参与举办了“纪念米芾逝世900周年全国名家书画作品邀请展暨学术研讨会”，等等。各市文联都举办了丰富多彩的具有地域特色的大型文艺活动。无锡市文联承办了“2007·中国吴文化节”的惠山民俗文化庙会暨吴地非物质文化遗产展示活动，扬州市文联举办了纪念欧阳修诞辰1 000周年系列活动，徐州市文联举办了纪念李可染诞辰100周年系列活动，连云港市文联参与承办了“我们的奥运·微笑连云港”活动等，都引起了很好的反响。

(五)大力开展调查研究，积极探索职能拓展

去年省文联加大了调研的力度，为全面推进基层文联建设，组织了对县区、企业文联建设情况的专题调研。围绕文艺类人民团体接受政府文化管理职能转移的基本情况及存在的主要问题、人民团体承接政府职能转移后如何加强和改进自身建设等课题，组织力量进行调研，形成的调研成果，在省委宣传部组织的调研成果评比中获奖。

在开展调研的同时，对职能的拓展积极探索，把新时期文联职能拓展与延伸落到实处。省动漫艺术协会主办了“2007首届江苏动漫旅游节”，为广大动漫迷举办了一个盛大的“嘉年华”，为学术界和企业界提供了交流平台，对江苏动漫产业的持续发展起到了促进作用。我们还积极推进维护文艺工作者权益的工作，加强维权意识，健全维权机构，受理维权案件，更好地为文艺工作者服务。

(六)加强文艺队伍建设,形成人才辈出的良好氛围

1.评选表彰第二届江苏省中青年德艺双馨文艺工作者。

按照胡总书记提出的"讴歌时代、贴近人民、继承创新、德艺双馨"的要求,开展了第二届江苏省中青年德艺双馨文艺工作者评选,授予王建伟等14名同志"江苏省中青年德艺双馨文艺工作者"称号,进一步推动了文艺界崇德尚艺良好风气的形成。

2.举办学习班、培训班,提高文艺队伍素质。

为进一步加强我省文艺队伍建设,提高文艺工作者的思想道德和文化艺术素质,我们先后举办了江苏省第十一期文艺家读书班,举行了"学习胡总书记讲话,做德艺双馨文艺工作者座谈会"。省剧协还举办了江苏省第十七期知名演员暑期读书班。

3.举办江苏省第一届"莲花奖"青年舞蹈演员大赛,推出30名舞蹈优秀人才。

为了发现、培养优秀舞蹈人才,并与中国舞蹈"荷花奖"对接,我们在去年设立了江苏舞蹈"莲花奖",并举行了首次评奖。来自全省25个代表队、156位青年舞蹈演员参赛,评选出"江苏优秀青年舞蹈家""江苏舞蹈新星""江苏舞蹈新秀"各10名。

4.举办跟踪培养优秀青年书画家系列活动。

在2006年推出60名优秀青年书画家基础上,"2007江苏省优秀青年国画家、书法(篆刻)家读书班暨作品(香港)展系列活动"分别在东南大学和香港展览中心举行。系列活动开创了人才培养的新模式,展示了江苏传统文化的深厚底蕴,同时也开阔了青年艺术家们的眼界。

5.多渠道推荐优秀文艺人才。

在全省文艺界范围内,推荐2007年省"五个一批"人才15名;向省"333人才工程"推荐人才3名,其中2名入选省首批中青年学术带头人;推荐第二届全国德艺双馨文艺工作者评选候选人4名,其中1名获全国德艺双馨文艺工作者称号;推荐全省优秀宣传思想工作者1名。

6.开展多层次的青少年文艺活动。

大型活动部承办了省未成年人"七彩的夏日"摄影图片大赛,展出150余幅反映我省未成年人七彩斑斓暑期生活的图片。书画、音乐、舞蹈考级工作稳步推进。全国推新人大赛我省成绩名列前茅。第三届中国戏曲"红梅奖"大赛、第十届中国少儿戏曲"小梅花"大赛,我省成绩斐然,省剧协获得两个大赛的优秀组织奖。

(七)加强自身建设,增强文联工作活力

1.切实加强协会换届工作。

2007年对有关协会换届做了大量的前期准备,对代表、理事建议人选进行酝酿,对领导机构人选进行民主推荐、民主测评。通过精心筹备,省音协第五次会员代表大会在南京隆重举行。这是省音协自1994年第四次音代会以来、也是进入新世纪以来的首次会员代表大会,经过严密认真组织,大会取得了圆满成功。

2.拓宽对外交流渠道。

在继续巩固已有对外文艺交流成果的同时,加强了与省外办、外经委、国际文化交流中心的沟通、联络和合作力度,组织实施"中华文化走出去战略",联手打造对外文化交流平台。去年,组织出访加拿大、英国、法国、美国等11个国家和地区,进行曲艺、书法、美术、电视艺术交流活动,同时接待了4批文化交流团队。举行了纪念中日恢复邦交35周年音乐艺术交流表演和插花艺术展览。举办了中韩美术摄影建筑艺术国际交流展等。通过互访与交流,既拓宽了文艺家的视野,又增进了中外文艺家的友谊,为繁荣发展中外优秀文化起到了积极的促进作用。

3.加强信息工作。

去年召开了《繁荣》和江苏文学艺术网通联工作会议,加强了全省文联系统的信息沟通。全年共出版《繁荣》工作通讯13期,江苏文学艺术网共发布文艺图文信息5 700余条(幅)。《歌迷大世界》杂志继续保持"一级期刊"和"全国百家期刊阅览室"共建单位称号,并在苏州建立了创作基地。《乡土》杂志也在稳定发展中寻找新的生长点。

2007年所取得的成绩，是省委、省政府正确领导、高度重视的结果，是省委宣传部和中国文联有力指导、亲切关怀的结果，是各有关部门大力支持、社会各界广泛参与的结果，也是各位委员和全省文艺工作者团结协作、共同努力的结果。在此，我代表省文联党组、书记处向各位委员和同志们表示衷心的感谢，致以崇高的敬意！

在充分肯定成绩的同时，也要清醒地看到，我们的工作还存在一些与形势不相适应的地方，与省委、省政府的要求，与文艺界和人民群众对我们寄予的期望还存在差距。比如：对文联职能拓展的力度还不够大，调研与课题研究还不够深入，文化惠民活动还不够扎实，服务文艺家的质量和水平还有待于进一步提高，等等。这些问题有待于在今后的工作中认真研究和解决。

二、2008年的工作任务

2008年是全面贯彻落实党的十七大精神的第一年，是改革开放30周年，北京奥运会的举办之年，也是推进文化大发展大繁荣、兴起社会主义文化建设新高潮的开局之年。在新的一年里，我们结合贯彻落实全省宣传思想工作会议精神以及中国文联八届三次全委会精神，确定省文联工作的总体要求是：全面贯彻落实党的十七大精神，高举旗帜、围绕大局、服务人民、改革创新，以繁荣先进文化、建设和谐文化为主题，以建设"文化事业强、文化产业强、文化人才队伍强"为目标，以满足人民群众精神文化生活需求为根本，以深化文化体制改革和文化创新为动力，认真履行联络、协调、服务的基本职能，充分发挥组织、引导、服务和维权作用，团结动员广大文艺工作者，为实现江苏由文化大省向文化强省的跨越作出新的贡献。

根据这个总体要求，今年要着力做好以下六个方面的工作：

（一）深入学习贯彻十七大精神，更加自觉更加主动地担负起推动社会主义文化大发展大繁荣的神圣使命

深入学习贯彻十七大精神，是各级文联和全省文艺界当前和今后一个时期的首要政治任务。我们要把学习宣传贯彻党的十七大精神贯穿全年各项工作的始终。通过举办报告会、专题研讨会、座谈会、培训班等多种形式，组织广大文艺工作者，深入学习领会党的十七大精神，要重点在举什么旗帜、走什么路这个根本问题上统一思想，凝聚力量，最大限度地把广大文艺工作者团结在中国特色社会主义伟大旗帜下，坚定不移地走中国特色社会主义道路。要深刻理解科学发展观是我国经济社会发展的重要指导方针，着力转变不适应、不符合科学发展观的思想观念，着力解决影响制约科学发展、和谐发展的突出问题。尤其要加深理解、认真落实党的十七大提出的推动文化大发展大繁荣，兴起社会主义文化建设新高潮的新要求，自觉把思想和行动统一到十七大精神上来，把智慧和力量凝聚到实现党的十七大确定的各项任务上来。更加坚定地高举旗帜，更加自觉地围绕大局，更加主动地服务人民，更加积极地改革创新，进一步增强在新的历史起点上开创江苏文艺事业新局面的责任感和使命感。

要紧密联系江苏文艺界和文联工作实际，坚持学以致用、用以促学，围绕"我省在文化强省建设中亟须解决的文艺问题及对策"，从文化事业、文化人才队伍、文化产业三个方面设计课题，扎实做好调研工作，为推动江苏文化强省建设提出建设性意见，为党委、政府的决策提供依据。

（二）围绕大局，服务人民，更加自觉更加主动地投身"全面达小康、建设新江苏"的伟大实践

围绕大局，服务人民，动员组织全省文艺工作者深入实际、深入生活、深入群众，运用多种艺术形式和丰富多彩的文艺作品与服务，促进全社会形成共同理想和良好风尚，为江苏的繁荣发展提供智力支持和精神动力。

1.深入开展"美在新江苏"采风创作系列活动，讴歌人民的伟大创造。

组织开展"和睦社区""和谐江苏""魅力家园"采风创作系列活动，举办"中国文艺名家江苏

行”、“中国百名摄影家看江苏”摄影采风创作活动、“中国书法进万家——全国著名书法家走进阳澄湖”采风创作活动以及“和谐之旅·小康之路”综合性采风创作活动。举办第四届“美在新江苏”采风创作成果展。

2. **不断深化文化惠民服务活动，更好地保障人民群众的文化权益。**

进一步增强文艺为基层服务、为社会服务、为人民服务的观念，努力让优秀的文艺成果普惠于民。继续巩固已建立的文艺为民服务点，建立文艺惠民的长效机制。重点组织开展基层文艺人才培训服务，为乡镇、社区培训文艺骨干。组织开展“送欢乐下基层”活动，文艺家面向基层“五走进”文化惠民活动，重点举办江苏省百名文艺家百场演出活动。办好第三届长江流域戏剧节、“莲花奖”获奖演员巡回演出、“手拉手·共建和谐家园——计生文化乡村行”等活动。采取多种方式，吸引更多的群众参与摄影、戏曲、舞蹈、书画、收藏等文化活动，不断满足人民群众日益增长的精神文化需求。

3. **积极开展大型主题文艺活动，唱响时代发展和社会进步的主旋律。**

重点以文艺的形式赞颂改革开放 30 年来江苏大地发生的翻天覆地的巨大变化和辉煌成就，讴歌江苏人民的伟大创造和丰功伟绩。精心组织创作一批歌颂党、歌颂祖国、歌颂社会主义、歌颂改革开放的优秀文艺作品，精心组织实施专题文艺展演、展映、展览、展示活动。精心策划举办“江苏辉煌巨变——纪念改革开放 30 年大型纪实摄影巡回展”。抓住举办奥运会的契机，结合开展“奥运情·翰墨缘——江苏省著名书画家作品捐赠活动”、“奥运情——全国书法篆刻名家作品赠送仪式”等活动，倡导奥运精神，为奥运增光添彩。结合重大节庆、民族传统节日和重要纪念日，积极开展丰富多彩、形式多样的文化活动。筹划举办江苏省首届中秋民俗节。

4. **进一步扩大对外文化交流，努力增强江苏文化对外吸引力和影响力。**

深入推进“江苏文化走出去”，加强与国外政府和民间文化组织的合作，策划对外文化交流项目，加强中日、中韩文艺交流。参与办好第三十一届国际戏剧节，促进中外戏剧交流，推动江苏戏剧的繁荣发展。积极宣传江苏特色文化，展示江苏优秀传统文化的魅力，进一步促进江苏文化与世界文化的交融，增强江苏文化的国际影响力。

（三）扎实推进文艺精品工程，努力创作一批反映现实生活、群众喜闻乐见的优秀文艺作品

把握时代特征和群众审美需求，更加主动地推动艺术创新。积极适应现代科技手段、传播渠道的新变化，掌握人民群众精神文化需求多层次、多样化的新特点，研究文化消费选择性、差异性日益增强的新情况，拓展创作内容，丰富表现形式，不断增强作品的艺术感染力，努力创作一批融思想性、艺术性和观赏性为一体的文艺精品，力争在第二届中国戏剧奖、第二十九届大众电影“百花奖”、第五届中国曲艺“牡丹奖”、第六届中国舞蹈“荷花奖”、第九届中国民间文艺“山花奖”、第七届中国杂技“金菊奖”、第二十四届中国电视“金鹰奖”等全国性文艺奖项和华东六省一市青年舞蹈演员大赛中取得优异成绩。

1. **遵循艺术规律，坚持植根生活，建立采风创作的长效机制。**

引导文艺家关注时代，关心现实，关怀民生，关爱自然。为文艺家深入生活提供个性化服务。积极与相关单位、部门合作，有计划有步骤地建立富有地方特色的采风创作基地。在此基础上，论证筹建江苏省文艺家创作中心。逐步建立文艺家深入生活采风创作的长效机制。

2. **完善创作生产的激励机制，激发文艺家的创作热情。**

省委已经决定设立全省文化领域的最高荣誉奖——“紫金文化奖章”，表彰在文学艺术、新闻出版、社科理论、文化产业等方面卓有建树的优秀人才，让那些为江苏文化发展作出突出贡献的人才得到社会的广泛赞誉和高度尊重。根据各艺术门类自身特点，对应中国文联所设文艺奖项，分别设立江苏文艺专业奖项。重点抓好第二

届江苏曲艺“芦花奖”评奖及颁奖晚会、第五届江苏摄影“金瞬奖”评奖、第二十四届江苏电视“金凤凰奖”评奖、第五届小戏小品大赛、2008“春满江苏”暨江苏音乐“茉莉花奖”少儿歌曲作品评奖、江苏省少儿舞蹈大赛等。进一步完善创作生产机制，通过签约等形式扶持重大题材、重点作品的创作生产。嘉奖全省年度获国家级奖项的优秀文艺作品，进一步做好获奖作品的宣传推介工作，发挥其示范导向作用。

3. 加强创作研究，推出文艺精品。

召开不同艺术门类、不同层次的艺术创作座谈会和不同范围的综合与专题相结合的创作研讨会。研究落实“十一五”规划创作任务和年度创作重点。加强创作选题的策划与论证，进一步明确创作方向，提升作品质量。重点组织创作力量，围绕庆祝建国 60 周年、建党 90 周年进行主题创作。继续承办第三届“中国同里电影论坛”。

（四）加强队伍建设，努力培养造就一批德艺双馨的文艺人才

1. 加强跟踪培养，造就拔尖人才。

坚持德艺双馨标准，以专业业绩为依据，以品德修养、知识结构、能力水平等综合因素为评价内容，进一步完善人才的评价、选拔和激励机制，坚持科学标准，规范评选程序，按照客观、公平、公正、公开的原则，开展优秀青年人才的评选，并加大跟踪培训、培养的力度，在文艺界营造争先创优的良好氛围。对两届中青年德艺双馨文艺工作者进行跟踪培养和服务，充分发挥示范作用，为培养造就一批文艺名家和领军人物创造有利条件。同时，利用各种形式、各种渠道和各种传媒，有计划、有步骤地对各文艺门类的艺术名家和优秀中青年文艺家进行宣传推介，不断扩大优秀文艺人才的影响力和知名度，逐步把江苏优秀的文艺人才推向全国、推向世界。

2. 加强分层培训，积蓄发展后劲。

依据不同艺术门类的特点，对创作、研究、管理、经营等方面的人才进行不同层次、不同方式的培训、培养，为不同层次的优秀人才提供机会与条件。重点举办第 12 期全省文艺家暨第 18 期知名演员读书班，举办“江苏文艺·名家讲坛”系列讲座。办好品牌活动的“高层论坛”、文联及协会工作创新理论研讨班等，有计划地为中青年文艺人才提升艺术素养创造良好的条件。

3. 加强人才信息管理，提高人才资源效益。

进一步加强文艺队伍基础建设，组织力量对江苏文艺人才状况进行调研。进一步建立和完善江苏省文艺人才信息库、文艺咨询专家库。通过文艺人才资源的整合和科学管理，实现文艺人才资源效益最大化。

4. 加强资源整合，优化人才结构。

通过与艺术院校合作举办品牌活动、重点活动，开展高层论坛、研讨会，聘请全国名家教课授艺等方式，提升江苏文艺活动的学术水准和江苏艺术高等教育的质量。同时，着眼江苏文艺的协调发展，以签约、兼职、聘请等多种方式，积极推动相对薄弱艺术门类拔尖人才引进计划，进一步优化江苏文艺人才结构。

（五）深入推进文艺品牌工程，精心组织实施好重大文艺活动

继续打造富有江苏特色、面向全国和世界的文艺品牌，以全国和国际的眼光，进一步提高活动的质量和品位。充分运用各种现代传媒，加大宣传力度，进一步提高活动的知名度和影响力。

1. 举办第五届中国曲艺“牡丹奖”颁奖系列活动。

组织中国曲艺江苏论坛、江苏文艺名家讲坛、“牡丹奖”获奖节目为民服务演出等系列活动。大力推进江苏曲艺精品创作，进一步提升江苏曲艺原创水平，再创江苏曲艺新辉煌。加强活动的组织领导，认真实施到位，确保活动的高品位、高规格、高质量。

2. 举办“2008 中国百家金陵画展（油画）”。

继续弘扬现实主义精神，举办以“数风流人物”为主题的“2008 中国百家金陵画展（油画）”。不断提高画展作品质量，提升策划展览水平和展览效果，加大画展的宣传力度，增强画展品牌的辐射力。

3. 联合举办“林散之奖·书法双年展”。

着力打造高水准的书法品牌,从而使江苏成为引导当代书法创作的重地。

(六)强化自身建设,努力营造文艺活力竞相迸发、文艺成果充分涌流的良好环境

以拓展服务职能,提供优质服务为目标,进一步推进学习型、服务型、创新型的和谐文联建设,为江苏文艺的大发展大繁荣营造良好的生态环境。

1. 进一步优化机制,激发创造活力。

充分认识新形势、新任务对文联自身建设提出的新要求,探索适应社会主义市场经济体制、符合文艺发展规律和人民团体特点的管理体制、运行机制、组织形式、活动方式。研究探索加强行业服务、行业管理、行业自律的新途径、新机制、新手段,更好地发挥文艺团体的独特优势和职能作用。加强文联机关干部队伍建设,健全以品德、能力和业绩为重点的人才评价和选拔任用机制,重视后备人才培养。加大干部培训、交流、轮岗力度。加强协会建设,积极稳妥地做好协会换届工作,进一步激发协会工作活力。

2. 进一步优化服务,营造和谐氛围。

积极为文艺家提供多种形式的服务,倾听意见,反映诉求,提供信息,组织深入生活,加大宣传推介,扩大内外交流,为艺术家和广大会员争取更大的展示平台和发展空间。进一步发挥文艺家权益保障委员会的作用,履行好维权职责,维护文艺家的著作权、知识产权。做好江苏文学艺术网的升级改版工作,办好《繁荣》工作通讯和《歌迷大世界》、《乡土》杂志。抓紧文联机关移迁新址的工作,以更好的条件为文艺家提供优质服务。

3. 进一步优化资源配置,形成整体合力。

注重整合文联系统资源,发挥文联优势,推动基层文联建设。召开基层文联工作座谈会,探讨文联事业发展的新空间。进一步加强省、市、县(区)三级文联的联动,展现文联整体合力,带动市、县(区)文联整体发展。对企业、产业文联建设情况进行调研,筹建产业文联,扩大文联系统覆盖面和影响力。加快筹建“刘天华民族音乐基金会”。积极争取政府支持,利用社会资源,进一步促进文联事业的大发展大繁荣。

三、做好今年工作需要强化的六种意识

文联是党和政府联系文艺工作者的桥梁和纽带,在团结广大文艺工作者、推动社会主义先进文化建设中担负着重大责任。要全面完成今年的各项任务,必须强化六种意识:

1. 要进一步强化使命意识,努力增强责任感和紧迫感。

党的十七大提出的推动社会主义文化大发展大繁荣,兴起社会主义文化建设新高潮的战略部署,是时代和历史赋予我们的庄严使命。现在文艺工作和文联工作面临难得的历史机遇,每一个文艺工作者必须增强时代的责任感和使命感,牢固确立有作为才有地位的观念,反对无所作为的思想。要本着对党的事业高度负责、对人民群众高度负责的精神,抓住机遇,乘势而上,开拓进取,奋发有为,尽职尽力地开拓江苏文艺事业的新局面。

2. 要进一步强化创新意识,努力保持文艺发展的蓬勃生机。

文化是最需要创新的领域,只有把握时代脉搏、反映时代精神、贴近现实生活、引领人民思想的文化,才能始终赢得人民,才能始终成为社会进步的先导。要进一步倡导改革创新的精神,反对因循守旧的思想。要牢固树立与时代要求相适应、与实践发展相符合、与人民呼声相一致的创新意识,把创新作为开拓文联事业的前进动力。要大力推进理论创新、机制创新,以及文艺观念、内容、风格、流派的创新,使文艺工作者的创新精神和创造活力竞相迸发、充分涌流,不断增强文艺作品的吸引力、感染力和江苏文化的竞争力、影响力。充分调动广大文艺工作者、文化经营管理人员推进文化产业发展的积极性,以创新的思维培育和发展文化产业,积极发挥资源优势,提高“两个效益”。

3. 要进一步强化服务意识，努力提升服务的质量和水平。

坚持以人为本，积极探索服务文艺工作者的途径和办法，最大限度地为他们提供优质服务。要关心文艺工作者特别是知名老艺术家的工作与生活，努力在创作经费、成就展示、艺术传承等方面为他们做好事、办实事、解难事，为文艺工作者施展才华创造良好的环境和条件。要积极借鉴其他人民团体的成功做法和有益经验，努力扩大服务范围，拓宽服务渠道，改进服务方式，增强服务本领，提升服务水平，真正把文联建成广大文艺工作者的“温馨和谐之家”。

4. 要进一步强化团结意识，努力形成融洽和谐的良好氛围。

要提倡文人互勉，反对文人相轻，提倡相互学习，反对门户之见。不同艺术门类、不同艺术流派、不同年龄阶段的文艺工作者都要相互尊重、相互支持、取长补短、共同进步。要多做沟通交流、增进了解、化解矛盾的工作，调动一切积极因素，团结一切可以团结的力量，形成团结和谐的良好氛围和工作环境，使广大文艺工作者更好地专心致志搞创作，心情舒畅干事业，同心同德促繁荣。

5. 要进一步强化品牌意识，努力提高打造文艺精品的能力。

要充分发挥江苏文艺门类齐全、文艺资源丰富、文艺人才荟萃的优势，从实际出发，统筹规划，突出重点，在继续着力打造已有知名品牌的同时，努力寻求新的生长点，创建一批立得住、叫得响、传得开、留得下的文艺新品牌，使之成为时代的文化标识和可长久利用的文化资源。

6. 要进一步强化形象意识，努力塑造文联的良好形象。

要珍惜文联发展的大好形势和难得的历史机遇，自觉维护良好的社会形象。结合省级机关开展的机关作风建设万人评议活动，更加自觉地加强文联自身思想作风、学风、工作作风、领导作风和生活作风建设，始终保持昂扬向上的精神状态，顽强拼搏，努力创造一流的工作业绩。进一步提升文联的知名度和美誉度，让党和政府放心、让文艺工作者满意、让人民群众高兴。

同志们，2008年工作即将全面展开，任务繁重而艰巨。让我们在党的十七大精神指引下，在江苏省委、省政府的领导下，团结广大文艺工作者，以高度的政治责任感、良好的精神状态和扎实的工作作风，同心同德，开拓进取，求真务实，携手奋进，更加自觉更加主动地投身建设文化强省、推动文化大发展大繁荣的伟大实践，为又好又快全面建设更高水平的小康社会，把江苏的明天建设得更加美好作出新的更大的贡献！

在江苏省文联深入开展学习实践科学发展观活动动员大会上的讲话

(2008年4月28日)

王慧芬

按照省委的统一部署,今天我们召开深入学习实践科学发展观活动动员大会,对省文联开展学习实践活动进行部署,统一思想认识,明确目标任务、方法步骤和工作要求,扎实推进实践活动深入开展,确保取得实实在在成效。

在全党开展深入学习实践科学发展观活动,是党的十七大作出的重大战略部署。胡锦涛总书记强调,要在全党开展深入学习实践科学发展观活动,推动广大党员干部深刻理解和全面把握科学发展观的科学内涵、精神实质和根本要求,增强贯彻落实科学发展观的自觉性和坚定性,着力转变不适应不符合科学发展观的思想观念,着力解决影响和制约科学发展的突出问题,把全社会的发展积极性引导到科学发展上来,把科学发展观贯彻落实到经济社会发展的各个方面。中央决定把江苏作为东部沿海地区的试点省份。4月3日,省委召开了深入学习实践科学发展观活动试点工作动员大会,对省级领导班子和省级机关开展学习实践活动进行了部署。省委梁保华书记在大会上作了重要讲话,对开展学习实践活动提出明确要求。按照省委部署,我们及时传达学习了省委的动员会议精神,研究成立了省文联学习实践科学发展观活动领导小组和工作班子。党组、书记处召开会议,专题研究制定了《省文联深入学习实践科学发展观活动方案》。根据党组、书记处讨论研究的意见,下面我就省文联如何开展学习实践活动谈四点意见。

一、统一思想认识,切实增强开展学习实践活动的自觉性和责任感

开展深入学习实践科学发展观活动,不仅是中央和省委的部署和要求,而且也是省文联实现科学发展、和谐发展的内在需要和难得机遇。因此,我们要充分认识开展学习实践活动的重要性、必要性,把思想统一到中央和省委的要求上来,以高度政治责任感抓好学习实践活动,以高标准的工作质量为全国的试点工作做出积极的贡献。

根据十七大的战略部署和胡锦涛总书记对江苏工作的新要求,省委研究决定,把"推动科学发展,建设美好江苏"作为这次学习实践活动的主题。我们要紧紧围绕这个主题,把开展学习实践活动与贯彻落实党的十七大精神结合起来,与落实省委宣传思想工作会议和省文联七届五次全委会精神结合起来,与投身建设文化强省的生动实践结合起来,充分认识深入开展学习实践活动的重大意义,进一步增强参加这一活动的自觉性和积极性。

1.开展学习实践活动,是全面贯彻落实十七大精神的重大举措。

科学发展观是马克思主义中国化的最新成果,是我国经济社会发展的重要指导方针,是发展中国特色社会主义必须坚持和贯彻的重大战略思想。十七大报告对科学发展观进行了全面、深刻、鲜明的论述,把马克思主义关于发展的理

论提升到了新的境界。贯彻落实十七大精神，最重要的，就是要认真学习、深刻理解和全面把握科学发展观的科学内涵、精神实质和根本要求，用科学发展观武装头脑、指导实践、推动工作。开展学习实践活动，就是运用我们党坚持经常性教育同适当的集中教育相结合的重要经验，把学习贯彻科学发展观不断引向深入，把先进的思想理论转化为强大的精神动力和物质力量，把科学发展观转化为推动江苏文艺发展的实际能力，奋力开拓江苏文艺科学发展的新局面。

2.**开展学习实践活动，是加强党的执政能力和先进性建设的必然要求**。

我们党是中国特色社会主义事业的坚强领导核心。建设和发展中国特色社会主义，要靠党的先进性来引领，要靠不断提高执政能力来推进。科学发展观丰富了党的执政理念，赋予党的先进性以新的时代内涵，对提高党的执政能力提出了更高的要求。加强党的执政能力和先进性建设，一个十分重要的内容，就是要不断增强各级党组织和党员领导干部领导科学发展的能力。近年来，科学发展观深入人心，科学发展的导向更加鲜明，成效更加明显。同时也要看到，在我们的工作中还存在不适应不符合科学发展观的思想观念，推进科学发展的思路不够宽，科学发展的能力不够强。开展学习实践活动，就是要进一步促进我们真正学会运用科学发展观分析和解决实际问题，自觉遵循和运用客观规律办事，努力提高科学发展的能力和水平，更好地担负起推动科学发展、促进文艺繁荣的历史重任。

3.**开展学习实践活动，是在科学发展的道路上推进"两个率先"的迫切需要**。

江苏在新阶段实现新发展，加快推进"两个率先"既面临难得的新机遇，也面临国际国内经济环境不确定因素明显增多、资源环境约束日益加剧、深层次体制障碍和社会矛盾凸显等新挑战，面临服务业发展明显滞后、自主创新能力相对不强、城乡和区域发展差距仍然较大等新难题。这就要求我们深入学习实践科学发展观，按照科学发展观的要求，大力推动新的思想解放，清醒认识存在的差距和不足，不为过去的成绩而自满；清醒认识面临的挑战和难题，不为既有的经验所束缚；清醒认识发展阶段的变化和特征，不为传统的模式所局限；清醒认识江苏在世界发展大格局中的方位和水平，不为目前的小富而停滞。我们要紧紧抓住并充分用好开展学习实践活动试点这一机遇，增强贯彻落实科学发展观的自觉性和坚定性，真正用科学发展观指导发展实践、解决发展难题、检验发展成效，为又好又快推进"两个率先"提供思想动力和体制机制保障。

4.**开展学习实践活动，是推动江苏文化强省建设的客观需要**。

当前，省委提出的建设"文化事业强、文化产业强、文化人才队伍强"的文化强省目标，需要我们以科学发展观为指导，分析研究江苏文化建设的形势，查找影响文化建设的瓶颈问题，整合文化发展的资源，提升文化建设的效益。通过学习实践活动，进一步加深理解、认真落实党的十七大提出的推动文化大发展大繁荣，兴起社会主义文化建设新高潮的要求，自觉把思想和行动统一到十七大精神上来，把智慧和力量凝聚到实现党的十七大确定的各项任务上来，更加坚定地高举旗帜，更加自觉地围绕大局，更加主动地服务人民，更加积极地改革创新，进一步转变工作作风，提高服务效能，狠抓工作落实，进一步增强在新的历史起点上开创江苏文艺事业新局面的责任感和使命感。

开展深入学习实践科学发展观活动，事关全省经济社会发展的全局、事关江苏文艺的长远发展。我们一定要从政治的高度、战略的高度、全局的高度，把学习实践活动摆到突出位置，切实做好各项工作，为建设江苏美好的明天而奋发有为。

二、明确目标任务，扎实推进学习实践活动

根据省委要求，结合省文联实际，党组、书记处制定了《省文联深入学习实践科学发展观活动方案》。《方案》对学习实践活动的指导思想、基本原则、方法步骤都提出了明确要求，各单位务必要认真贯彻落实。

第一,牢牢把握实践活动的指导思想。全面贯彻党的十七大精神,高举中国特色社会主义伟大旗帜,围绕省委确定的"推动科学发展、建设美好江苏"这个主题,以处以上领导班子和党员领导干部为重点,认真学习实践科学发展观,以邓小平理论和"三个代表"重要思想为指导,以建设"文化事业强、文化产业强、文化人才队伍强"为目标,坚持把"围绕中心、服务大局"作为文联履行职能的第一要务。认真学习实践科学发展观,增强贯彻落实科学发展观的自觉性和坚定性,转变不适应不符合科学发展观的思想观念,解决影响文联职能发挥和自身建设中的突出问题,着力构建有利于科学发展的体制机制,切实推动省文联各项事业的科学发展,为加快江苏从文化大省向文化强省迈进做出应有的贡献。

第二,明确学习实践活动的目标和任务。学习突出解放思想,实践突出改革创新,努力达到思想更加统一、行动更加自觉、机制更加完善、发展更加协调、成效更加显著,使学习实践活动取得实效。

1.**要在解放思想上取得新飞跃**。

按照贯彻落实科学发展观的要求,充分认清当前省文联面临的新形势、新任务,深刻分析省文联发展存在的差距与潜力,不为过去的成绩而自满,不为既有的经验所束缚,不为传统的模式所局限,在新的起点上实现新的思想解放和思想统一。

2.**要在提升能力上取得新进步**。

着力提高善于学习、开拓创新的能力,调查研究、解决问题的能力,增进团结、合作共事的能力,繁荣创作、文化惠民的能力,协调关系、促进和谐的能力,认真研究解决影响和制约省文联科学发展的体制机制问题,用发展的眼光和创新的思维推动文联工作,切实发挥省文联在建设先进文化中的积极作用。

3.**要在推动发展上取得新成效**。

充分发挥省文联文艺人才荟萃的优势,立足我省优质文艺资源,打造江苏文艺品牌。针对文化大省建设过程中面临的突出矛盾以及人民群众关心的文化发展方面的热点难点问题,深入开展调查研究,积极提出意见建议,为省委、省政府有关决策提供依据和参考。积极探索省文联建设"三强"的新途径、新方法,努力寻求新的工作亮点,创建出具有时代特点、江苏特色的文化标识和永续利用的文化资源。

4.**要在履行文联职能上取得新突破**。

进一步唱响时代发展和社会进步的主旋律,用文艺的形式赞颂改革开放的大好形势,鼓舞人民斗志,凝聚各界力量;进一步开展文化惠民服务活动,更好地保障人民群众的文化权益;进一步加强县市基层文联建设和产业文联建设,整合系统资源,发挥文联优势,夯实江苏文化大发展大繁荣的群众基础;进一步扩大对外文化交流,大力展示江苏文化的风采,增强江苏文化对外吸引力和影响力;进一步加强省文联机关作风建设,努力树立起风正气清、高效运转、干大事、谋发展的良好氛围。要大胆实践,勇于创新,把握规律性,富于创造性,制定相关制度和措施,使文联履行职能的各项工作更能体现时代性。

第三,扎实有序地推进学习实践活动。根据省委要求,学习实践活动从2008年4月底开始,8月份结束,集中活动时间不少于3个月,每个阶段分别制定具体实施办法。在认真搞好思想发动的基础上,按照集中学习、调查研究,对照检查、分析问题,解决问题、完善制度三个阶段,精心组织,周密部署。坚持边学习、边调研、边整改,把解放思想、统一认识贯穿始终,把改革创新贯穿始终,把解决问题贯穿始终。为切实解决存在问题,每一阶段都要形成阶段性成果,通过滚动推进,累积取得最后成果。

1.**集中学习、调查研究阶段(1个月左右)**。

本阶段的工作重点是解放思想、统一认识、找准问题。4月28日召开省文联机关全体人员参加的"学习实践科学发展观活动"动员大会,由党组、书记处主要负责同志作动员报告。动员大会后,以党支部为单位,组织党员特别是党员领导干部认真学习十七大精神和胡锦涛总书记对江苏工作提出的新要求,精读《毛泽东邓小平江泽民论科学发展》《科学发展观重要论述摘编》等学习资料。以纪念改革开放30周年为契机,组织省文联机关全体人员开展以“深入思想解放、推动科学发展”为题的大讨论活动。5月上旬组织一场报告会，请专家为省文联机关全体人员深入学习科学发展观进行专题辅导。党组理论学习中心组集中学习3次；老干部党支部集中学习2次，其他各党支部集中学习不少于5次，每次半天。各支部在组织学习的过程中，要努力做到学习的时间、内容、人员、效果四落实。要全面把握、深刻理解科学发展观的重大意义、科学内涵、精神实质和根本要求，要切实增强贯彻落实科学发展观的自觉性和坚定性。

党组、书记处成员将围绕“统一认识、提高能力、解决问题、创新机制”的目标，结合各自分工，着重对“江苏在建设文化大省过程中亟待解决的文艺问题及对策”（王慧芬同志负责，创研部牵头）、“当前江苏文艺人才队伍建设方面存在的问题及对策”（王慧芬同志负责，人事部牵头）、“如何在继承与创新中繁荣江苏文艺创作”（言恭达同志负责，各相关部门与协会参与）、“整合文化资源，推进全省文化产业发展”（杨企鹏同志负责，事业部牵头）、“进一步加强基层文联建设”（杨企鹏同志负责，组联部牵头）等重大问题进行专题调研，深入基层，了解情况，征求意见，分析问题。文联机关各部门、协会、中心、杂志社的负责同志，要集中精力研究一个问题，梳理在贯彻落实科学发展观方面存在的主要问题，于5月25日前形成有分量的调研报告。5月底，召开省文联机关全体中层干部会议，进行学习调研交流，为加快文联发展提供科学的决策依据，同时也为推动江苏文化强省建设提出建设性意见，为省委、省政府的有关决策提供参考。

2. **对照检查、分析问题阶段（1个月左右）**。

本阶段的工作重点是分析问题、查找原因、开展评议。省文联机关各单位负责人特别是党员领导干部要紧密联系各自的工作实际，分析江苏文艺发展形势，找准本单位在江苏文艺发展中的定位，重点检查在贯彻落实科学发展观方面存在的突出问题。要以党支部为单位，组织党员开展“我为文联科学发展建言献策”活动，省文联机关全体人员要在服务大局、服务基层、服务群众中争创新业绩、树立新形象。

最近，我们搞了一次问卷调查，向省级机关相关部门、各市文联、各市机关工委寄发《征询意见表》，共150份，已经回收到83份，回收率达55.3％，目前正在进行问卷分析。初步统计情况如下：“满意”为50.8％，“比较满意”28.5％，“基本满意”9.2％，“不满意”1.8％，“不了解”9.6％。这次问卷调查，还收书面建议16条。党组、书记处还将通过召开座谈会、个别访谈等方式，广泛听取干部群众和社会各界对用科学发展观统领文联工作的意见和建议。

党组、书记处将召开专题民主生活会，统一思想认识，总结经验教训，深入剖析原因。6月20日左右，省文联党组召开一次扩大会议进行讨论，形成省文联贯彻落实科学发展观情况分析报告。根据省委关于本次活动“要把扩大群众民主参与贯彻到全过程，把群众的期盼和意愿汇集起来，把群众的智慧凝聚起来”的要求，组织江苏文艺界相关人员、干部群众代表对分析报告进行评议，并通过适当方式收集反馈意见。根据评议情况对分析报告进行修改，并将在一定范围内公布报告内容。

3. **解决问题、完善制度阶段（1个半月左右）**。

本阶段的工作重点是制定措施、健全机制、落实整改。针对梳理出来的问题制定具体措施，认真进行整改，集中解决几个影响和制约科学发展的突出问题，切实办好几件群众迫切希望解决的实事。

在总结经验基础上，进一步理清、完善推动科学发展的思路举措，研究制定省文联深入贯彻落实科学发展观的实施意见，修订工作规划，制定和完善各种规章制度，加快建立贯彻落实科学发展观的长效机制。

学习实践活动基本结束前，要在调研论证的基础上，制定群众满意度测评方案，对解决影响和制约省文联科学发展突出问题的成效和开展学习实践活动的实际效果，进行群众满意度测评，并根据测评结果，进一步完善整改措施。

第四，始终把握好学习实践活动的基本原

则。这次学习实践活动，以处级以上党员干部为重点，政策性、实践性都很强。我们按照省委的要求，结合文联实际，要把握好四条原则：

1. **坚持正面教育**。

着眼于保护和调动广大党员干部推动科学发展的积极性，重在自我教育，重在总结经验教训，重在明确努力方向。党员领导干部特别是处级以上领导干部要联系思想工作实际，自觉查找在贯彻落实科学发展观方面存在的突出问题。坚持典型引路，充分发挥先进典型的示范引领作用。

2. **坚持文联特色**。

把学习实践活动与贯彻落实党的十七大精神、省委的决策部署和省文联七届五次全委会精神结合起来，与省文联的“三强”实践、推动江苏文艺大发展大繁荣结合起来，与加强领导班子思想政治建设和加强省文联机关作风建设结合起来，与解决省文联履行职能方面存在的问题结合起来，把科学发展观贯穿于文联工作全过程，在学以致用、学用结合上下功夫，使科学发展的思路更加明确、制度措施更加有力、成效更加显著。

3. **坚持群众路线**。

充分发扬民主，倾听民声，了解民意，集中民智，真诚接受群众监督。广泛征求群众意见、吸收群众参与、接受群众评议，同时注意教育引导群众。把相信群众、依靠群众、服务群众贯穿学习实践活动全过程，把群众是否满意作为衡量学习实践活动成效的重要标准。

4. **坚持理论联系实际**。

联系思想实际，认真学习，自我教育，全面总结经验，自觉查找问题，切实解决问题。能否解决存在的突出问题，是检验学习实践活动质量高低的一个重要标志。找准问题是手段，解决问题才是目的。学习实践活动的全过程，都要立足于解决存在的突出问题。要联系工作实际，在务求实效上下功夫，深入分析影响和制约科学发展的主要问题，找出所要重点解决的问题，提出解决问题的思路，研究落实改进各方面工作的措施，着眼解决群众反映强烈、影响科学发展的突出问题。

三、精心组织实施，确保学习实践活动取得显著成效

这次学习实践活动，时间跨度长，要求高，任务重，我们一定要高度重视，精心组织，周密部署，确保学习实践活动扎实有效地开展。

一要加强领导，严密组织。为加强对学习实践活动的领导，按照省委要求，我们成立了学习实践活动工作领导小组，由我任组长，言恭达同志、杨企鹏同志任副组长，成员由丁浩、汪政、叶飏荣、陈国富等4人组成，领导小组下设办公室，负责日常工作，办公室主任由丁浩同志兼任。办公室成员还有王卫军、沈际炎、孙筠、何超、郝建铭等5位同志。各党支部要按照要求组织开展本支部的学习实践活动，支部书记是第一责任人。党员领导干部要带头参加活动，发挥表率作用。

希望每个同志都要把这项活动作为当前最重要的工作，各司其职，高标准、高质量地完成好每一个阶段的工作。希望所有同志都要积极投入学习实践活动，在思想上重视，在行动上自觉。要积极参与、完成学习实践活动安排的各项任务，不得无故请假。如因事必须请假的，中层以上干部必须直接向我请假，其他同志必须直接向分管书记请假。办公室同志要做好考勤工作，每次活动都要组织签到，无故不参加活动的要请其在适当场合说明原因。我们希望通过严密的组织实施，切实保证学习实践活动在时间、人员、内容、效果上四落实。

二要解决问题，务求实效。开展学习实践活动，要突出重点，讲求实效，把学习贯穿始终，把解决问题贯穿于始终，把依靠群众、走群众路线贯穿于始终。同时，要从本部门本单位的实际出发，具体情况具体分析，有什么问题就解决什么问题，什么问题突出就着重解决什么问题，增强学习实践活动的针对性和实效性，真正让群众切身感受到学习实践活动带来的明显变化。

三要统筹兼顾，相互促进。今年是全面贯彻落实党的十七大精神的第一年，也是推进文化大发展大繁荣、兴起社会主义文化建设新高潮的开

局之年，各方面工作都要开好局、起好步。今年重点项目多，要求高，任务十分繁重。各部门各单位一定要正确处理好开展学习实践活动与做好各项工作的关系，既不要脱离中心工作搞学习实践活动，也不能因为工作忙而忽视学习实践活动，保证有足够的时间和精力投入学习实践活动，以学习实践活动推动各项工作开创新局面，以各项工作的新成果衡量学习实践活动的成效，真正做到学习实践活动和当前工作“两不误、两促进”。

四、强化六种意识，促进学习实践活动成果的深化和转化

学习实践科学发展观是一项长期的系统工程，不可能一蹴而就，我们要以这次集中学习实践为契机，建立科学发展的长效机制，促进成果的深化和转化。重点要强化六种意识：

一是要强化使命意识，努力增强责任感和紧迫感。十七大提出的推动社会主义文化大发展大繁荣，使文联工作面临难得的历史机遇，我们须以这次学习实践活动为新的起点，本着对党的事业高度负责、对人民群众高度负责的精神，抓住机遇、乘势而上、开拓进取，奋力开拓文联工作新局面。

二是要强化创新意识，努力保持文艺发展的蓬勃生机。要进一步倡导改革创新的精神，反对因循守旧的思想，牢固树立与时代要求相适应、与实践发展相符合、与人民呼声相一致的创新意识，把创新作为开拓文联事业的前进动力。要大力推进理论创新、机制创新，以及文艺观念、内容、风格、流派的创新，使文艺工作者的创新精神和创造活力竞相迸发、充分涌流，不断增强文艺作品的吸引力、感染力和江苏文化的竞争力、影响力。

三是要强化服务意识，努力提升服务的质量和水平。坚持以人为本，积极探索服务文艺工作者的途径和办法，最大限度地为他们提供优质服务，努力在创作经费、成就展示、艺术传承等方面为他们做好事、办实事、解难事，为文艺工作者施展才华创造良好的环境和条件。要积极借鉴其他人民团体的成功做法和有益经验，努力扩大服务范围，拓宽服务渠道，改进服务方式，增强服务本领，提升服务水平，真正把文联建成广大文艺工作者的“温馨和谐之家”。

四是要强化团结意识，努力形成融洽和谐的良好氛围。要提倡文人互勉，反对文人相轻，提倡相互学习，反对门户之见。不同艺术门类、不同艺术流派、不同年龄阶段的文艺工作者都要相互尊重、相互支持、取长补短、共同进步。要多做沟通交流、增进了解、化解矛盾的工作，调动一切积极因素，团结一切可以团结的力量，形成团结和谐的良好氛围和工作环境，心情舒畅干事业，同心同德促繁荣。

五是要强化品牌意识，努力提高打造文艺精品的能力。要充分发挥江苏文艺门类齐全、文艺资源丰富、文艺人才荟萃的优势，从实际出发，统筹规划，突出重点，在继续着力打造已有知名品牌的同时，努力寻求新的生长点，创建一批立得住、叫得响、传得开、留得下的文艺新品牌，使之成为时代的文化标识和可长久利用的文化资源。

六是要强化形象意识，努力塑造文联的良好形象。要更加自觉地加强文联自身思想作风、学风、工作作风、领导作风和生活作风建设，始终保持昂扬向上的精神状态，顽强拼搏，努力创造一流的工作业绩。进一步提升文联的知名度和美誉度，让党和政府放心、让文艺工作者满意、让人民群众高兴。

同志们，开展深入学习实践科学发展观活动，既是对党员干部的一次深刻教育，也是对党员干部能力素质的有力促进和提高。我们要深入贯彻落实科学发展观，以改革创新、求真务实的精神，积极探索，勇于实践，充分发挥江苏文艺资源优势和人才优势，全面落实科学发展观和构建社会主义和谐社会的重大战略思想，不断提高先进文化的引领能力、创新能力和竞争能力，更加自觉、更加主动地推动江苏文艺大发展大繁荣，为实现江苏从文化大省向文化强省的跨越做出我们应有的贡献！

在全省基层文联工作现场交流会上的讲话

(2008 年 6 月 22 日)

王慧芬

今天,我们在国家历史文化名城苏州市召开全省基层文联工作现场交流会。这次会议将以邓小平理论和“三个代表”重要思想为指导,全面落实科学发展观,深入学习贯彻党的十七大精神,总结交流基层文联工作经验,分析基层文联建设面临的新形势新任务,探讨加强和改进基层文联工作的新途径新举措,进一步推动基层文联工作健康发展,为加快文化强省建设,促进我省文化大发展大繁荣,构建社会主义和谐社会做出积极贡献。借此机会,我代表江苏省文联党组、书记处,向长期致力于基层文联建设、奋战在基层文联工作一线的同志们致以崇高的敬意!向对本次会议给予大力支持的苏州市委、市政府以及承担大量会务工作的苏州市文联表示衷心的感谢!

我到省文联工作时间不长,刚刚四个多月。这四个多月来,我和省文联的一些同志,先后到淮安、无锡、泰州、南京、苏州、南通等市、县文联进行调研,深切感受到了基层文联近年来在推动文艺事业的繁荣发展和文化大省、文化强省建设中取得的可喜成绩。同时,也发现了一些值得关注和亟待解决的问题。为此,经省文联党组、书记处研究,决定召开基层文联工作现场交流会。据我所知,过去也曾组织召开过市级文联工作经验交流会,但像今天这样,召开省、市、县三级文联和企业、行业文联负责同志参加的较大规模的工作会议还是第一次。下面,我结合省文联上半年组织开展的调研工作和当前文联发展面临的形势、任务,从两个方面谈谈基层文联建设,供大家参考。

一、基层文联工作的成绩和一些值得关注的问题

近年来,随着改革开放和建设社会主义小康社会的全面推进,包括县市区文联、行业文联、乡镇、街道文联以及企事业单位、院校文联在内的我省基层文联建设蓬勃发展。目前,全省 108 个县、市、区中已有 87 个成立文联组织。乡镇、街道以及企业、学校文联也日渐增多,如常州武进、南京雨花台区、苏州太仓、泰州兴化、南通海门等纷纷建立乡镇、街道文联,尤其是常熟十个乡镇全都成立了文联组织,在全省率先实现镇级文联“满堂红”。多年来,在当地党委、政府的领导和市文联的指导下,基层文联坚持围绕中心、服务大局,认真贯彻党的文艺方针政策,面向基层、服务群众,团结引导广大文艺工作者,潜心创作,不断满足人民群众日益增长的精神文化需求,为活跃基层群众文化生活,做了大量卓有成效的工作,取得了丰硕成果,在推进“全面达小康,建设新江苏”的历史重任中发挥着越来越重要的作用。

一是围绕中心,服务大局,积极唱响时代主旋律。

各基层文联,都能积极围绕地方党委和政府的中心工作,组织开展内容丰富、形式多样的文艺活动,积极唱响时代主旋律,努力营造团结和谐的社会氛围。有的基层文联坚持服务大局的工作方向,精心设计主题文艺活动。如泰兴市文

联在去年成功组织颂祖国、颂银杏、颂家乡主题活动的基础上，今年及时推出放歌改革开放、放歌奥运、放歌新泰兴的“三放歌”系列文艺活动。有的紧紧围绕政府的中心工作，举办特色文艺项目，如苏州沧浪区文联紧扣政府“文化立区”的理念，创办沧浪艺术节等活动。通过这些重大文艺活动，各基层文联自觉把思想统一到地方党委和政府的决策上来，以文艺的形式投身当地改革开放和现代化建设伟大实践，推动了区域经济文化社会全面协调发展。

二是立足基层，服务群众，广泛开展文艺惠民活动。

各基层文联都能紧紧围绕人民群众的精神文化需求，坚持贴近实际、贴近生活、贴近群众，积极以各种形式组织先进文化进社区、进乡村、进企业、进校园、进军营，受到了人民群众的热烈欢迎。南京市雨花台区文联在全省率先开展以“和谐文化社区行”为主线的群众性文化活动，先后组织系列社区广场文化活动 2 000 多场，参与群众 60 多万人。南京市鼓楼区文联举办了“鼓楼之春”文艺惠民演出与“映象鼓楼”摄影作品展。苏州市吴中区文联举办的广场文艺月月演、南通市港闸区文联举办的“濠滨夏夜”文艺惠民演出、睢宁县文联举办的夏日广场“万人齐唱睢宁”等系列广场活动，丰富了群众的精神文化生活。今年，省文联和省相关文艺家协会组织开展了百名艺术家百场文艺惠民演出活动，已经在南京浦口、淮安、高邮、江阴海澜集团等地陆续演出 15 场。许多著名的艺术家不计报酬，克服困难，为人民倾心奉献，所到之处均受到了热烈欢迎。

三是推出作品、推出人才，大力促进基层文艺事业繁荣发展。

围绕出作品、出人才，各基层文联通过组织深入生活、采风创作，培训、研讨，展演、展示等，提升服务质量，营造良好的创作氛围，推出了一批体现时代精神、具有地方特色的优秀文艺作品，形成了一支老中青相结合的文艺人才队伍，基层文艺事业呈现繁荣兴旺的生动局面。苏州市基层文联牢固树立精品意识，通过鼓励深入生活，拓展服务载体，制定奖励措施等，积极推动文艺精品创作，培养推介文艺人才，实现了优秀作品和优秀人才双丰收；创作了一批讴歌时代主旋律、弘扬民族优秀文化、融思想性和艺术性为一体的优秀作品，近两年中就有 400 余件作品在江苏省和全国各类赛事中获奖，一批优秀文艺人才脱颖而出。徐州市文联在推出优秀书画作品、优秀书画人才方面做了大量富有成效的工作，取得可喜的成果。今年 4 月，徐州市和苏州市一起被中国书法家协会授予首批“中国书法名城”的称号。南京市文联积极为文艺家提供良好的创作环境，经过多方努力，得到市委、市政府的大力支持，投资 1 000 多万元在高淳筹建文艺家创作基地，目前主体工程即将封顶。

四是发掘资源，整合力量，努力创建地方特色文艺品牌。

各基层文联立足地方特色文化资源，整合多方力量，积极开展特色文艺品牌创建活动，取得了初步成效。南通市文联精心策划组织开展了有规模、有影响、有特色的“五月风”系列活动，提升了市文联的影响力和凝聚力。张家港市文联通过写长江、画长江、唱长江、拍长江活动，通过举办首届中国（张家港）河阳山歌节，兴建河阳山歌馆、河阳文化研究所等，分别形成了长江文化、河阳民间文化品牌，成为张家港的文化标志。太仓市文联举办的娄东文化系列活动、沭阳县文联开展的“花木文化年”活动，高邮市文联举办的“邮都文化”系列活动等，也在社会上产生了广泛影响，初步呈现出文化品牌效应。

五是外树形象，内练素质，不断提高基层文联建设水平。

为提高文联干部的素质，有的基层文联通过参加省市文联读书班、组织开展各类人才培训班等方式，积极提高文联干部队伍的思想和业务水平。淮安市各基层文联认真贯彻落实市委、市政府出台的《关于加强文联建设的意见》，思想组织建设和阵地建设得到进一步加强。不少基层文联通过向当地党委、政府主管部门反映基层文艺工作者建议、意见和诉求，维护文艺工作者的权益等，建立了一批“基层文艺工作者之家”，受到广泛好评。

总之,在繁荣先进文化、建设和谐文化的进程中,全省基层文联在各地党委和政府的领导下,在各市文联的指导下,广大基层文联干部克服困难,团结奋斗,锐意进取,取得了可喜成绩,也积累了宝贵的经验。

在这次对基层文联的调研中,我有几点比较深的感受:

1. **文联工作要有作为才有地位。**

基层文联工作确实面临许多困难,因此,要有克服困难的勇气,才有工作的底气,要有良好的精神状态,才有崭新的工作局面。丰县文联以不甘落后的进取精神,齐心协力谋发展,千方百计解难题,诚心诚意为文艺工作者服务,大力开展丰富多彩的文艺活动,在艰苦的工作条件下做出了不平凡的成绩,受到党委、政府和人民群众的高度评价。江阴市文联主席王建炜,原是教育局副局长,调到文联后,面对两个部门工作环境的巨大反差,他以对文联工作和文艺工作者高度负责的态度,振奋精神,不畏艰难,四处奔走,争取支持,这种昂扬的精神状态感动了地方领导和相关部门,上任第一年文联经费就翻了一番多。第二年起,市财政又专门为文联划拨 50 万元专项经费,用于组织文艺活动。经过他的多方努力,市委、市政府还把全国百家私家园林之一的"适园"移交文联,建立"文艺家之家",仅修缮经费就达千万元,今年底就投入使用。市文联硬件建设发生了根本性变化,文联工作也出现了新局面。

2. **文联工作要有创新的精神才有生机与活力。**

创新是民族进步的灵魂,也是文联事业繁荣发展的力量和源泉。面对新形势,基层文联只有牢固树立创新意识,探索文联事业发展的特点和规律,在推进工作上寻求新思路,在破解难题上出台新举措,努力创新运行机制、组织方式和活动方式,创新文艺观念、内容和风格,基层文联工作才能呈现蓬勃生机和旺盛活力。丹阳市文联创新文艺创作激励机制、创新社会联动机制,特别是创新用人机制,打破用人老框框,2004 年一年完成了 9 个协会的换届,让青年艺术家挑重担,焕发了协会活力;同时,他们创新奖励机制,激发创作热情,显著提升了文艺原创实力。

3. **文联工作要以人为本才能营造团结和谐的氛围。**

实践证明,团结出人才,团结出生产力,团结推动文艺事业的繁荣发展。文联作为党和政府联系广大文艺工作者的桥梁和纽带,就要在文艺界倡导和谐理念,大兴团结和谐之风。只有调动一切积极因素,通过相互尊重、相互学习、相互鼓励,凝聚成坚强有力的文艺团队,才能更大限度地解放艺术生产力。也只有充分发挥各类文艺人才的优势,广泛整合社会多方力量,搭建平台,拓展阵地,繁荣发展基层文艺事业才有良好的人文环境。

在肯定成绩的同时,我们也要清醒地看到基层文联建设和文联工作还存在一些值得关注和亟待解决的问题。

1. **基层文联发展不平衡。**

全省基层文联发展呈现出明显的地区差异,总体上苏南好于苏北。苏南基层文联在机构、编制、经费和阵地上比较健全,在推进协会和乡镇文联建设,抓活动、树品牌、出作品、出人才方面成效比较明显。特别是苏州市基层文联建设,起步早、起点高,整体建设水平走在全省前列。而苏北、苏中地区一些市、县、区的文联建设相对滞后,人员编制少、活动经费少、缺乏基本办公条件的问题还比较突出。不少基层文联仍附属于党委宣传部门和政府文化部门,个别基层文联一年工作经费只有两三千元,甚至连支付电话费、邮寄费都不够,服务文艺家心有余而力不足。全省各级文联组织基础工作还比较薄弱,难以形成上下联动的发展格局。

2. **基层文联的工作机制不够完善。**

有些基层文联缺乏灵活有效的创作机制、人才机制,缺少推出优秀作品、优秀文艺人才的行之有效的奖励措施。有的基层文联缺少文艺创作项目和活动经费规范化的投入机制,很多基层文联经费严重短缺,连举办一次像样的文艺活动都很困难。

3. 推出作品、推出人才的成效还不太明显。

基层文联在促进创作、推出人才方面，组织还不够到位，工作力度还不够大。个别基层文联长时间不组织活动，与服务对象失去联系，以至有的基层文艺工作者从来没有参加过基层文联组织的活动。基层文艺工作者的创作潜力未能得到有效激发，基层优秀文艺人才未能得到及时发现和培养。在文艺创作上缺乏规划和措施，创新机制不够，思想性、艺术性与观赏性相统一的有影响的优秀作品还不多。这些存在问题必须引起我们基层文联工作者的高度重视，并在今后的工作中研究解决。

二、关于加强基层文联建设的几点意见

当今时代，文化与经济、政治相互交融，在综合国力竞争中的地位和作用日益突出。尽管我刚才对基层文联发展面临的困难作了简要的分析，但我们在严峻挑战面前，更要看到我们文联发展的光明前景。党的十七大把文化建设摆上空前重要的位置，首次把文化作为国家软实力，在党的代表大会上作为重要任务提出；首次在党的代表大会上向全党和全国人民发出了推动文化大发展大繁荣，兴起社会主义文化建设新高潮的伟大号召，并深刻阐明了重大现实意义和深远的历史意义，同时作出全面部署。省委、省政府也高度重视文化建设，在建设文化大省、文化江苏的基础上，又及时提出了建设文化强省的宏伟目标。这对我们抓好基层文联建设、做好基层文联工作提出了更高的要求，也创造了难得的历史机遇。我们一定要牢牢把握，充满信心，真抓实干，大力推动文联建设，以更加崭新的形象、更加昂扬的精神状态、更加求真务实的工作作风、更加周到的服务，充分发挥文联职能作用，以优异的工作成绩赢得党委、政府和人民群众的信任和支持。

今后一段时期，基层文联工作的总体要求是：以邓小平理论和"三个代表"重要思想为指导，全面贯彻落实科学发展观，紧紧围绕学习贯彻党的十七大精神，以建设社会主义核心价值体系为引领，以建设"文化事业强、文化产业强、文化人才队伍强"为目标，以满足人民群众精神文化生活需求为要务，以深化文化体制改革和文化创新为动力，振奋精神，开拓创新，不断提升基层文联建设的水平，充分发挥基层文联的职能作用，为推动文艺事业的大发展大繁荣，为建设文化强省作出新的更大的贡献。

这次会议后，我们将出台《关于加强基层文联工作的指导意见》，请大家对《指导意见》的征求意见稿认真进行讨论，提出修改意见，以便完善后正式下发。下面我重点就基层文联建设与发展讲几点意见。

（一）强化使命意识，在服务大局中开拓文联发展空间

当前，文艺事业和文联工作正处在大有作为的重要战略机遇期。我们各级文联组织都要充分认识文联发展的阶段性特征，既要准确把握促进发展的有利条件，又要清醒认识和着力解决发展面临的矛盾和问题，本着对党的事业高度负责、对人民群众高度负责、对未来高度负责的精神，抓住机遇，乘势而上，应对挑战，开拓进取，努力增强推动文联工作的责任感和紧迫感。

我们要充分发挥文联优势，从党和政府的重大部署中找准工作的结合点，从人民群众精神文化需求中找准工作的切入点，从文艺事业发展的关键环节中找准工作的着力点，把为改革发展稳定提供强大的精神动力和创造良好的文化环境作为工作的落脚点，想党委政府所想，急党委政府所急，积极主动地投入到党委、政府的工作全局中去。要积极参与省文联举办的"美在新江苏"系列采风创作活动，组织本地文艺工作者用文艺的方式生动形象地反映各地在"全面达小康、建设新江苏"历史进程中的新思想、新人物、新成就和新创造。要积极配合党委、政府的重大工作部署，开展主题性文艺活动，用文艺的形式促进党委、政府重大工作部署的贯彻和落实，在党委、政府的工作全局中找到我们的工作位置，在服务大局中有所作为、有所建树，为地方的全面发展提供文化条件，并以我们奋发有为的工作

业绩,赢得党委、政府的重视和支持,延展文联的发展空间。

(二)找准职能定位,在拓展职能中增创文联发展优势

文联是党和政府联系文艺界的桥梁和纽带,其基本组织职能是联络、协调、服务。要通过周到优质的服务,倾听文艺界的呼声和建议,了解文艺动态,把握思想动向,紧密地把广大文艺工作者团结凝聚在党的周围。通过组织文艺工作者进行各种学习交流;组织各类文艺演出观摩;举办各种艺术展览展演;召开各类学术研讨、座谈会;举办文艺评奖;选拔、培养文艺人才;开展纪念文化名人等活动,促进多出作品、多出人才,推动社会主义文艺事业繁荣发展。

面对新的形势和任务,我们要在履行好基本职能的基础上,按照胡锦涛总书记在全国第八次文代会上提出的要求,在拓展职能上要有新思路、新途径、新举措。要努力探索适应社会主义市场经济体制、符合文艺发展规律和人民团体特点的管理体制、运行机制、组织形式、活动方式,不断加强行业服务、行业管理、行业自律,依法维护文艺工作者的权益,大力拓展文联新职能,寻找文联发展新的增长点。我认为,当前基层文联要重点拓展三个方面的职能:

1. **拓展文化领域决策咨询的职能**。

文联文艺门类齐全,文艺资源丰富,文艺人才荟萃。要充分发挥这些优势,着眼于促进文艺事业繁荣和文化产业发展,认真研究一些全局性、战略性、前瞻性的重大课题,听取和反映文艺界的意见和要求,向上级领导机关提出工作建议和意见等。通过履行文化决策咨询的职能,努力使文联在党委和政府工作全局中有更大作为,发挥更大作用。

2. **拓展文艺行业管理的职能**。

文联各文艺家协会是专业性很强的人民团体,在履行行业协会的职能上具备专业优势,要积极争取相关主管部门授权,赋予协会行业标准制定,行业自律、协调发展的规范制定及监督执行,相关生产单位资质认定和年审,文艺人才和从业人员的资格认证、行业准入、相关文艺门类的职称评审、项目评估和推荐等职能,使协会在提高专业素质、规范行业行为、健全市场要素等方面发挥积极作用。

3. **拓展维护权益的职能**。

加大知识产权保护力度,切实维护广大文艺家和文艺工作者的合法权益,既是文联在新形势下需要拓展的职能,也是文联为各类文艺家和文艺工作者服务、增强凝聚力和吸引力的有效途径。要进一步加强文艺工作者权益保护机构的建设,加大有关知识产权方面的宣传和知识普及,探索有效维权的工作机制,切实维护广大文艺工作者的合法权益,积极营造文艺活力竞相迸发、文艺成果充分涌流的良好环境。

(三)提升服务质量,在优化服务中夯实文联发展基础

广大文艺工作者是一个地区发展的宝贵财富,是建设先进文化的骨干力量,努力提高为广大文艺家服务的能力是文联履行职能的必然要求。

1. **进一步增强服务意识**。

基层文联的基本职能是联络、协调、服务,联络、协调是途径,服务是关键。要坚持以人为本,把服务文艺工作者摆上重要位置,积极探索服务文艺工作者的途径和办法,真正做到尊重劳动、尊重知识、尊重人才、尊重创造。在政治上充分信任,创作上热情支持,生活上真诚关怀,最大限度地为他们提供优质服务,进一步增强文联的凝聚力和号召力,努力把人才团结在党的周围,聚集到党的文艺事业中。要调动一切积极因素,团结一切可以团结的力量,用事业凝聚人才,用实践造就人才,用机制激励人才,为优秀文艺人才的脱颖而出提供条件,努力培养一批在全省、全国叫得响的文艺拔尖人才。

2. **进一步拓宽服务渠道**。

随着时代的发展,文艺家和文艺工作者的社会身份出现了多层次化,既有国家体制内的专业人员,也有在政府机关、企事业单位的业余创作人员,还有个体从业人员、自由职业者,服务对象

高度分散，流动性大，为联络服务带来了困难。为此，我们文联要充分运用互联网等传媒手段创新服务手段，拓展服务渠道，为文艺家提供一条上联党委政府、下联大众百姓的“信息通道”，同时我们也利用这个通道为各个层面的艺术家提供多方面的咨询和服务。我们要着手建立多层次艺术人才信息库、艺术家联系卡等，尽力多为他们办实事，解难事。

3. **进一步丰富服务内容**。

针对服务的不同需求，尽最大努力满足服务对象的成长、成才、成名、成事等需求，为他们提供个性化的服务，为他们创造与外界合作共赢、互惠互利的机会。首先，我们要继续深入扎实地实施“三霞”工程，逐步掌握各艺术门类、各种层次的人才状况，力求及时主动为他们提供信息指导。要通过举办多种形式的展演、比赛，发现和选拔具有发展潜质的艺术人才。通过举办多种形式的读书班、培训班，为文艺人才的发展“加油”“充电”。其次要加大对优秀作品和优秀人才的奖励、宣传力度，着力培养和推出优秀的中青年文艺人才，扩大他们的影响力和知名度。再次，要发挥文联系统优势，组织研究力量，着手对人民群众文化精神需要规律、文化产品的生产规律的研究，通过各文艺家协会组织召开的创作研讨会等形式为文艺家创作提供宏观指导，并整合各方社会资源，想方设法给每一个文艺家发挥艺术才能、多出优秀作品以广阔的空间和有力的支持。同时，还要利用参与国家级和省举办的重大文艺评奖、赛事的机会，组织专家、学者为业余文艺创作人员提供面对面的艺术辅导，提升他们的创作能力和表演水平。

（四）开阔工作思路，在创新机制中增强文联发展活力

时代在前进，社会在发展，文联建设面临着许多新情况、新问题。为此，我们要跳出原有思维的局限，注重以创新的思维和创新举措扎扎实实推动文联发展。

1. **完善基层文联工作运行机制**。

面对新形势新任务，要深入探索适应市场经济体制不断完善，适应文艺观念、文艺创作方式、文艺队伍构成的深刻变化，适应文艺生产、服务、传播、消费形式日益多样化，进一步创新文联的管理体制、运行机制、组织形式和活动方式。进一步加强文联领导班子建设，规范文联工作程序和秩序，充分发挥文联在文艺事业中的主导作用。要建立激励机制，最大限度调动文联工作的积极性、主动性和创造性。

2. **建立健全基层文艺家协会工作机制**。

要强化基层文艺家协会建设，工作的出发点要与时代要求相适应、与实践发展相符合、与人民呼声相一致，正确把握新形势下协会工作的特点和规律，确立协会工作目标责任制，以协会工作的有效落实推动文联建设。要充分发挥各文艺家协会的作用，加强协会组织建设，优化协会班子结构，要大胆把德艺双馨、组织能力强的优秀青年文艺家推选进协会主席团，增强协会工作活力。要加强协会工作制度建设，规范协会工作秩序，通过协会职能的有效发挥，把广大文艺工作者团结起来，组织创作，开展活动，扩大影响，促进各艺术门类健康有序地发展。

3. **建立基层文联经费投人、使用机制**。

积极向当地党委和政府争取，建立文联经费投入机制。依据基层文联服务大局、服务文艺工作者、服务群众“三服务”成本，核算年度资金额度，列入年度财政预算；争取建立重大文艺活动经费投入机制，使文艺创作和重要重大文艺活动经费得到保障。

4. **建立完善创作机制**。

建立和完善基层文联优秀文艺作品表彰奖励制度，奖励全国、全省重大文艺奖项获奖作品，不断激发广大文艺工作者的创造热情。建立健全文艺项目委约创作机制、文艺家工作室创作机制、恢复为当地业余文艺家请创作假制度等。研究建立重点文艺项目创作扶持基金，扶持优秀作品生产，加大创作组织力度，努力推动创作繁荣。

5. **建立文艺人才选拔培养机制**。

研究、建立文艺人才科学评价体系，建立不唯资历、重实力的年轻优秀文艺专业人才破格晋级和优先使用制度，研究、建立人才激励机制和

拔尖文艺人才引进机制,积极促进本土人才的成长,推出一批政治素质好、业务水平高、创新能力强的中青年拔尖文艺人才,加快构筑文艺人才高地,努力打造文艺人才高峰。

(五)加强多方合作,在互利共赢中优化文联发展环境

文联,重在联,我们要注重发挥文联特点,做到上联下联、左联右联、内联外联,积极主动地加强与社会各界联络合作,整合资源,优化配置,为文联发展营造良好的外围环境。

1.**加强文联系统内部合作,形成上下互动的发展格局**。

要强化天下文联是一家的意识,充分利用文联系统资源,对上加强与中国文联、省文联及各协会的合作,对下加强与市县乡镇文联的合作。通过资源共享,优势互补,实现系统内部资源效益最大化。要借助国家和省文联及文艺家协会的资源优势,下大力打造具有较高艺术水准和自身特色的文艺品牌,充分发挥文艺品牌的综合效能。要结合当地经济社会发展实际,发挥各市、县(区)文联的不同特点与优势,深入发掘当地传统文化、地域文化、民族文化资源,着力开发"一县一品"、"一镇一品"文艺项目,每年举办一两项立得住、叫得响、留得下的特色文艺活动。通过长期努力,倾力打造区域文化名片,树立地方文化金字招牌,使之成为在全省乃至全国具有影响力的文艺品牌。

2.**加强与相关部门合作,形成左右联手的发展效应**。

随着社会的发展,党委政府职能部门的分工趋于细化,部门间的沟通合作显得更为重要。近年来,省文联注重加强横向联系,取得了丰硕成果。比如,我们与省人事厅联合在全省开展中青年德艺双馨文艺工作者评选表彰活动,受奖者享受市级劳模待遇,从而在全省文艺界兴起崇德尚艺、见贤思齐的良好风气。我们还与省环保厅联合举办了"绿色环保行"专题采风创作活动,与泰州市政府共同主办了"高二适书法艺术高层学术论坛",与省体育局联办了中国体育美展和全国优秀体育摄影作品展、"奥运情"联谊活动等,合作双方借助对方的优势资源,延伸了自身发展的平台,收到了很好的效果。希望基层文联也要拓展视野,发挥自身资源优势,加强与相关部门的联系与合作,实现资源共享,互惠互利。

3.**加强与社会力量合作,形成全方位推进的发展态势**。

在新的形势和历史背景下,推进社会主义文艺事业更加开放,社会上越来越多的民营企业和民间组织已成为推动文艺繁荣发展的不可忽视的重要力量。因此,我们要注重并加强与社会力量的合作,通过媒体等渠道寻求社会合作伙伴,把社会上文艺发展资源整合起来,为我们文联发展注入生机和活力。

(六)加强自身建设,在强化造血功能中增强文联发展动力

全省文联系统都要增强使命感和责任感,进一步振奋精神,开拓进取,坚持从实际出发,用时代发展的要求审视自己,以改革创新的精神完善自己,不断加强自身建设,进一步提高自身能力,努力开创文联事业发展的新局面。

一要加强文联思想建设和作风建设。

通过举办多种形式的培训班和学习研讨班,坚持用马克思主义最新理论成果武装头脑,深入实践科学发展观,继续解放思想,与时俱进,不断提高文联干部队伍的思想水平和业务素质。引导大家以责无旁贷的使命感、时不我待的紧迫感,进一步深化对文联的地位作用、发展方向、发展动力、发展目的、发展思路的认识,抓住机遇,乘势而上,应对挑战,奋发有为,大力推动我省文艺事业科学发展,和谐发展。

二要建立完善基层文联规章制度。

进一步健全文联内部分工负责、齐抓共管的工作机制,逐步研究和建立协会管理、创作研讨、人才培养、文艺惠民、维权服务等长效制度,大胆使用思想素质高、专业水平高、组织能力强的年轻文艺家,优化协会主席团年龄结构,形成有效的组织、协调和激励制度,努力把文联建设成团结高效、富有生机活力的人民团体,组织引导广

大文艺工作者在文化强省建设中发挥重要作用。

三要大力营造团结和谐的良好氛围。

每个人的力量都是非常有限的，靠一己之力，只能成就小事，却无法造就伟业。因此，必须团结大家，集合众智，凝聚合力。每个同志都要珍惜能在一起工作的缘分，要以文联自身的团结和谐来营造文艺界的团结和谐氛围。从繁荣发展文艺事业的大局出发，用开阔的胸襟，长远的眼光，真诚的服务，创造平等竞争、规范有序、充满活力的环境和条件，形成相互尊重、相互支持、相互帮助、相互学习、协作共事的人际关系。我希望在今后的工作中，文联系统能进一步加强合作，相互支持，共同营造宽松健康、生动活泼、积极向上的氛围，同心协力推动江苏文艺事业的繁荣发展。

同志们，做好基层文联工作，推动基层文联发展，任务艰巨，责任重大。我们希望通过这次现场会，交流一些经验和做法，研究一些新情况新问题，获得一些新体会、新收获。今后，我们将进一步加强基层文联建设，经常组织各级文联干部进行交流学习。主动深入基层，及时听取基层文联的意见和建议。采取多种措施不断加强与基层文联的联系与合作，着力提升各级文联的地位和影响力；同时，我们要继续建立健全激励机制，对工作突出、成果显著的基层文联给予表彰和奖励。我们希望大家共同努力，把全省基层文联建设提高到一个新水平，从而更好地发挥文联独特的职能作用，为把江苏的明天建设得更加美好作出新的更大的贡献。

在江苏省文联深入开展学习实践科学发展观活动总结大会上的讲话

(2008年9月4日)

王慧芬

今年4月下旬以来,根据省委的统一部署和要求,在"省试点办"的精心指导下,省文联认真贯彻落实党的十七大精神,以邓小平理论和"三个代表"重要思想为指导,围绕"推动科学发展,建设美好江苏"主题,以领导班子和党员领导干部为重点,以解放思想、提升能力、解决问题、创新机制为目标,强化领导,精心组织,周密安排,稳步推进,扎实抓好学习实践活动每个环节的工作,顺利地完成了各项任务。这次学习实践活动,促进了省文联领导班子思想大解放,形成了科学发展和谐发展的共识,进一步明确了省文联科学发展的工作思路,初步解决了群众反映强烈的突出问题。现将省文联深入开展学习实践科学发展观活动的情况报告如下:

一、基本做法

在历时4个多月的学习实践活动中,我们严格按照省委的部署要求,坚持从实际出发,创造性地开展工作,努力把学习实践活动每个阶段的工作抓细、抓实、抓好。

(一)周密安排,精心动员部署

在省委召开深入学习实践活动动员大会后,我们根据省委梁保华书记在动员大会上的讲话精神和省委《开展深入学习实践科学发展观活动试点实施方案》的要求,迅速召开党组书记处会议,专题研究部署,成立学习实践活动领导小组。及时制定出《江苏省文联深入学习实践科学发展观活动方案》和工作安排进程表,在学习实践活动的时间、内容、方法步骤等方面作出周密安排。4月28日,省文联召开动员大会,对学习实践活动进行具体部署,提出明确要求。整个活动分为三个阶段:一是集中学习、调查研究阶段,二是对照检查、分析问题阶段,三是解决问题、完善制度阶段。我们精心组织实施好《活动方案》,对各个阶段的工作进度和质量进行检查督促,确保整个学习实践活动健康有序地开展。

(二)注重学习,推进解放思想

在学习与调研阶段,我们集中时间与人员,认真组织学习《毛泽东邓小平江泽民论科学发展》《科学发展观重要论述摘编》两个读本和中央、省领导的讲话精神,认真学习党的十七大精神和胡锦涛总书记对江苏工作提出的新要求。在每月进行两次中心组学习的基础上,以处以上领导干部为重点,先后9次召开由机关各部门、文艺家协会等单位领导参加的专题学习与讨论会。大家结合省文联工作实际,就如何开展学习实践科学发展观活动进行了积极探讨。在第二、第三阶段,我们仍然紧抓学习不放松,将学习贯穿活动的始终,围绕"继续解放思想、推动科学发展"主题,深入学习"两个读本"、胡锦涛同志"6·30"讲话、中央领导同志在深入学习实践科学发展观活动试点工作座谈会上的重要讲话,深刻理解科学发展观的精神实质,正确把握学习实践活动的方向。

（三）深入调研，拓宽发展思路

在深化学习、不断解放思想的基础上，领导班子成员围绕“统一认识、提高能力、解决问题、创新机制”的目标，结合各自分工，着重围绕五个方面的重大问题进行了调查研究。一是“江苏在建设文化大省过程中亟待解决的文艺问题及对策”，由王慧芬负责，创研部牵头；二是“当前江苏文艺人才队伍建设方面存在的问题及对策”，由王慧芬负责，人事部牵头；三是“如何在继承与创新中繁荣江苏文艺创作”，由言恭达负责，各相关部门与协会参与；四是“整合文化资源，推进全省文化产业发展”，由杨企鹏负责，事业部牵头；五是“进一步加强基层文联建设”，由杨企鹏负责，组联部牵头。

各个课题组先后到相关的市、县文联，召开文艺家座谈会，深入了解繁荣发展我省文艺事业和推进文联建设发展存在的制约因素和实际困难，积极探索其瓶颈问题，进行对策研究，对加快文化强省建设形成了新的发展思路。在此基础上，我们及时进行专题研究和汇总，形成了具有一定质量的调研成果。其中，“江苏在建设文化大省中亟待解决的文艺问题及对策”调研成果上报省委省政府领导和“省试点办”，得到了充分肯定。5 月 30 日，我们结合学习实践活动第一阶段的工作总结与转段动员，进行了调研成果的汇报交流。

（四）查找问题，形成分析报告

在查找问题阶段，领导班子成员分别召集各自分管单位的负责同志，以座谈会的形式，认真分析江苏文艺发展面临的新形势，深入查找党的十六大以来省文联不适应不符合科学发展观的思想观念、工作方式和履行职能等方面存在的问题，并就文联推进人才培养、组织文艺创作、开展品牌活动和思想作风建设等方面的工作，分析现状，查找问题，认真剖析。领导班子围绕“深入贯彻落实科学发展观、进一步推动省文联科学发展”主题，召开民主生活会，结合各自工作分工，着重查找在贯彻落实科学发展观和党性党风党纪等方面存在的突出问题，开诚布公谈问题、找原因、提建议。

领导班子成员在带头深入查找问题的同时，组织全体干部职工开展了“发扬民主，分析情况，查找问题”和“我为文联科学发展和谐发展建言献策”活动，多层次、多渠道地征求各方面意见。省文联所属各单位提交了查找问题与建言献策书面材料，从履行文联职能、加强自身建设等方面提出了 32 个问题及建议；在“建言献策”活动中，省文联在职、离退休和长期帮助工作的同志从加强文艺人才队伍建设、建立完善创作和评论机制、整合文联内部资源等方面，提出了 190 多条意见和建议。我们还向省级机关有关部门和各市文联发放了“省文联作风建设情况调查表”，请有关单位和部门对省文联机关作风建设提出具体的意见和建议。

我们将查找出来的问题归纳整理为“三个不够、一个滞后”，并深入剖析了产生这些问题的原因。在切实找准问题的基础上，撰写出《省文联学习实践科学发展观情况的分析报告》。省文联党组召开扩大会议，座谈、评议《分析报告》。市县文联代表、文艺家代表、省文联机关干部职工、离退休人员代表共 26 人参加了座谈会，与会人员深入讨论，畅所欲言。大家普遍感到《分析报告》能紧密联系实际，总结贯彻落实科学发展观的情况简明扼要，查找问题与剖析原因比较到位，解决问题的对策措施切实可行，充分体现了科学发展的要求。我们还按照“省试点办”的要求召开了评议大会，文艺界代表和机关干部职工共 68 人参加评议，以 97.1％的满意率通过了省文联领导班子的《分析报告》。

（五）解决问题，全面落实整改

进入解决问题、完善制度阶段后，我们认真巩固和扩大前两个阶段学习实践活动的成果，全面落实整改，真正做到文联干部受教育，文艺发展上水平，文艺成果普惠于民。

我们查找出六个方面不适应不符合科学发展观的主要问题：服务基层和服务文艺家不够、推出文艺拔尖人才成效不明显、组织文艺创作力度不大、拓展文联职能推进不快、规范文艺家协会组织建设不够、自身建设抓得不力。我们不仅使党员特别是党员领导干部对存在的问题有清晰的感性认识，而且还联系思想和工作实际，系统梳理，理性分析产生问题的深层次原因，找准症结所在。如对“规范文艺家协会组织建设不够”这一问题，我们从三个层面分析了原因：一是从行业服务与管理的发展趋势看，对加强文艺人民团体组织建设的重要性和必要性认识不足，没有把协会换届作为加强文艺队伍建设，培养和选拔优秀文艺人才的重要措施；二是从建设“文化强省”和繁荣江苏文艺事业看，对推进中青年文艺人才培养、增强文艺事业发展活力缺乏全面思考；三是从执行力上看，思想工作作风不够深入细致，面对错综复杂的矛盾，缺乏解决矛盾和问题的有效措施。在查找问题、分析原因的基础上，党组书记处抓住省美协15年未换届这一主要矛盾，有针对性地提出解决办法，并积极组织实施。省美协的成功换届，为今后各文艺家协会正常换届提供了经验。

在解决问题阶段，领导班子成员静心思考，对已经梳理出来的问题进行归类研究，明确列出哪些是学习实践活动中可以立即解决的突出问题，哪些是需要较长时间创造条件后才能解决的问题，哪些是依靠自身力量难以解决、需要争取领导和有关部门帮助解决的问题。在充分考虑问题的轻重缓急和难易程度的基础上，我们分门别类做出安排，提出整改的重点目标，将整改任务具体化，逐条抓落实，逐项求成效。对具备条件的近期整改问题，如组织文艺家协会换届、建立健全规章制度、新办公楼装饰工程建设和搬迁准备、优化组合文联文化资源等问题，马上实施整改；对通过努力较长时间能够解决的，如建立完善文艺人才激励与创作机制、深入推进文艺惠民工程和加强基层文联工作指导等问题，限期实施整改；对需要向上级汇报争取帮助解决的，如建议省委下发《关于加强全省文联工作的意见》、建议由省委宣传部转发省文联《关于加强全省基层文联建设的指导意见》、筹建省文艺创作基地等问题，积极争取解决。现在已将明确的整改项目分解落实到分管领导、分管部门和具体责任人，并公布于众，向文艺界和群众做出公开整改承诺。根据整改情况，研究制定了具有针对性和可操作性的测评方案。省文联机关全体人员、文艺家代表和各市文联主要负责人共83名同志参加了群众满意度测评，测评结果比较理想。关于“组织开展学习实践活动情况”，总体评价的满意率为100%，具体评价的满意率为99.7%，最终满意率为99.8%；关于“解决突出问题情况”，总体评价的满意率为98.8%，具体评价的满意率为99.4%，最终满意率为99.1%。

（六）注重实践，全面推动工作

为使学习实践活动不流于形式，根据年初制定的30个重点项目和突发性任务，及时调整工作思路，整体推进，充分体现出学习实践活动的成效。

一是迅速开展抗震救灾活动。汶川发生重大地震灾害后，我们迅速向全省文艺界发出倡议，广大文艺工作者和文联机关党员干部积极捐款捐物捐作品，表达对灾区人民的深切关爱。5月22日，在南京市山西路广场举办了全省文艺界大型赈灾义演义捐活动，省领导、文艺家代表和省文联机关干部、市民群众千余人到现场参加了活动。义演义捐现场为灾区群众募款218.59万元。全国政协委员、著名书法家言恭达书法作品在无锡义拍112.8万元全部捐给灾区；“山花奖”得主姚建萍刺绣作品在苏州义拍50万元捐给灾区；省音协发动全省音乐工作者创作抗震救灾作品，征集100余首作品，召开了抗震救灾作品研讨会，遴选出优选作品制成专题CD光碟，表达对灾区群众的一片爱心；省影协、省摄协组成小分队奔赴灾区，感受现场、采访拍摄。7月23日，在南京图书馆举办了书画摄影抗震救灾专题作品展，再现了惊天动地的赈灾壮举。

二是积极开展文艺惠民活动。根据基层群众精神文化需求，我们充分发挥文艺人才资源优势，创新内容、形式和机制，全省文艺界上下联动，将以人为本的理念落实到文艺惠民的具体行动中。学习调研阶段组织启动了“百名文艺家百场文化惠民演出"活动。由文艺名家组成小分队分赴全省农村、社区、企业,面对面为基层和群众服务,基层文艺工作者积极参与,至今已演出31场。通过文艺惠民演出活动,不仅满足了人民群众精神文化需求,基层文艺工者还通过与文艺名家的技艺交流,提升了演艺水平。此项活动深受基层群众欢迎,目前仍在深入开展之中。

三是科学推进基层文联工作。在调研中,市县文联普遍要求省文联进一步加强对基层文联工作的业务指导与服务。经过积极筹备,我们于6月下旬召开了全省基层文联建设现场交流会。会议通过经验交流、工作研讨、现场观摩,探索了新时期加强基层文联建设、充分发挥基层文联职能作用的新方式新途径。会议还对省文联起草的《关于加强基层文联建设的指导意见》提出了修改和补充意见。与会同志一致认为,这次会议以会代训,开阔了视野,学到了先进经验,找到了工作抓手,明确了发展方向,增强了工作信心,对于推动基层文联工作科学发展起到了十分重要的作用。

四是积极稳妥做好协会换届工作。由于种种原因,省文联所属11个文艺家协会有10个"超期服役",未能依照协会章程按期召开代表大会。尤其是省美协自1993年换届以来,已有15年之久没有换届。今年,按照省委宣传部要求,我们把省美协换届作为深入开展学习实践活动的重点工作摆上议事日程,采取多种方式,听取方方面面的意见,深入细致地做好思想政治工作,经过精心筹备,于6月25日至27日顺利召开省美协第四次代表大会,成功完成换届工作。目前,我会已经制定具体工作方案,今年10月份将组织实施省摄协、省杂协的换届工作。按照较长时间的整改计划,明年至少完成5个文艺家协会的换届工作,逐步实现文艺家协会组织建设的规范化、制度化。

五是举办全省文艺家读书班。7月下旬,省文联在常州举办了为期4天的文艺家读书班。全省文艺界代表及部分知名演员共160人参加了读书班。读书班期间邀请了中国文联副主席杨志今、中国曲协分党组书记、副主席姜昆、省社科院副院长张浩瀚、常州市长王伟成等同志分别作了"党领导文艺的方式"、"中国曲艺的魅力"、"在科学发展观背景下加强江苏'文化强省'建设"、"以民为本在常州"等专题报告和讲座;还请省中青年德艺双馨文艺工作者吴为山、柯军和我省赴四川抗震救灾人员邓鹏、厉婷婷介绍先进事迹。省委常委、宣传部部长杨新力在读书班上就落实科学发展观,推动江苏文艺大发展、大繁荣作了重要讲话,提出了明确要求。通过举办读书班,深化了文艺家对文艺事业科学发展的思想认识,激发了大家多出文艺精品、满足人民群众精神文化需求的自觉性和使命感。

二、主要成效

这次学习实践活动,由于领导重视、目标明确、重点突出、措施有力、工作扎实,达到了"思想更加统一、行动更加自觉、机制更加完善、发展更加协调"的目标要求。省文联学习实践活动取得的成效,主要体现在以下四个方面。

(一)深化思想解放,进一步增强了科学发展的自觉性和主动性

在学习实践活动中,我们通过狠抓四个环节,推动思想解放不断深化。一是党员领导干部联系查摆出来的问题,结合思想和工作实际,转变自身不适应不符合科学发展的思想和工作理念;二是省文联普通党员联系自身工作岗位实际,对照科学发展观的要求,进一步弘扬爱岗敬业精神;三是采取党组扩大会议、中心组学习会议、中层干部会议、读书班等有效学习平台和载体,积极探索有效的学习方式,进一步深化党员干部学习,克服了领导干部学得热闹、普通党员学得冷清的现象;四是充分利用省文联内部刊物《繁荣》和江苏文学艺术网等平台开展学习交流,进行思想解放大讨论,进一步解放和统一思想。

通过学习实践活动,我们全面深刻理解准确把握了科学发展观的科学内涵、精神实质和根本要求,对科学发展观有了更加深刻的认识和感悟,转变了不适应不符合科学发展观的思想观念,发挥文联职能作用、建设"文化强省"的思想

更加统一。增强了在文联工作中贯彻落实科学发展观的自觉性、主动性和坚定性，为在新起点上促进我省文艺事业的繁荣发展奠定了坚实的思想基础。

(二)明确发展方位，进一步理清了科学发展的工作思路

我们始终将学习实践科学发展观活动与实际工作紧密结合起来，围绕建设江苏文化强省的宏伟目标和任务，省文联主要领导带领调研组，分别到浙江省文联以及淮安、无锡、泰州、南京、苏州、南通等市县文联，就“江苏在建设文化大省过程中亟待解决的文艺问题及对策”等5个在实际工作中需要重点研究的课题进行专题调研，并在找准问题的基础上，由党组书记处领导具体分工负责调研课题的落实。

通过学习调研，我们进一步明确了江苏文艺事业发展的方位，理顺了繁荣发展文艺事业和推进全省文联建设的工作思路，建立健全了关于推进文艺人才培养，繁荣文艺创作，强化为大局服务、为文艺家服务、为基层群众服务的意识，使文联切实成为贯彻落实科学发展观、建设“文化强省”和繁荣发展文艺事业的组织者、推动者和实践者。

(三)找准主要矛盾，及时解决了影响科学发展的突出问题

对于查摆出来的问题，在深刻分析各类问题原因、进一步理清整改思路的基础上，我们研究制定了《省文联学习实践科学发展观活动整改方案》。整改方案围绕解决突出问题，明确了整改目标，细化了整改项目，提出了具体的整改时限及措施。特别是针对“三个不够一个滞后”的突出问题，我们及时校正了阻碍文联事业发展的人才培养、推进文艺创作等理念上的偏差；同时，立足当前，着手解决对基层文联工作指导不够、文艺家协会换届滞后等突出问题，已取得了初步成效。

已经出台的具体整改措施，充分表明省文联领导班子通过这次学习实践活动，提高了在发展文联事业中科学决策、统筹兼顾的能力，提高了在履行文联职能中善于抓主要矛盾、破解难题的能力，提高了在制度建设中与时俱进、开拓创新的能力。在整改中，我们通过着力解决文艺界和基层群众反映强烈的热点、难点问题，不断化解矛盾、理顺情绪，赢得了文艺界和基层群众的信任，增强了文联的凝聚力。

(四)狠抓建章立制，建立健全了科学发展的长效机制

从科学发展观的内在要求出发，我们以文联自身建设和推进文艺人才培养、推动文艺创作、打造文艺品牌、实施文艺惠民为主要内容，在充分调研的基础上，初步研究制定并建立健全了一套适应科学发展观的文联工作规章制度。在学习实践活动期间，我们进一步建立健全了9项制度：《党组书记处议事规则》《中心组学习制度》《领导班子成员民主生活会制度》《干部人事管理规定》《关于贯彻〈建立健全教育、制度、监督并重的惩治和预防腐败体系实施细则〉的意见》《宣传信息工作规程》《关于嘉奖全国性优秀文艺奖项获得者与表彰奖励所属各单位实施优秀项目的办法》《外事管理规定》《财务管理制度》等，对于《文艺家协会工作规程》《专业技术职务聘任办法》《扶持重点文艺项目的实施方案》等3项制度，我们打算用一年左右的时间调查研究、积累经验，待条件成熟后再行出台。通过制定完善各项规章制度，构建了充满活力、富有效率，更加有利于科学发展的文联工作机制新框架，并据此强化按章办事，加强执行的力度，进一步使省文联各项工作规范化、制度化。

在肯定成绩的同时，我们清醒地看到，省文联的学习实践活动还存在一些不足的地方：一是个别单位和少数党员干部对学习实践活动重视程度还不够，没有真正将学习与调研、查找分析问题、解决问题摆到突出位置；二是有的单位对学习实践活动抓得时紧时松，特别是查找问题还不够全面深入，分析原因时过于强调客观因素；三是有些整改措施还没有完全落实到位，有待于进一步加强。形成上述问题的主要原因，一是对

学习实践活动的重要性认识还不高,缺乏学习实践科学发展观的紧迫感,认为学习实践活动是领导班子和处级以上党员领导干部的事情;二是平时学习重视不够,对科学发展观认识不足,缺乏科学发展的理念;三是偏重于日常工作和开展业务活动,学习与调研不够深入,对自身优势和问题缺乏全面、准确的把握;四是有的同志业务水平还不能适应科学发展观的要求,能力、素质亟待提高。

三、几点体会

以"科学发展观"为重要内容的学习实践活动,是提高党员素质的治本之策,是推进发展的强大动力,是夯实党的执政基础的重要举措,是加强机关党的建设的成功实践。在深入学习实践中,省文联领导班子达成了共识:一是必须把科学发展观作为江苏文艺大繁荣大发展的行动指南。以科学发展理论武装头脑,努力改造主观世界,切实增强贯彻落实科学发展观的自觉性和使命感,在新的起点上实现新的思想解放和思想统一。二是必须把解放思想作为推动文联工作科学发展的不竭动力。根据科学发展的新要求和发展阶段的新变化,破除一切不符合科学发展的思想束缚,以勇于超越自我的精神,树立更高的目标追求。三是必须把服务科学发展作为履行文联职能的第一要务。围绕深入贯彻落实科学发展观,在服务大局、服务群众、服务艺术家中找准定位。总结省文联在这次学习实践科学发展观活动中取得的良好成效,我们主要有以下三点体会。

(一)只有领导重视、身体力行,才能确保学习实践活动扎实开展

活动开展伊始,领导班子就明确党组书记为本次活动的第一责任人,高标准地认真制定《省文联学习实践科学发展观活动方案》。在方案的制订上既保证贯彻上级政策精神不走样,又考虑坚持从省文联工作实际出发,大胆探索创新活动的方法、途径,确保圆满完成各项活动任务,并取得良好活动效果。领导班子成员带头参与学习调研,结合建党 87 周年纪念活动,以学习十七大新党章为主题,由党组主要领导为文联机关全体党员上了一次党课,领导身体力行营造学习实践活动的良好氛围。并通过建立学习实践活动的领导体制和工作机制,严格督导检查活动方案的落实情况,保证学习实践活动不走过场、不出偏差,形成一级抓一级,一级带一级,层层分解任务,人人明确目标,保证了学习实践活动有序有效开展。

(二)只有精心组织、周密实施,才能高质量地完成各项任务

在学习实践活动中,省文联党组紧密结合工作实际,围绕"推动科学发展,建设美好江苏"主题,既认真完成中央和省委的"规定动作",又紧密联系文联工作实际,推出了一系列的"自选动作",既保证学习实践活动内容丰富不流于形式,又让活动开展得有声有色,扎实有效。活动中,我们注意借鉴过去党内集中教育活动的好做法、好经验,并积极探索行之有效的新形式、新方法和新途径。领导班子在加强理论学习的同时,广泛开展调查研究;在查摆问题、分析客观原因的同时,更强调注重剖析主观原因,充分发扬民主,查找问题和不足;在认真开展学习交流活动的同时,采取邀请专家学者开设专题讲座等形式,帮助党员干部开阔视野,加深理解;在制订学习计划的同时,要求各支部保证学习任务的落实,不断检验学习效果;在制定落实整改措施的同时,注重边学边改,强化领导责任,努力构建长效机制。

省文联机关全体干部职工,特别是党员、党员领导干部,能够按照党组书记处的要求,积极投身于学习实践活动。领导小组办公室发出《关于发扬民主分析情况查找问题的通知》后,省文联有 26 个单位报送了分析情况、查找问题的书面材料,占单位总数的 93%。我们组织开展了"我为省文联科学发展和谐发展建言献策"活动,省文联在职人员、离退休人员和在省文联长期帮助工作的同志积极参加了这项活动。有 42 位同志参加了"省试点办"组织的网上"思想解放大讨

论”活动,占在职人员总数的46%。活动期间的每一次会议,我们都做了到会率统计,中层干部会议的到会率达到95%;全体干部职工大会每次到会率都在90%以上。这些数据表明,省文联的学习实践活动组织严密,参与率高,不走过场。由于各个环节的精心组织,切实增强了学习实践活动的针对性和实效性,促进了学习实践活动的深入开展。省委常委、省委宣传部部长杨新力同志曾用12个字对省文联的学习实践活动进行了充分肯定和高度概括:“查找问题准确,整改措施得当。”学习实践活动中,省文联“强化六种意识,促进学习实践活动成果有效转化”“充分发挥职能作用,推动我省文艺事业的大发展大繁荣”等好的做法,先后被“省试点办”编发的《试点工作简报》作为经验向全省推广。

在这次活动中,领导小组办公室的6位同志承担了大量具体的事务性工作,如起草文稿、安排会议、征询意见、发布简报、组织网络宣传、开展网上思想解放大讨论以及做好相关的沟通联络协调工作。领导小组办公室是一个临时工作班子,但他们团结一致,相互配合,加班加点,任劳任怨,作风严谨踏实,态度一丝不苟,工作积极主动,体现出了一种特别能战斗的精神风貌。

(三)只有深入剖析、重点突出,才能高效率抓好整改落实

省文联党组多层次、多渠道广泛征求社会各界的意见,认真查摆问题,集中开展评议。在统一思想认识的基础上,针对查找出来的主要问题,深刻剖析问题根源,切实明确努力方向,制订出整改落实措施。同时对影响和制约文联发展的突出问题进行了认真思考和研究。按照“每一项任务和措施都要明确责任部门和责任人”的整改要求,针对涉及面较广的突出问题,领导班子成员结合分工,落实了整改责任,做到整改工作目标化,整改目标责任化,整改责任具体化,整改措施公开化。由于精心组织,工作细致扎实,使这次学习实践活动的群众评议和群众满意度测评都达到了省委的要求。

在解决问题阶段,党组书记处对已经梳理出来的问题,分门别类提出整改的重点目标,并根据问题的轻重缓急和难易程度做出相应安排,逐条抓落实,逐项求成效。我们以这次学习实践活动为契机,既解决工作中存在的重点问题,又解决一般性问题;既立足眼前需要解决的问题,又着眼长远,解决潜在、内在的问题;既解决工作中经常出现的问题,又注重完善制度,从根本上解决问题。

四、巩固和扩大活动成果的努力方向及主要措施

我们将按照科学发展观的要求,继续解放思想,以学习实践科学发展观活动取得的成果深入推进文联事业的科学发展、和谐发展,不断创新文联工作机制,以奋发有为的精神,团结引导全省文艺界,促进江苏文艺的大繁荣大发展。

(一)深入学习,继续推动解放思想

深入学习科学发展观理论体系,增强贯彻落实科学发展观的自觉性和坚定性。注重理论学习,掌握推动科学发展所需的知识和本领,努力提高理论素养、知识水平和思维层次。进一步解放思想,与时俱进,深化对省文联的地位作用、发展方向、发展思路的科学认识,不断创新文联事业发展的理念和思路。

(二)深化整改,不断创新体制机制

在整改中,我们确定的整改措施既是整改工作取得实际成效的重要保障,也是完善制度,建立长效机制的有效举措。一是以制定的整改措施为抓手,继续深入解决问题。二是注重总结整改经验,重点总结经过整改实践证明、确能解决实际问题的行之有效的做法。三是注重实用,不断创新机制。按照“科学建章立制,促进长远发展”的要求,用系统的思维、长远的眼光,重点建立健全和完善激励机制、目标管理和文艺家协会工作机制,使文联和文艺家协会工作有章可循,确保每项制度都能落到实处。

(三)立足长远,大力推进科学发展

立足实践谋发展,增强文联事业发展和文联

工作的预见性、针对性和科学性；更好地认识和把握文艺规律，按照文艺规律办事；立足实践求创新，坚持用改革创新的思路和办法解决文联事业发展中的困难和问题。以强化服务为抓手，创新服务手段，灵活服务方式，推进各项工作科学有序地展开。

（四）转变作风，树立文联良好形象

严格执行各项规章制度，不断提高文联干部队伍的思想水平和业务素质，努力建设一支富有生机和活力的文联干部队伍。倡导相互尊重、相互支持、和谐发展的风气，营造规范有序、宽松健康、生动活泼、积极向上的工作氛围，形成凝心聚力开拓文联事业发展的新局面。

同志们，实践在不断发展，认识要与时俱进，解放思想永无止境。我们将继续按照省委的部署和要求，以强烈的政治责任感和求真务实的作风，坚持学习实践、坚持解放思想、坚持改革创新，努力使贯彻落实科学发展观认识上进入新的境界，实践上取得新的成效，为江苏文化强省建设做出我们应有的贡献。

在江苏省文联文艺创作座谈会上的讲话

言恭达

今天,我们开了一个很好的创作座谈会,大家以邓小平理论、三个代表重要思想为指导,以贯彻科学发展观为统领,按照党中央、省委新的工作部署与要求,知无不言,踊跃发言,畅所欲言,回顾总结了江苏省文联创作工作的经验,找到了我们在文艺创作工作上贯彻落实科学发展的薄弱环节,提出了很多好的建议、意见,不少同志还就如何建设江苏艺术精神发表了很好的见解,所有这些都为繁荣江苏文艺事业、为省文联更好地引导、组织创作提供了重要的决策参考。在此,我代表省文联书记处向与会同志,特别是向各位理论家、批评家致以深深的谢意!

下面,我就江苏创作的现状和 2009 年省文联在创作上的举措谈几点意见。

一、江苏文艺创作现状

在去年科学发展观学习实践试点活动中,我们对江苏文艺创作的情况进行了一次较为深入的调查研究,形成了《如何在继承与创新中繁荣江苏文艺》的调研报告。这次调研,使我们对江苏文艺创作的成绩与问题有了更加清醒的认识,为我们进一步廓清文联工作思路,加深对创作与活动等关系的理解,在创作工作上取得更大的成绩厘清了不少理论上的问题。

(一)取得的成绩

通过这次调研,我们感到,十多年来,在省委、省政府的领导下,江苏逐步营造出了有利于创作的大氛围,逐步建设起了一些有利于创作的新机制,一些艺术门类的创作水平攀上了全国的新高度,江苏的文艺创作取得了前所未有的新成果,一个大发展、大繁荣的文艺高潮正在全省兴起。

一是各级党委、政府加强文化体制改革,提出一系列文化发展战略举措,营造了有利于创作的大氛围。

1996 年,江苏省委召开第一次文化工作会议,在全国率先提出建设与经济发展相适应的"文化大省"的文化发展战略,提出了文化大省的"六条标准"。2001 年省委又召开第二次文化工作会议,在全国率先进行了文化体制改革,制定了《江苏省 2001—2010 年文化大省建设规划纲要》,构建了政事分开、管办分离的公共行政的文化体制,组建了江苏五大文化集团。2006 年,省委召开第三次文化工作会议,提出了建设文化江苏,向文化强省迈进的宏伟目标。这是江苏省委贯彻落实党的十七大精神的重要措施,是江苏文化大省建设的一次全面提升和跨越,是一项内容丰富、涵盖面广、目标明确的战略工程,是提升江苏"软实力"的关键举措。

在建设文化江苏,向文化强省迈进的历史进程中,全省文化部门和各省辖市也均采取相应强力措施,制定、出台了本系统、本地文化发展的战略性规划。如江苏省文化厅制定出台了《江苏省"十一五"文化发展规划》、江苏省文联制定出台了《江苏省文联"十一五"发展规划》、全省 13 个省辖市也都制定出台了相应的文化发展规划。

在全省各级党委、政府提出的一系列文化发展战略举措中,均有繁荣文艺创作的要求、目标、途径与措施。这些战略举措已经成为繁荣创作的强力助推器，为繁荣创作营造了良好的大氛围，极大地推动了江苏文艺创作的繁荣。

二是各级党委、政府和文化部门深刻认识和把握市场经济规律和文艺创作规律，创造了一些有利于文艺创作的新体制、新机制。

省委提出的建设江苏文化大省的目标，大力推动了江苏文化体制改革，全省组建了江苏五大文化集团，建立了繁荣创作的新体制。省文联制定出台了《全国优秀文艺奖项获得者表彰奖励办法》，目前已经举办了两届表彰活动，初步建立起表彰引导、推动创作的新机制。省文联、省美协、省书协、省剧协、省舞协等分别遴选出了一批青年艺术人才，建立了“优秀人才”跟踪培养机制。南京、宿迁、苏州、昆山等市县（市）文联受市委、市政府委托开展优秀文艺作品评奖表彰、评奖活动，进一步建立、健全了文艺创作的激励机制。省委宣传部和省文联、省文化厅联合举办的“中国百家金陵画展”，省委宣传部和省文联联合举办的“中国曲艺牡丹奖颁奖系列活动”等大型品牌活动，采取依靠品牌活动推动创作的方法，推出了一批优秀作品，促进了创作繁荣。省文联、省作协以及南京、苏州等市文联还采取了以奖代投、委约创作等多种符合市场经济规律和创作规律的新机制、新办法，大力推动创作繁荣。

三是江苏一些文艺门类登上了新高峰，江苏文艺创作取得了前所未有的新成果。

近年来，江苏省文联在组织创作的工作实践中，逐步探索出“组织政治、业务学习和理论研讨引领创作，开展采风、深入生活推动创作，实施品牌工程带动创作，直接组织创作项目参与创作，评奖表彰优秀作品鼓励创作”的创作组织形式。实践证明，这一创作组织形式，将创作工作与文联其他重要工作有机地结合起来，符合江苏省文联的实际，调动了各方面组织创作的积极性，对繁荣江苏创作起到了积极推动作用。

据统计，2004 至 2007 年，江苏除文学以外的美术、书法、摄影、音乐、舞蹈、戏剧、电影、电视、曲艺、杂技、民间文艺等各门类艺术作品，共获得全国性文艺奖项（指经中共中央宣传部批准、由中国文联和全国各艺术家协会联合设立的奖项，未包括文化部设立的奖项）244 个。其中书法、摄影、音乐、戏剧、民间艺术等门类多次在全国评奖中获得前三名的优异成绩。这使江苏在上述艺术门类名列前茅的创作实力为全国所公认。以上情况说明，那种“只有高原，没有高峰”的看法已经成为过去，江苏已经出现了某些文艺门类的创作高峰。

（二）存在的问题

在看到成绩的同时，我们还要看到江苏文艺创作上存在的一些问题，有些事关全省、亟待解决的重要问题。

一是机制问题。

第一，缺乏创作资金储备与创新的运作机制。现在江苏创作资金主要来源于财政拨款和市场自筹，但这两个创作经费渠道都对创作有一定的制约。财政拨款依据项目预算划定，投入机制的偶然性很大，不符合作品特别是大型作品需要一定的创作期的创作规律，造成了创作资金后劲不足；不符合文化体制改革后，政府职能转变，逐步建立“小政府、大社会”的社会结构模式，不能充分发挥文艺界人民团体承担的创作职责和组织创作上的专业优势，造成文化部门争项目、争活动，实质是争资金的资金分流现象；不符合市场经济的产出大于投入的规律，不利于创作作品取得更好的社会、经济效益。

自筹创作经费取决于市场，市场具有很强的不稳定性，市场的震荡造成创作资金来源不稳定，特别是一些亟须倡导的主旋律作品，往往难以吸引市场投资者，造成这部分作品难以在市场上取得投资。

由于上述两个方面的制约，全省文联组织在文艺创作上的专业性优势没能得到更充分有效的发挥。如，省文联提出的一些创作项目陷入财政拨款少、市场找钱难的两难境地，而举办的一些推动创作的采风、深入生活、作品研讨、宣传推介等活动也均因缺少常项经费难以持续开展，或难以取得更大效果。

第二，缺少创作激励机制。以江苏省政府名义颁发的“江苏文学艺术奖”已经停评十多年。

省委宣传部制定的《扶持、奖励重点文艺项目办法》虽经各有关部门多次讨论，却迟迟没能出台。目前，除省文联、省作协、省文化厅等文化艺术单位设立的奖项外，全省没有一项统一的、法定的、常项的、高度权威的文学艺术奖。

第三，缺少创作统一规划与创作协调机制。全省多年没有召开过创作规划会议，虽然在有关会议上提出对创作作品数量要求，但缺少对具体作品题材、体裁、样式、资金、市场等方面的谋划，缺少落实的措施。文化、广电、文联虽经常联名举办各种活动，但在创作上，基本是各自为阵，缺少统一协调机制，不能形成互补，产生更大优势。比如，省文联如能与省广电结盟，前者发挥影视剧本的创作优势，后者发挥影视剧制作的优势，就能形成强势创作平台。

二是理论建设问题。

第一，缺少文艺创作基地和理论批评阵地。目前，全省没有一个文艺创作基地，依靠各艺术门类领军人物带动创作的新机制因缺乏物质依托而难以建立，不能集约化地使用创作资源，不能为创作人才提供更优化的创作条件。

第二，全省没有一本创作理论刊物，媒体上的文化版面基本上已经成为娱乐版，主流文化在多样文化消费面前处于失声状态。文艺理论批评引导创作，促进自身理论繁荣与创新等功能没能充分发挥。

二、2009 年江苏文艺创作的几点思考

根据省委、省政府的要求，结合江苏文艺创作的实际情况，经过认真分析、研究，省文联 2009 年的艺术创作重点要抓好四项工作。

第一，建立、健全一整套文艺创作机制，包括创作资金投入、管理、使用机制，优秀文艺人才与文艺作品奖励机制，以省政府名义颁发的全省权威性文艺奖评奖制度等。

建立、健全这样的机制，需要省委、省政府的支持，需要省委宣传部的具体领导。因此，省文联将于近期将此项工作向省委宣传部作专题汇报，争取组成省委宣传部领导下的文本起草小组，广泛征求全省文艺界意见、建议，早日形成《关于繁荣文艺创作的意见》，并争取以省委或省委宣传部的文件形式下发。

第二，组织江苏省文联的“庆祝新中国成立 60 周年”重点创作项目。从各协会申报的创作项目中，遴选意义重大、题材新颖，能够在全国产生重大影响的创作项目，经过专家论证，确定 1 至 2 项江苏省文联“庆祝新中国成立 60 周年”重点创作项目。

第三，建设两大文艺理论高层论坛。一是建在南京浦口中国书法金陵论坛，二是中国电影同里论坛。这两大理论论坛均以文化场馆为依托，逐步打造成全国当下艺术理论高层论坛。

第四，进一步加强文艺品牌活动对创作的带动力，加大文艺品牌活动中江苏的艺术、理论作品数量，提高文艺品牌活动中江苏的艺术、理论作品质量，充分利用品牌活动，大力宣传、表彰、推介江苏的艺术、理论作品。

三、对创作工作的几点意见

为了切实解决创作中的重大问题，在文化强省建设中做出新的贡献，在繁荣江苏文艺创作上取得更大成绩，结合省委、省政府和中国文联的新要求，省文联党组、书记处对 2009 年创作工作提出以下几点要求。

（一）以更加科学的理念明晰创作工作思路

繁荣创作既是文艺界人民团体的职责，也是我们的专业优势所在。省委和省委宣传部领导在不同的场合多次对我们提出加强创作工作的新要求。在近来召开的一些会议上，文联和各协会的同志也都提出加强创作的工作建议。实际上，我们党组、书记处非常重视艺术创作。

加强创作首先必须以科学发展观为统领，不断加强科学发展观的学习与实践。

去年，省文联的科学发展观学习实践试点活动，使我们尝到了用科学理论武装头脑、指导工作的甜头。在不久前的省文联江阴会议上，不少同志都谈到，千难万难，有了科学发展观指导就不难；有了科学发展观指导，难点就可以变为重

点，重点就可以变为亮点；会不会发展，善不善创新，取决于能不能自觉运用科学发展观为指导。我想这是同志们的真实体会。正是在科学发展观的指导下，省文联解决了一些难点问题，这些难点经过大家的努力都变成了亮点，如省美协的换届工作，受到了广大美术家的赞扬和省领导的肯定。另外，我们对创作工作上重要问题的认识也有了深化与提高。

多年来，我们一直以为，创作的主要问题是资金问题，资金是制约创作的瓶颈。在这种认识的指导下，一些地方的文联工作出现了重活动、轻创作，文联工作重点始终在活动与创作两端摇摆的倾向。当然，这种认识不是哪一个同志的问题，而是我们认识的时代局限性所致。在科学发展观学习实践试点活动中，我们对全省文艺创作工作做了专题调研。通过调研，我们深切地认识到，在新的历史起点上，在建立社会主义市场机制、高科技飞速发展、党和政府将文化置于前所未有的重要位置的条件下，制约创作的深层次问题是缺少全省性的繁荣创作新机制。这才是制约创作的瓶颈。可以说，这个认识是我们学习贯彻科学发展观的重要成果。因此，着手建立全省繁荣创作新机制，是我们进一步围绕中心、服务大局、参与江苏文化强省建设新的着力点，也是我们在实践中逐步掌握以人为本、统筹兼顾、全面协调可持续发展本领，做好文联工作的创新举措。这项工作抓好了，全省就有了繁荣创作的保障。

（二）以更加创新的举措落实创作工作任务

以科学发展观为统领，根据2009年的新形势新任务，结合江苏省文联的实际情况和全省文艺创作情况，今年的创作工作要采取“重点突破、奠定基础、推抓并举、力取实效”的方针。

“重点突破”就是着眼于全省文艺创作的全局，下功夫解决制约全省而不是仅仅制约省文联的创作“瓶颈”问题，努力一年，力争突破。“奠定基础”就是深刻认识任何制度下，机制上进步一小步也是社会前进的一大步，将机制建设视为基础建设，力争在年内建设出有利于统筹兼顾、全面协调、可持续发展的创作基础。“推抓并举”就是推动创作和组织创作并重，充分发挥文联创作上的组织优势和人才优势，将江苏文艺创作推向新的高度。“力取实效”就是方法得当，措施有力，确保实现预期目标。

（三）更加务实地追求更大更好的创作效益

首先，在重点选择上要有前瞻性。要花大力气，下硬功夫，吃苦受累干成一两件符合“以人为本、全面协调、可持续发展”的大事情，能够泽被全省，长期有效，能够提纲挈领，让关键问题都能迎刃而解的大事情。因此，在四项工作中，省文联党组、书记处将机制建设确定为重点，作为今年艺术创作的重中之重。请全省广大文艺家十分关注这项带有根本措施性的基础建设，省文联各协会、各职能部门要充分认识这项工作的重要意义，广泛征求所属会员和全省有代表性的文艺家的意见、建议，积极完成文本起草、征求意见、修改完善等各项工作，争取在2009年将江苏文艺创作扎扎实实推向深入，取得成效。

其次，在创作项目的取舍上要有决断性。省文联不是省内唯一的文艺创作单位，这就要求我们更好地发挥自己的优势，除了继续通过学习研讨、采风深入生活、品牌带动、表彰鼓励等多种方式全面推动创作以外，省文联抓的创作项目必须按照“意义重大、题材新颖、能够在全国产生重大影响”的基本条件，经过严格遴选决定取舍，宁缺勿滥。有关部门要抓紧建立省文联自身的项目遴选机制，从申报、论证到实施，要有一整套切实可行的制度章程。

再次，四项工作的组织实施上要有科学性。文联各协会、各部门，要努力学会统筹兼顾的工作方法，从繁琐的工作中解放出来，将更多的精力放在促进本艺术门类创作上，放在促进全省文艺创作上，像搞品牌活动一样组织创作，进一步落实以“创作为中心”的工作总思路。

同志们，2009年即将来临，这一年可能是新世纪以来我们遇到的困难最大的一年，也是具有极大机遇的一年。最近,省委、省政府确定了应对金融危机的十项举措,进一步发展包括文化在内的社会事业被列为第四项。我们要充分看到形势不利的一面,也要充分看到全民文化消费增长给我们带来的新机遇。让我们振奋精神,团结一致,齐谋文艺事业的发展,共创文艺创作的辉煌,为推进科学发展,深化改革开放,建设美好江苏作出更大贡献!

祝各位创作丰收!

弘扬创新务实精神 整体推进文联工作

——在全省基层文联工作现场交流会上的总结讲话

（2008 年 6 月 24 日）

江苏省文联党组成员、书记处书记 杨企鹏

为期两天的全省基层文联工作现场交流会议，今天就要结束了。这次会议紧紧围绕深入学习实践科学发展观，立足探索新时期充分发挥基层文联职能作用的新方式、新途径等主题，听取了 6 个市、县、区文联工作的大会经验介绍，还有很多文联进行了书面交流，参观考察了苏州市基层文联在新形势下开展工作取得的成果，并就现阶段加强基层文联工作的有关问题进行了研讨。会议指导思想与目的明确，主题鲜明，内容丰富，研讨气氛热烈。在经验交流中，有围绕中心、服务大局，主动争取党委、政府与上级文联关心和支持，凭作为求地位的典型；有推进人才培养，推动文艺创作的典型；有立足基层、面向群众，开展主题性、综合性文艺活动，创建文艺活动品牌的典型；有探索文联工作创新机制，增强文联发展活力，全面推动文艺事业繁荣发展的典型；有建立乡镇文联，焕发文联盎然生机的典型；还有在基层文联工作战线上尽心尽力、不畏艰难、乐于奉献、努力工作的个人典型。这些典型的经验介绍，使我们深受启发、深受感动、深受鼓舞，为我们研究探索新时期加强基层文联工作打下了好的基础。省文联党组书记、常务副主席王慧芬同志的讲话，主题突出，分析深刻，并就基层文联履行职能，充分发挥作用提出了指导性意见，具有很强的思想性和实践性。会议经验交流和王慧芬书记的讲话，我们要全面系统地加以消化和思考，结合实际工作，扎扎实实来贯彻落实。

这次全省基层文联工作现场交流会，我感到有以下几个特点：

一是立足大局，思想认识到位。

文联作为党和政府联系文艺家的桥梁和纽带，对文艺事业发展作用越来越明显。新时期繁荣发展文艺事业，要求我们必须加强县级和乡镇、街道以及企事业单位基层文联工作，整体推进文联的建设发展。近年来，随着我省文艺事业繁荣发展，基层文联建设得到进一步加强。但也要看到，文艺事业在面临新机遇新挑战的同时，基层文联工作也面临许多突出矛盾和问题，需要我们认真探索和解决。为此，今年初，省文联党组书记王慧芬同志亲自组织人员，就新形势下如何加强基层文联建设这一课题，通过调研的形式，听取了各方面意见，并进行了认真的研究。此次现场交流会议，既是对近年来基层文联工作的总结，又是新时期我省加强基层文联工作的开端。大家在讨论中也纷纷表示，基层文联建设是文联事业的基础，必须夯实。要抓住难得的发展机遇，充分发挥特色优势，积极开拓创新，创造性地发挥职能作用，不断满足人民群众日益增长的精神文化需求。

二是注重实效，组织工作严密。

这次会议准备比较充分，会期时间短、安排紧凑、组织严密、保障有力、成效明显。特别是承担会议保障工作的苏州市文联，尽心尽力，严密组织，为会议的顺利组织实施和取得圆满成功打下了良好基础。此次会议的形式贴近基层文联实际需要，贴近基层文联未来发展需求。大家除了共同感受之外,结合所在基层文联工作的特点和任务,还感到通过这次会议,既看到了文艺事业面临的发展形势和严峻挑战,又进一步明确了基层文联工作的任务及要求;既从相互交流中感到了压力,又从共同呼唤发展中增强了动力。同志们不仅更新了理念,还明确了今后工作重点抓什么、怎么抓的问题。会议在安排经验交流与研讨的同时,考察了苏州市金阊区等地方的基层文联建设情况。在现场参观学习苏州市基层文联建设的情况时,同志们能够结合当地社会经济发展和文联工作实际,以苏州市基层文联工作的做法经验为引导,认真学习借鉴他们解放思想、注重实际、创新理念、创新举措的工作方法。

三是着眼发展,创新谋划工作。

会议始终贯彻了新时期基层文联工作“围绕中心、服务大局”的要求,以推动江苏经济社会又好又快发展为根本出发点和落脚点,准确定位了新形势下基层文联职能;以加快实现“文化强省”建设目标为标杆,进一步明确了基层文联工作的任务及目标。大家纷纷表示,要积极组织广大文艺工作者投身全面建设小康社会波澜壮阔的伟大实践,以文艺的形式形象地反映率先发展、科学发展、和谐发展中的新人、新事、新貌,展示构建社会主义和谐社会的新探索、新实践、新创造,坚持文艺工作服务于“共有精神家园”的建设。这充分体现了全省文联系统的工作与中央、省委在指导思想上的一致,工作部署上的呼应。大家认为,新时期加强基层文联工作,必须遵循文艺发展规律。大家一致表示,在今后工作中要敏锐洞察文艺事业发展的新情况、新问题,认真研究探索新形势下履行文联职能的新思路新举措。必须突出重点,通过建立健全长效工作机制、创建工作评估体系等新手段,不断增强文联发展活力,整体推进全省文联系统的全面协调可持续发展。

四是突出重点,会议收获明显。

此次会议重点听取了王慧芬同志的讲话和有关基层文联工作经验介绍,参观了苏州市基层文联建设情况并就加强基层文联工作的有关问题进行了研讨。会议重点突出,求真务实。分析我省文艺事业发展形势,结合实际,精辟准确;总结文联近几年工作,实事求是;讨论文联工作重点,针对性强。在讨论中,大家感到获益匪浅。主要表现在:认清了形势,增强了做好新形势下文联工作的责任感、紧迫感和使命感;深化了认识,提高了贯彻落实党的十七大精神和建设“文化强省”的自觉性和主动性;进一步明确了基层文联职能和工作任务及目标;振奋了精神,坚定了开创基层文联建设新局面的信心和决心。

总之,这次会议获得了圆满成功。下面,我就贯彻这次会议精神再讲三点意见:

一、深刻领会会议精神,准确把握新要求

全面推进文艺事业繁荣发展,文联工作任务艰巨,责任重大。我们要认真领会、准确把握这次会议精神,统一思想,提高认识,强化责任,扎实工作,不断推进文联工作迈上新台阶。一方面要充分体现科学发展的要求,遵循文艺发展规律,在谋划和部署文联工作中,以科学发展观为根本依据,把文联工作放到“推动科学发展,建设美好江苏”的大局中去审视、去谋划,找准切入点和着力点,使基层文联工作的思路更加科学、任务更加明确、措施更加完善、成效更加明显。按照科学发展观的要求,切实把文艺资源转化为文艺事业发展资源,把人民团体优势转化为文艺事业发展优势,把人民团体活力转化为文艺事业发展活力,带着文联工作者的责任为大局服务、为文艺家服务、为人民群众服务,全面推进文艺创作、文艺人才培养和创建文艺活动品牌。

另一方面要弘扬创新发展精神。此次会议,整个过程贯穿了创新精神,提出了新思路、新要求、新任务、新举措,我们要在深刻领会中全面落实,在工作实践中大胆创新,在实现工作创新、开拓工作局面中树立文联新形象。结合深入学习实践科学发展观活动,进一步解放思想,摒弃不合时宜的观念,改变不合实际的做法,始终保持一种勇于创新、奋发有为的精神状态,以思想解放带动文联工作观念更新和实践创新,使文联工作做到与时代同步。王慧芬同志和大家在讨论

中分析查找的当前文联工作中存在的问题，迫切需要我们进一步进行综合分析，找准症结，拓展思路，研究对策，在不断解决矛盾和问题中推动文联工作的开展。

二、认真贯彻会议精神，着重把握五个关系

文联工作涉及面广，任务艰巨，开展工作难。在工作中，要准确把握五个关系：

一是把握和处理好创新与传承的关系。

坚持在继承中创新，在创新中发展，对文联工作长期以来形成的好传统和经过实践检验的好做法、好经验要认真予以总结和继承发扬，在此基础上进一步大胆探索，使文联工作始终与形势的发展相适应，与时代的要求相符合。

二是把握和处理好长期目标与短期任务的关系。

省文联《关于加强基层文联工作的指导意见》经过大家讨论，认为基本上是切实可行的。其中提出的文联工作的主要任务和奋斗目标，体现了长期目标和近期任务的统一。我们要把二者有机结合起来，根据工作的轻重缓急，把任务明确到具体单位和个人，分阶段、分步骤组织实施，有计划、有措施抓好落实，实现当前任务与长远目标的协调有序推进。

三是把握和处理好突出重点与整体推进的关系。

这次会议对基层文联工作提出的新的要求，是我们要把握的重点。紧紧抓住带有根本性、全局性的工作，进行重点探索、重点研究、重点突破，同时又要总体谋划、通盘考虑、统筹兼顾、整体推进，以开展重点活动的突破点来推动全局工作的开展。

四是把握和处理好实践探索与理论研究的关系。

当前，文联工作在面对极好发展机遇的同时面临诸多新的问题，这对文联工作的理论研究和实践探索提出了新的课题。我们要在理论上不断拓展新视野，系统研究，把握规律；在实践中不断开辟新领域，使我们对做好新形势下文联工作的思路更加清晰鲜明，实践创新更加积极有效。

五是把握和处理好基层文联与乡镇文化站馆建设的关系。

目前全省乡镇文联的建设趋势较好，文联在乡镇的诞生、生存、发展，有利于整体推动文艺事业的发展。文化部门的硬件建设为我们提供了极好的发展平台，我们要在积极支持文化部门工作的同时，特别要注重文联在基层的生根和发展，扎扎实实为基层群众服务。

三、全面落实会议精神，整体推进文联工作

一是要主动争取各级领导重视，为文联解决实际问题。

各地文联负责同志一定要积极主动、及时向当地党委和政府领导汇报上级有关加强文联工作的指示要求，争取当地党委和政府支持，帮助文联解决实际困难。

二是主动争取需要行动。

争取当地党委和政府的关心和支持，不能单单停留在汇报上，要围绕中心、服务大局，贴近实际、贴近生活、贴近群众，要实实在在地开展工作。有作为才能有地位，才能使当地的党委和政府重视和支持我们，才能使我们在社会上有影响、有地位。

三是突出重点，突出特色。

各地文联一定要根据自己的实际情况，在调查研究的基础上，开拓创新，走出一条具有自己地方特色的发展新路子。县级文联重点工作是组织文艺创作、开展文艺活动、培养文艺人才。组织文艺创作要加强现实主义题材的创作力度，大力实施“精品工程”；开展文艺活动要联系经济文化发展实际，紧扣时代主题，丰富活动内涵和形式，创新运作方式，着力打造名人名品、“一县一品”、“一镇一品”的文艺品牌活动；培养文艺人才，要建立与社会主义市场经济体制相适应的人才培养方式，要结合各类赛事、大型文艺活动，有计划有步骤地组织实施培训，通过举办文艺作品展演、研讨等活动，推介文艺名家和拔尖人才，建设一支思想素质过硬、业务能力强的文艺

人才队伍。

四是广泛依靠社会各方资源,灵活多样地开展活动,为繁荣社会主义文艺事业服务。

县级文联专职干部少,驻会专业人员少,我们要善于利用社会各方面的资源,形成灵活多样的组织体制、运行机制和活动方式,更好地促进文艺的发展繁荣。要善于广泛团结社会各界和文学艺术工作者、爱好者,善于利用社会各种资源,以文艺为纽带,想方设法开展工作。注重建设一支热爱文联工作、有组织能力、有活动能力、热心干事的文联工作者队伍。积极创造优良的工作和活动的场地,想方设法多渠道筹集活动经费,为举办活动和服务会员打好基础。

同志们,当前和今后的一个时期,基层文联的工作任务、目标是明确的。做好基层文联工作,意义重大,使命光荣。这次会议之后,大家要尽快将此次会议精神向党委宣传部门汇报,向各协会和团体会员进行传达,并紧密结合本地区本单位实际,研究提出贯彻落实的具体意见和措施。各地区各单位贯彻会议精神的情况,在工作中遇到的问题,请及时向省、市文联进行反馈。通过这次会议,希望我们各市、县、区和企业文联相互间要进一步加强联系,多联络,多借鉴,多沟通,多协调,共同开创文联工作的新局面。

江苏省文学艺术界联合会大事记

2008年江苏省文学艺术界联合会大事记

1月

3～4日　由中国曲协主办，省曲协承办的“无锡阿福吉祥幽默俱乐部”成立三周年庆祝活动在无锡举行。中国文联副主席、中国曲协主席刘兰芳，中国曲协分党组书记、常务副主席姜昆，省文联党组原副书记、副主席高以俭等出席庆祝活动。

6日　由省文联主办，省摄协等单位承办的“和谐江苏·美好家园”摄影作品巡回展在南京首展。省文联高以俭、言恭达等出席展览开幕式。南京首展后，该展还先后到13个省辖市巡展。

8日　由省文联、省美协主办的2007“美在新江苏”采风创作壁画作品成果展暨江苏省第四届壁画展在省美术馆开幕。省领导李佩佑、冯健亲、陆军等出席开幕式并参观展览。省政协副主席、省文联副主席冯健亲在开幕式上致辞。

8～10日　由中国文联、中国影协、省文联主办，省影协、省文艺交流中心等单位承办的“送欢乐、下基层”文化惠民活动在徐州沛县举行。中国文联党组成员、副主席冯远，中国影协分党组书记、常务副主席康健民，省文联高以俭、言恭达等参加了此次活动。

22日　省评协召开“批评的现状与对策在宁中青年文艺评论家座谈会”。省文联党组原副书记、副主席高以俭及30多位文艺评论家参加座谈。

24日　省文联召开机关全体干部大会，传达中共江苏省委关于江苏省文联党组主要负责人和党组、书记处成员调整的通知。省委常委、宣传部部长杨新力出席会议并作重要讲话。省委决定(苏委[2008]40号、苏委[2008]42号)：王慧芬同志任省文学艺术界联合会党组书记、书记处第一书记，免去省文化厅党组成员职务；杨承志同志不再担任省委宣传部副部长兼省文学艺术界联合会党组书记、书记处第一书记，省作家协会党组书记、书记处第一书记职务。杨企鹏同志任省文学艺术界联合会党组成员、书记处书记，免去省演艺集团有限公司党委书记职务。会议由省文联主席顾浩主持，省委宣传部干部处、省委组织部干部二处负责人、省文联全体干部职工出席了会议。

△　省视协举办第五届江苏省“十佳电视艺术家”评选活动，蒋文博等10位同志获此殊荣。

2月

3日　省委常委、宣传部部长杨新力在省委宣传部副部长梁勇、省文联王慧芬、高以俭、言恭达、杨企鹏陪同下，专程看望慰问著名二胡演奏家马友德、当代著名画家张文俊、昆剧大师张继青等在宁部分老艺术家。

5日　由省美协、无锡市文联主办的“2008·江苏省水彩画作品邀请展”在无锡开幕。省文联党组书记、书记处第一书记王慧芬出席开幕式并致辞。

13～23日　省文联副主席、书记处书记言恭达率领省文联组联部、省摄协和《歌迷大世界》杂志社主要负责人赴巴西开展文艺交流活动。

21日　江苏省文化艺术界座谈会在南京召开。省委书记梁保华，省长罗志军，省政协主席张连珍等领导与全省文化艺术界200多名代表欢聚一堂，共同庆祝元宵佳节，共商建设文化强省大计。梁保华发表重要讲话。省领导冯敏刚、王国生、朱善璐、林祥国、李云峰、李全林、张桃林、何权、陈宝田，顾浩、冯健亲及省文联王慧芬、高以俭、言恭达、杨企鹏等出席座谈会。座谈会由省委常委、宣传部部长杨新力主持。

△　由省委宣传部、省文联、省广电总台主办，省音协协办的“春满江苏”2008元宵歌会在南京举行。省领导林祥国、陈一远、杨新力、柏苏宁、张桃林，省委宣传部副部长梁勇，省文联党组书记、书记处第一书记王慧芬等出席了元宵歌会。

25～26日　省文联七届五次全委会在南京召开。省委常委、宣传部部长杨新力出席并作重要讲话。省文联主席顾浩宣读了省委关于江苏省文联党组主要负责人，党组、书记处成员调整的任免决定。尤世玮、张寿山、杨承志、肖俊志、陈霖苍、欧阳箐、施建石、赵康琪、徐东海、魏琪同志(以姓氏笔画为序)因职务发生变动，不再担任江苏省文联第七届委员会委员。增补王信淮、王慧芬、宋成玺、李朝润、杨企鹏、杨浩、羌怡芳、蒋宁同志(以姓氏笔画为序)为江苏省文联第七届委员会委员。王慧芬同志全票当选江苏省文学艺术界联合会常务副主席。省文联党组书记、常务副主席王慧芬作工作报告。南京市文联等6家单位作了交流发言。

26日　由中国书协、省文联、淮安市委、市政府主办，省书协等单位承办的“翔宇情”——纪念周恩来总理诞辰110周年中国110位著名书法家走进淮安楚州暨“中国书法之乡”挂牌仪式在淮安楚州区举行。中国文联党组副书记、副主席覃志刚，江苏省委常委、宣传部部长杨新力，省人大副主任、淮安市委书记丁解民，中国书协分党组书记赵长青，省文联王慧芬、高以俭、言恭达等出席了本次活动。在挂牌仪式上，省文联党组书记、常务副主席王慧芬致辞，赵长青发表讲话。

27日　由中国文联、省委宣传部主办，省文联、淮安市委、市政府承办的《永远的怀念》大型广场文艺演出在淮安举行，隆重纪念周恩来总理诞辰110周年。中国文联党组副书记、副主席覃志刚，江苏省委常委、宣传部部长杨新力，省人大副主任、淮安市委书记丁解民，副省长张桃林，中国文联国内联络部主任夏潮，中国书协分党组书记赵长青，省文联王慧芬、高以俭、言恭达等观看了演出。张桃林和覃志刚分别致辞。

28日　省文联党组书记、常务副主席王慧芬赴淮安市文联考察调研。

29日　省文联党组书记、常务副主席王慧芬赴无锡市文联考察调研。

△ 省摄协与南京溧水县政府联合举办“走进溧水——溧水风情摄影大赛”启动仪式和采风创作活动。

3月

7～8日 省文联党组书记、常务副主席王慧芬率领机关女干部赴常熟、无锡采风考察，欢度“三八”国际劳动妇女节。

10日 省文联组织的纪念改革开放三十周年大型报告文学集《逐鹿英伦》由中国文联出版社出版发行。

19日 省文联党组书记、常务副主席王慧芬赴南京市文联考察调研。

23～24日 省文联党组书记、常务副主席王慧芬率领各部门、部分协会、中心负责人赴浙江文联学习考察，进行调研。

26日 中国百家金陵画展组委会在南京召开全省创作动员会。省委常委、宣传部部长杨新力到会讲话。省文联党组书记、常务副主席王慧芬作创作动员讲话。省文联副主席冯健亲，省委宣传部副部长梁勇，省文联高以俭、言恭达、杨企鹏等出席会议。

29日 省摄协同泰州市姜堰市政府联合举办“淤溪杯”姜堰里下河水乡风情摄影采风创作活动。

4月

3日 省文联党组书记、常务副主席王慧芬出席省委召开的省级机关深入开展学习实践科学发展观活动试点工作动员大会。

3日、30日 由省委宣传部、省文化厅、省文联、省体育局主办，省美协、省书协承办的“奥运情·翰墨缘”——江苏省书画名家与著名运动员代表联谊活动暨书画捐赠仪式和捐赠作品展览在南京举行。省领导杨新力、柏苏宁、张九汉、黄因慧，省老领导陈焕友、顾浩、俞敬忠，省委宣传部副部长梁勇，省文联党组书记、常务副主席王慧芬等分别出席捐赠仪式和展览开幕式。省委常委、宣传部部长杨新力在捐赠仪式上发表讲话。顾浩主席和王慧芬书记代表江苏文艺界将230件书画作品捐赠给省发展体育基金会。王慧芬书记、省体育局局长殷宝林在捐赠作品展览上分别讲话。

7～8日 由中国影协、吴江市政府主办，省影协、吴江市同里镇政府承办的“第三届中国同里电影论坛——青年演员表演艺术研讨会”在苏州同里举行。中国影协分党组书记、常务副主席康健民，副主席李前宽、谢飞、潘虹、李雪健，省文联党组书记、常务副主席王慧芬出席论坛并致辞。本届论坛主题为“青年演员表演艺术”。

7～10日 省音协组织采风团赴江西婺源开展采风创作活动。

11日 由省文联、省曲协、苏州市文联主办的“姑苏芦花颂”第二届江苏曲艺“芦花奖”颁奖晚会在苏州举行。省委常委、宣传部部长杨新力，省老领导顾浩、陆军，中国曲协分党组书记、常务副主席姜昆，省文联党组书记、常务副主席王慧芬等出席了颁奖晚会。王慧芬书记在颁奖仪式上讲话。

14 日　省文联成立学习实践科学发展观活动领导小组，省文联领导王慧芬任组长，言恭达、杨企鹏任副组长。

15～19 日　省音协、歌迷大世界杂志社、南通市文联、南通市音协在南通举办“江海行”采风创作活动。

16～20 日　省舞协与六个省市舞协在上海市联合主办华东六省一市专业舞蹈比赛。我省选送的节目获组委会大奖 1 名，二等奖 2 名，三等奖 1 名，获奖总数位居华东第一。

17 日　由省委宣传部、省文联主办，省文联大型活动部、省文联组联部承办的江苏省百名文艺家百场惠民演出暨“美在新江苏”系列采风创作活动启动仪式在中华门城堡举行。省领导赵龙、张桃林、包国新，省老领导、省文联主席顾浩，省委宣传部副部长孙学玉，省文联领导王慧芬、言恭达、杨企鹏出席启动仪式。在启动仪式上，省政府副省长张桃林、省文联党组书记、常务副主席王慧芬分别讲话。

20 日　中国书协、省书协在苏州举办“中国书法名城——苏州”命名授牌仪式。中国书协领导赵长青、张陆一，省文联领导王慧芬、言恭达等出席授牌仪式。

20～24 日　省视协在溧阳举行第二十四届江苏省电视“金凤凰奖”评奖活动，93 部作品获奖。省文联党组书记、常务副主席王慧芬出席并讲话。

21 日　中国书协、省书协在徐州举办“中国书法名城——徐州”命名授牌仪式。中国书协分党组书记、副主席赵长青，省文联副主席、书记处书记言恭达等出席授牌仪式。

23 日　省文联在南京召开“江苏省文艺著作权服务网开通暨第二届江苏省文学艺术界保护知识产权论坛”。省文联领导王慧芬、言恭达、杨企鹏出席论坛和开通仪式。省文联党组书记、常务副主席王慧芬讲话，并点击开通了“江苏省文艺著作权服务网”(http://jswywq.com.cn)。

△　省文联副主席、书记处书记言恭达及省文艺家权益保障委员会法律顾问就“新形势下文联如何在文艺行业维权方面发挥作用”问题接受了中国江苏网专访以及网友咨询。

25 日　由省委宣传部、省文联主办的江苏省百名文艺家百场惠民演出在高邮举行。省文联党组成员、书记处书记杨企鹏出席并致辞。

28 日　省文联召开深入开展学习实践科学发展观活动动员大会。省文联领导王慧芬、言恭达、杨企鹏出席会议。省文联党组书记、常务副主席王慧芬作动员报告。

28～29　省曲协创作演出基地落户昆山市千灯镇揭牌仪式在千灯镇举行。省文联副主席、书记处书记言恭达，省文联顾问、省曲协主席杨乃珍等出席揭牌仪式。同时，“江、浙、沪曲艺名家送欢笑下基层——走进千灯镇专场演出”隆重举行。

5月

2 日　由省音协协办的《让历史告诉未来》交响音乐会在上海音乐厅演出。作为“上海之春国际音乐节”系列活动之一的这场音乐会，演奏了由省文联于 2007 年委约著名作曲家徐振民创作的交响序曲《让历史告诉未来——南京大屠杀 70 周年祭》。

5 日　省文联主席顾浩率领省戏剧、舞蹈、书法等艺术门类的艺术家一行 8 人赴宁夏等地采风考察。

5～11 日　省摄协组织“美在新江苏”摄影采风团一行 16 人赴淮安等地开展采风创作活动。

7～8 日　省曲协在仪征开展“美在新江苏”采风创作活动。

7～12 日　《歌迷大世界》杂志社《江南音乐》编辑部与常州市文联组织我省词、曲作家在常州开展采风创作活动。

8 日　在第二十四届江苏省电视“金凤凰奖”评选基础上，省视协选送 30 部作品参加中国电视“金鹰奖”评选。我省有 11 部作品获奖，获奖总成绩名列第一。其中，南京广播电视台拍摄的《见证南京大屠杀》获得最佳长篇电视纪录片奖，这是全国唯一获得一等奖的长篇纪录片。

13 日　省委党校教育长桑学成来省文联作学习实践科学发展观活动专题报告。

22 日　由省文联、省广电总台、南京市鼓楼区委、区政府主办的“我们万众一心”——江苏省文艺界大型广场赈灾义演义捐活动在南京举行。省政协副主席张九汉，省老领导陈焕友，省红十字会会长吴锡军，省文联主席顾浩、副主席冯健亲，以及王慧芬、言恭达、杨企鹏等参加了义演义捐活动。此次活动共募善款 218.59 万元，全部捐赠给四川灾区人民。

26 日　言恭达四川汶川地震赈灾义捐书法精品活动在无锡举行，共募集善款 112.8 万元，由省红十字会全部捐赠地震灾区。省文联党组书记、常务副主席王慧芬，无锡市委常委、宣传部部长王立人，无锡市委常委、锡山区委书记徐劼等出席了义募活动。

30 日　省文联召开“学习实践科学发展观活动调研汇报暨转阶段工作会议”。省文联党组书记、常务副主席王慧芬作主题报告。省委督导组成员出席会议。

30～31 日　由省曲协、常州市文联主办，常州市曲协承办的“第二十三届沪苏锡宁杭常六城市评弹名票名段汇演”在常州举行。中国曲协副主席吴文科出席此次活动。

6月

4 日　由中国美协组织召开的“2008 中国百家金陵画展(油画)”全国组织工作会议在南京举行。中国文联副主席、中国美协副主席刘大为，中国美协分党组书记、副主席吴长江，中国油画学会副主席张祖英，江苏省文联副主席冯健亲，省委宣传部副部长梁勇，省文联领导王慧芬、言恭达、杨企鹏等出席会议。省委常委、宣传部部长杨新力亲切看望了与会人员。

6 日　由省政府、中国书协主办，省委宣传部、省文化厅、省文联承办的“2008 · 林散之奖书法双年展”在省美术馆举行。省领导柏苏宁、张桃林、张九汉，南京军区原司令员朱文泉，中国书协分党组书记、副主席赵长青，省委宣传部副部长梁勇，省文联党组书记、常务副主席王慧芬等领导出席开幕式。省政府张桃林副省长、赵长青、章剑华分别致辞。

12 日　省文联、省影协组织江苏电影编导抗震救灾采访团奔赴四川灾区，进行实地采访，收集江苏救援队的先进事迹，汲取创作营养。省文联领导王慧芬、言恭达等为采访团送行。

△　《歌迷大世界》杂志社《江南音乐》编辑部编辑的《抗震救灾词曲专集》出版，这是全国音乐刊物中出版最快的抗震救灾专集。

13日　由省劳动和社会保障厅、省文联、省慈善总会、省文促会联合举办的“呵护心灵,还原笑脸——欢迎四川绵竹地震灾区来我省学习的同学”慰问演出校园行系列活动在南京技师学院拉开帷幕。省文联党组书记、常务副主席王慧芬等领导出席开幕式。

15日　由省文联、省作协主办,省剧协承办的纪念陈白尘先生百年诞辰座谈会在南京举行。座谈会前,省委常委、宣传部部长杨新力专程看望了陈白尘的夫人金玲及家属。省文联主席顾浩,省委宣传部副部长梁勇,省文联党组书记、常务副主席王慧芬,省文联副主席、书记处书记言恭达等领导出席了座谈会。梁勇同志在座谈会上致辞。座谈会由王慧芬书记主持。

16日　由省文联参与主办,省音协协办的纪念陈洪先生百年诞辰纪念活动在南京师范大学举行。省文联党组书记、常务副主席王慧芬出席纪念大会并讲话。

20日　省音协创作委员会在南京召开“抗震救灾歌曲作品研讨会”。

22～24日　省文联在苏州组织召开“江苏省基层文联工作现场交流会”。省文联领导王慧芬、言恭达、杨企鹏和来自省、市、县三级文联及企业、行业文联的负责同志160余人参加了交流会。省文联党组书记、常务副主席王慧芬在交流会上发表讲话。

25～27日　江苏省美术家协会第四次代表大会在南京召开。省委常委、宣传部部长杨新力,省文联主席顾浩,省文联副主席冯健亲,省委宣传部副部长梁勇,省文联领导王慧芬、言恭达、杨企鹏等出席开幕式。杨新力部长和省文联王慧芬书记分别在开幕式上讲话。会议选举产生江苏省美术家协会第四届理事会和主席团,选举宋玉麟同志为省美协主席,尹石等10位同志为副主席。

26日　省摄协组织摄影采访团赴四川灾区采风创作。省文联领导王慧芬、言恭达、杨企鹏亲切看望慰问了采访团,勉励他们通过此次活动,进一步增强社会责任感和使命感,为社会立影,为人民写照。

△　由省剧协、南京林业大学主办、编创的赈灾义演剧目大型情景诗剧“我们万众一心”在南京林业大学首演。

26～7月2日　省摄协组织7位摄影家赴四川灾区拍摄灾情,记录瞬间,感受真情。

7月

5日　省舞协在南京举办全省舞蹈教学研讨会。

4～12日　省文联大型活动部在常州和南京举行第十五届全国推选文艺新人活动江苏赛区比赛暨江苏省文联“朝霞工程”未成年人才艺大赛。

10日　省文联召开全体人员会议。省文联党组书记、常务副主席王慧芬作《学习贯彻科学发展观情况的分析报告》,对实践活动转入第三阶段作动员。

13日　著名书法家言恭达创作的《我的中国心——言恭达草书〈何振梁在莫斯科申办第二十九届奥运会的陈述演讲〉》长卷出版发行。全国政协副主席罗富和,中国文联党组书记、常务副主席胡振民等领导为长卷展示揭幕。

16日　第五届中国曲艺“牡丹奖”揭晓暨颁奖活动新闻发布会在北京举行。中国文联党组成员、副主席冯远,中国文联副主席、中国曲协主席刘兰芳,中国曲协分党组书记、副主席姜昆,江苏省文联党组书记、常务副主席王慧芬,省文联副主席、书记处书记言恭达等出席会议。冯远、姜昆、王慧芬分别在新闻发布会上讲话。

18～20日　由中国曲协、省文联、常熟市政府主办，省曲协、常熟市文化局承办的2008常熟“中国曲艺之乡”授牌仪式暨中国曲艺名家“送欢笑到基层”专场演出在常熟举行。中国文联副主席、中国曲协主席刘兰芳，中国曲协分党组书记、副主席姜昆，江苏省文联党组书记、常务副主席王慧芬，省文联副主席、书记处书记言恭达等出席授牌仪式。刘兰芳同志授牌。王慧芬同志在授牌仪式上讲话。常熟成为江苏唯一获得该荣誉称号的城市。授牌仪式结束后，举办中国曲艺名家“送欢笑到基层”专场演出。

20～22日　中国民协副主席、省文联副主席、省民协主席陶思炎率省民间文艺家协会采风团一行近50人，赴扬州等地开展采风创作活动。

23日　由省文联主办，省摄协、省美协、省书协承办的“大爱无疆——江苏省支援四川抗震救灾摄影美术书法展”在南京举行。省老领导陈焕友、顾浩、冯健亲，省文联领导王慧芬、言恭达及省文联副主席、省美协主席宋玉麟等出席开幕式。省文联党组书记、常务副主席王慧芬在开幕式上讲话。

25～28日　由省文联主办，常州市文联协办的第十二期全省文艺家读书班暨第十八期知名演员暑期读书班在常州太湖湾开班，共有近150人参加。读书班期间，省委常委、宣传部部长杨新力看望了学员并作重要讲话。省文联主席顾浩以及王慧芬、言恭达、杨企鹏等领导参加了读书班。省文联党组书记、常务副主席王慧芬作开班动员讲话。中国文联副主席、书记处书记杨志今，以及姜昆、王伟成、张颢瀚、毕飞宇、吴为山、柯军、邓鹏、厉婷婷等9人分别作了专题讲座或事迹报告。

27～8月3日　由中国曲协、全国少工委和中央电视台青少部主办的第三届全国少儿曲艺大赛在中央电视台举行。省曲协报送的节目获一等奖1个，二等奖1个，新苗奖1个，省曲协获组织奖。

8月

1日　省文联党组书记、常务副主席王慧芬出席无锡市歌舞团成立五十周年庆祝大会并讲话。

△　省文联领导王慧芬、言恭达率领我省30多位著名书画家到省公安厅警卫局慰问官兵。省文联党组书记、常务副主席王慧芬在欢迎仪式上讲话。

1～5日　省音协考级在南京师范大学和江苏教育学院举行。4日上午，省文联领导王慧芬、杨企鹏到考级现场视察指导。

14日　省文联召开学习实践科学发展观活动群众满意度测评大会。经测评，“组织开展学习实践活动情况”，最终满意率为99.8%；“解决突出问题情况”，最终满意率为99.1%。

14～15日　省文联在南京召开全省文联工作交流会。省文联领导王慧芬、言恭达、杨企鹏及各市文联负责人出席会议。省文联党组书记、常务副主席王慧芬在交流会上讲话。

16日　中国音协分党组书记、副主席徐沛东来南京商谈“金钟奖”民乐项目落户江苏与“全国优秀流行歌曲创作大赛”等事宜。省委常委、宣传部部长杨新力，省委宣传部副部长梁勇，省文联党组书记、常务副主席王慧芬等领导参加会谈。

9月

4 日　省文联召开学习实践科学发展观活动总结大会。省文联党组书记、常务副主席王慧芬作总结讲话。省委督导组成员出席大会，督导组组长杨步才在讲话中充分肯定了省文联开展的此项活动。

4～12 日　省文联举行“江苏省动漫艺术专业初、中、高级资格条件(草案)”评审细则专家论证会。

5 日　由省委宣传部、省文联主办，省摄协承办的“辉煌巨变——纪念改革开放 30 年大型摄影图片巡回展”在省美术馆开幕。省领导赵龙、黄因慧，省老领导陈焕友、顾浩，省委宣传部副部长梁勇，省文联领导王慧芬、言恭达、杨企鹏等出席开幕式。省文联党组书记、常务副主席王慧芬在开幕式上讲话。

12～14 日　由中国文联、中国民协、省委宣传部、省文联主办，省民协等单位承办的“中国·江苏首届中秋民俗节”在南京举行。13 日晚，“我们的节日——中国·江苏首届中秋民俗节‘今晚月儿圆’文艺晚会”在南京中山陵音乐台举行。中国文联党组成员、书记处书记白庚胜，中国民协分党组书记、副主席罗扬，江苏省领导朱龙生、陈凌孚、黄因慧，省文联主席顾浩，省文联副主席冯健亲，省老领导陆军，省委宣传部副部长梁勇，省文联领导王慧芬、言恭达、杨企鹏等观看了文艺表演。白庚胜同志致贺词。省文联党组书记、常务副主席王慧芬主持晚会开幕式并讲话。首届中秋民俗节系列活动还包括：民间广场歌舞表演、民间绝活表演、民间工艺展示、中秋民俗文化讲坛、民间小吃荟萃等。

18 日　由中国杂协、省文联主办，省杂协承办的美式滑稽培训班在南京举行开班仪式。中国文联副主席、中国杂协主席夏菊花，中国杂协副主席宁根福、程海宝，省文联党组成员、书记处书记杨企鹏等参加开班仪式。夏菊花、杨企鹏、宁根福等在开班仪式上讲话。该班是建国以来第一次举办。

19 日　省美协与江浙沪三地文化厅(文广局)、文联、美协、美术馆在上海联合举办“与时代同行·纪念改革开放 30 周年长三角美术作品联展”。省文联党组书记、常务副主席王慧芬出席开幕式。该展于 12 月 6 日在南京博物院展出，开幕式由省文联党组书记、常务副主席王慧芬主持，省委宣传部副部长梁勇出席开幕式并致辞。

19～21 日　省民协与上海市民协、浙江省民协在上海共同主办第十届中国上海国际艺术节“长三角”地区故事表演大赛。代表江苏参赛的江阴代表队获金奖。

26 日　省文联党组书记、常务副主席王慧芬赴昆山文联考察调研，出席昆山市文艺家创作活动中心落成典礼并讲话。

△　省文联党组书记、常务副主席王慧芬赴太仓文联考察调研。

28～10 月 6 日　省民协参加由中国民协主办的首届中国民间艺术精品博览会暨第九届民间文艺“山花奖”入围奖评比活动。江苏代表团获“山花奖”入围奖 7 人，博览会金奖 7 人，银奖 14 人，铜奖 14 人，省民协获优秀组织工作奖。

10月

1日　　中国电影导演协会向著名导演艺术家、江苏省影协顾问、南京电影制片厂导演严恭授予“中国电影导演协会终身成就奖”。受中国影协委托，省影协负责人专程看望严恭同志，向他颁发奖牌和证书。

7～8日　　由省音协与上海、浙江、福建各省音协在福建举办“第三届长三角青年歌手大赛”。我省1名选手获美声组金奖。

10～17日　　省剧协率队参加首届中国校园戏剧节，我省2台剧目进入决赛，其中《青春红肩章》获得“中国戏剧奖·校园戏剧奖”“优秀剧目奖”第一名及“优秀编剧奖”“优秀表演奖”，《人民公敌事件》获“优秀剧目奖”及“校园戏剧之星奖”，省剧协获“优秀组织奖”，获奖总数位居全国第一。

12日　　由省总工会、省文联主办，省音协等单位协办的全省职工歌手大赛在张家港举行。省文联党组成员、书记处书记杨企鹏出席颁奖晚会。

15～17日　　由中国文联、中国曲协、省委宣传部、省文联主办，省文联、省曲协承办的第五届中国曲艺“牡丹奖”颁奖系列活动在南京举行。15日晚，在五台山体育馆举行2008《金陵牡丹曲》第五届中国曲艺“牡丹奖”颁奖晚会。全国政协副主席、中国文联主席孙家正宣布颁奖晚会开幕，江苏省委书记梁保华、省长罗志军为“牡丹奖”揭幕。全国政协原副主席张怀西，中国文联和江苏省及有关方面领导冯远、王国生、冯敏刚、杨新力、李全林、张卫国、曹卫星、包国新、杨承志、曾庆淮、罗扬、仲呈祥，省老领导陈焕友、储江、顾浩、胡福明、冯健亲，省文联领导王慧芬、言恭达、杨企鹏等出席颁奖晚会。省委常委、宣传部部长杨新力致欢迎辞。本届“牡丹奖”颁奖系列活动还包括：第二届“中国曲艺·江苏论坛”、“江苏文艺·名家讲坛”、“第五届中国曲艺牡丹奖获奖曲目为民服务演出”——走进南京市江宁开发区空港工业园、禄口街道广场、“中国曲艺名家送欢笑下基层”——走进张家港市永联村、江苏曲艺优秀作品展演等六项活动。

16日　　由文化部、中国文联、江苏省政府主办，中国剧协、江苏省委宣传部、省文化厅、省文联承办的第三十一届世界戏剧节在南京开幕。全国政协副主席、中国文联主席孙家正，全国政协原副主席张怀西，江苏省委书记梁保华，省长罗志军，中国文联副主席、党组成员冯远，文化部副部长赵少华，国际剧协名誉主席曼弗莱德·贝尔哈兹，国际剧协主席拉门度·马朱姆达共同为戏剧节揭幕。省领导朱善璐、杨新力、李全林、张卫国、张九汉及省老领导顾浩、冯健亲、陆军，省文联党组书记、常务副主席王慧芬等出席开幕式。张卫国、赵少华、冯远分别在开幕式上致辞。本届戏剧节主题是“世界戏剧的传统与新姿”。

18～19日　　省文联党组书记、常务副主席王慧芬赴盐城市文联召开调研座谈会，并到大丰、东台等地进行实地考察和调研。

19～21日　　江苏省杂技家协会第五次代表大会在南京举行。省委宣传部副部长梁勇，省文联领导王慧芬、言恭达、杨企鹏出席大会。省文联党组书记、常务副主席王慧芬在开幕式上讲话。会议选举产生江苏省杂技家协会第五届理事会，选举费广生同志为省杂技家协会主席，朱伏生等4人为副主席。

21～23 日　　省杂协组织省杂技界部分编创人员赴武汉采风。

23 日　　省视协举办第二届江苏省电视专题片(纪录片)《新农村新农民——江苏农村小康故事》创作作品征集、评比活动。经评比,有 20 部作品获奖。在此基础上,省视协选送 5 部作品参加由中国视协与全国各省视协共同主办的第二届“农村小康电视工程——中国农村小康故事”电视专题片的评选活动,取得了最佳作品奖(一等奖)1 名,优秀作品奖(二等奖)3 名。

25～26 日　　由中国美协、省委宣传部、省文化厅、省文联主办的“数风流人物·2008 中国百家金陵画展(油画)”在南京举行。25 日上午,画展在省美术馆开幕。省领导张艳、张卫国、黄因慧,省文联主席顾浩,中国文联副主席、中国美协副主席刘大为,中国美协主席靳尚谊,省委宣传部副部长梁勇,省文联王慧芬、言恭达、杨企鹏等出席开幕式。在开幕式上,省政府张卫国副省长、刘大为副主席分别致辞。开幕式由省文联党组书记、常务副主席王慧芬主持。本次系列活动还包括“数风流人物 2008·中国百家金陵画展(油画)”高层论坛和江苏文艺·名家讲坛。

25～26 日　　省民协与上海市民协、浙江省民协共同主办的第十届中国上海国际艺术节“廊下杯”长三角莲湘邀请赛在上海举行。代表江苏参赛的南京市六合区留左民间艺术团获唯一金奖。

28～29 日　　由中国书协、省书协主办的“第七届全国刻字艺术展暨第十二届国际刻字艺术交流大展”在无锡举行。

28～30 日　　中国文联党组副书记、副主席李牧等 4 人来江苏省文联调研文艺家权益保障工作。29 日上午在省文联召开座谈会,省文联领导王慧芬、言恭达、杨企鹏及机关有关部门、协会负责人参加了座谈。

29～30 日　　由中国书协、省书协主办的“中国书法家进万家——走进阳澄湖、沙家浜”创作采风活动在昆山、常熟举行。

11 月

1～2 日　　江苏省摄影家协会第七次代表大会在南京举行。省委宣传部副部长梁勇,省文联领导王慧芬、言恭达、杨企鹏等出席大会。梁勇和省文联党组书记、常务副主席王慧芬分别在开幕式上讲话。会议选举产生新一届省摄协主席团和理事会,选举沈遥为省摄影家协会主席,于先云等 8 人为副主席。

1～12 日　　由中国剧协、张家港市政协主办,省剧协承办的“第十五届中韩日戏剧节暨第三届长江流域戏剧艺术节”在张家港举行。

5～7 日　　省文联党组书记、常务副主席王慧芬赴北京参加全国文艺界领导干部贯彻落实科学发展观研讨班。

11～12 日　　由省文联、省广电总台主办,省音协等单位承办的“全国优秀流行歌曲创作大赛”江苏选拔赛在南京举行。

12 日　　由省文联、省摄协主办的“百成杯”江苏省第十九届摄影艺术展开幕式暨颁奖典礼在省美术馆举行。省人大副主任丁解民,省文联主席顾浩及王慧芬、言恭达、高以俭、赵绪成等出席开幕式暨颁奖典礼。省文联党组书记、常务副主席王慧芬在开幕式上讲话。

△ 省文联召开全体人员会议。省文联党组书记、常务副主席王慧芬主持并传达省委十一届五次全会和全国文艺界领导干部贯彻落实科学发展观研讨班精神。

13～14日 由省文联主办,《乡土》杂志社承办的“2008·中国新农村文化建设论坛”在南京大学举行。省文联领导王慧芬、杨企鹏出席开幕式。省文联党组书记、常务副主席王慧芬在开幕式上致辞。

15日 由省文联文企联谊会主办的第二届江苏省文艺家企业家艺术展在省美术馆开幕。省文联领导言恭达、杨企鹏出席展览。

16日 由省文联、省舞协、无锡市文联、无锡市舞协主办的江苏舞蹈“莲花奖”第二届少儿舞蹈新作品“崇安杯”比赛颁奖典礼在无锡举行。省文联党组书记、常务副主席王慧芬出席颁奖典礼并致辞。

19～23日 由省文化厅、省文联主办,省剧协等单位承办的江苏省第5届小戏小品大赛决赛和颁奖晚会在张家港举行。省文联主席顾浩,以及省文联领导王慧芬、言恭达出席颁奖活动。

20～25日 省视协与华东六省一市视协在福建漳州联合举办“全国十省市电视主持新人大赛”。江苏选手获得一等奖1名、二等奖1名。

23日 由省妇联、省文联主办,省摄协、省妇联宣传部承办的“我家的30年”摄影图片展在南京举行。省人大副主任柏苏宁,省老领导陈焕友,省文联党组书记、常务副主席王慧芬,省文联党组成员、书记处书记杨企鹏等出席开幕式。柏苏宁和省妇联主席柏志英在开幕式上分别致辞。王慧芬书记宣读了获奖名单。

24日 山西省文联来省文联就协会工作、文艺人才培养等方面进行调研。

25日 内蒙古文联来省文联就协会文艺品牌建设等方面进行调研。

28～12月2日 《歌迷大世界》杂志社组织我省词曲作家在昆山等地开展采风创作活动。省文联党组成员、书记处书记杨企鹏到昆山看望艺术家。

12月

3～4日 由省文联、省剧协举办的首届江苏省优秀青年戏剧人才评选活动在南京举行。

5日 由省委宣传部、省文化厅、省文联共同主办的“春天的故事·江苏省纪念改革开放30周年美术书法作品大展”在南京举行。省领导李全林、张卫国、包国新,省文联副主席冯健亲,省委宣传部常务副部长、省文化厅厅长章剑华,省委宣传部副部长梁勇,省文联党组书记、常务副主席王慧芬,省文联副主席、书记处书记言恭达等领导出席开幕式。

5～6日 省视协举办“纪念改革开放30年江苏省改革题材电视剧、纪录片(专题片)征集、评比、出版”系列活动,53部作品获奖。

8～14日 由中国美协、省委宣传部、省文化厅、省文联主办的“2005—2008·中国百家金陵画展”在北京举行。8日上午,画展在中国美术馆开幕。全国政协副主席黄孟复,中纪委副书记黄树贤,文化部副部长王文章,中国文联党组副书记、副主席覃志刚,中国文联副主席、党组成员冯远,中国文联副主席刘大为、刘兰芳,江苏省委常委、宣传部部长杨新力,省政协副主席张九汉,中国作协党组成员、书记处书记杨承志,省文联领导王慧芬、言恭达等出席开幕式。在开幕式上，杨新力致辞，中国美协分党组书记、常务副主席吴长江讲话。开幕式由省文联党组书记、常务副主席王慧芬主持。14日，中共中央政治局委员、国务委员刘延东参观了画展，并对展览给予充分肯定。10日，中共中央政治局委员、书记处书记、中组部部长李源潮在省委常委、宣传部部长杨新力的陪同下参观了展览，并对画展给予高度评价，希望画展真正办成人民群众喜欢看、看得懂、反映人民群众生活的高水平展览。

14日　由省委宣传部、省文化厅、省文联主办，省文联、省音协、省演艺集团承办的“在灿烂的阳光下——江苏省纪念改革开放30年合唱比赛”颁奖晚会在南京艺术学院举行。省文联党组书记、常务副主席王慧芬，省文联党组成员、书记处书记杨企鹏出席了颁奖晚会。这是建国以来江苏首次举办的全省性大型合唱比赛。

△　由省美协主办的“江苏省美术家协会第二次新人美术作品展览”在省美术馆开幕。省文联副主席、书记处书记言恭达出席了开幕式。

15日　省文联在武警南京指挥学院举行江苏省百名文艺家百场惠民演出、“美在新江苏”采风创作表彰活动暨走进武警江苏总队慰问演出。省老领导陈焕友，省武警总队总队长孙玉毅少将、政委姜德福少将，省文联主席顾浩，省委宣传部副部长周琪，省文联领导王慧芬、言恭达、杨企鹏等出席活动。省文联党组书记、常务副主席王慧芬作讲话。南京市文联等13家单位获得“优秀组织工作奖”，常州市文联等16家单位获得“组织工作奖”。表彰活动结束后，我省文艺家为江苏武警指挥学院的官兵们表演了精彩的文艺节目。

△　“百成杯”江苏省第四届摄影金瞬奖评选在江苏泰兴进行。省文联党组书记、常务副主席王慧芬出席。

17～19日　省文联在江阴召开工作会议。会议全面总结了2008年工作，谋划2009年工作思路。省文联各单位主要负责人出席会议。

20～22日　由省民协主办的省第八届江苏民间文艺“青年论坛”在泰兴举行。省文联副主席、省民协主席陶思炎出席论坛并现场点评有关论文。

21日　由省文联主办、《乡土》杂志社承办的“2008中国新农村朗诵诗会”在南京电视台举办。

24日　由省广电总台、省动漫艺术协会主办的“2008江苏东方国际动漫节”在南京开幕。省文联主席顾浩、副主席冯健亲、言恭达等出席开幕式。省文联副主席、书记处书记言恭达在开幕式上讲话。

26～28日　由中国书协、省委宣传部、省文化厅、省文联等单位主办的“2008中国书法金陵论坛”在南京浦口举行。省老领导陈焕友、顾浩，中国书协领导赵长青、朱关田、陈洪武，江苏省委宣传部常务副部长、省文化厅厅长章剑华，省文联党组书记、常务副主席王慧芬，省文联副主席、书记处书记言恭达等出席论坛开幕式。赵长青和章剑华在开幕式上讲话。论坛举办期间，“中国当代著名书法家作品邀请展”在林散之纪念馆开幕，省文联党组书记、常务副主席王慧芬致辞。

29日　下午，由省文联主办，省动漫协会等单位承办的2008江苏省商业吉祥物原创设计大赛获奖作品颁奖暨“江苏省动漫艺术协会发展推广中心”揭牌、《江苏动漫》官方网站开通庆典仪式在南京举行，冯健亲、王慧芬、言恭达等出席典礼，省文联党组书记、常务副主席王慧芬在颁奖典礼上讲话。

重点项目及重大活动

重点项目及重大活动

深入开展学习实践科学发展观活动

根据省委的统一部署和要求，在“省试点办”的精心指导下，省文联认真贯彻落实党的十七大精神，以邓小平理论和“三个代表”重要思想为指导，围绕“推动科学发展，建设美好江苏”主题，以领导班子和党员领导干部为重点，以解放思想、提升能力、解决问题、创新机制为目标，强化领导，精心组织，周密安排，稳步推进，扎实抓好学习实践活动每个环节的工作，顺利地完成了各项任务。学习实践活动促进了省文联领导班子思想大解放，进一步明确了省文联科学发展的工作思路，初步解决了群众反映强烈的突出问题。

通过学习实践活动，省文联全体人员充分认识到科学发展观的重大意义和科学内涵，更加坚定了走科学发展道路的自觉性；充分认识到高举中国特色社会主义伟大旗帜的重大意义，更加坚定了走中国特色社会主义道路的信心和决心。通过学习实践活动，省文联全体人员牢固地树立起科学的世界观、人生观、价值观，在改造客观世界的同时改造主观世界；牢固地树立起共产主义理想，深刻认识社会主义的本质要求，矢志不渝地为其奋斗终生；牢固地树立起政治意识、大局意识和责任意识，立场坚定，旗帜鲜明，坚信党中央的领导，维护党中央的权威，坚决执行党中央确定的路线、方针和政策。

按照科学发展观的要求，省文联将继续解放思想，坚持改革创新，再接再厉，以强烈的政治责任感和求真务实的作风，努力使贯彻落实科学发展观认识上进入新的境界，实践上取得新的成就；以学习实践科学发展观活动取得的成果深入推进文联事业的科学发展和谐发展，不断创新文联工作机制；以奋发有为的精神，团结引导全省文艺界，促进江苏文艺的大发展大繁荣，为江苏文化强省建设做出应有的贡献。

抗击“5・12”汶川特大地震灾害

1.**“我们万众一心——江苏省文艺界大型广场赈灾义演义捐活动”**。

四川汶川地震灾区人民的遭遇时刻牵动着全国人民的心，也紧紧牵动着江苏文艺工作者的心。汶川地震发生后，江苏省文联在第一时间向全省文艺界发出了《江苏省文联给全省广大文艺家的倡议书》，号召各团体会员、广大文艺家、文艺工作者，积极参与当地组织的多种形式的慰问和捐款捐物活动，向灾区人民伸出援助之手，奉献关爱之心。江苏省文联党组、书记处立即组织部署抗震救灾义演义捐活动。经过紧张筹备和精心排练，5月22日上午，由江苏省文联、省广电总台、南京市鼓楼区委、区政府共同主办的“我们万众一心——江苏省文艺界大型广场赈灾义演义捐活动”在南京山西路广场隆重举行，共募善款218.59万元。

上午9时许，义演义捐活动在开场歌舞《爱心如花》及配乐诗朗诵《我们万众一心》中拉开帷幕。原江苏省委书记、省人大常委会主任陈焕友，省政协副主席张九汉，省委老领导、省文联主席顾浩，省政府老领导、省红十字会会长吴锡军，省政协老领导、省文联副主席冯健亲等和主办单位领导参加了义捐义演活动。

2.**著名书法家言恭达四川汶川赈灾义捐书法精品义募活动**。

全国政协委员、著名书法家言恭达赈灾义

捐书法精品活动,5月26日上午在无锡市锡州花园酒店举行。言恭达现任中国书法家协会副主席、江苏省文联副主席、书记处书记。此次,言恭达先生共捐出了近年来创作的18幅书法作品。江苏省文联党组书记、常务副主席王慧芬,无锡市委常委、宣传部部长王立人,无锡市委常委、锡山区委书记徐劼等出席了此次义募活动。

来自全省各地的40家企业和50位爱心人士踊跃争购,18幅作品最后被成功拍卖,共计募集款项112.8万元,其款项全部捐赠给四川地震灾区。江苏省红十字会副会长周加才在义卖现场接收了此笔体现书法家爱心的义卖款,并向言恭达颁发了捐赠证书。

3.“大爱无疆”——江苏省支援四川抗震救灾摄影美术书法展。

由江苏省文联主办,省摄影家协会、省美术家协会、省书法家协会承办的“大爱无疆——江苏省支援四川抗震救灾摄影美术书法展”,7月23日在南京图书馆新馆举行。本次展览精选了我省摄影家赴抗震救灾第一线拍摄的160余幅作品,从全国各地众多抗震原创美术作品中精选出的86幅佳作和包含我省著名书法家对灾区人民深情关爱的22幅书法作品。这些作品以生动直观的艺术形式,从不同角度记录了灾区军民抗震救灾的壮举,歌颂了全国人民心手相连、万众一心抗震救灾的伟大精神,展现了江苏人民在省委、省政府统一部署下,与灾区人民一道艰苦奋斗、重建家园的生动画面。

原江苏省委书记、省人大主任陈焕友,省政协老领导、省文联副主席冯健亲,省文联党组书记、常务副主席王慧芬,省文联副主席、书记处书记言恭达,省文联副主席、省美协主席宋玉麟等出席了开幕式。

4.江苏摄影家赴四川汶川灾区采风创作。

6月26日至7月2日,按照省文联党组、书记处的指示和要求,省摄影家协会组织省内7位摄影家(沈遥、于惠通、于先云、杨磊、朱亚平、屠国啸、刘大健)组成摄影小分队奔赴四川灾区,深入到受灾严重的德阳市汉旺镇、红白镇、莹华镇和九龙镇,以及震中地区的汶川县映秀镇等地,体察灾情,记录瞬间,感受真情。

汶川大地震虽然过去了一个多月,但摄影小分队的摄影家们深入到重灾区,看到的情景依然触目惊心:山体崩裂,楼房倒塌,道路毁损,街巷夷为平地,整座的村镇变成一片废墟……地震不仅毁灭了自然生态,造成了巨大的人员伤亡和经济损失,同时也给灾区人民的精神带来了极大的痛苦……摄影家们站在废墟上,看到眼前的一切,心灵受到极大的震撼,每个人手中的相机都承载着摄影工作者的历史责任,记录下了眼前一幕幕无情的现实和真实的场景。这不是一次普通的摄影采风创作,而是摄影家们用心灵在揿动着快门,每一次的拍摄都感到从未有过的沉重。在灾区拍摄的过程,也是摄影家们心灵得到洗礼和净化的过程。

5.江苏电影编导抗震救灾采访团赴四川救灾一线采访。

江苏省文联、江苏省电影家协会组织的江苏电影编导抗震救灾采访团,6月12日下午奔赴四川抗震救灾一线。他们此行是深入灾区实地采访、收集江苏救援队的模范先进事迹,感受一线军民抗震救灾重建家园的伟大精神,汲取创作营养。采访团由我省影视导演、编剧、制片人组成,有李辉、速泰椿、杨江、冯华、陈国富、毛贵民等。

省文联领导王慧芬、言恭达等为采访团送行。王慧芬勉励采访团牢记艺术家的社会责任和崇高使命,积累创作素材,以伟大的抗震精神,激发创作灵感,多出反映民族英雄气概的优秀作品。

6.“呵护心灵·还原笑脸”——欢迎四川绵竹地震灾区来我省学习的同学慰问演出校园行系列活动。

6月8日凌晨2时,在南京火车站,江苏省副省长何权,国家劳动部培训就业司司长于法鸣,江苏省劳动和社会保障厅厅长陈震宁、南京市副市长沈健等和热情的南京市民举行隆重的欢迎仪式,迎接由四川绵竹地震灾区来我省学习的同学。

省文联闻讯后十分重视，党组书记、常务副主席王慧芬立即指示所属省文化艺术促进会策划“呵护心灵·还原笑脸”慰问演出方案，组织江苏文艺界的艺术家，慰问、安抚这些来自四川地震灾区同学们，让他们感受到地震无情，人间有爱，让这些孩子们来到江苏就像回到自己家一样。

6月13日，由江苏省劳动和社会保障厅、江苏省文学艺术界联合会、江苏省慈善总会、江苏省文化艺术促进会联合举办的“呵护心灵还原笑脸——欢迎四川绵竹地震灾区来我省学习的同学”慰问演出校园行系列活动在南京技师学院拉开帷幕。

7. **抗震救灾歌曲作品研讨会**。

5·12四川汶川大地震发生以后，江苏省音乐家协会在第一时间发出《关于征集抗震救灾歌曲作品的通知》，号召全省广大音乐工作者在捐款捐物、奉献爱心的同时，积极用创作歌曲作品的形式，反映抗震救灾中涌现出来的感人事迹和伟大精神。省音协共收到来自全省各地的抗震救灾歌曲新作近100首。业内人士称这批歌曲质量颇高，从不同角度，不同的视角反映了江苏省词曲作家对灾区人民的深情厚谊和生命的感悟。

6月20日下午，省音乐家协会创作委员会在南京召开“抗震救灾歌曲作品研讨会”。省文联副主席、省音协主席朱昌耀，省音协副主席、作曲家何山、吴小平，省委宣传部文艺处处长、词作家李朝润，以及词曲作家崔新、王建元、毛贵民、庄曜、杜小甦、陶思耀等出席了研讨会。研讨会由省音协创作委员会主任崔新主持。

8. **《江南音乐》出版《抗震救灾词曲专集》**。

《歌迷大世界》杂志社《江南音乐》专刊注重用歌声表达责任，用作品传递爱心。四川汶川大地震发生后，在省文联党组的领导下，《江南音乐》编辑部积极行动起来，以高度的责任感和使命感，编辑出版“抗震救灾词曲专集”，为灾区重建鼓劲呐喊。在灾难过去刚刚一个月，《江南音乐·抗震救灾词曲专集》就面市了，成为全国音乐刊物中出版最快的一种，收到了良好的社会效果，其中不少作品被中央电视台及省、市电视台的各种抗震救灾晚会采用。杂志社还将刊物发送到南京、常州等地的许多中小学校，让杂志成为弘扬抗震救灾精神、传播先进文化的生动教材。

纪念改革开放30年系列活动

我国改革开放30周年以来，全党和全国人民以勇于探索的进取精神和波澜壮阔的创新实践，奏响了中华民族自强不息、顽强奋进的宏伟乐章；江苏人民也在省委、省政府的正确领导和带领下，在“两个率先”征程上谱写了一部又一部壮丽诗篇。为回顾江苏改革开放光辉历程，颂扬改革开放取得的伟大成就，讴歌江苏人民的伟大创造。今年初，省文联策划举办辉煌巨变——纪念改革开放30年系列活动。具体活动有：

1. **“辉煌巨变——江苏省纪念改革开放30年大型摄影图片巡回展”**。

9月5日，“辉煌巨变——江苏省纪念改革开放30年大型摄影图片巡回展”在省美术馆举行。300幅图片在南京展出后，还到省内12个城市巡回展出，产生了很大影响。

2. **“我家的30年”摄影图片展**。

11月23日上午，由省妇联、省文联共同主办，省摄影家协会、省妇联宣传部承办的“我家的30年”摄影图片展在南京举行。“我家的30年”是省妇联、省文联为隆重纪念改革开放30周年、迎接江苏省妇女第十一次代表大会的召开而策划的大型摄影图片展。展览历时5个月精心组织，以普通百姓家庭为切口，通过家庭生活巨变这一扇小窗口，形象生动地展现了我国改革开放30年人民生活翻天覆地的变化和城乡建设取得的辉煌成就。省人大副主任柏苏宁，省委老领导陈焕友，省妇联主席柏志英，省文联党组书记、常务副主席王慧芬，省妇联副主席季俊秋，省文联党组成员、书记处书记杨企鹏，省摄影家协会主席沈遥等出席摄影展开幕式，并为摄影展获奖作者代表颁奖。参加开幕式的还有本次摄影展获奖作者代表、政府机关工作人员及社会各界人士500多人。省人大副主任柏苏宁、省妇联主席柏志英在开幕式上分别致辞。省文联党组书记、常务副主席王慧芬宣读了摄影展获奖名单。

3.**“纪念改革开放30年”江苏省首届合唱比赛**。

12月14日下午,由中共江苏省委宣传部、江苏省文化厅、江苏省文联联合主办,江苏省文联、省音乐家协会、省演艺集团承办的“在灿烂阳光下”——江苏省纪念改革开放30年合唱比赛在南京艺术学院音乐厅落下帷幕。这次比赛是为歌颂改革开放30年的伟大成果,推动我省合唱队伍建设和合唱艺术发展,繁荣群众音乐生活营造良好文化氛围,共建和谐社会而举办的全省性专业和业余相结合的大型合唱比赛活动。大赛评委由中国音协合唱联盟主席、总政歌舞团作曲家、指挥家徐锡宜,中国音协合唱联盟艺术顾问、国际合唱奥林匹克艺术顾问、前珠江电影制片厂国家一级指挥赖光益以及我省音乐界资深指挥家石中光等9人组成。

当晚,主、承办方在南京艺术学院音乐厅举行了颁奖晚会,省文联党组书记、常务副主席王慧芬,文化厅副厅长高云,省文联党组成员、书记处书记杨企鹏出席了颁奖晚会并为获奖单位颁奖。颁奖仪式结束后,获奖合唱团为观众献上了一台精彩的合唱音乐会。

4.**纪念改革开放30周年“永钢杯”全省职工歌手大赛**。

由江苏省总工会、江苏省文联主办,省音乐家协会参与承办的纪念改革开放30周年“永钢杯”全省职工歌手大赛决赛及颁奖晚会,于10月11日至12日在江苏永钢集团隆重举行。省文联党组成员、书记处书记杨企鹏出席了颁奖晚会。经过预赛、复赛,共有21个代表队60组选手参加了现场决赛。评选出美声组、民族组、流行组的金、银、铜奖和优秀奖,南京市总工会等12家单位获优秀组织奖。《天使的翅膀》等3首歌曲获创作奖。

5.**全省改革题材优秀电视剧、纪录片(专题片)作品征集、评比研讨、回顾展播、宣传出版等系列活动**。

12月底,历时半年的全省改革题材电视剧、纪录片(专题片)作品征集、评比、出版系列活动结束。参评作品围绕改革开放大背景,以改革为题材,通过叙述改革开放的生动故事,唱响30年变迁的创业之歌,艺术地展示了中国人民在党的领导下,解放思想,实事求是,开拓创新,建设美好家园的崇高精神以及追求幸福、构建和谐的心路历程。经过半年时间的发动、组织,全省有20多家电视台(含部队、地方电视制作单位、公司)共选送了20部电视剧、33部纪录片(专题片)参加此次评选活动。

6.**春天的故事·江苏省纪念改革开放30周年美术书法作品大展**。

12月5日下午,“江苏省纪念改革开放30周年美术书法作品大展”在南京博物院隆重开幕。省人大副主任李全林,省政府副省长张卫国,省政协副主席包国新,省委宣传部常务副部长、省文化厅厅长章剑华,中国书协副主席、江苏省文联副主席、书记处书记言恭达,中国书协顾问、江苏省书协主席尉天池等领导出席开幕式。

本次展览是江苏省纪念改革开放30周年系列活动之一,由江苏省委宣传部、江苏省文化厅、江苏省文联主办。展览紧贴时代脉搏,与时俱进,描绘了一幅幅具有时代特征的艺术作品,充分展示了改革开放以来在江苏大地上发生的巨大变化和取得的突出成就,检阅了改革开放时代江苏艺术创作整体水平与成果,体现了改革开放30年来江苏艺术的发展态势,是改革开放以来一次大规模的综合性展览,是江苏纪念改革开放30周年系列活动中启动最早,自第十届全国美展以来、5年中江苏省参与画家最多、画种最全的一次画事展览活动。

7.**出版报告文学集《逐鹿英伦》**。

2008年是纪念中国改革开放30周年,江苏省文艺交流中心组织10余位本省著名作家创作了报告文学《逐鹿英伦》。作家们深入生活,走进改革开放的最前沿,和南汽的广大干部、职工面对面的交流,了解中国人在世界经济浪潮中如何把握自己,迎接挑战,最终收购英国百年企业的动人事迹,从一个侧面反映了中国国企参与世界经济竞争,争创自主品牌,争做世界经济强者的过程，也是为纪念改革开放30年送上一份厚礼。该书于2008年4月份出版发行，受到业内人士的一致好评。

奥运系列活动

“奥运情·翰墨缘——江苏省著名书画家书画作品展览与捐赠活动”。

4月30日上午，在北京奥运会倒计时100天之际，江苏省部分书画名家和体育明星欢聚在省美术馆，参加由省委宣传部、省文化厅、省文联、省体育局、省美协、省书协联合举办的“奥运情·翰墨缘——江苏省著名书画家书画作品展览与捐赠活动”。省政协副主席张九汉、省文联主席顾浩，以及省老领导陈焕友、俞敬忠等出席开幕式并为仪式剪彩。开幕式由省文联副主席、书记处书记言恭达主持。省市社会各界人士数百人以及众多文体爱好者参加了展览开幕式。

省文联党组书记、常务副主席王慧芬和省体育局局长殷宝林分别发表了热情洋溢的讲话。省体育局局长殷宝林对省文联和书画界热情支持奥运，热心与支持江苏体育事业，向备战奥运的江苏军团无私捐赠书画作品表示衷心的感谢。

全省著名书画家向省体育发展基金会捐赠书画作品230件，义拍所得200余万，用于发展体育事业。翰墨颂歌唱和谐，挥毫泼墨迎奥运。参加开幕式的书画家和体育明星们真挚的爱心和强烈的社会责任感，将激励我省各界支持北京奥运，为北京奥运喝彩；同时，也激励备战北京奥运的江苏军团更加刻苦训练，顽强拼搏，力争在北京奥运会上勇创佳绩，为国争光，为江苏争光。

第五届中国曲艺“牡丹奖”颁奖系列活动

10月15日至17日，由中国文学艺术界联合会、中国曲艺家协会、中共江苏省委宣传部、江苏省文学艺术界联合会主办，江苏省文学艺术界联合会、江苏省曲艺家协会承办的第五届中国曲艺牡丹奖颁奖系列活动在南京隆重举行。15日晚，全国政协副主席、中国文联主席孙家正宣布颁奖晚会开幕，江苏省委书记梁保华、省长罗志军为牡丹奖揭幕。原全国政协副主席张怀西，中国文联和江苏省有关方面领导冯远、王国生、冯敏刚、杨新力、李全林、张卫国、曹卫星、包国新、杨承志、曾庆淮，老同志陈焕友、储江、顾浩、胡福明、冯健亲等出席颁奖晚会。省委常委、宣传部部长杨新力致欢迎辞。

第五届中国曲艺“牡丹奖”共设6个奖项，43人获奖。我省又获6项大奖，涵盖所有牡丹奖所设奖项，获奖总数再次名列全国第一，取得了令人满意的成绩。

第五届中国曲艺“牡丹奖”颁奖系列活动还包括第二届中国曲艺·江苏论坛、“江苏文艺·名家讲坛”，央视资深导演袁德旺走进南京大学、著名评书表演艺术家刘兰芳走进南京师范大学，第五届中国曲艺“牡丹奖”获奖曲目为民服务演出——走进南京市江宁开发区空港工业园、绿口街道，中国曲艺名家“送欢笑下基层——走进张家港永联村，江苏曲艺优秀作品展演等6项活动。

中国百家金陵画展

数风流人物·2008中国百家金陵画展（油画）于2008年10月25日在江苏省美术馆隆重举行。这次展览首次以“数风流人物”为主题，艺术主张更为突出、鲜明，在全国1 983位作者的2 400多幅应征作品中，经评选委员会两轮评选，最终评出入展作品100件，其中金奖10件。本次画展江苏共有25幅作品入选，其中3幅获得金奖。作为画展的重要组成部分画展高层论坛于10月25日下午和26日上午在南京艺术学院举行。画展开幕期间，靳尚谊、邵大箴、梁江、王宏建、尚辉分别在南京艺术学院、南京师范大学、南京航空航天大学、南京大学、东南大学举行名家讲坛。本次画展反响热烈，群众参观热情很高。

今年时值纪念我国改革开放30周年，为了进一步扩大画展的影响，中国百家金陵画展在南京展出之后，“2005—2008·中国百家金陵画展”又于12月8日至14日在北京中国美术馆展出。画展在北京展出期间，也受到广大观众及美术爱好者的欢迎，每天都有千余参观者买票自费观展。

2008·中国百家金陵画展第一次以"数风流人物"为主题,使画展倡导的现实主义艺术精神更为鲜明突出。画展在江苏省美术馆和北京中国美术馆展出后,引起社会广泛关注,中央及省级新闻媒体进行了大量报道,各级领导和观众参观后也给予了高度评价。

中国·江苏首届中秋民俗节

中秋节是家人团圆、社会和谐、国家昌盛的传统重要节日。在中秋节首次作为国有法定假日之际,为了进一步弘扬民族优秀传统文化,挖掘中秋节的文化内涵,延展民俗节日的文化功能,丰富群众的节日文化生活,促进文化江苏大发展大繁荣,中国文联、中国民协、江苏省委宣传部、省文联共同策划主办了"我们的节日——中国·江苏首届中秋民俗节"。2008年9月13日,民俗节在旅游风景区——南京中山陵园与南京国际桂花节同时隆重开幕,本届民俗节由省民协、南京市文化局、南京市文联、南京市民协和中山陵园管理局共同承办。中国文联党组成员、书记处书记白庚胜在开幕式上致词,他指出,这次中秋民俗节的举办,"是我们文艺界为弘扬中华民族传统文化,丰富人民群众节日文化生活所做的一件实事,也是江苏文化强省建设的一件大事!"中国民协分党组书记罗扬,江苏省人大、省政协、省委宣传部的有关领导也参加了开幕式活动,并观看了晚会演出。中央电视台和中央及地方的各类媒体广泛报道了江苏中秋民俗节的活动,在全国产生了很大的影响,受到了人民群众的热烈欢迎,正如省文联党组书记、常务副主席王慧芬所说的:"中秋民俗节,献给百姓的一轮明月!"

江苏省百名文艺家百场惠民演出

2008年度,省文联创造性地组织开展了江苏省百名文艺家百场惠民演出活动,这是江苏省文艺界全面落实科学发展观,紧紧围绕加快文化强省建设,实现"全面达小康,建设新江苏"宏伟目标,积极面向基层,服务群众,投身建设社会主义和谐社会的重要举措。该活动创意新、机制活,成果丰硕,受益面广,一年中在全省各地基层共演出130余场,让基层百姓免费欣赏到我省各个文艺门类知名演员的精彩节目,深受基层民众的热烈欢迎和社会各界的高度评价,产生了广泛积极的社会反响。

通过百名文艺家百场惠民演出活动,积极以文艺的形式投身"全面达小康,建设新江苏"的伟大实践,是时代对文艺家的殷切期望,也是文艺家施展才华、作出无愧于时代业绩的必然要求。有益于广大文艺工作者在深入基层、服务群众中,身体力行地关注民生、保障民生、改善民生,确保人民共享文化发展成果,满足群众多层次、多样化、多方面的精神文化需求。同时,也有益于广大文艺家从生活中从联系群众中汲取营养,提炼素材,激发灵感,以形式多样的艺术创造积极传播先进文化,倡导和谐理念,培育和谐精神,努力创作出富有江苏特色、民族精神和时代风格的让人民满意的优秀作品。

"美在新江苏"采风创作系列活动

"美在新江苏"系列采风创作是江苏文艺界面向基层、面向群众的品牌活动之一,2008年主要活动有:

1.省摄协分别于4月中旬和10上旬(共15天时间),组织省知名摄影家25人分别到南通、盐城、淮安、连云港、无锡采风创作,完成作品5 000多幅。

2.4至5月份,《歌迷大世界》杂志社分别组织艺术家赴南通、苏州白马涧、常州采风创作,已发表歌曲33首分别刊登在《江南音乐》和《词刊》上。11月份,又组织赴昆山、常熟、木渎、吴江采风。

3.省视协举办第二届江苏省电视专题片(纪录片)《新农村新农民——江苏农村小康故事》作品征集评选活动。收到参评作品20余部(集)。经过评委们评比,建湖台《我当村官的故事》等3部作品获得最佳作品奖,连云港台《猪儿住"别墅",农民乐开花》等5部作品获得优秀作品奖,扬州广电总台《大地飞歌——走进高邮》等12部作品获得好作品奖。

优秀青年戏剧人才评选

为繁荣江苏戏剧事业、推出优秀青年戏剧表演艺术人才，在戏剧人才队伍建设上实施梯队式人才培养计划，由省文联主办、省剧协承办的首届江苏优秀青年戏剧人才评选活动，圆满完成。本次评选活动共接受参评申报材料 78 份，由省剧协组织省内具有权威性、代表性的专业人士组成评委会，对候选演员的艺术功力、艺术表演技巧、艺术形象塑造能力、文化素质等内容进行公平、公正、公开的综合评选。最终，20 名演员荣获“首届江苏优秀青年戏剧人才”称号。

第十二期文艺家读书班暨第十八期戏剧知名演员读书班

7 月 25 日至 28 日，由江苏省文联主办，常州市文联协办的第十二期全省文艺家读书班、第十八期知名演员暑期读书班在常州太湖湾金陵大饭店开班，全省各艺术门类的近 150 名艺术家参加了学习。读书班期间，省委常委、宣传部部长杨新力看望了学员并作重要讲话。

省委老领导、省文联主席顾浩，省文联党组书记、常务副主席王慧芬，常州市委副书记邹宏国，常州市委宣传部代部长徐缨，省文联副主席、书记处书记言恭达，省文联党组成员、书记处书记杨企鹏等出席了开班仪式。常州市委副书记邹宏国致欢迎辞。

此次读书班，由专家学者为艺术家们讲述四方面的内容：一是以科学发展观为指导，加强文化建设。由中国文联副主席、书记处书记杨志今及江苏省社科院副院长张颢瀚分别主讲《党领导文艺的方式》及《科学发展观背景下加强江苏文化强省建设》。二是艺术讲座。由中国曲协分党组书记、副主席姜昆主讲中国曲艺的魅力，江苏省作协副主席毕飞宇讲授新时期中国文学。三是德艺双馨文艺工作者和抗震救灾先进事迹。由南京大学美术研究院院长吴为山、省演艺集团昆剧院院长柯军讲述自己在艺术之路上努力进取开拓创新的体会，我省赴四川抗震救灾救援队队员邓鹏、医疗队队员厉婷婷讲述不畏艰险为灾区人民奉献爱心的感人经历。四是专题报告，由常州市市长王伟成介绍常州十六大以来，立足民有、关注民生、探索民治，建设一个人民满意的小康社会、和谐的常州的情况。

此次读书班是首次“两班”合办，资源共享，增进交流。读书班期间，组织了集体采风及考察、座谈、笔会、联欢等活动。

文化强省建设专题调研

根据省委、省政府提出建设文化强省的“三强”目标要求，省文联围绕文化强省建设多方面进行专题调研并撰写了多份调研报告。

1. 创研部撰写了《我省在文化强省建设中亟待解决的文艺问题及对策》《江苏文艺创作的现状、问题及建议、对策》调研报告。

2. 组联部撰写了《关于全省基层文联建设情况的调研报告》。

3. 人事部撰写了《我省文艺人才队伍建设的现状与对策》调研报告。

4. 事业部撰写了《江苏省文联发展文化产业的路径探索》的调研报告。

5. 省剧协撰写了《江苏戏剧人才现状调查与分析》。

6. 省影协撰写了《当前我省电影创作现状及发展趋势》。

第三十一届国际戏剧节

在省委宣传部、省文化厅、省文联及有识之士的共同努力下，今年 10 月份第三十一届国际戏剧节在南京成功举办。来自五大洲 16 个国家和地区的 26 台剧节目、10 台展演剧目以及 1 台祝贺演出在宁隆重献演。戏剧节期间还举办了国际学术论坛，中外专家围绕戏剧的本土化与国际化问题、全球化视野中戏剧的继承与发展、戏剧与未来文化的关系等议题进行了 9 场研讨。

江苏省基层文联工作现场交流会

江苏省基层文联工作现场交流会于 6 月 22 日至 24 日，在苏州成功举行。有关领导和来自省、市、县三级文联及企业、行业文联的负责同志160余人参加了交流会。

本次交流会有三个方面的显著特点：一是会前准备充分，深入调研。为探讨加强和改进基层文联工作的新途径新举措，会议召开之前面向全省就县、市(区)、企业文联建设与发展情况展开调研，为面向全省履行指导职能，整体推进全省文联系统的组织建设与发展打下坚实的基础。

二是会议内容丰富，主题突出。会议认真听取了王慧芬书记的讲话，6个市、县、区文联典型的工作经验介绍，参观新形势下金阊区文联的建设成果，并就现阶段加强基层文联工作进行了研讨。会议内容丰富，主题突出，求真务实，目的明确，坚定了开创基层文联建设新局面的信心和决心。

三是会后狠抓落实，成效显著。会后，各级文联积极行动起来，结合实际深入贯彻会议精神，纷纷转变过去“等”“靠”“要”的思想观念，着力增强使命意识，提升服务质量，创新发展机制，全省文联事业呈现出良好的发展态势。

2008·林散之奖书法双年展

6月6日上午，由江苏省人民政府、中国书法家协会主办，江苏省委宣传部、省文化厅、省文联承办的“2008·林散之奖书法双年展”开幕式在省美术馆举行。省人大副主任柏苏宁，省政府副省长张桃林，省政协副主席张九汉，南京军区原司令员朱文泉，中国书协分党组书记、副主席赵长青，省人事厅厅长赵永贤，省委宣传部副部长梁勇，省文化厅厅长章剑华，省文联党组书记、常务副主席王慧芬等领导出席开幕式活动。张桃林、赵长青、章剑华分别致辞。省文化厅副厅长高云主持了开幕式。获奖作者代表宇文家林发表了获奖感言。

纪念陈白尘诞辰100周年系列活动

今年是我国杰出的戏剧家、文学家、教育家陈白尘诞辰100周年。6月15日，由江苏省文联、省作协主办，省戏剧家协会承办的纪念陈白尘先生百年诞辰座谈会在南京举行。

座谈会前一天，省委常委、宣传部部长杨新力专程看望了陈白尘的夫人金玲及家属。

座谈会由省文联党组书记、常务副主席王慧芬主持，省委宣传部副部长梁勇致辞，有关领导、陈白尘夫人金玲和其子女以及戏剧、文学、理论界的专家、学者等80余人参加了座谈会。江苏省美术出版社同时出版发行了画传《我这样走过来……》，收录了陈白尘自传和200多幅珍贵照片。中国戏剧家协会发来贺信。

第三届中国同里电影论坛

4月7日至8日，由中国电影家协会、吴江市人民政府主办，江苏省电影家协会、吴江市同里镇人民政府承办的第三届中国同里电影论坛——青年演员表演艺术研讨会在苏州同里举行。

来自北电、中戏、上戏、传媒大学等著名艺术院校从事表演艺术的40位专家学者参加了论坛。本届论坛研讨主题为“青年演员表演艺术”，这是近年来举办的有关电影学术活动中第一次就表演艺术召开的研讨会。论坛共收到25篇学术论文，提供了许多富有价值的理论见解与依据。论文汇集成《青年演员表演艺术研究》一书，由中国电影出版社出版。《中国电影报》、《中国艺术报》、江苏文艺网等媒体对论坛进行了报道。

第三届长江流域戏剧节

11月，在张家港市举办“第三届长江流域戏剧艺术节”，有12个省、市、自治区15台剧目参演。艺术节期间召开了长江流域戏剧发展战略联盟第四次年会，年会听取讨论了执委会主任杨丽娟所做的工作报告，并就长江流域戏剧艺术节和长江戏剧博物馆建设等若干问题开展了热烈而积极的讨论，就相关问题达成共识。

江苏省第十九届摄影艺术展

江苏省第十九届摄影艺术展开幕式暨颁奖典礼，11月12日在省美术馆举行。省人大副主任丁解民，省文联主席顾浩，省工商联主席李仁，省文联党组书记、常务副主席王慧芬，省文联副主席、书记处书记言恭达等领导出席开幕式暨颁奖典礼。

省文联党组书记、常务副主席王慧芬在开幕式上发表了热情洋溢的讲话，对艺术展的开幕表示热烈的祝贺，对我省摄影家近年来在创作上取得的成绩，给予高度的肯定和评价。省文联副主席、书记处书记言恭达主持了开幕式。省摄影家协会主席沈遥宣布了本届摄影艺术展获奖名单。

美式杂技滑稽培训班

9月18日，由中国杂技家协会、江苏省文联主办的美式滑稽培训班在南京举行开班仪式，旨在为目前尚处于生长停滞状态中的中国杂技滑稽艺术培育新绿。来自美国旧金山马戏中心的滑稽表演艺术家琼·梅根女士将在南京收下20名弟子，这些来自全国12个省的基本功扎实的杂技学员将花一个月的时间，跟外教学习如何把观众“逗乐”。

中国文联副主席、中国杂技家协会主席夏菊花，副主席宁根福、程海宝，江苏省文联党组成员、书记处书记杨企鹏等参加开班仪式。培训班从9月18日开始至10月17日结束，历时1个月时间。在美式滑稽培训班即将结业前夕，省杂协与学员们及外教老师一起创作、排练了一部美式滑稽剧《南京一日游》，此剧参加了多场校园惠民演出。学员们的精彩演出，受到观众的热烈欢迎。

新农村文化建设论坛

11月13日至14日，由江苏省文联主办，南京大学社会学院、上海大学社会经济规划研究院、中国社科院农业发展研究所、中国农村观察杂志社联办，《乡土》杂志社承办的“2008·中国新农村文化建设论坛”在南京大学中美文化交流中心举行。江苏省文联党组书记、常务副主席王慧芬，省文联党组成员、书记处书记杨企鹏出席了开幕式。

王慧芬在开幕式上致词。南京大学社会学院教授张玉林、上海大学社会经济规划研究院院长刘学尧、中国社科院农业发展研究所教授张军、《中国农村观察》杂志社副主编潘劲、江苏省委宣传部文艺处处长李朝润等，与出席论坛的代表一起，针对改革开放30年来，农村地区的文化建设和农民的精神生活极大改善，但与此同时农村基层文化资源仍相对匮乏和单调等状况，探讨了新时期下如何推动农村文化建设、新时期的农村需要怎样的文化等亟待解决的问题。

2008年江苏著名企业动漫吉祥物原创设计作品展暨十佳名企吉祥标志奖评选活动

12月29日，由江苏省文联主办，江苏省动漫艺术协会、江苏省动漫艺术协会发展推广中心、南京邦石文化艺术有限公司联合承办的“2008江苏省商业吉祥物原创设计大赛获奖作品颁奖暨江苏省动漫艺术协会发展推广中心揭牌、《江苏动漫》官方网站开通庆典活动”，在南京晨光1865科技创意产业园隆重举行。省文联党组书记、常务副主席王慧芬和秦淮区副区长曹路宝在颁奖典礼上讲话，典礼由省文联副主席、书记处书记言恭达主持。

大赛共收到原创作品近500幅。此次终审评选会特别邀请了业内专家、高校学者及企业代表等共15位组成评委会，从创意、寓意、色彩、识别力、整体美感及与企业内涵相符度几方面对参赛作品进行公平、公正地审慎筛选，最终有3幅作品荣获“最佳原创设计奖”，7幅作品荣获“优秀企业提名奖”。此次商业吉祥物原创设计大赛，是文化与商业的有机融合，对江苏动漫产业与各行业形成循环互动发展，起到了积极作用。

调查与理论研究

我省在文化强省建设中亟待解决的文艺问题及对策

为了深入学习贯彻党的十七大精神，落实省委十一届三次全委会提出的建设文化强省的宏伟目标，最近，我们组织调研组，对我省部分省直文艺单位，淮安、无锡、泰州、南京、苏州、南通等市、县(区)文联进行了“我省在文化强省建设中亟待解决的文艺问题及对策”专题调研。现将有关情况汇报如下。

一、我省文艺为文化强省建设提供了良好条件

近年来，在省委、省政府和省委宣传部的领导下，全省文艺界认真贯彻落实科学发展观，按照省委书记梁保华提出的“文化大省要向文化强省跨越”的要求，积极推动我省文艺事业的繁荣发展，文艺事业进入了新的发展阶段，为文化强省建设提供了良好条件。尤其党的十七大的召开给江苏文艺界带来了极大的精神动力，广大文艺家自觉把思想统一到党中央的决策上来，不断加深对文学艺术在经济社会发展中独特作用的认识，积极投身江苏文化强省的建设，江苏文艺界出现了奋力推动文艺大繁荣、大发展的喜人局面。

一方面，各级党委、政府越来越重视文艺工作。在调研中我们发现，各级党委、政府越来越重视文艺工作，有的市委、政府认真制定本地文化发展规划，将文艺事业的发展列为重要内容，对文艺繁荣提出硬性指标；有的市还专门出台了《关于加强文联建设的意见》，有力地促进了当地文联的建设；有的市政府、宣传部门加大文化事业的资金投入，文艺事业资金短缺的问题正在好转；有的市委、政府特别重视文化名人、名牌、名品的打造，大力推出当代文化名人，大力创造文艺品牌，大力组织文艺名家创作思想性、艺术性相统一的优秀作品。参加调研座谈的老文化干部、老文艺家一致反映，党的十七大把文艺工作提高到前所未有的高度，党和政府越来越重视文艺工作，江苏文艺事业进入了前所未有的黄金发展期。

另一方面，各级文联组织在文化强省的建设中发挥着越来越重要的作用。文联是党领导下的人民团体，是党和政府联系文艺家的桥梁与纽带，是繁荣社会主义文艺、发展先进文化、增加国家软实力的重要力量，担负着团结带领文艺家繁荣社会主义文艺事业，为率先发展、科学发展，创造和谐社会和美好未来而努力奋斗的崇高使命，履行着行业自律、行业管理、行业服务的重要职责。文联的上一级组织对下级组织负有“联络、协调、服务、指导”的职能。在调研中，我们发现，全省各级文联组织在党委、政府的领导下，团结奋斗、勇于创新、不断开拓、甘愿奉献，发挥了积极作用，取得了较大的成绩。

一是组织建设不断加强，文联作用更加突出。目前，我省各市、县(市)均建有文联，有的区、乡镇和部分大型企业、高校也建有文联或某门类艺术工作者协会组织。文联组织已囊括了社会所有的艺术门类，各艺术门类的大师、名家和拔尖人才，几乎都在文联组织所属的各文艺家协会的主席团和理事会内，绝大多数文艺工作者也都在文联组织的服务范围内。江苏省文联所属 13 个文艺家协会现有省级会员 18 595 人、国家级会员 4 335 人；具有本艺术专业高级职称人员总计 5 760 人，占会员总数的 31%；县级以上

文艺家协会会员达7万多人。各级文联采取组织文艺家深入生活、采风创作，表彰奖励德艺双馨中青年文艺家，集中培训、研讨、讲评作品，举办展演、展示活动，与文艺家交朋友等多种方法，团结、引领广大文艺家将思想统一到省委的工作部署上来，为实现江苏文化大省向文化强省跨越，推动文化事业大发展大繁荣作出应有的贡献。

二是组织力度不断加大，文艺创作更加繁荣。各级文联组织了一批国际性、全国性品牌和带有示范性、导向性的文艺活动，弘扬了先进文化，激扬了主流艺术，并组织创作了一大批现实主义和浪漫主义相结合的思想性、艺术性相统一的各类优秀文艺作品。据不完全统计，近10年，我省各级文艺家协会会员创作的作品，有400多件(部)作品获国家级奖项。

三是组织渠道不断拓宽，建言献策更加有效。文联组织是艺术家之家，是各艺术门类的专业权威机构，具有跨行业、跨部门、跨地区、跨艺术门类的独特优势，可以全方位地整合全社会的文艺资源。近年来，各级文联组织认真履行职能，积极发挥自身优势，主动听取广大文艺家对本地文化建设、文艺发展的意见、建议，在科学发展观的指导下，认真加以研究、梳理，通过多种渠道多种方式向党委、政府提出建议。一些建议业已得到了当地党委、政府的高度重视和积极采纳。

四是组织职能不断创新，行业作用更加强化。各级文联组织认真履行“联络、服务、协调、指导”职责，强调服务是关键职责，注重工作的引导力和带动力，不断强化基层文联组织的建设，形成了有效的服务网络系统，在为大局服务、为文艺家服务、为基层服务中发挥了重要作用。同时，省文联积极探索、拓展与形势要求相适应的行业管理、行业服务、行业自律的新职能，使我省在全国率先创建了省级动漫艺术协会，率先创建了文艺家权益保障委员会和维权中心，为12个协会文艺家提供著作权维权、资质论证、成果评定等服务。各级文联及文艺家协会关心文艺家的健康成长，力所能及地为他们解决创作、生活问题，传达了党和政府对他们的关怀，人民对他们的期望，激发了广大文艺家的工作热情。

二、我省在文化强省建设中亟须解决的文艺问题

当前，我省文艺事业正处在一个充满活力、蓬勃向上的发展阶段，但在调研中我们也发现了一些值得关注和亟待解决的问题。一是文艺门类发展不平衡。总体上我省文艺呈现出传统艺术门类强，比较现代的艺术门类较弱的现象。比如，我省的书法、中国画、民间音乐、戏剧、曲艺、民间文艺等艺术门类在全国处于前列，但电影、电视、舞蹈等艺术门类在全国却没有优势，各艺术门类之间存在着发展不平衡的问题，影响了文艺事业的全面发展和繁荣；二是能够传世的、代表着时代文艺经典的作品仍然缺乏。虽然我省每年都有许多优秀作品在全国性各类文艺奖项中获奖，但真正能够代表当代中国相关艺术最高水准的经典之作还比较少；三是文艺人才有高原少高峰的现象明显存在。我省文艺人才资源丰厚，文艺人才队伍庞大，各艺术门类都有一批在全国较有影响的文艺人才，但真正像当年傅抱石先生那样在全国领军性的文艺大家还很少，而且文艺骨干力量流失比较严重；四是文艺理论建设的优势还不明显；五是文化产业尚处在初级阶段，文化市场亟须培育。产生这些问题的原因是多方面的，既有历史的，也有各种主客观条件的限制，但较为突出的是体制机制、组织建设和阵地建设方面还存在着许多与文化强省建设不相适应的情况。

(一)适应市场经济和合乎艺术规律的文艺机制亟待建设

在调研中，大家提出了很多问题，如创作问题、人才问题、资金问题等等，归根结蒂，更深层次问题是机制问题。比如，文艺人才是随着其创作的优秀作品而涌现出来的，怎样涌现更多的文艺人才，实际上是与怎样创作更多的优秀作品共为硬币的两面。以电视剧为例，为什么辽宁近年来创作了大量优秀电视剧，被称为“辽宁现象”?

为什么我省没有《闯关东》一类震撼人心、影响广泛的艺术作品？说到底是缺乏有利于产生优秀作品、涌现优秀人才的机制。

第一，缺乏灵活有效的创作机制。首先，缺少保证原创、对文艺产品进行深度开发，形成内容生产链的循环机制，一些原创产品得不到重视，一些优秀作品未能产生规模形成连环效应。其次，缺少文艺创作与生产的统筹与协调机制，单一作战的现象还比较普遍，最大限度、最快速度调集能够团结共事的优秀创作人员的工作室制即集约化的创作机制尚未建立。因而不但力量分散、成本增加，甚至还出现因利益而产生相互掣肘的怪现象。再次，一些行之有效的机制没能坚持，如省六次文代会决定的、以省委宣传部名义下发的为业余作者请创作假制度等。

第二，缺乏灵活有效的人才机制。首先，缺少科学的人才评价体系，不能科学地识别人才。其次，缺少激励机制，对优秀文艺作品、文艺人才和引进的优秀文艺人才，没有法定的、常设的、精神与物质奖励并重的奖励措施。

第三，缺乏规范与稳定的文艺资金投入机制。首先，缺少文联组织活动经费投入机制。文联组织必须为党的中心工作服务、为文艺家服务、为基层组织服务，这些服务都是有成本的。以为文艺家服务为例，经过匡算，每年为每个文艺家服务的成本约为400元。但是，省财政下拨的文联经费并不是以这个基数计算的，文联的经费在多数情况下是要打报告申请专项，没有规范的经费指标和机制上的保证。这个问题在基层就更加突出。基层文联活动经费普遍缺乏。虽然苏南、苏北差异较大，总体上苏南好于苏北，但越到基层，活动经费越紧。如，苏州、南京等市文联每年活动经费可达二、三百万元，而更多的市、县文联经费严重短缺，连举办一次像样的文艺活动都不够。这些经费多少往往依靠领导的重视程度而决定，没有投入机制保证。其次，缺少创作资金投入、使用、管理的长效机制。如，在1996年省文化工作会议后，省财政每年拨给省文联创作经费150万元，因为缺少这方面的机制，10多年过去了，这笔经费一直没有增加，严重阻碍了省文联创作项目的组织与实施。省作协、南京市文联虽建立了作家签约制，但责权利明晰的委约机制尚未完善，远未在全省普遍应用。特别是基金会式的创作资金投入、使用、管理的长效机制尚未建立，项目化资金的评审、投入与终端管理也亟须完善。

（二）文联组织建设问题亟待解决

各级文联是党和政府联系文艺家的桥梁和纽带，是建设文化强省的重要力量。在调研中，我们发现文联组织建设上的问题主要有以下三个方面：

第一，作为履行文联职能主体的省级文艺家协会，其驻会干部未能像中国文联和全国20多个省（市、区）文艺家协会一样，纳入参照公务员管理。造成内部管理、人员流动不便，同处一个文联组织的干部分配与待遇出现差异，严重影响了这部分干部的工作积极性。

第二，基层文联建设比较薄弱。基层文联建设中人员编制少、活动经费少、缺乏基本办公条件的问题仍然比较突出。总体上苏南好于苏北。苏州6县（市）文联组织健全，活动正常，多次被评为省先进基层文联。而苏北、苏中地区一些市、县、区的文联建设滞后，比如泰州和宿迁，两市文联在编人员分别只有6人和2人。2007年宿迁市文联经费（含人员工资、事业经费、文艺创作与专项活动经费）只有15万元。在县（市、区）文联中，达到有编制、有专职人员、有经费、有固定办公地点及文艺活动场所“四有”标准的只占57%，其余大都附属于党委宣传部门或政府文化部门，每年工作经费少的只有两三千元，甚至连支付电话费、邮寄费都不够，服务文艺家的工作心有余而力不足。有的县（市、区）文联工作人员的待遇比同级其他部门或团体都低。全省整个文联组织系统建设的基础还不牢固，难以形成上下联动的发展格局。

第三，一些文联组织职能定位不准。党的十七大指出：“支持工会、共青团、妇联等人民团体依照法律和各自章程开展工作，参与社会管理和公共服务，维护群众合法权益。”胡锦涛总书记在全国第八次文代会上指出:“各级文联、作协要努力探索适应社会主义市场经济体制、符合文艺发展规律和人民团体特点的管理体制、运行机制、组织形式、活动方式,不断加强行业服务、行业管理、行业自律,依法维护文艺工作者的权益,广泛团结各方面各领域的文艺工作者,把文联、作协办成文艺工作者之家。”中央对文联组织职能提出了明确要求,寄予了厚望。我省第七次文代会通过的《章程》中虽然规定了文联行业服务、管理、自律、维权等功能,但大环境尚未形成,因而并不能充分发挥,文联组织职能定位与新形势的要求还不相适应。

四、对策与建议

对照中央的要求,面对江苏文化强省建设中亟待解决的文艺问题,我们认为,要进一步加强和改善党对文艺工作的领导,以创新的思维、改革的方法,制定出有针对性的具体措施,进一步强化文联组织在文化强省建设中的职能作用。为此,我们提出如下的对策与建议。

(一)对策

进一步学习、实践科学发展观,肩负历史使命,认清时代责任,依靠“三创精神”,奋力推动文艺大繁荣、大发展。

第一,各级文联要通过多种方式方法组织、团结、带领广大艺术家认真学习、实践科学发展观,进一步解放思想,提高思想和业务水平,争取社会各界支持,坚持举办各种文艺活动,提高创作的组织力度,努力提高艺术生产力,加强自身建设,多出优秀人才、多出优秀成果,在实现“两个率先”、繁荣江苏文艺中壮大力量。

第二,省文联和省各文艺家协会在科学发展观的学习实践活动中要加强学习,坚持服务大局、服务文艺家、服务基层的工作方向,积极开展各种文艺活动,激励广大人民群众投身“两个率先”的伟大实践,为文艺家提供展现才华的舞台,为基层解决力所能及的问题;以创作为中心,统筹兼顾重大文艺活动和文艺作品原创的组织工作,探索新的创作机制,加大创作组织力度,努力推出更多的优秀作品。省文联近期将重点组织好纪念改革开放30周年、新中国成立60周年、中国共产党成立90周年等重大文艺项目的遴选和创作,力争届时推出一批思想性、艺术性相统一的优秀文艺成果;加强文艺人才队伍建设,发挥文联人才优势,率先探索文艺人才成长规律和创新文艺人才激励机制,鼓励、激励更多的文艺人才不断涌现;认真履行行业自律、行业管理、行业服务的重要职责,依法维护文艺家合法权益,不断加强文联的吸引力和凝聚力;不断加强文联机关的思想作风建设,建立、健全各项规章制度,努力把文联建设成团结、廉洁、高效的人民团体,团结、带领广大文艺家在文化强省建设中发挥主力军作用。

第三,省文联将进一步加强基层文联的建设,加强与基层文联的联系,协调工作,整合资源,发挥各市、县(区)文联的不同特点与优势,形成合力,营造全省范围内文联工作积极向上、奋发有为的良好氛围。加强与地方党委、政府的沟通,争取他们对文联工作的进一步支持。召开基层文联工作会议,总结经验,提高认识,探讨新形势下基层文联工作的新途径、新方法,出台加强基层文联工作的指导意见,进一步明确职能、规范工作。

(二)建议

在调研中,我们也发现有些问题需各级党委、政府进一步加强领导,协调各个方面,为江苏文艺的发展,为江苏文化强省建设提供有利的社会与政策环境。为此,我们提出如下建议:

第一,建议省委组织有关部门与单位,研究、建立一整套文艺工作新机制。

一是创作机制。研究、建立文艺项目委约创作机制、文艺家工作室创作机制、恢复为业余文艺家请创作假制度等个性化服务制度。完善优秀文艺作品表彰奖励制度,奖励全国、全省重大文艺奖项获奖作品。加大组织力度,激发文艺家和文艺工作者的创作热情,促进创作水平的提升。

二是建立资金投入、管理、使用的长效机制。研究、建立各艺术门类发展基金机制,由省财政投入资金,逐步建立省级13个艺术门类的发展基金。在此基金未建立前，仍然运用行政、市场等多方面资金投入机制。建立后，逐步过渡到以发展基金的利息作为各艺术门类经费的投入，并对基金的使用加强管理。研究、建立文联经费、创作经费纳入省财政主渠道的投入机制，依据各级文联“三服务”成本核算年度资金预算额度；依据创作项目的实际情况，合理加大创作经费的投入额度，做到对文联的经费和创作经费的投入科学规范，有章可循，逐年递增，足以兴业。借鉴浙江等省市成功经验，建立重点文艺项目创作扶持基金，面向全省公开征集重点创作项目，按照签约、委约制扶持重点文艺项目创作和生产，促进江苏文艺创作繁荣发展。

三是建立文艺人才选拔培养机制。在省重点人才工程“六大人才高峰”建设中增列文艺人才。在省各综合类人才评选中，保证文艺人才与自然科学、高新科技人才保持均衡的入选比例。与“333高层次人才工程”中的最高层次首席科学家相对应，建立杰出文艺专业人才制度，选拔一批政治素质好、业务水平高、创新能力强的中青年拔尖文艺人才，通过重点培养，为实现我省文化强省建设目标奠定高层次人才基础。研究、建立文艺人才科学评价体系，更科学、更大范围地识别人才；建立不唯资历重实力的年轻优秀文艺专业人才破格晋级制度，通过积极促进本土人才的成长，加快构筑、扩大我省文艺人才高地的规模；研究、建立人才激励机制，尽快出台《江苏省紫金文化奖章评选办法》《江苏省文艺人才引进办法》《江苏省中青年文艺家培养规划》《省人事厅、省文联联合表彰全省德艺双馨中青年文艺工作者、文联先进工作者办法》等，充分发挥现有人才的作用，积极引进拔尖文艺人才，大力培养更多的中青年人才，在打造文化人才高原的基础上，造就一些能够代表当代中国相关艺术门类最高水准的人才高峰。

第二，建议出台《关于加强各级文联建设的意见》。在文化强省的建设中，各级党委、政府势必提出本地文化建设的新任务与新要求，这些新任务与新要求则更加需要具有组织优势的文联组织贯彻落实，更加需要文联组织充分发挥其他党政部门与各种性质文化生产单位所不能替代的围绕中心、服务大局的功能；广大文艺家在新形势下产生的繁荣文艺的愿望与他们遇到的各种问题也更加需要文联组织以科学发展观为指导，统筹、归纳、集中地向党和政府反映；需要文联组织充分发挥培养、团结文艺家的职责与优势，运用与创新培养、团结文艺家的方式方法，更大限度地团结文艺家，更大限度地调动文艺家的积极性，更大限度地解放艺术生产力。为此，建议省委或省委宣传部制定出台《关于加强全省各级文联工作的意见》，进一步阐明文联组织的性质、职能，把文联工作纳入精神文明建设综合考评范畴，规范文联建设考评体系，明确要求各级党委、政府高度重视文联组织和广大文艺家在建设文化强省中的重要作用，进一步完善文联组织“三定”方案，提高文联组织服务文艺家的服务经费，参照有关省市标准，建议财政按照每个省级以上文艺家协会会员每年服务经费400元的标准，增拨服务经费，并列入年度财政预算。统筹解决全省各级文联遇到的实际问题和困难，不断提升文联建设水平。

第三，建议省委加大营造良好文艺氛围的力度。一是建设江苏省文艺家创作基地。目前，我省还没有全省性文艺家创作基地，对于组织创作大型主题性文艺作品缺乏条件。建设创作基地，有利于改善创作环境、建设集约化创作机制、文艺项目委约机制，有利于推动人才涌现和创作繁荣。建议结合在南京溧水建设江苏影视基地的时机，把文艺家创作基地纳入影视基地整体规划，实现江苏文艺资源整合和充分发掘。二是研究、解决江苏省文艺理论阵地建设问题。目前，我省还没有一份全省性的文艺理论刊物。建设理论阵地，有利于推动创作繁荣、加强核心价值观、先进文化和优秀文艺作品的引导力、辐射力。三是加强对现代传媒的引导，充分发挥媒体舆论优势，注重先进文化的传播和推广，为文化强省建设营造良好的文化氛围。

（作者系江苏省文联创作研究部、办公室）

我省文艺人才队伍建设的现状与对策

文化人才队伍强，是文化强省建设的重要标志和支撑。一个地区文化竞争力的高低，最终取决于文化人才的数量、质量和产出。文艺界涵盖了十多个艺术门类，集中了全省文艺界的艺术专家和文艺工作者，他们是文艺作品和文化产品的重要创作者和生产者。为进一步加强文艺人才培养工作、推动实现文化强省建设的目标，最近，我们围绕江苏文艺人才队伍建设这一课题组织调研，并结合省文联工作实践，对加强和改进我省文艺人才队伍建设工作进行了一些思考。

本次调研主要采取问卷调查、召开有关座谈会等方式，问卷发放范围为13个艺术门类的省级文艺家协会，座谈对象为部分艺术门类艺术家代表、有关文化管理部门、市、区(县)文联负责人等。问卷内容主要包括4个方面：(1)本艺术门类会员队伍的基本情况。(2)本艺术门类会员获全国性(国际性)优秀文艺奖项情况。(3)对文艺队伍现状、文艺人才成长过程主要需求的分析。(4)对文艺人才队伍建设工作的建议。根据调研结果，我们进行了分析和总结。

一、目前我省文艺人才队伍建设的基本情况

江苏省文联作为省委、省政府联系文艺界的桥梁和纽带，在发挥文艺人民团体的作用，团结广大文艺工作者、推动我省文艺事业发展的过程中，多年积累、逐步形成了一支以文艺家协会会员为主体，门类齐全、分布面广、为繁荣江苏文艺作出了积极贡献的文艺人才队伍。据统计，省文联所属13个文艺家协会共有省级会员18 595人、国家级会员4 335人，书法、戏剧、美术、音乐、摄影、民间文艺、电视、曲艺、舞蹈、电影、杂技、动漫、文艺评论等13个艺术门类中，具有本艺术专业高级职称人员总计5 760人，占会员总数的31%，中级职称5 017人，占27%，初级以下职称4 280人，占23%；来自国有单位的12 971人，社会从业人员5 624人，分别占69.8%和30.2%。

以上述会员为主体的我省文艺人才队伍，坚持文艺的“二为”方向和“双百”方针，文艺创作取得较为丰硕的成果。据不完全统计，近10年有400多件(部)作品和200多人次获国家级奖项。近年来，省文联坚持以“建设一支为人民服务的、紧跟时代步伐的、艺术精湛的文艺家队伍”为己任，营造氛围，搭建平台，积极采取措施，培养文艺人才。一是坚持方向，以德艺双馨来树立文艺人才队伍建设的导向。在全省开展“德艺双馨”会员评比表彰活动、会同省人事厅开展江苏省中青年德艺双馨文艺工作者评选表彰、向全国推荐德艺双馨文艺工作者等。二是拓宽视角，培养青年文艺人才。实施以促进文艺新秀脱颖而出、成名成家为目标的“彩霞工程”，在全省文艺界遴选推荐全省“五个一批”人才并实施入选人才培训挂职锻炼、评选有关艺术门类的省优秀青年文艺人才等。三是构建平台，扶持优秀文艺人才。充分利用广播、电视、网络、报刊等媒体宣传推介优秀文艺人才、组织晋京展演、创办“百家金陵”画展、组织采风活动为文艺人才多出作品创造条件、实施“晚霞”人才工程等。四是加强培训，提升文艺人才综合素质。举办全省文艺家读书班、知名演员暑期读书班、开办江苏文艺·名家讲坛、优秀青年书画家读书班、文联协会创新工作理论研讨班、版权知识培训班等、实施以考级培

训为主的人才“朝霞工程”等。五是拓展职能，延伸为文艺人才服务的空间。成立“江苏省文艺家权益保障委员会”及各专业委员会、“江苏省文艺著作权维护中心”，为我省文艺人才搭建代理著作权管理和法律服务平台。近几年，省文联向全国推荐德艺双馨文艺工作者并入选 2 名，与省人事厅联合评选表彰德艺双馨文艺工作者 29 名，推荐全省宣传文化系统“五个一批”人才 60 名，入选 23 名，占全省文艺界入选总人数 38 名的 60.5％，另外，推荐报送政府特贴、突出贡献中青年专家、“333 高层次人才培养工程”培养对象若干名。

二、我省文艺人才队伍建设中存在的问题

1. **整体学历层次需要进一步提升。**

从省级会员的总体情况看，大专及以下学历人员占 61.8％，本科学历占 33.2％，研究生学历占 5％，大专及以下学历人员所占比例较高。其中，戏剧、民间文艺、杂技、舞蹈、曲艺、摄影、书法等 7 个艺术门类大专及以下学历人员超过 61.8％的平均比例，戏剧、民间文艺、杂技、舞蹈 4 个艺术门类甚至超过 90％。

2. **艺术门类间队伍结构不平衡。**

从国家级会员数与省级会员数的比例看，平均比例为 1∶4.3，高于平均比例的有 6 个艺术门类，分别是曲艺、电视、民间文艺、摄影、戏剧、电影，而有的门类的该比例则较低。从年龄结构看，青年艺术人才所占的比重不高，有的艺术门类人才年龄老化较严重，民间文艺、舞蹈、电影 56 岁以上会员所占比例高于 50％，而曲艺、评论、民间文艺、电影、戏剧 35 岁以下会员比例低于 5％。从职称结构看，各艺术门类也不平衡，戏剧、评论、电视、舞蹈、摄影等艺术门类本专业高级职称人员所占比例较高，而民间文艺、杂技、曲艺、动漫等艺术门类初级及以下职称人员较平均比例高许多，另外，书法具有本专业职称的人数比例较低，为 2.6％。我省文艺人才队伍结构的不平衡，一方面与艺术门类特点有关，另一方面也有有的艺术门类中出现人才年龄老化、青年人才断层现象、初级及以下职称人员所占比例较重、本专业职称人员所占比例不高等原因。

3. **较高层次人才的规模尤其是拔尖人才相对不足。**

过去是说有“高地”缺“高峰”。从目前江苏的实际情况看，形成了一支较多数量的文艺人才队伍，有的艺术门类在全国也已具备人才高地竞争优势，但总体看高层次人才的总量和质量远远满足不了需求，特别是各艺术门类的领军人物更是短缺。

4. **文艺人才的资源尚未充分开发。**

作品是人才的标签。江苏文艺人才总体资源比较丰富，但如何整合优势、打破人才所在地域、部门限制，改变有的艺术门类人才松散、状态游离，整体贯通组织人员创作生产高质量作品或者定期、制度化扶持作品生产的机制尚未建立。精品力作不多，尤其是在社会、群众生活中广泛传播的艺术门类中，传得开、叫得响、有自主产权的作品较少。另外，爱才、惜才、搭梯成就人才的氛围和环境营造得不够，有的人才在江苏并不十分出名，离开江苏到了北京、上海等地就成了“腕”。

5. **人才流失较为严重。**

电影、电视人才“北漂”，音乐方面的优秀苗子绝大部分考到外地，学有所成后大部分不回江苏等。

三、对加强和改进我省文艺人才工作的建议

文以才兴。要把文艺人才资源的开发和利用作为文化建设工作的价值核心和目标取向，紧紧抓住培养、使用和引进三个环节，加快建设我省文艺人才队伍。通过这次调研，我们对加强和改进我省文艺人才工作提出以下几点建议：

1. **建立更为科学的文艺人才评价体系。**

选拔文艺人才有别于选拔干部、评选劳模或先进工作者，而从目前文艺人才推荐选拔的评价指标、程序、环节等来看，不尽符合选拔文艺人才的需要，常常带来人才所在单位推荐的界内不一定认可、界内认可的单位持不同意见的矛盾。因

此，要尽快建立一套既包含明晰的硬性指标，同时又尊重文艺人才群体特点、分类指导、真正有利于优秀文艺人才脱颖而出的评价体系，其中包括完善个人申请、单位申报、业界推荐、专家评审的评价制度，建设一支高素质高水平的评审专家队伍等。

2. **着力营造文艺人才建设、成长的良好环境**。

明确将文艺人才增列为省重点人才工程“六大人才高峰”建设中的人才类别。在省各综合类人才评选中，保证文艺人才与自然科学、高新科技人才保持均衡的入选比例。与“333高层次人才工程”中的最高层次首席科学家相对应，建立杰出文艺专业人才制度，选拔一批政治素质好、业务水平高、创新能力强的中青年拔尖文艺人才，通过重点培养，为实现我省文化强省建设目标奠定高层次人才基础。建立不唯资历重实力的年轻优秀文艺专业人才破格晋级制度，通过积极促进本土人才的成长，加快构筑、扩大我省文艺人才高地的规模。打造推介江苏文艺人才、作品的品牌学术期刊。建立各艺术门类省级政府最高奖项。

3. **制定引进文艺拔尖人才的政策措施**。

参照科学与工程技术人才的引进，加快制定、完善我省引进拔尖文艺人才的计划，包括明晰的相关政策措施、奖励机制、对所引进人才的创作生产要求、明确文艺人才引进工作的牵头部门等，确保文艺拔尖人才引进工作落到实处。

4. **加强文艺人才教育和培训工作**。

整合艺术教育资源，跳出江苏、站在全国角度打造艺术高等教育品牌，集中力量在培养一流科班艺术人才上下功夫，为形成江苏整体艺术人才规模作基础储备。实施文艺专业技术人员继续教育工程。制定我省文艺人才继续教育规划、继续教育基地、证书管理办法、继续教育高级研修班管理办法等，通过实施继续教育，满足文艺专业技术人员提升学历层次和综合知识素养的需求，达到改善文艺人才队伍结构的目的。

5. **成立全省文艺人才工作领导小组，配套设立文艺人才工程专项资金**。

文艺人才分布单位面多量广，为切实加强对文艺人才工作的领导，成立全省文艺人才工作领导小组及办公室，对文艺人才工作进行统一、宏观规划、管理与指导，及时分析文艺人才建设工作的现状、出现的问题、提出相关意见，推动、督促文艺人才建设各项政策措施、配套制度的落实，与此同时，设立文艺人才工程专项资金，对文艺人才培养、评选、项目资助、资金奖励等进行统筹，为推动实现文艺优秀人才涌现提供组织和资金保障。

(作者系江苏省文联人事部)

关于全省基层文联建设情况的调研报告

近期，我部根据省文联领导的安排，就全省县、市（区）、企业文联建设与发展情况进行了调研。在全面组织收集全省基层文联建设情况的基础上，分赴丹阳、溧阳、高邮、如东、东海等县级文联，从基层文联工作新思路新举措、文艺资源开发利用、机构及人员配置、服务体系建设、文艺创作及奖励机制、行业协会职能及艺术家维权服务、文化产业发展、文艺创作面临的主要问题及对策、基层人民团体的发展方向等方面进行了较为全面的调研。现将简要情况报告如下：

一、基本情况

从整个调研情况看，近年来我省基层文联在繁荣发展先进文化、建设文化大省与文化强省、建设和谐文化中，积极克服资金短缺、人员少、办公条件差等方面的困难，抓活动、树品牌，抓队伍、出作品，抓建设、促发展，直接服务于基层和群众，开展了许多卓有成效的工作，为活跃基层文艺生活，促进区域经济发展，为实现“全面达小康，建设新江苏”作出了重要贡献。

（一）体制编制情况

1. 省辖市文联。

全省13个省辖市文联运行体制为机关和全额、差额拨款、自收自支事业单位建制。编制及现有人数较多的单位为南京市（编制36人，现有32人）、徐州市（编制24人，现有19人）、连云港市文联（编制18人，现有13人）；编制及现有人数相对较少的单位为宿迁市（编制2人，现有2人）、泰州市（编制7人、现有6人）、盐城市文联（编制6人，现有5人）。2007年度，经费（含人员工资、事业经费、文艺创作与专项活动经费）较多的单位为南京市、苏州市、无锡市文联，分别约为935、540、370万元，较少的单位为宿迁、泰州市文联，事业、文艺创作与专项活动经费分别为15、30万元（不含人员工资）。硬件设施建设含办公、文艺活动用房、通信及车辆保障等相比较，较好的单位为南京市、苏州市、常州市、无锡市经济发达地区文联，办公及活动用房面积分别为7 000、2 150、1 000、249平方米；相对较差的单位是泰州市、淮安市、宿迁文联，面积分别为100、90、30平方米。

2. 县市（区）及企业文联。

全省108个县市区、19个经济开发及旅游度假区中，现有文联87个。企业文联11个（是省文联的团体会员单位）。在县市区文联中，“四有”（即有编制、有专职人员、有经费、有固定办公及文艺活动场所）的文联有50个，占基层县市区文联总数的57%。在“四有”县市区文联中，相比较而言，人员编制、事业及专项活动经费较多、文联硬件建设相对较好的单位是昆山市、常熟市、太仓市等文联，人员分别为18、11、9人，事业、文艺创作与专项活动经费每年分别约为80、75、40万元，办公及活动用房分别是350、230、200平方米。相对较差的单位是阜宁、灌云、沭阳、涟水县文联，人员编制为1～2人，每年事业与专项活动经费约为0.5万元，办公及活动用房不足20平方米。“四有”文联以外，大都附属于党委宣传部门和政府文化部门，只是有一块牌子而已。企业文联大都与企业党委宣教、工会文体部门合署办公。

目前，县（市、区）以下乡镇、街道结合文化站建设成立了乡镇、街道文联或文艺工作者协会。如常熟市成立了10个,常州武进区成立了8个,太仓市成立了3个,兴化市成立了6个乡镇、街道文联,这一发展趋势昭示文联大有可为。

(二)工作运行情况

通过调研,我们感到,近年来我省基层文联在围绕中心,服务大局方面,主要是通过以下几个方面来积极履行文联职能的。

1.抓活动,形成浓厚的文化氛围。

根据2005年中央《关于推进社会主义新农村建设的若干意见》和我省对建设社会主义新农村建设的实施意见,全省基层文联站在社会主义新农村与经济建设的第一线,积极开展有益的文艺活动,特别是结合省文联开展的"美在新江苏"采风创作与"五走进"文化为民服务及各省辖市开展的系列文艺为民服务等活动,积极联动互动,不断满足广大农民对丰富多彩的文艺文化活动的强烈要求。目前以下几项活动已成为县市区文联工作的主体内容:一是组织文化下乡、下基层活动。这是几年发展起来的由文联参与组织的一项重要活动,已成为我省加强基层文化建设的一种重要手段。其形式多样、内容丰富逐步走向制度化,真正能够达到想广大基层群众所想、送广大基层群众所需的效果。如结合南通市文联组织开展的"五月风"文艺展示月活动,通州市、启东市、海门市、如东县等县级文联积极联动互动,结合自身特点,积极组织文化下乡、下基层惠民服务活动。邳州市文联每年坚持到城乡演出近百场文艺节目,还坚持每年十余次的专题展览等文化下乡活动,在当地产生了较好的反响。二是开展大型文化广场系列活动。广场文化活动是广大农民借鉴城里经验,自发组织起来的一种文化娱乐形式。随着农村文化建设的发展阶段,广场文化活动必将有一个更大的发展。基层文联充分利用这一为基层群众欢迎的形式,把基层的先进文化建设有效的渗透其间,促进了社会文明建设。基层文联均规模不等地组织了此类性质的活动,南京市鼓楼区文联在山西路广场举办的"鼓楼之春"文艺惠民演出与"映象鼓楼"摄影作品展、苏州市吴中区文联举办的文艺活动广场文艺月月演、南通市港闸区文联举办的"濠滨夏夜"文艺惠民演出、睢宁县文联举办的夏日广场"万人齐唱睢宁"等广场系列活动,受到基层群众的热烈欢迎。三是组织文艺工作者到农村、企业采风。这是我省县市文联发挥充分职能作用的体现,在组织好本单位采风创作与为民服务活动的同时,积极主动、精心安排省市文联组织的采风创作等活动,既丰富了基层群众的文化生活,也大大提高了文联组织的影响力。如去年省剧协组织戏剧家赴如东、音协组织音乐家赴兴化、曲协组织曲艺家赴高邮等采风创作活动,取得了圆满的成功。

2.抓队伍,造就强有力的文艺工作者队伍。

人才是基层文联建设的宝贵资源。从总体看,目前我省农村基层群众的文化娱乐生活还相当贫乏,城市演出团体的偶尔"下乡"并不能满足广大基层群众的文化需要。文艺人才是实现"送文化"与"种文化"的有机结合体。基层文联当前最重要的是建立一支骨干队伍,抓住一批文艺骨干人才。调研中,我们感到当前我省基层文联在抓队伍建设中,主要通过三个途径来加强人才队伍建设的。一是发掘。主要是通过各级党政部门加强、加大文化建设力度的有利契机,通过各种渠道广泛地把区域内的文艺能人、人才发掘出来、组织起来,充分发挥他们的作用。二是培训。有组织、有系统、有目的集中培训,抓基层文艺骨干、会员队伍建设。通过"以城带乡",以官方文艺团体带民间团体、以团体带散户、带个体等方式,帮助农村建立一支"不走"的农民、农村文艺队伍,带动农村文艺活动的兴起。三是走出去、请进来。带领农村文艺工作者到搞得好的地方学习,请省市的专家、高水平的辅导老师到农村进行专门的辅导。苏中、苏北大部分县市文联结合文艺采风创作,主动到先进基层文联进行学习观摩,拓展工作思路。全国、省市的专家到县市讲课辅导,去年有200余场,受到基层文联的广泛好评。

3.树品牌,逐步形成地域文化特色。

近年来,我省基层文联在大力发扬培育地域

特色文化、抓品牌等方面，注入鲜明的时代特色和社会主义核心价值观，在通过树立文艺品牌的活动中使广大人民群众自觉接受先进文化的熏陶。如太仓市文联举办的娄东文化系列专题、高邮市文联举办的“邮都文化”系列活动等产生了广泛影响。

4. 抓创作，推出一批文艺创作成果。

通过调研，我们感觉这些年农村、企业文艺创作应该说有些削弱，城市主流性的导向文化向农村、企业渗透，城市文化不能说不好，但毕竟与农村、企业生活有差距。全省基层文联在充分认识到这一点的基础上，组织人员深入生活，汲取营养，积极创作以农村素材为重点、形式多样、内容健康、融教育与生动活泼的艺术形式的作品。一大批文艺新成果获得了全国、省、市有关文艺评比奖项。如苏州市所属基层文联组织创作与选送作品，近500项文学艺术类作品获得全国、省、市文艺评比奖项。

5. 抓发展，不断壮大基层文联实力。

全省基层文联在认真组织与学习、提高思想认识的同时，一是积极争取党委和宣传部门的支持，不等、不靠、不要，主动向党委、宣传部门汇报工作，同时与各部门密切配合协作，通过文联的工作争取社会各界的支持。二是积极加强组织机构建设，争取机构人员、编制及经费。三是不断提高文联自身队伍的素质。通过参加省市读书班、各类培训等方式，积极提高文联干部的素质。四是勇于创新，拓宽渠道。五是广开财路，增强自身实力，积极筹措资金，善于通过开展各种文艺活动，通过多种手段解决实际问题。

二、存在的主要问题

总的看，我省基层文联建设存在的突出问题是苏南、苏北基层文联建设差距较大。主要表现在以下几个方面：

1. 少数地方领导对文联的建设与发展的重要性认识不够。

基层党委政府对文化工作认识程度的高低在很大程度上决定了文联事业的发展。少数领导对文联事业与文化建设不够重视，有的领导重经济、轻文化，有的领导重专业、轻业余，这些都在一定程度上影响了基层文联工作的开展，使文联处于边缘化状态。

2. 文联事业与基层文化建设的政策法规不健全，缺乏必要的保障措施。

目前基层文联活动经费和人员编制，尤其是经费来源与指标等无法可依，相当多的基层文联只相当于党委宣传部门的下属部门，工作存在很大的随意性。

3. 投入不足依然困扰着基层文联的建设与发展。

由于各县市经济状况的差异，对基层文联建设与文化事业的投入也有很大差异。在苏北地区，基层文联开展活动难度很大，大多靠文联干部到处化缘解决活动经费，开展工作。

4. 基层文联建设与发展不平衡。

苏中、苏北地区文联建设滞后于经济建设。改革开放以来，我省经济有了突飞猛进的增长，但文联建设相对缓慢。苏南的县市文联人员编制及经费相对到位，工作开展得有声有色，而苏中、苏北地区的县市文联相对弱些，大部分苏北的省辖市的行政区都没有成立文联，一部分县市文联有名无实，很难开展工作。

5. 基层文联工作队伍不能完全适应发展需要，文化观念跟不上时代要求。

目前一些传统的文化观念仍然束缚着文联和文化事业的发展。从领导层面看，少数领导缺乏大文化观念，很少有出去进行文艺学习、培训交流的机会，对于新时期文联工作的定位、职能缺乏深入思考与研究，从文联自身看，等、靠、要的思想依然存在。

三、对策建议

第一，与省委、省政府相关部门联合行文，制定下发《关于加强全省基层文联建设的意见》。在《意见》中，应突出在加强区域经济和文化建设的同时，加强基层文联建设。要从人员的配置、办公及活动场所、事业及专项活动经费保障等方面提出明确意见和要求，拿出具体措施，争取2—3年内使全省县市区全部建成“四有”文联

(即有编制、有专职人员、有经费、有固定办公及文艺活动场所),尤其是要对苏北五市的基层文联,要在体制编制及经费上给予倾斜,要在苏北经济建设发展的同时,建设发展好苏北基层文联,全面推动全省基层文联的建设发展。

第二,根据文艺特点,适应时代要求,充分发挥省文联与省辖市文联的职能作用,加强对基层文联建设的引导。研究制定并下发《关于加强基层文联建设的措施》。结合人民团体职能的拓展,指导基层文联形成一套行之有效的文联工作新机制。包括联络协调与服务新机制、文化产业经营与管理新机制、文艺人才成长新机制、文艺创作奖励新机制等。结合基层文联的工作,从人才队伍建设、文艺创作与活动、拓展服务职能、发挥行业协会职能优势及规范行为、加强行业自律、业务培训、成果评价、维护艺术家合法权益等方面,每年组织对基层文联进行一次考评,以促进基层文联的工作。

第三,在新形势下,加强省市文联与基层文联的联系。一是上下联动,就一些新课题、新任务如文化体制改革、文化产业、行业管理和服务等展开深入调研,作出共同应对的策略和方法。省文联应尽量参加基层文联文代会并致辞,使基层文联建设充分引起当地领导的关注和重视。二是互联互动,共同创建、联办大型品牌活动,努力打造具有影响力和辐射力的文化活动品牌;三是推动交流,增进文联系统之间的活力,定期举办基层文联经验工作交流会并使之成为制度。四是拓宽视野,坚持每年组织基层文联领导外出学习考察。

第四,完善奖励机制,坚持每年组织先进基层文联和先进个人的表彰奖励活动。一是有益于加强省文联与基层文联之间的纵向联系和基层文联之间的横向交流。二是为基层文联搭设充分展示工作成果的平台,有助于促进基层文联的全面建设,更好地开展工作。三是能有效地调动基层文联工作积极性,逐步形成文联系统内激励机制。

(作者系江苏省文联组织联络部)

江苏文艺领域发展文化产业路径探索

近年来，随着我国改革开放的进程进一步加快，我国的文化市场得到了迅速的发展，从而带动了文化产业的迅速崛起。党的十五届五中全会提出了发展文化产业后，2002 年 11 月，中国共产党十六大报告指出，发展文化产业是市场经济条件下繁荣社会主义文化、满足人民群众精神文化需要的重要途径。

党的十七大报告将推动社会主义文化大发展大繁荣列入了我们党的重要治国理政方略，要求我们“大力发展文化产业，繁荣文化市场，增强国际竞争力”。对此，我们必须深刻学习领会，充分认识文艺领域发展文化产业的重大意义，充分挖掘文化资源，努力发挥人才优势，以新的视野、新的思路、新的举措，积极推动我省文化产业的大发展。

一、当前江苏文艺领域发展文化产业急需解决的认识问题

文化产业在文艺事业发展中起着极为重要的作用，是文艺事业发展的动力源和协调器。文化产业的巨大作用正越来越为人们所熟知，但目前仍存在一些对文化和文化产业的错误认识，严重影响了文化产业的发展：

一是文艺与经济不相干的错误认识。

认为文化与经济似乎是各自独立、互不相干的。这在生产力发展水平较低的阶段还有一定合理性，因文化与经济结合还不紧密，只有文化的教化功能即意识形态功能突出，文化的经济功能还不明显。当前，这种观点已完全不合时宜。在生产力日益发达的现代，科学技术和精神文化对生产力发展的作用日益提高，文化与经济日益融合，文化的经济功能日益显著，文化成为生产力的重要因素，成为生产力大系统中不可缺少的重要组成部分。经济的文化含量日益增多，文化日益经济化，经济日益文化化，文化经济一体化成为社会经济发展的必然趋势。没有文化，经济将寸步难行。

二是发展文化产业对文艺事业有害的错误认识。

在对文化产业社会效益与经济效益关系的认识上，常常片面强调对立、矛盾的一面，忽视统一、兼容的另一面。“文不经商，士不理财”的残余封闭思想仍在一些人思想中作祟，在文化产品的生产中实现经济效益，总觉得理不直、气不壮，甚至片面认为，“对经济效益的追求，必然会导致文化艺术产品的低级化、庸俗化，乃至高尚文化艺术和人文科学理论研究的‘消亡’”。在对“文化建设以社会效益为最高准则”的理解、把握和贯彻上，常常以忽视和牺牲经济效益为代价，去追求所谓社会效益，忘记了文化建设也同时是一个经济运行过程。现实中，为获奖而组织的文艺生产，投入大量的人财物和时间，获奖归来便刀枪入库，不仅仅造成资源上的浪费，经济效益不佳，同时因违背了文化为人民大众服务的宗旨，结果是社会效益也不理想。在市场经济条件下，人民大众拥有消费者主权，文化产品的命运与其他商品一样，取决于消费者的取向。文化产品只有为更多的人所欣赏和接受，才能更好地产生“社会效益”，否则文化产品的认识和教育功能再好、再重要，如果不是群众喜闻乐见，不被更多的人所消费，也就失去了赖以实现社会效益的群众基础。社会越是发展，人们的个性化、多样化需

求就越是需要得到尊重。实践证明,那种无偿的、完全依靠组织形式强制群众欣赏和消费的"笨拙"做法,其实际的社会效益,往往是十分有限的。

上述两种认识误区对江苏文艺领域发展文化产业亦有着不同程度的危害。

1. **竞争力不强**。

与国内一些省(浙江)相比还存在一些差距。文艺资源浪费大、成本高、效率低,产业综合竞争力不强。文艺资源优势转化能力有待提高。文艺作品的转化系统缺乏技术性、融合性、开放性和时尚性,表现为浅层次、粗放式、增加值低,没有形成产业链条和规模。江苏目前还没有出现如浙江的浙江省展览馆、《山海经》、《少儿故事报》、影视艺术、舞台艺术委员会及美术创作协调组等文化品牌。

2. **产业发展不均衡**。

总量少、规模小、特色不明显、产业聚集力弱;集约化程度不高。小型企业居多,现代大型文化企业偏少,外向性文化产业发展不足;文化要素市场不够发达,文化产品存在供需缺口,在资金、产权、人才等要素市场方面不能满足文化产业发展的要求。

3. **思想仍需进一步大解放**。

党的十七大报告指出:"在时代的高起点上推动文化内容形式、体制机制、传播手段创新,解放和发展文化生产力,是繁荣文化的必由之路。"要站在战略发展的高度重视文化产业,解放思想,转变观念,克服重硬件轻软件、重经济轻文化、重事业轻产业、重品牌轻人才等一系列片面认识,切实把江苏文艺领域发展文化产业摆上重要议事日程。

二、充分认识文艺领域发展文化产业的重要意义

随着经济全球化的发展以及知识经济、信息化社会的到来,文化与经济日益融合,文化已成为经济的重要组成部分,文化产业在文艺事业发展中的地位和作用将越来越突出。这是因为,随着生产力的发展和社会的进步,人们的社会需求也在不断提高,在基本的物质需求得到满足的基础上,人们更多地关注文化上、精神上、心理上的需要,比如对书籍、音像、影视、艺术产品的需求,对娱乐服务、旅游服务、信息与网络服务的需求等等。即使是纯物质方面的需求,如衣、食、住、行也逐步趋向于文化化了,如穿衣不只讲究结实耐用,还更多地关注美观、时尚和品牌。现代商品中的文化含量、文化附加值越来越高,比如商品的构思、设计、造型、款式、装潢、包装、商标、广告等,它们都凝结着相当的文化素养、文化个性和审美意识,展示着一定的文化水平。从市场上看,任何一种有价值的人们喜欢的商品,都凝结着一定的文化内涵,这些文化内涵、文化个性、文化特色成为构成商品价值和使用价值的内在要素。在现代社会,由于人们对精神和文化需求的提高,商品中文化价值含量越来越高,知识和文化在商品价值中所占比重越来越大,有的时候商品的文化价值会几倍、几十倍于商品制造成本。在现代经济中形成了这样一个规律,商品中的文化含量越大、文化附加值越高,它的辐射力和竞争力就越强。国内外一系列实践表明,随着经济社会的发展,文化对经济的推动作用日益明显,文化与经济的一体化已成为大势所趋。全球化的文化资源配置已成为一种时代的潮流,传统的文化资源只要进行现代化的转化和开发,就能产生巨大的经济和社会效益。我们必须重新审视自身的资源优势,深刻认识文化的经济价值,积极保护、利用、开发文化资源,发展文化产业,创造自己的文化品牌,走以文化促进经济发展的路子。

1. **文化已成为创造财富的重要资源和生产力发展的巨大推动力**。

文化特别是传统文化资源丰富的地区往往是区域生产力水平较高,经济发展较快的地区。而且,文化还是欠发达地区脱贫致富的重要宝贵资源。传统文化资源并不丰富的地区也可以利用外地文化资源促进本地经济发展,例如,美国的传统文化资源较中国要贫乏得多,但它的文化产业却远比中国发达。在中国家喻户晓的花木兰,经美国人的演绎,可以带来3亿美元的经济

收入；沉在冰海里的巨轮并不产自美国，但美国人却抓住爱情这个古老和永恒的话题，利用高科技手段以假乱真的制作效果和高效的市场运作，使得《泰坦尼克号》高居20世纪电影票房收入的榜首。再一个典型例子是韩国近几年来把文化作为发展的核心，实现了金融危机后的再崛起，实现了“从经济破产到文化征服”的复兴。韩国原文化观光部长南宫镇说，19世纪是军事征服世界的世纪，20世纪是经济发展的世纪，21世纪是以文化建立新时代的世纪。在文化产业十分发达的世界经济强国美国，1998年的电影、电视、录音带、音乐出版的总收入第一次超过农业和飞机制造业，成为第一大出口产品。英国文化产业的平均发展速度是经济增长的2倍，目前城市文化产业年产值接近600亿英镑。日本仅娱乐业生产经营的年收入就高达35万亿日元，超过日本汽车工业的年产值。加拿大的文化产业1997年达240亿加元等。据统计，截至2004年，文化产业增加值占本国GDP的比重，美国为5.83%、英国为7.61%、加拿大为3.8%。美国的文化产业在其国内产业结构中仅次于军事工业，位居第二。日本文化产业的规模比电子业和汽车业还要大。我国文化产业2006年实现增加值3 440亿元，占GDP的2.15%。

2.**是繁荣文艺事业的根本保证**。

发展文化产业是解放文化生产力的必由之路，是促进文艺事业可持续发展的重要手段。发展文化产业可以满足新形势下人们日益增长的精神文化需求，为群众提供又好又多的文艺作品，丰富群众文化生活。发展文化产业还可以摆脱文化单位目前的困境，繁荣文化市场。实践证明，走市场化道路，实行产业化经营是不断繁荣和发展社会主义文化事业，振兴文化产业的必由之路。

3.**可为文艺事业发展提供动力和支持**。

我国原有的文化发展体制是由国家财政供养的事业型体制，文化单位大都是由财政拨款的事业型单位。这种管理体制与社会主义市场经济的矛盾日益凸显，最突出的表现是由政府拨款的文化投资远远满足不了群众日益增长的文化需求。根据目前的国家财力，文化艺术单位单靠国家供养，解决不了生存发展问题。发展文化产业，对文化进行产业化运作与经营，可使文化具有盈利能力，具有造血功能，由财政缺口变为财政源泉，从而摆脱自身发展的资金困境，具备自我生存和发展的能力。

三、江苏文艺领域文化产业发展路径选择

随着社会主义市场经济体制不断完善和对外开放不断扩大，文艺观念、文艺创作方式、文艺队伍构成发生了深刻变化，文艺的生产、服务、传播、消费形式日益多样化。面对新情况新问题，江苏文艺领域要围绕中心、服务大局，坚持正确文艺方向，发挥自身优势，履行好联络协调服务指导职能，起好桥梁纽带作用。要大力发展文化产业，努力探索适应社会主义市场经济体制、符合文艺发展规律和人民团体特点的管理体制、运行机制、组织形式、活动方式，不断加强行业服务、行业管理、行业自律，依法维护文艺工作者的合法权益，广泛团结各方面各领域的文艺工作者，把文联办成文艺工作者之家。按照科学发展观的要求，进一步重视和加强文艺资源的开发利用，加大文艺资源向文化产业资源转化的力度，坚持市场化、产业化发展方向，深度开发传统文化产业，积极发展新兴文化产业(如，动漫产业)，着力构建江苏地方特色鲜明、产业优势明显、发展重点突出、总体实力不断增强的文化产业发展格局。

1.**积极推进文化精品战略**。

完善精品创作领导体制和运作机制，以精神文明建设“五个一工程”为龙头，扶持和推动文化精品的创作、生产和传播，不断满足人民群众精神文化生活的需求，不断提升江苏文艺的品位。细化文艺精品创作、优秀文艺作品及文艺新人等奖励和评比办法，进一步激发文艺创造力，加大对重点作品、重点文化艺术成果、重点文化项目的奖励扶持力度。积极做好江苏传统文化和时代精神的结合文章，努力在戏剧、文学、电视、美术、书法、摄影、音乐、舞蹈、曲艺、杂技、动漫等艺

术领域创作一批具有浓郁地方特色、反映时代精神、具有较高艺术水准、深受群众喜欢的文化精品。重视培育、扶持江苏本地优秀传统文化艺术,弘扬地方特色文化。通过几年的努力,打造若干在国内外有较大影响的文化精品。要采取多种形式组织文艺工作者深入生活、服务基层,积极指导和推动群众性文艺活动。抓好优秀传统文化教育和传统经典技艺传承,推动文学、戏剧、音乐、舞蹈、曲艺、美术、书法、摄影、工艺品、技艺等进农村、进社区、进企业、进学校、进军营,切实加强文化艺术普及工作,提高群众文化艺术素养。

2.**精心培育文化活动品牌**。

组织开展具有导向性、示范性的文化艺术活动,促进文艺作品的创作生产。办好各类节庆文艺演出活动,组织优秀文化节目参加全国性大型文艺展演、评比活动,推荐有关剧(节)目申报“国家舞台艺术精品工程”工作。抓好艺术评论和艺术理论研究工作,引导市场、培育市场,提高人民群众艺术欣赏水平。指导各艺术门类做好送戏下基层的百场惠民演出活动,把优秀的文艺作品送到基层,促进基层文化工作,发挥文联在我省文化工作中的积极作用。精心组织“推新人大赛”“各类艺术考级”“ 江苏动漫游戏节”等文化活动,不断提升活动的知名度和参与面。创设新的文化活动载体,使文化品牌不断推陈出新。形成有利于出精品、出人才、出效益的文艺发展环境。加强对知识产权、品牌的保护力度,借以提升江苏文艺创新的积极性,提高创新能力,造就江苏文化艺术的名优产品和知名品牌。要出奇招,用好资源,将优势转化成产业,将产业进行品牌化包装,争取要多出一些如舞蹈《云南印象》《多彩贵州风》等名扬中外的江苏自己的文化大品牌。

3.**广泛开展对外文化交流**。

要加强对外交流,推动江苏文艺走向全国走向世界,更好地向全国向世界展示江苏文化艺术。

文化贸易已成大国竞争的焦点。文化产品出口,投入低利润高,并具有极大的利润隐蔽性,同时又不会面临反倾销制裁、别国敌视等问题。因此江苏文化艺术贸易应摆脱目前竞争力弱的局面,改变现行的与日、韩等国“对等”文化交流的模式,将发展文化艺术出口作为文化产业发展重点。加强文化交流,拓宽与长三角、珠三角以及国外的文化合作,“拿来”与“送去”相结合,既把外地发展文化产业的先进经验学进来,又把我省文联的文化艺术亮点宣传出去。加强对外文化和学术交流,依托丰厚的历史文化、独具特色的地域文化和开放城市的优势条件,组织开展艺术表演等对外文化交流活动(如,我省的杂技艺术对外交流活动日趋活跃,已经成为省文联对外文化交流的先行者),使江苏优秀的文化艺术不断走向全国、走向世界。挖掘和创新具有江苏特色的历史文化、民间民俗文化和各类文化产品,开展有针对性的文化交流合作,充分展现江苏文化魅力。积极实施“引进来”工程,创造条件,引进和承揽全国性、国际性的文化艺术交流活动,邀请国内外高水平的艺术表演团体及专家学者演出、比赛和讲学,不断提升江苏文化艺术品味,争取在国际化方向有新的突破。

4.**做大做强传统文化产业**。

文化产业就是一畦丰润的有机土壤,让文艺的创意和想象力能够在土壤上着床,发芽,绽开自由的万种新苗。发展文艺领域文化产业,实现文艺资源转化要有一种紧迫感。文艺资源是客观存在的,但是文艺资源的存在仅仅表明它的潜在价值,不等于它自然而然地就成为现实价值。文艺资源成为文化产业发展资源需要我们创造性地加以转化。

以产业运作方式,挖掘、搜集、整理、再现民俗民间文化艺术的作品和活动。我省蕴藏着极其丰富的民俗民间文化产品和活动,比如苏州的刺绣、根雕、唢呐等都相当出名。民俗民间文化作品和活动非常受社会各界的欢迎,具有广阔的市场和发展的潜力,江苏文艺领域应该抓住机遇,以产业的方式使我们的民俗民间文化得到弘扬(如,由省文联主办的“东方工艺美术之都博览会”,就可以产业方式进行运作)。要把文化资源转化与文艺工作创新结合起来。把专业协会作为发展文化产业的重要力量，发挥协会的作用。大力支持协会开展健康有益、富有特色的文化艺术交流活动。通过民间文艺家协会，把民间艺人组织起来，既丰富了群众文化生活、增加了民间艺人的收入，又促进了我省文化产业的发展壮大。要积极推动资源优势向产业优势转变，江苏省具有发展文化产业的丰厚资源和区位优势，特别是发展动漫产业具有天时地利人和的良好条件，以省动漫艺术协会为平台，整合人才资源，做大做强动漫产业。充分发挥协会组织在培养文化人才方面的作用，通过发展协会文化产业发现、培养一批骨干。要不断加强协会发展文化产业的管理，推动省文联文化产业健康发展。

5. **努力推动经营资本社会化**。

必须坚持从实际出发，以创新的精神务实求变，才能推动文化产业的大发展。观念创新天地宽，务实求变效果好。发展文化产业，要有效解决资金短缺等问题。文化资本一旦在产业集群中被集成起来，资源吸引效应就会加快，产业依此而迅速成长起来。因此，集聚效应必须依赖集群共享平台的文化资本路径。引入市场化运作方式，按照“市场运作、发展有效益、群众得利益”的原则，充分利用各种工具和手段，开辟多种渠道，积极鼓励社会力量办文化，逐步形成以政府资金、企业投入、民间资金、境外资金等相结合的多元化文化投入机制。文联文化产业发展存在资金短缺问题，依靠自有资金发展在速度上和规模上都受到限制，需要社会资本支持。推动文化投融资方式由单一型向复合型转变，开拓发展文化产业的新路子，建立文化产业项目库，并且面向社会组织文化项目招商活动，组织文企双方洽谈，召开招商会议等方式，架起社会力量办文化的桥梁，吸纳民间资本发展文化产业，充分发动社会各界支持文化建设，是保障产业做大做强的根本。适应完善社会主义市场经济体制的需要，运用社会化的手段，推动文化产业可持续发展。加强项目管理，逐步建立和完善项目论证、规划、实施、监督、评估的制度，对每个项目都按照严格的工作流程科学策划、精心组织、周密实施，做到办一个项目成一个项目，持之以恒，取得实效。强化监督，保证项目健康发展，维护江苏文艺的良好社会形象。始终坚持把社会效益放在首位，促进文化事业和产业的发展。

6. **大力发展省文联自身文化产业**。

根据省委、省政府提出的建设文化强省的“三强”目标要求，省文联要充分发挥文联及各协会的作用，搭建舞台，积极为文化产业提供服务，发挥联系广泛、信息灵通的优势，当好参谋和“红娘”。如：推动文企联姻，推动各艺术门类向其他领域的拓展和渗透；举办招商引资活动，招徕外地资金投入文化艺术项目；充分发挥文联组织的优势，整合资源、发挥优势，推动和促进江苏文化产业稳步快速发展。

省文联现有文化产业单位（包括公司和中心）共12家，其效益也各不相同，有的经营状况较好，有的则处于维持生计状态。

分析文联现有文化企业的现状，我们感到，目前影响文联自身文化产业发展的原因主要有以下几个方面：一是缺乏强有力的组织领导机构。事业部虽然具有管理文化产业的部分职能，但由于一些客观原因，致使事业部的管理只是对一些挂靠单位的管理和服务，到年底催催款、收收钱，没有对文化产业单位行使具体有效的管理职能。二是发展文化产业的意识不够强。文联自身缺乏发展文化产业的统一规划体系和机制，文化产业发展缺乏可持续的动力支持。有的单位经营职能不够明确，市场意识不强。经营范围相互交叉，存在经营范围和责任不清的问题。三是缺乏文化产业管理人才。人力资源分配缺乏科学性，文联人员在经营性单位中占据着一把手的位置，缺乏市场风险压力。业绩考核不与经营效益挂钩，从业人员中包括在编的单位与人员和不在编的挂靠单位与人员两种情况。而在编单位又由全额、差额、自收自支、聘用工、临时工等几种人员组成。人员层次不同，想法也不同。如文联在编人员，拿着固定工资进行目标管理，以获取分外收入为目的，而非编及挂靠人员也没有发展文化产业的目标，仅仅以企业的盈利为目的，现有的12个经营性单位中，大部分单位只有2～3人，往往给人“皮包公司”的感觉，缺乏发展文化产业的责任、目标,个别从业人员缺乏进行文化产业管理的基本能力。四是财务管理和监督不到位,易产生腐败现象。

针对目前文联自身文化产业发展的现状,提出以下几点建议:一是加强组织领导,改革运行机制。为进一步明确事业部的文化产业管理职能,积极推进文联文化产业改革,对挂靠公司进行清理,改制后省文联文化产业集团是将目前的12个产业单位合并为8个,以事业部为基础,成立文化产业管理办公室,实行一个机构两块牌子,对文化产业单位进行统一管理。资源整合后可以充分运用市场机制,承办由文联主办牡丹奖、百家金陵书画展等项目,进行文化产业运作,形成规模效应,从而打造出江苏文化产业的名品精品;二是进一步思想大解放。充分认识发展文化产业的重要作用,进一步增强市场意识和发展意识;三是加强财务管理。学习浙江文联的做法,成立财务结算中心,统一对文化产业单位财务进行管理;四是扬长避短,发挥自身优势,着力开拓各类艺术培训与考级,并将其做大做强;五是加大文化产业管理人才的引进。对那些具有较强管理能力的文化产业管理人才,文化产业管理办公室可以采取兼职、专职、临时聘用等多种方式引进,如可以聘用高校文化产业研究院、所等有关人员为顾问、兼职研究员等,积极动员社会各方面广泛参与,采取多种形式,开辟多种渠道,建立和形成开放的工作机制。借势而上,多措并举,调动各有关方面的参与积极性,汇聚各方面的资源和力量,边实施边规范,边开展边完善,边建设边发展,不断提高文联自身文化产业发展的规模和水平,促进江苏文艺事业的繁荣和发展。

(作者系江苏省文联事业部)

江苏文艺创作的现状、问题与建议、对策

一、江苏文艺创作的现状

进入新世纪以来，在省委、省政府的领导下，江苏逐步营造了有利于创作的大氛围，各地党委、政府和文化艺术部门逐步实施了一些有利于创作的新机制，一些艺术门类的创作水平攀上了全国的新高度，江苏的文艺创作取得了前所未有的新成果，一个大发展、大繁荣的文艺高潮正在全省兴起。

（一）各级党委、政府加强文化体制改革，提出一系列文化发展战略举措，营造了有利于创作的大氛围

从 1996 年至 2006 年，江苏省委每隔 5 年即召开一次全省文化工作会议，提出繁荣文化事业的目标、任务、途径与具体措施，极大地促进了江苏文艺创作的繁荣。2006 年，省委在第三次文化工作会议上提出了建设文化江苏，向文化强省迈进的宏伟目标。这是江苏省委贯彻落实党的十七大精神的重要措施，是江苏文化大省建设的一次全面提升和跨越，是一项内容丰富、涵盖面广、目标明确的战略工程，是提升江苏“软实力”的关键举措。

在建设文化江苏，向文化强省迈进的历史进程中，全省文化部门和各省辖市也均采取相应强力措施，制定、出台了适合本系统、本地文化发展的战略性规划。如江苏省文化厅制定出台了《江苏省“十一五”文化发展规划》、江苏省文联制定出台了《江苏省文联“十一五”发展规划》、全省 13 个省辖市也都制定出台了相应的文化发展规划。

在全省各级党委、政府提出的一系列文化发展战略举措中，都包含着繁荣创作的要求、目标、途径与措施。因而，这些战略举措已经成为繁荣创作的强力助推器，为繁荣创作营造了良好的大氛围，极大地推动江苏文艺创作的繁荣。

（二）各级党委、政府和文化部门深刻认识和把握市场经济规律和文艺创作规律，实施了一些有利于创作的新体制、新机制

省委提出建设江苏文化大省以来，大力推动江苏文化体制改革，组建了江苏五大文化集团，建设了繁荣创作的新体制。省文联制定出台了《全国优秀文艺奖项获得者表彰奖励办法》，目前已经举办了四届，初步建立起表彰引导、推动创作的新机制。省文联、省音乐家协会成立了“刘天华阿炳中国民族音乐基金会”，建立了振兴民族音乐创作的新机制。南京、宿迁等市的市委、市政府委托市文联开展市优秀文艺作品评奖表彰活动，苏州市的昆山等县级市文联也受市委、市政府的委托开展了多种、多次文艺评奖活动。这些评比表彰进一步建立、健全了文艺创作的激励机制。省委宣传部和省文联、省文化厅联合举办的“中国百家金陵画展”，省委宣传部和省文联联合举办的“中国曲艺牡丹奖颁奖系列活动”等大型品牌活动，建立了依靠品牌活动推动创作的新机制。一些省文化部门和地方党委、政府如省文联，省作协，南京、苏州等市文联还采取了以奖代投、委约创作等多种符合市场经济规律和创作规律的新机制、新办法，大力推动创作繁荣。

(三)江苏的一些文艺门类攀登上新高度,文艺创作取得了前所未有的新成果

据统计,在全国第十届精神文明建设"五个一工程"评选中,江苏申报的17部作品获奖,电影《情暖万家》、电视剧《香樟树》《上将许世友》《江塘集中营》、戏剧《红河谷》、广播剧《农民的好支书李元龙》、文艺类图书《青铜葵花》获优秀作品奖,戏剧《平头百姓》《1699·桃花扇》、歌曲《青春与世界联网》、图书《亲亲我的妈妈》获入选作品奖。由江苏省创作生产、由其他单位推荐申报的电视剧《孝子》、歌曲《宇宙的种子》获优秀作品奖,电视剧《我在天堂等你》、滑稽戏《笑着和明天握手》、昆剧《西施》、文艺类图书《城市表情》获入选作品奖,获奖总数在全国省市中名列第二。

2004至2008年,江苏各地创作的除文学以外的美术、书法、摄影、音乐、舞蹈、戏剧、电影、电视、曲艺、杂技、民间文艺等各门类艺术作品,共获得经中共中央宣传部批准、由中国文联和全国各艺术家协会联合设立的奖项(不包括文化部设立的奖项)272个。其中书法、摄影、音乐、戏剧、民间艺术等门类多次在全国评奖中获得前三名的优异成绩。这使江苏在上述艺术门类中名列前茅的创作实力为全国所公认。一些艺术门类中涌现出新的全国知名的领军人物。

上述情况说明江苏已经出现了某些文艺门类的创作高峰。

二、江苏文艺创作存在的问题

在调研中,我们也发现,江苏文艺创作上还存在着一些问题,有些是亟待解决的问题。如,我省还缺少在全国引起轰动、在艺术史上堪称经典的文艺作品;一些文艺门类的创作队伍如影视剧编导人员出现青黄不接现象;文艺家的创作条件还有待于进一步改善;文化艺术部门各自为战的现象还较为普遍,没有形成合力,一些艺术门类没能充分发挥其创作上的组织优势;一些文化艺术部门重活动、轻创作,表现为争活动项目,活动项目往往有政府资金投入,因而实际上是争经费;一些文艺媒体热衷"炒作"文艺名人逸事流言,缺少对主流文艺创作作品的宣传推介等等。

造成以上问题的原因是多方面的,经过认真研究,我们认为,主要有以下几点。

(一)缺少一整套创作资金投入、使用、管理新机制

在调研中,我们发现,过去一直强调的资金是制约创作的"瓶颈"的观念,已经与实际情况不符,真正制约创作的"瓶颈"是缺少一整套创作资金投入、使用、管理新机制。

现在江苏创作资金主要来源于财政拨款和市场自筹。现行的财政拨款制度,形成于计划经济时代,改革开放三十年来基本没有改变,在市场经济条件下,日益显出对于创作制约的弊端。

一是投入资金数额不固定。

这与创作规律不相适应。其一,资金数额不固定,不便于统筹安排年度创作计划。其二,就一个具体创作项目来说,一般是由策划、启动、论证、创作、面世、推介等几个阶段组成的一个过程。在这一过程中,每个阶段都需要不同额度的资金投入。因此,创作在策划阶段就需要较为明确、固定的资金额度。否则,不便于策划具体创作项目。

二是人为因素较大。

调研中一些同志反映的"资金跟着领导喜好跑"现象,原因就在于此。

三是往往倾向于政府部门。

这与政府职能转变、逐步建立"小政府、大社会"的社会结构的改革趋势不相适应,不利于充分发挥政府职能转变后,由人民团体承担的创作职责,甚至不利于促进政府职能转变。

四是投入后缺乏管理。

一般是无阶段性目标效益评估,无项目变更申请,无监督、审计,无归还责任。这就造成创作项目实施中的很多不良现象,如半拉子项目——没钱即止、不了了之,忽悠钱项目——截留经费、挪用资金,决算超支,不能统筹社会、经济两个效益等。

市场自筹资金制约创作的主要原因是市场

的不稳定性造成创作资金来源不稳定。特别是文联承担的创作任务在市场上寻找资金一般较为困难。

文联是人民团体，是党与政府联系文艺界的桥梁和纽带。政府职能转变以后，文联组织理应承担更多、更重的先进文化创造与传播职责。文联的这一性质决定了文联组织的创作项目必须是围绕中心、服务大局的主旋律作品，必须将社会效益放在首要位置，必须将党领导人民进行改革开放的文化成果普惠于民。文联组织创作符合上述要求的作品，特别是一些亟须倡导的主旋律作品，往往难以吸引市场投资者。

由于财政拨款制度和市场的制约，全省文联组织在文艺创作上的专业性优势没能得到更充分有效的发挥。如，省文联提出的一些创作项目陷入财政拨款少、市场找钱难的两难境地。省文联举办的一些推动创作的采风、深入生活、作品研讨、宣传推介等活动也均因缺少常项经费难以开展，或难以取得更大效果。

（二）缺少创作激励机制

以江苏省政府名义颁发的“江苏文学艺术奖”已经停评十多年。省委宣传部制定的《扶持、奖励重点文艺项目办法》虽经各有关部门讨论多次却迟迟没有出台。目前，除省文联、省作协、省文化厅等文化艺术单位设立的奖项外，全省没有统一的、法定的、常规的、高度权威的文学艺术奖。这就造成为党和人民、为改革开放、为繁荣江苏文艺事业建立功勋的文艺家没能得到应有的评价与荣誉，优秀的文艺作品没能得到社会的价值肯定，使我省的创作缺乏激励，与党的十七大提出的建立国家荣誉制度的重要决策不相符。

（三）缺少创作统一规划与创作协调机制

全省多年没有召开过创作规划会议，虽然在有关会议上提出对创作作品数量要求，但缺少对具体作品题材、体裁、样式、资金、市场等方面的谋划，缺少落实的措施。文化、广电、文联虽经常联名举办各种活动，但在创作上，基本上是各自为战，缺少统一协调机制，不能形成互补产生更大优势。比如，省文联未能与省广电结盟，形成一端发挥影视剧本的创作优势，一端发挥影视剧制作的优势，形成强势创作平台。

（四）文化体制改革有待进一步深化

江苏省的文化体制改革有待向着文化事业强、文化产业强、文化人才队伍强的方向进一步纵深发展。随着多个文化产业集团的建立，政府部门应该逐步从“办文化”转变为“管文化”。文艺性人民团体应该接替政府部门因“办”转“管”而产生的社会文化空间，进一步按照科学发展观的要求，逐步探索文艺类人民团体组织创作的新机制。

（五）缺少文艺创作基地和理论批评阵地

目前，全省没有一座文艺创作基地，以各艺术门类领军人物为长的文艺创作室机制建设缺乏物质依托，不能集约化地使用创作资源，不能为创作人才提供更优化的创作条件。

全省也没有一本创作理论刊物，媒体上的文化版面基本上已经成为娱乐版，主流文化在多样文化消费面前处于失声状态。文艺理论批评、引导创作、自身理论创新与繁荣等功能没能充分发挥。这使江苏的创作出现很大盲目性，不少作者不知其得失之因，往往出现经验主义的倾向，“碰点子吃糖”。这种倾向影响江苏创作的创新性，从根本上说，影响江苏创作总体水平的提高。

三、建议与对策

根据以上实际，我们试提出以下建议和对策。

（1）建立一整套文艺创作资金财政投入、使用、管理机制。

（2）建议探索建立江苏省文艺创作基金。基金来源通过财政拨款和社会募集解决。

（3）建议建立、健全江苏省权威性文艺奖评奖制度。重奖我省文艺家创作的、外地文艺家以我省题材创作的、在全国产生重大影响的文艺作品。根据江苏一些地方的经验,建议省委、省政府委托省文联承办此项评奖。

建议尽快出台省委宣传部制定的《扶持、奖励重点文艺项目办法》。

(4)建议省委宣传部定期召开全省文艺创作规划会。研究提出江苏省年度创作项目、落实措施和创作目标。建议请省委领导出席作重要讲话,进一步阐明省委关于创作思潮、创作指导思想、创作规律、创作目标与要求等方面的指示意见,团结、凝聚全省创作力量,明确江苏创作奋斗目标。

(5)建议建立文艺单位创作协调制度,优化组合创作力量。

(6)省文联进一步学习贯彻科学发展观,统筹兼顾好举办活动与组织创作的关系,利用新中国成立60周年和中国共产党成立90周年的契机,组织创作一批文艺作品。

(7)省文联加快筹建江苏文艺家创作基地,并着手协调省新闻出版部门,研究出版文艺理论刊物的可行性。

(作者系江苏省文联创研部)

电影发展的现状及我省在电影创作上存在的问题和对策

根据江苏省委、省文联关于深入学习实践科学发展观的部署和要求，围绕“统一认识、提高能力、解决问题、创新机制”的目标，我们认真学习，理论联系实际，查找工作中的问题，总结经验，剖析原因。结合江苏电影创作的实际情况，协会主席团和有关艺术委员会的同志，经过认真研究，将“电影发展的现状及我省在电影创作上存在的问题和对策”拟定为调研的题目，进行了深入的调查、研究，现将有关调研情况汇报如下。

一、电影发展的现状简述

胡锦涛总书记在十七大报告中高度地概括了文化在中国当代发展进程中所应当承担的历史责任，特别是报告中提出的关于“提高国家文化软实力”的时代命题，更是确定了文化在整个国家发展战略中的核心地位，肯定了文化在推进社会发展进程中所应起到的积极历史作用。今天，在经济全球化的大背景下，面对世界范围各种思想文化的相互激荡，我们必须把弘扬民族优秀文化作为文化建设极为重要的任务，在继承发展优秀传统文化，大力弘扬民族精神的同时，要清醒地认识到，在当今世界，文化已日益成为增强一个国家的综合实力和竞争力的重要因素。

当前，电影工业以及以电影工业为龙头的文化产业在许多国家已成为经济发展的新动力和新支点。我们都知道美国是全球电影产业的超级引擎，2007 年，好莱坞电影以国内票房近 96.27 亿美元的收益占了全球票房的三分之一和全球总放映时间的 50％以上。

中国电影近年来的发展尽管取得了辉煌的成绩，令世人刮目相看，但与发达电影工业国差距仍然十分巨大。截至 2007 年底，全国共有影院 1 427 家(美国 6 000 多家)，银幕数 3 527 块，(美国 36 000 多块)，其中数字银幕 500 多块。2007 年我国电影产量为 402 部，进入影院发行的新片共计 200 多部(包括局部地区和二级市场发行影片，其中有 100 多部为数字影片)。国产影片 150 多部，占 75％，进口影片约 50 部，占 25％。民营电影公司是制作主体，占 80％以上。年度票房总收入为 33.27 亿元人民币(比 2006 年增长 26％)，其中国产影片票房为 18.01 亿元人民币，占票房总收入的 54.13％，这一成绩标志着国产影片票房总收入连续五年超过进口影片。电影综合收入(包括内地票房、海外销售及票房、电影频道广告等项收入，不包括未统计在内的音像收入和其他授权收入)也达到 67.26 亿人民币。如果用美元换算，美国国内票房收入为我国的 25 倍。

中国电影的差距还表现在影片的质量上。从全国范围来看，各地都有一些挂名影片，这些影片挂在某一电影摄制单位的名下，基本上是一些小制作，题材不大，投入成本较小，大多是数字电影，生产周期短，艺术质量较为一般。基本只卖给电影频道，一般能卖 30 几万，好一点收益更高些(80 万左右)。这样就促使一些没有资质的小投资人，大量涌进这个市场，使其成为一种新的营生，新的赚钱的手段。一方面，这些小投资人进入电影市场，为中国电影的发展注入了新的资本，虽然这些资本很有限，但促进了民间电影制作机构的发展，推动了电影事业的改革。(改革开放以前，全国有36家国有生产单位，今天已有400多家生产单位，民营占85%）；另一方面，它也造成了电影市场的混乱。这些小投资人有着很强的占领市场欲望与能力，抢占资金份额、压低生产成本，甚至流于粗制滥造。

据统计，这类挂名影片的产量，占全国影片总量的一半以上。在剩下一部分的追求艺术、文化价值的影片中，质量也参差不齐。这些影片很少为院线购买，往往是锁定国外的某个电影节，靠在国外得奖获得投资回报。

江苏是一个电影生产小省，20世纪80—90年代南京电影厂的生产能力为平均每年可自己生产制作故事片3部，现在由于资金、剧本、人才等方面的原因，电影创作生产受到极大影响。1993年以前江苏的电影发行放映有过全国“八连冠”的业绩，几毛钱一张的票，票房收入近一个亿。目前我省境内有7家院线，只有1家是我们自己的，只能属于区域院线，2007年票房总收入1.7亿元人民币，其中本土只占不足1/3，为5 000多万，也就是说，我们的终端市场基本被外省占领。

二、我省电影创作上存在的问题

第一，首先有些领导同志对电影艺术的巨大文化价值和商业价值认识不够，对电影的巨大影响力估计不足，认为现在大家都不看电影了，电影已经没有了市场，还花那么多钱搞它干什么？这种认识造成国家电影投资短缺，拍摄电影只能到处去找资金。其次，对电影现在所处阶段认识不足，认为一部电影怎会花那么多钱，结果只肯解决少部分资金。这种认识造成一些影片一定程度上的粗制滥造。其实，现在已经是精品时代，现在的电影市场规律是只要认真规划、策划好，“大投入大产出，小投入就赔钱”。再次，对社会效益与经济效益统筹认识不够，有些领导同志在强调社会效益的同时，往往强调回收。这种思路不符合文化发展的规律。各国文化发展的实践都证明了，在文化发展上，一定有不能回收或少回收的公益项目，这些项目代表国家的形象、民族的文化特征和社会的主流文化。有时候，这种公益项目由于缺少利益驱动，不能引起社会文化公司的兴趣，只能靠国家投入。当然，这并不是说，我们仍然可以按照计划经济条件下的全部由国家包下来，不计成本的生产模式去创作、拍摄电影。国家投入的资金如何保证社会效益与经济效益兼得，应该通过一定的投入产出机制加以解决。比如，这个机制应该能够确定国家投入总量，应该规定责任人的责任、权利与义务，特别是应该根据项目的具体情况，在责任人的责任中，明确社会效益与经济效益的目标、比例等（例如电视剧《闯关东》）。

第二，人才奇缺。省电影家协会共有会员450多名，其中编剧45名，导演12名，包括部队、高校、电影厂、各市县、省直从事过电影编剧和导演工作的人及作家协会的专职作家。其中转行进入电视及其他方面工作、退休的（21人）编剧34人、导演8人，（退休的5人）目前仍在在一线从事电影创作的编剧只有11人（大部分为兼职和部队编剧，真正动笔创作的只有4～5人，占会员总数的1%），导演4人（不到总数的1%），以上数据不包括非会员，如一些作家。

资源因“人”而盘活，文化因“人”而灿烂，职业制片人（职业发行推广人才）呼之欲出。江苏是一个文化资源大省，同样可称之为影视资源大省，几乎什么资源都有，独缺能够盘活影视文化资源、具有文化眼光、熟悉市场规律、精通影视剧制作，又长于经营的影视剧的出品人或制片人。

第三，机制不全。一是没有专门促进电影繁荣发展的国家资金投入机制，二是没有适合市场经济的电影原创机制，三是没有电影人才成长机制、激励机制和人才引进机制，四是现有的机制，需要健全。

第四，组织程度不高。一是一些本省重大题材，由于缺乏组织手段而功亏一篑。二是由于缺乏组织力度，一些好题材流失了。三是没能按适应市场机制、符合创作规律的要求组织创作力量。我省一些电影创作人员处于游离状态，还有一些创作人员离开南京到北京当了“北漂”，这些有创作能力的原创人员都因为没有组织好而没能更好地发挥作用。［比如，山东组织了高满堂

(《闯关东》的编剧)影视创作工作室,省委批拨了充足的经费。这种创作工作室的组织,我们还没有]。

第五,经费问题。目前江苏生产的电影,基本是在市场上找来的资金。一些好的题材、剧本由于资金问题而搁浅,由于没有前期资金投入,不能组织剧本创作。有的剧本已经完成了好几年,各方面专家也认为写得不错,但由于没有资金,无法进一步修改、拍摄。

三、我们的对策和建议

第一,发挥协会职能作用,推动江苏电影繁荣发展。江苏省电影家协会具有专业学术团体的职能,面对江苏电影存在的问题,我们将进一步发挥专业委员会的作用,积极组织电影专家参与省宣传、文化领导部门关于电影各种机制的创建、电影创作等工作,如题材的选择、主题的论证、剧本的讨论等。

第二,加强会员队伍建设,发展一批民营电影家、中青年电影家特别是中青年编导、制片人、出品人入会。

第三,申请经费,组建电影编导与投资人沙龙,为他们提供交流信息、合作创作的平台。

第四,加强与民营机构的联系与交流。进一步解放思想,拓展服务职能,适应社会发展的需要,为广大的电影界服务。

江苏电影中存在的问题,还有一些是我们力所不能及的。为此,我们建议:

第一,着手研究建立促进我省电影事业的各种机制。如,电影资金投入机制、电影创作奖励机制、电影人才激励、引进机制等。

第二,加强电影创作组织程度,建立剧本扶持基金,组建江苏电影创作工作室,选择题材,提供充裕的扶持资金,开展电影剧本一度创作。我们建议此基金和工作室放在省电影家协会,以便发挥省电影家协会的政治思想优势、人才队伍优势、组织网络优势和学术专业优势。

第三,加大人才队伍建设的培训力度,更大化、更优化地培养电影创作和经营人员。以省委宣传部、省文联等单位的名义,每年举办为期较长的江苏省电影创作制片经营高级研修班。邀请省领导、国内外著名学者、编导、制片经营专家进行辅导、讲课,学习电影业务。

第四,每年举办电影创作年会和剧本评奖机制。

(作者系江苏省电影家协会)

推动江苏曲艺大发展大繁荣的思考和对策

王慧芬

一、"牡丹奖"落户江苏后的积极影响

自"牡丹奖"落户江苏以后，这一文艺品牌效应为江苏的曲艺发展注入了很强的推动力。

第一，"牡丹奖"落户江苏，引起了各级领导对曲艺事业的高度重视。

各级政府加大了人力、物力、财力的投入，为江苏曲艺的发展提供了难得的机遇。江苏省委宣传部专门批准设立了与中国曲艺"牡丹奖"相对应的江苏曲艺最高奖"芦花奖"，每两年评选一次。每年还下拨专项创作经费，扶持重点作品的创作，对我省曲艺的创作发展起到了积极的推动作用，特别是扬州清曲、扬州弹词、徐州琴书等濒临失传的曲种，重新焕发了生机和活力。为加大评弹后备人才的培养力度，江苏省和苏州市共同投资近亿元用于苏州评弹学校的移址重建，使苏州评弹学校建设迈上了一个新台阶。

第二，"牡丹奖"落户江苏，极大地调动了曲艺工作者的创作热情。

全省广大曲艺工作者更加深刻地认识到了自己的艺术价值，以高度的文化自觉，积极弘扬和挖掘优秀民族文化，深入生活，潜心创作，推出了一批既有民族特色、又具时代精神的优秀作品，涌现了一批具有发展潜力的优秀青年曲艺人才。在第五届"牡丹奖"评选中，我省共获六项大奖，获奖数名列全国第一。其中，杨乃珍获终身成就奖、现代中篇苏州弹词《风雨黄昏》获节目奖、李真、徐德明创作的扬州评话《王少堂》获文学奖、陆建华获表演奖、周玉峰撰写的《常州道情缺失探》获理论奖、刘芋君获新人奖。并且终身成就奖、节目奖、文学奖、新人奖均在各奖项评选中名列前茅。获奖质量与上届相比，稳中有进。

第三，"牡丹奖"落户江苏，不断地提升了江苏曲艺大省的影响力。

江苏历来人文荟萃，名家辈出。曲艺艺术底蕴深厚，流派纷呈。江苏是中国曲艺的发祥地之一。据《中国曲艺志・江苏卷》"曲种表"的述列，江苏地面古今流行的曲艺品种，多达 57 个。这还不包括从外地流入而未形成江苏当地特色的相声等重要品种。其中有被誉为"世界上最美的声音"和曲艺活化石的苏州评弹，还有扬州评话、徐州梆子、南京白局等较有影响的多个曲艺品种。"牡丹奖"落户江苏后，江苏曲艺界自加压力，奋发有为，下大力抓创作、推人才，齐心协力打造曲艺品牌，提升了江苏曲艺的知名度和影响力。此外，"牡丹奖"落户江苏后，也有力地促进了江苏其他艺术门类的繁荣发展，江苏文艺呈现出百花齐放的蓬勃景象。

二、江苏曲艺发展面临的问题和挑战

从江苏在近两届"牡丹奖"评奖中取得的成绩来看，江苏的曲艺发展应该说仍然走在全国的前列。这主要得益于中国文联、中国曲协的关心和指导，也得益于江苏省委、省政府对曲艺的重视和支持，这更是全省曲艺界开拓进取、奋发有为的结果。然而，当我们对照科学发展观的要求，站在全面建设小康社会的历史高度，面对人民群众日益增长的精神文化生活需求与曲艺事

业发展相对滞后的矛盾，就必须承认和看到，江苏的曲艺事业还有许多亟待我们关注和思考解决的问题。

问题之一：曲种之间发展不平衡的问题比较突出。

苏州是江苏曲艺的重镇，从这里发祥的苏州评话和苏州弹词，一直以来，都是名家辈出、书目纷呈、流派众多，处于全省曲艺“领头羊”的地位。但较之过去“吴侬软语唱不断，半巷尽是琵琶声”的鼎盛时期，当下苏州的曲艺仍处于相对沉寂的发展阶段。南京和扬州历来地属南北交汇的要地，也是全国政治与文化的中心区域之一，曲艺的发展曾经十分繁盛而且独具特色。但近些年来，这两个地方的曲艺发展情况令人担忧，无论是纵向的与其过去的辉煌相比，还是横向的与苏州相比，都存在着不小的差距。而像江南的常州、无锡、镇江，特别是苏北的徐州、盐城等地，过去也都有着各自的曲艺优势和特色，但现在的曲艺发展明显比较滞后。上述地方城乡之间的曲艺发展差距，也有进一步拉大的迹象。至于曲种之间的发展不平衡的问题也较突出，有的曲种现在几乎没什么演出，处在保护和抢救的边缘。不同地区之间的曲种如苏州弹词和扬州弹词的发展，前者比较繁荣而后者相对沉寂，就是同处一地且血脉相连的苏州弹词和苏州评话之间，评话的发展也明显不如弹词。这些地区和不同曲种之间发展的不平衡，固然有着各自的历史原因，但与我们某些工作的缺失也不无关系。

问题之二：曲艺人才培养滞后的问题越发显现。

曲艺事业和其他各项事业一样，成败兴衰最终是靠人才的多寡和水平的高低来决定的。专业人才的梯队结构和文化素养的构成水准，决定着一项事业的发展。随着社会的发展进步和高等教育的普及，人们的文化素养得到很大程度的提高，人们对曲艺艺术文化内涵的要求也越来越高。但江苏曲艺和全国一样，至今没有本科专业的教育孵化机构，这与早已开设高等教育甚至设立了博士、硕士研究点的书画、音乐、舞蹈等艺术门类相比，明显存在着人才培养严重滞后的问题。就江苏而言，目前仅有一所中等专业性质的“苏州评弹学校”，且只为苏州评话和苏州弹词这两个曲种培养创演和伴奏人才，其他更多曲种的专业人才来源基本上是靠比较局限的传统师传和个人的兴趣爱好。因此，曲艺艺术的传承和业务的进修，缺乏系统规范的教育架构。全省曲艺的人才梯队培养、专业知识学习和综合素质的提高，有时还处于放任无序的状态，曲艺队伍建设与事业发展的要求和人民群众文化需求之间的落差越来越大。这种状况如果不及时改变，曲艺事业的发展将陷入恶性循环的境地。

问题之三：曲艺创作精品匮乏的问题日益严重。

创新是文艺繁荣发展的灵魂，新创曲目的不断涌现是曲艺事业发展繁荣的重要标志。当前，江苏虽然重视新曲目的创作，但创作力量仍然无法满足需求，真正体现曲艺特点又富有时代气息的精品力作依然比较匮乏，曲艺创作呈现出精品和人才日益萎缩的趋势。与历史上江苏一些曲种的发展既人才辈出、大家卓立、曲目（书目）繁多且流派纷呈的辉煌时期相比，当下的江苏曲艺还缺乏扬州评话大家王少堂那样的杰出代表性领军人物，缺乏苏州弹词《玉蜻蜓》《双珠凤》和扬州评话《武松》那样的传世精品，缺乏具有我们当今时代审美特色的表演手段与唱腔音乐。

问题之四：曲艺受众老龄化的问题依然存在。

曲艺具有很强的民间性和地方性，曲艺的魅力源自群众性。失去了群众的喜爱，失去了地方特色，曲艺就失去了生存发展的深厚土壤。近年来，江苏的大多数曲艺社团，都以创新的思路把曲艺艺术推向市场，受到了广大曲艺爱好者的欢迎和支持，也取得了一定的经济效益，维持了曲艺社团的生存和发展。但受到城市建设影响或因利益的驱动，一些曲艺演出场馆逐渐被拆除或改作他用，曲艺演出空间被逐渐挤压。同时，受到多元文化的影响，年轻人很少进入曲艺书场，曲艺受众出现老龄化现象，曲艺艺术的可持续发展受到一定程度制约。

三、推动江苏曲艺大发展大繁荣的思考和对策

如何克服上述种种不足与问题,尽快扭转和改变这些薄弱被动的发展局面,成为我们站在新的历史起点,推进江苏曲艺科学发展的关键。为此,我认为应当首先在以下几个方面作出努力:

一是创新曲艺发展思路。

不断解放思想,积极开动脑筋,创造性地开展工作。通过采取相应措施,制定相关政策,营造能使全省各地和所有曲种都能齐头并进均衡发展的环境条件,全面提升各地各曲种的艺术水平和审美影响力。文联系统要在今后的组织协调和联络服务工作中,积极主动地开展工作,激励先进也扶持后进,多为全省曲艺事业的全面协调发展贡献力量。通过改革创新,探索和建立适宜全省曲艺全面良性发展的体制与机制,使曲艺工作比较弱的地区加快发展步伐,让比较沉寂和正在滑坡的曲种创演以能够尽早扭转弱势和颓势,从而共同推动江苏曲艺协调可持续发展。

二是加强曲艺人才队伍建设。

要突破曲种的限制,超越曲艺技艺层面的局限,加大对曲艺人才综合素质的培养。特别要在当今注重学历的社会环境中,为曲艺工作者搭建与其他行业相同的学习与进修阶梯。通过科学地培养专业人才,传承曲艺艺术血脉。近年来趋向热门的非物质文化遗产保护工作,可以说为曲艺的艺术传承和人才培养,提供了良好的环境条件和可资借鉴的成功经验。比如,福建省福州市等地挂牌成立的相关曲种的传习所,我们江苏成立的苏州评弹博物馆、常熟古琴艺术馆等,都为改变这个方面的被动局面,开创了新的途径。另一方面,我们还要建议政府逐步整合高等教育资源,把曲艺艺术纳入高等教育,从而为曲艺事业培养更多的高素质的人才。

三是推动曲艺创作繁荣。

重点培养和扶持江苏曲艺的曲本创作队伍,解决节目创新缺乏文学内涵的尴尬局面,不断寻找艺术的多样性,使曲艺的风格流派更加丰富。我们既需要继承传统、保护抢救,也需要在继承基础上的改编剧目,更需要新创曲目。只要是健康向上的、能够满足人们健康审美需求的曲艺形式都可以积极提倡和大胆尝试。通过推动创作繁荣,吸引和培养更多的曲艺受众,尤其是年轻的曲艺受众,从而为曲艺的发展奠定坚实的群众基础。

四是加强曲艺理论建设。

由于曲艺的传统及其特殊的创作与演出方式,在众多的艺术门类当中,曲艺在理论建设上的相对薄弱,是曲艺的生存与发展的难题。对于任何艺术样式而言,理论研究都是必不可少的。没有正确的理论指导,曲艺事业的发展就不可能站在历史的制高点上。当前曲艺理论建设要突出如下几个方面内容:一是有关曲艺的审美本质的研究,从创演等方面指出曲艺的审美特性,构建中国曲艺的美学体系;二是不同曲种的个别研究;三是曲艺理论的发展。通过理论建设和学术研究,为江苏曲艺事业的发展提供有力的理论支撑。

(作者系江苏省文联党组书记、常务副主席、书记处第一书记)

全球化语境下的审美转型与文化自觉

言恭达

一、审美定位中的科学理性和现代人文精神的重建

我们已进入知识经济时代，作为传统的中国书画艺术，站在新世纪的时代高度，面对全国实现小康、实现基本现代化的中国社会大变革，它的基本现状是什么？它的现代价值与审美转型在何处？我们必须进行社会大文化的深层思考。

全面认识现代化的文化内涵，认识现代化进程中的中国传统文化情结和当今中国文化发展的现代价值取向，则是我们亟待解决的课题。

我们正经历着由传统农业宗法社会向现代工商社会，向信息社会的转型；由计划经济向市场经济的转型；由传统人文精神向现代人文精神转型的这样三重转型所构成的巨大社会变迁中。社会转型的实质是社会结构的全面转换与过渡，而民族文化心理乃是社会结构更深的层面，它必然促使人们的价值观念、道德伦理、思维方式都发生变化。传统文化，尤其是“敬业”“创生”“变通”“诚信”“中庸”“和谐”等原则对现代化社会仍将起着十分积极的倡导意义。

近现代历史证明，中国经历着三个层面的大文化改革，即物质文化、制度文化和观念文化。今天的现代化建设关键要进行体制改革与观念形态的改革(即人的观念现代化和素质的全面提高)。中国的发展将引导社会确立一种主导价值，即高扬科学理性和现代艺术精神，把人的现代化推进作为压倒一切的首选价值。中国文化的战略焦点乃是传统文化与科技文明的结合。而我国传统文化的特点是价值理性与工具理性的合一。

当代社会各种纷然杂陈的文化艺术思潮显示了不同的价值指向。一是以儒、道、释为主流的传统文化在社会发展中仍拥有根深蒂固的影响；二是自西方涌进的后现代主义思潮，所谓崇高非理性，解构真理和理想，追求游戏状态已有它的一定市场；三是以现代化的追求为旨归的艺术思潮，即尊重理性、个性及人格，崇尚平等、民主，倡导科学精神这一现代化的价值导向。

中国的现代化是历史的必然选择。现代化的价值导向是建立在中华民族的精神和美德大厦上的。对国家发展要承担历史的责任，这是人类的普遍精神——有为进取、尚德崇义、整体至上、敬业乐群是我们中华民族的基本精神。作为文学艺术主旋律的弘扬民族精神，其根本要义是唤醒人的主体意识，以人的尊严这一具有普遍意义的价值层面去把握现代人文精神的深刻内涵。

不能否认，这些年来中国文化生态危机与人文精神的失落导致一些感性欲望泛滥，低俗化蔓延的社会现象。时尚的鼓噪，精神的平庸已是很普遍的现实。具体反映在信仰生活的失落，情感生活的缩减(畸形的都市化堵塞了人与自然的交感)；文化生活的粗鄙(诉诸官能的大众消费文化泛滥，诉诸心灵的严肃文化渐入困境)，强烈的社会变革，相应出现了人们的精神需求的重新组合。价值观念趋于多元，物质上的追求财富的社会心理，必然导致需要消闲娱乐的消费文化的寻求。面对一个浮躁的、不安的时代，尤其需要思想的滋润，美的纯化。时代需要文化人，需要艺术家。——他们是不急功近利，耐得寂寞，思考

社会文化与审美的深层课题，思考现代艺术的基本精神的智者。他们需要智商，更需要情商。记得20世纪90年代初冯骥才先生曾说过："近几年中国知识界最重要的进步之一，是开始从文化检阅一切，关注一切。"人类历史分为自发的文化、自觉的文化和文化的自觉三个阶段。高度文明国家的重要标志是文化的自觉。我们正是缺少文化的反省，缺少自我的文化保护、把握与升华。"文化是一种深刻的生活，也是一种深刻的社会责任。"

历史的积淀形成了中国传统的人文精神。作为中国书法，正如杨振宁博士所说，是中国文化精髓的核心。因为中国书法包蕴的人格理想是人类的最高理想。艺术创作的心理体验是书法家对宇宙生命和自我生命的双重感悟。中国古代对书法的理解是以人文理念为根本支点，从书法的内在精神到技法体系，都具有深厚的人文内涵。其思想源是老庄的"天人合一"，其审美情趣是"虚静"。因此，当代书法的历史使命是用中国人文艺术的"元语言"融合时代精神去构建当代书法艺术语言与视觉图式。

中国书法文化语境中最缺乏的是什么呢？就是以上一开始所说的中国改革开放的发展将引导社会确立一种主导价值，即高扬科学理性和现代艺术精神。必须十分清晰地看到当代书法艺术的审美转型，对传统技法与经典的深化理解，对艺术形式构成的新的拓展，这是一种新的文化现象，其要义是艺术审美定位与导向中的科学理性。历史传承的经典是不朽的，人们知道王羲之、颜真卿、苏东坡与米芾，人们知道周金秦篆汉碑魏书……但人们似乎很少真诚地正视和思考发生在我们周边的正在形成的新的文化格局与文化情境。高速公路与快餐文化已成为全球化的重要景观，大众传媒时代的新生代的艺术语言和商业元素相融汇，形成了具有市民文化的休闲与调侃特色的艺术模式……艺术最基本的意义在于非功利的超越性的价值追求，这是经典的真正含义所在。追求"不朽"而不妥协于市场的消费文化，不屈服于由金钱来显身的不平等的价值体系。今天，除了一声叹息外，我们要思考的是什么呢？要拒绝诱惑，坚守经典艺术的科学理性与审美方向，紧守中华民族的精神家园。中华文化的两大主脉，除"仁、义"外，经典"才、情"的审美正是中西文化精神差异的一种显相。

二、文艺发展的历史挑战与生存状态

当下文艺发展所处的时代，从总体来看，和平与发展合作是时代的主要特征。中国正处在一个构建和谐社会，繁荣先进文化，建设和谐文化的伟大的历史进程中，文艺发展面临难得的历史机遇，同时把面临前所未有的挑战，这是当今时代特征所决定的。

一是消费时代。

物质发展到特定的历史阶段，进入了消费时代。文学艺术也成了一种消费的符号供人取乐开怀。"歌星现象""选美现象""王朔现象""废都现象"……从电视小品调侃搞笑到历史小说帝王戏说，从"超级女声"到"梦想中国"，流行歌曲、网络手机写手文学、肥皂剧等一道道娱乐快餐消磨着人们快乐的时光。大众传媒以其职业特点奋力构造着一种人兴物丰的宏大景观世界，消费主义催生了娱乐快餐文化的泛滥，使当前的文艺界只重价值判断，不重认知判断，致使人们的精神生活越过了最起码的底线……时下，除了传统观念中商品和服务的使用价值外，以满足"符号象征意义"为皈归的消费观念与行为，也日益成为中国消费潮的显著特色。在时人看来，文艺的功能似乎剥离得只剩下"娱乐"二字。有人说："当今是一个没有权威的时代，我们只能跟着感觉走，跟着时尚走。"这就是消费时代突显了文艺作品的商品属性。文艺创作出现了低俗化倾向，造成了主流文化的曲高和寡与大众消费文化受众的急剧膨胀。从经典著作读者的流失到"超女"粉丝的巨大阵营，文艺更加通俗化、滑稽化、浅薄化与漫画化。

二是网络时代。

网络时代的来临，使整个社会经济与生活发生了革命性的巨变。随着信息资源的全球同步化，"网络文化"诞生了。无论是内容还是形式，网络文化都迥异于以往所有的文化形式，并对传统文化造成了很大的冲击。这是人类文明史以来对人类生活产生最大影响的一次技术革命与观念革命，它改革了人们的生产、生活、消费与通讯方式，缩小了人类生存的时空，因此，网络文化同样改变了文艺的创作、传播方式、传播速度与广度，也改变了人们对文艺的接受与阅读方式。在网络时代，世界一流的文艺大餐都呈现在我们眼前，大大提升了人们的审美眼界，缩小了文艺受众与创作者之间的信息差与时间差，网络使受众对文艺的口味越来越丰富，也对文艺质量提出了更高的新的要求。

三是图视时代。

视觉文化及其审美现象，在我们这个时代是无所不在的。影视、图片、听觉艺术蓬勃发展，各种动态的、非动态的图像包围着我们，构成了今天的视觉化生存。日常生活审美化，审美艺术日常化，以文学阅读为审美的主要方式已退居其后，传统的图书都出现了图文并茂化的倾向，文艺尤其部分非图视化表现的文艺门类的发展受到了严峻的挑战。人们对文艺的表现形式有了新的要求。

我们常说，文学与艺术将给人们的思想以启迪，知识的积累、人格的升华，但同时文艺又是消费性的，尤其在当今的时代，社会关注的重点已转移，社会精神空间扩大，市场经济启动了消费性的通俗文化高潮，全球化运作中社会文艺生活多元文化现象并存……由此可见，清醒地认识当今社会精神生活的变化，尊重文化的多元性与理解文艺的多重角色，我们只能用选择来适应今天的变化与转型，既要宽容，更要选择；既要理解，更要在理解前提下的艺术批评！

三、书法艺术的时代审美转型

时代在变迁，审美在转型，这是客观事实。在第八届中国书法展的工作会议上，中国书法家协会提出了国展评审标准，即书法篆刻作品的创作必须遵循书法艺术规律。一是艺术的历史传承性是艺术发展的规律。二是表达性情是艺术创作的基本特征。三是艺术风格的多样性、统一性是艺术繁荣的标志。四是唤起美感是艺术作品的重要特征之一。从北宋提出“文道两本”以来，“文以载道”是历代文人的历史使命与社会责任；而“技进乎道”是历代文人从事艺术的本体认识，即经技进入艺，从艺升为道的层面，从而完成从自觉文化到文化的自觉的历史进程。与绘画一样，当代书法创作的形式，技巧的递变，都处在东西方文化、历史与未来的交汇点上，这种“时空差”和它的受众空间，提示我们在当代“散乱”“多元”的各种流派的形式语言与技巧的异化中，需要按经典规律不断醇化与锤炼书法艺术。全人类的文明是一体化的，全人类的利益也是一致的，文化不是谁战胜谁，而是互相补充共进的。现在的世界是互补的世界，像东西方文明互相补充一样，东西方文化艺术也将互相渗透、交融。但我们切不能忘记自己是东方的！未来文明的建构应该是人文与科学的结合，是传统与现代的契合。东方文化的价值不仅仅取决于它的过去，还有未来，取决于它在未来文明建构中的活力。

世纪初的艺术观念丰富又复杂。东西方文化两大体系的冲突，对书法艺术的母体的挑战使书坛出现了传统古典型、现代审美型和前卫探索型多种现象。陈丹青说过：“20世纪中国油画是伟而不大，悲而不壮。”我想中国当代书法也值得深层反思，我们不能不进行以下三项理性思考：(1)当代书法创作审美定位的历史背景、社会心理与思维模式；(2)当代书法创作审美的参照体系，它的前瞻性与边缘性；(3)当代书法创作审美的评判机制。

审美文化的重要职责不在于满足人们感官的消遣娱乐作用上，而在于引导人们超越自身的感性存在上，上升到自由的人生境界，净化人的灵魂，培养良好的素质。传统审美向现代形态的转变，首先，它的创作与接受对象都发生了变化，由文人艺术向大众艺术转化。为此，它的内在机制也必须相应转换。就书法而言，改变群众运动状态，强化学科建设，提升艺术作品的学术含量。其次，审美转型带来传播方式的变化，理性与感性的分裂是现代工业社会的主要特征。程式化、平面化的大众娱乐艺术占据了人们的审美观念，它与处在竞争加剧的社会中的广大市民心态正相契合。因而,书法创作心态的浮躁、浮动、浮面,产生了"文化快餐"效应。再次,社会生活节奏变化不仅是文化现象,也是审美演进的重要特征。盛唐文化豪放激越,当时都市生活节奏轻急热烈,车马火热,故出现了书法之"狂草",舞蹈之"胡旋",乐曲之"急竹繁丝"。

书法艺术的追求是"意"的追求,不应该停留在形的摹写或重复。我们看古代经典书作,不难看出创作者的独特个性与激越情绪在作品中显露的意境、神韵和气势。王羲之写《兰亭序》"志气和平,不激不厉"的飘逸脱俗的神韵是东晋士大夫顺随自然的道家思想的表现;颜真卿追祭从侄季明匆匆草就了"天下第二行书"《祭侄稿》,他有感于巢倾卵覆的巨大悲愤,览于文,显于书,进入感性的忘我境界;苏东坡《寒食帖》中将颠沛流放的苦愤倾注于艰涩豪迈的笔触中;杨凝式《神仙起居法》道出作者佯狂避世的深切悲哀……

意随字出,书随意深。大凡高明的书家都是从写形寓意,挖掘深层内涵,到达写神赏心之境地,达其情性,形其哀乐,状物抒怀!

现代中国的书法艺术经历着历史上最大的动荡,纵向历史的封闭单一与横向时代的交叉多元形成冲突,不同的文化参照塑造出不同档次的艺术家。古代大师的书法作品是与古人的文化心理相契合,是由历史的情境造成的。审美价值的标准是有时间性的,当代书法家就应在这一点上观照当代文化,建立新的价值标尺。新世纪的社会心态是向往新奇,追求个性。传统古典主义的"不激不厉"的冲和之气将会适应演变。"风神骨气者居上,妍美功用者居下"的审美将强化,发展到"唯观神彩,不见字形"的现代浪漫色彩。所以当今是个"写意"的时代,"造虚"的时代。书家追求将是更多的开拓、强烈、抒情。如古人所说:"格调情怀为第一性,技法乃第二性。"故当今书法创作将在格调、内涵、情趣上做文章。注重精神性,反对创作的平庸化,媚俗化,以豪阔自如的心态抒写自己的灵性,提升写意层面。一般来说,它会表现出四个特点:(1)挖掘中华民族深层的本能气质,追求更多的意趣韵味。更多的写心、写意、写个性、写我神。(2)求动思流。在书法体类上将寻求个性能高度发挥,自由奔放,表现内在自我的草书为主。篆、隶也"行草化"。以侧险浓淡求飞动,求节奏。功夫字已不复多见。(3)宣泄更强的阳刚之气。必然碑帖结合,风格多异。书风注重宽博雄强,飞动朴茂。(4)两极推进的思维定式。由于人们的视觉心理(从承前到追奇)与社会心态(从趋横到反)构成的影响,决定了书法艺术创作的两极推进,传统的更传统、现代的更现代。多元的生活决定了多元的书法形态,节奏加快,周期性短。当前各类书艺(包括硬笔书法、刻字艺术)形式风格大胆探索,百花竞放,是书法艺术进入电脑时代后与实用功能距离加剧拉大的时代。中国书法将以新的东方艺术风姿进入世界文化圈。

我们呼唤时代经典,呼唤审美的崇高,也呼唤艺术包容。以对当今主流文化的命运思考,来关注自己的生存空间。中国书法近30多年来的发展其核心是重建书法现代人文精神,这是当代书法艺术家必须具备的一种品格、一种情怀。我以为,艺术的本体价值与社会价值的有机统一是一种时代精神,是对客体的升华与超越。当今书坛呼唤现代人文关怀!看重文化品格的铸造!在中国佛家、禅家的境界中,圆融的境界是一种圆满的圣境,是最后的正果,上上的境界。这种圆融的境界是书法艺术的"华严境界",它涵盖了中国传统文化所讲的光明妙境,是一种"道"的显现。圆融应该是道法自然式的终极境界。所以说书法的终极境界是一种自然圆满,得大自在之所在。达到心手双畅,翰逸神飞的境界。

四、创新是文化自觉的必然选择

费孝通先生总结一生的感悟得出了"文化自觉"四个字,道出了"各美其美,美人之美,美美与共,天下大同"这一大文化人高屋建瓴的人生智慧,最宝贵的生命体验。

文化自觉是当今时代的要求,它指的是生活在一定文化中的人对其文化要有自知之明,并对其发展历程和未来有充分的认识。从某种意义上说,文化自觉是在全球范围内提倡和而不同的文化观的具体表现。

一个时代理应有引领一个时代的文化形态与艺术形式，理应建立它特有的时代人文精神。文化自觉对一个时代一个民族的未来，对社会的和谐至关重要！文化自觉是在文化反省，文化创造和文化实践中所体现出来的一种文化主体意识与心态。

从生活审美体验上升到生命体验的审美理想的终极实现——文化自觉就是善于认知、理解和诠释自己的民族文化史，联系实际，尊重并吸收他种文化的经验和长处，与他种文化共同建构新的文化环境，以形成具有历史使命感的文化担当与传承精神。

历史和传统是我们文化延续的根和种子。"和能生物，同则不继"，多元一体。从传统和创造的结合中去看待未来，全球化的现实需要有共同遵守的行为秩序和文化准则，我们应该精通并掌握之，并在此环境下反观自己找到民族文化的自我。只有具备这样的文化自觉，才有可能建设多元共处共生的全球社会。费孝通先生给文化自觉提出一个坐标系——纵轴是从传统和创造的结合中去看待未来，结合过去同现在的条件和要求，向未来的文化展开一个新的起点，这是一个时间轴；横轴是在当前的全球化语境下找到民族文化的自我定位，确定共存在的意义和对世界可能作出的贡献，这是一个空间轴。中国书法艺术的文化审美自觉也同样在这坐标系上找到自己的定位。

文化自觉的根本目的是为了加强文化审美转型的自主能力，取得适应新环境、新时代文化选择的自主地位。我们赞成这样的文化自觉——在全球化浪潮冲击下，它绝不因循守旧，抱残守缺，而是与时俱进，主动搏击，选优汰劣，倡导全世界一切国家和民族的文化应有共生的平等机遇。

在当下和谐社会的发展，社会转型的大变革时期，文艺作为民族精神的旗帜，对于社会有着重要的引领和凝聚作用。当前，一是要维护全社会文化利益的公平，体现现代人文关怀；二是要坚持全球化视野与本土化实践，维护民族文化。面对当代消费文化的挑战，我们要努力提升人们的审美情趣，促使社会审美向高雅型转化。这就是说，我们要有意识地引领一种审美价值评判尺度，召唤文艺责任的回归，引领国民精神的提升，实现文化的审美本质与审美理想。而要完成这样的提升与责任，作为每一位书法艺术工作者应该而且必须做到——阳光下感恩时代，文化中敬畏传统，大众里关爱民生。

（作者系江苏省文联副主席、书记处书记）

坚持时代主流文化发展　保障人民基本文化权益

言恭达

人民网记者鲁婧(以下简称记者):言主席,这次您参加全国政协十一届一次会议,都准备了哪些提案?

言恭达(全国政协委员,中国书协副主席,江苏省文联副主席、书记处书记):我准备了7个提案,关于文化教育方面的,以我自己的领域优势,对当前文化体制改革提出建议,关注民生的,还有关于文化利益的公平方面的,主要有这样几个提案:一是在文化体制改革中,对目前的全国的乡镇文化站作为新农村文化建设的主体阵地与城乡一体化的大文化圈。二是切实关注民工的子女受教育问题,这也是一个全国性的问题。三是对中国现代艺术的创作、展示和市场的规范管理。四是关于设立中国母亲节的提案。现在社会上的所谓父亲节、母亲节、情人节、愚人节都是洋节,很多年轻人都喜欢过洋节,我建议把孟子出生时间定为中国母亲节,"孟母三迁教子"作为中国传统的理念和文化,对我们后世影响很大。中国母亲节不仅是一个节日的概念,还是一种文化精神。还有其他的一些提案。

记者:您对当今文化体制改革有什么看法?

言恭达:这次温总理的报告立意深远,特点显著,内涵丰富,数据翔实,既高屋建瓴、思路清晰,又求真务实、扎实稳定,更是心系民生,情满中华,显示了本届政府公信力、亲和力和忧患感。所以我最大的感受是:感动、感恩与感奋。报告最显著的特点是四个突出:一是突出民生,二是突出基础(三农),三是突出改革——其中就讲到了文化体制改革的问题,四是突出统筹解题。在整个政府工作报告对今后的工作提出了九条建议,第七条就是深入文化体制改革,推动文化大发展大繁荣,以弘扬"爱国主义为核心的民族精神,和改革创新为核心的时代精神"。我提出了三条建议:

第一,从国家文化发展战略与文化安全的高度,坚持时代主流文化的发展,体现民族精神与国家意识,树立中华文化的国家形象。作为政府的文化职能部门,在日常工作中最重要的是在全球化环境下,坚持文化自觉。一个时代理应有引领一个时代的文化形态与艺术形式,建立它特有的时代人文精神。文化自觉是在文化反省、文化创造和实践中所体现的一种文化主体意识与心态。文化自觉就是善于认知、理解和诠释自己的民族文化,以形成具有历史使命感的文化担当与传承精神。

在当今多元包容、多彩统一的文化样式、文化体制、文化空间中,浮躁、浮面与浮动的社会文化心理,娱乐文化的充塞、精英文化的缺失是当前最严峻的社会文化现象。中国文化生态危机与人文精神的失落,导致感性欲望泛滥,低俗化蔓延的社会现象。时尚的鼓噪、精神的平庸已是很普遍的现实。每个国家、每个时代如何通过它自身的主流文化来体现国家精神,这是每届政府思考的主体课题。我们高兴地看到五年来文化部在国家舞台精品工程、重大历史题材绘画工程等方面做了大量事情,取得了很大的成果,但也有不少职责并未到位的地方。例如:政府职能部门对"现代艺术"的创作队伍以及展示和市场管理基本处于缺失状态。这些非体制内的、非主流的艺术缺乏管理与关注,在一定程度上却得到西方世界的青睐，建议文化部要重视并建立针对中国现代艺术发展的创作、展示和市场的相应管理机制，尤其是现代艺术参加国际展览和国内市场的审查制度。

第二，维护全社会文化利益的公平，体现现代人文关怀。规范文化投入机制，保障人民基本文化权益。当前，文化工作一方面要推动文化创作产品的精品化，留下时代的传世作品；另一方面要让广大人民群众（包括农民）都能享受到精品文化的熏陶、教育与传承。如何提升全民族的文化艺术审美层面，引领国民的审美自觉，实现文化的审美本质与审美理想是当前政府和党委职能部门十分重视的一个课题。

那我们来看一下全国范围内的乡镇文化站问题。乡镇文化站应是向广大农民提供公共文化产品，在农村传播先进文化的主阵地。但不能不看到，目前全国好多乡镇文化站，一是没有以农民为本，文化内涵缺失，“空壳”现象严重，民间流传“文化站不如寺庙堂，敲锣鼓不如打麻将”的说法。二是文化体制不顺，经费得不到保证，农村文化干部队伍人才稀缺，难务正业。三是多部门分散支持，资源未能有效整合。目前的远程教育网络，农家书屋工程，以及“校校通”、“村村通”等各政府职能部门各自为政、布点分散、资源浪费，不能发挥综合效应。以上三方面说明在乡镇文化站建设中，政府的主观意向与农民内在文化需求之间还存在很大差距。

第三，提升文化生产力，出精品、出成果、出人才，这是文化体制改革的终极目标，推进事业的发展。建议从中央到地方要统筹规划、整合资源、优化配置、发挥优势，搭建平台、打造品牌，以推进文化艺术创作的全球化视野和本土化实践。

按照前年中央文化体制改革的精神，在党政管办分离，实行政企、政事、政资、政府与市场中介机构“四分开”的形势下，政府、市场、公民社会的整体格局中，要理智地、战略性地依靠社会团体尤其是人民团体办文化，政府财政公共权力由职能部门主要占有的局面应该改变。

因此，要让人民团体有进入社会文化舞台的机会，通过财政支助与资源共享、统筹分配的原则，遵循文化艺术创作与发展的规律，文化人才成长与培养的规律，文化产品的市场规律，从中央到地方（主要全国与省级），在党委统一协调下，将宣传部、文化厅、文联联合搭建平台，打造品牌。我们江苏的“中国百家金陵画展”弘扬以爱国主义为核心的民族精神和改革创新为核心的时代精神，就是在李源潮书记亲自策划下开展了三年，非常成功，已经成为“弘扬现实主义艺术精神”的当代美术品牌，推出在全国范围内有影响的美术精品和艺术人才，真正实现“反映时代、感悟生活、关注民生、关爱自然”的真善美相统一的审美理想。

以上三个方面，是我对文化大发展、大繁荣的一点建议。

记者：谢谢言主席。

尊重艺术规律　坚持正确导向

——以苏州评话和苏州弹词的当下发展为例

周　良

探讨曲艺的发展，直面曲艺的困境十分重要。但要走出目前的困境，注意尊重艺术规律和坚持正确的艺术导向，尤其重要！

以苏州评弹即苏州评话和苏州弹词为例，20世纪70年代末，有过几年的繁盛，但那是之前发展的结果即上一个高峰的余晖。随后，到80年代初，逐渐进入了长时间的困难阶段。苏州评话与苏州弹词和许多传统艺术门类一样，都遭遇困难。有人说是危机，有人说传统艺术要消亡，所以有任其自生自灭的消极主张。苏州评话与苏州弹词与不少传统艺术一样，因为有深厚的群众基础，有党和政府及社会力量的支持，有改革的推动，有全体从业人员的努力，经受了困难的考验。卅多年来，并没有消亡，还在困难中生存发展。但对“消亡论”的危害，从未在思想上加以清算，至今仍然折射在那些彻底“改革”论者的身上。比如一些主张要把苏州评弹以及所有曲艺等传统艺术，“改革”得不像自己才算时尚的“创新”论调，以及用对政治革命的态度来对待传统艺术，等等，就是“左”的思想的残存，至少是一种糊涂的思想。

近些年来，苏州评弹(苏州评话与苏州弹词)列入非物质传统文化遗产保护名录以后，更加受到重视。保护苏州评弹，有了更好的客观条件。但是，在新的形势下，如何保护苏州评弹，仍然有许多需要总结的经验、教训和认真研究的课题。从目前的状况看，前景不容乐观。突出的问题，是传统书目的继承、抢救，尚未引起应有的重视。还在继续演出的优秀传统书目很少，不少优秀传统书目已经后继乏人，濒临失传。苏州评弹艺术是借长篇书目在书场川流不息地演出得以生存和发展的，但一个时期以来，书场艺术和长篇书目的建设没有受到足够的重视，艺术水平不断下降，书场听众还在逐渐减少。苏州评话演员已经不多，演出已经很少。陈云同志说，苏州评话“是中国说书艺术的一个方面，要重视”(见《陈云同志关于评弹的谈话和通信》增订本第5页)，我们应该牢记并贯彻这个意见。

保护苏州评弹和发展曲艺，需要做切切实实的研究和踏踏实实的工作。保护苏州评弹要明确保护什么，切实贯彻“保护为主、抢救第一、合理利用、继承发展”的方针，切实认识传统书目的社会、历史价值，切实传承历代艺人创造完善的表演艺术。要研究其艺术特征和发展规律，使“评弹要像评弹”。对此，我们的有关部门特别是曲协等专业机构肩负着重要的责任。这些部门的责任，是把导向搞正确，克服目前普遍存在的“非曲艺化”创演倾向。比如，目前苏州评弹创演中出现的重唱轻说、重短轻长的趋向，就是受了市场和一些不正确导向影响的结果。市场的需要应该满足，但不正确的导向必须加以纠正。离开了自身艺术特征和规律的“创新”是异化和消灭自己，哪里还谈得上保护和发展。

为此，要加强调查研究，从实际出发，分类研究，分类指导。苏州评话、苏州弹词就需要分开研究。要搞活动，但要防止只搞大呼隆活动和装点繁荣的做法，克服那些为了制造“政绩”而与艺术无补的行为。

评奖是交流艺术、提高艺术、促进人才培养的措施，尤其是专业性的评奖，同时也是导向性很强的措施，必须特别注意按照艺术规律办事！比如“说书”类的比赛，就需要相应的时间和篇幅来展开，不宜和节目篇幅较短的“唱曲”同台竞赛。二者之间的可比性不是很大。如果同台比赛，一刀切地统一时段，势必“削足适履”，很难比出公平，更谈不上正确的导向性。好比苏州弹词，如果这样参加比赛，很容易使演员们重唱而轻说，乃至以唱代说，从而使“说书”变成了专唱“开篇”的“唱曲”，无助于说书艺术的提高。试想：大家都去唱“开篇”了，苏州弹词还是那个属于“说书”范畴的曲艺品种吗？长此以往，不就会在这类比赛的导向中走向迷途而自我消亡了吗?！评奖也是出人、出书的重要手段，但出人、出书首先要经过艺术实践的长期检验，要放到群众中去检验。没有群众基础的作品，或者很少为群众演出，主要为评奖而创作、演出的作品，即使得了奖，也不能算是好作品。换句话说，这种做法，对培养人才也不会有良好的效果。

因此，我们的工作，应该严格按照艺术规律办事，包括在各类导向性很强的工作尤其是评奖工作中，注意坚持正确的导向，以推动苏州评弹和整个曲艺事业持续健康地向前发展。

（作者系江苏省曲艺家协会原主席，江浙沪评弹工作领导小组副组长，《中国曲艺志》副主编）

用艺术的方式把握时代

刘伟冬

【内容提要】 画展对现实题材的关注,尤其是对草根阶层的关注,表现了艺术家的人本主义追求;同时,艺术家对情感和精神元素的探索,增加了绘画作品的深层意义;对时代重大题材的表现始终是艺术家的重要使命。

【关键词】 艺术　时代　表现

入选2008·中国百家金陵(油画)展的100幅作品即将与观众见面了。这次入选作品是由专家小组从全国送选的一千多幅画作中经过几轮的评审最终遴选出来的。如果说这次展览的作品有一个共同的特点的话,那就是现实题材的人物表现,已成了所有入选作品的主旋律。艺术家们从不同的层面、不同的角度,并以不同的手法对我们这个时代人们的精神面貌、行为方式以及生活状态进行了较为全面和深入的描绘和表现,更为值得关注的是许多艺术家对那些社会底层民众的关怀,已经使我们的作品更具有一种人本品质。

众所周知,时代的丰富性和多样性,需要以一种艺术方式对它们进行更为形象、生动地把握和表现,否则,这个时代就会缺乏艺术的积累。从古至今,艺术与科学、哲学、宗教一样,都是认识和理解自然世界和人类社会的一种方式和途径。在我看来,这次入选的许多作品,在较好的展示艺术审美和表现方法的同时,更多的则是在参与对一种社会问题的讨论。我认为这是我们的艺术在曾经一度试图摆脱所谓政治羁绊后的一个积极的回归,也是一个进步。艺术从它诞生的那一刻起,就像一枚钱币具有双面性,可以在为艺术而艺术的一端走向形式主义的极致,但同样也可以在现实主义的另一端深入到社会的细胞之中,成为历史的见证物。因此,任何的偏废或者取代都会损坏艺术的本质。在这里,我所说的对社会问题的参与主要是指艺术家对当今社会中的"草根阶层"的关注,这似乎也成为当下文艺创作中现实题材的一个趋势,文学是这样,电影是这样,绘画自然也不例外。当然,这种艺术的关注同样也可以分为两种态度,西方艺术史上的两位画家为我们提供了最好的例证:彼得·勃吕盖尔对农民的关注总是以一种城里人的姿态,更多表现的是农民的愚钝和粗鲁的一面;而法国画家米勒则对农民充满了怜悯和同情,他笔下的农民总是那样的纯朴和善良。从我们的艺术家所呈现的作品来看,他们当中的绝大多数都是以一种人生的同情和悲悯之心来表现这些生活在社会最底层人们的真实的生活状态和心理状态。尽管艺术家在刻画他们的形象和状态方面,以一种真实表现了他们的"其貌不扬",但从作品本身却丝毫读不到那些揶揄和嘲笑的信息,而更多所体现的则是艺术家的一种博大的人文关怀。从画家塑造的形象上来看,在"其貌不扬"的背后投射出的则是一种勤劳、坚毅、乐观和期待的元素。像赵晓亮的《夯》、张瑞龙《凡人》、杨克西的《百姓》、宫向阳的《等待》、吴静一的《赶集》和王龙军的《知了声声》等作品可以说是这类作品的典型代表。当然艺术家的关注不仅仅止于同情和悲悯,像陈新的《享受阳光》、吴静雨的《城市美容师》、薛小勤的《晨装》和赵小刚的《奥运场馆的建设者之一》等作品更是颂扬了这些底层群体对社会的巨大贡献。艺术家正是想通过他们作品来表达这样的一种观念，即现代城市的灿烂与辉煌正是由那些勤劳而又朴实的劳动者的汗水浇灌所致。

当然，艺术家的目光不仅仅聚焦于草根群体，他们同样把艺术的触须也伸向了代表时代潮流的时尚群体，艺术家着眼于刻画这些人物形象，似乎更注重揭示这些人物的内心世界，一种对精神状态的探索成了这些作品的主要诉求，这也使得参展的作品有了哲学意义上的思考。我们知道，代表社会时尚的群体，与那些草根阶层有着天壤之别，他们过着衣食无忧的优雅生活。但这并不意味着他们的生活就没有问题。其实，温饱解决以后，随之而来的可能会是更为棘手的精神问题，这也是构成我们这个时代丰富性和多样性的一个基本特征，也是我们这个时代面临的一个挑战。像陈少立的《80后》、潘道生的《叠化物语》、程俊杰的《心灵的空间——同学》、郑士恒的《秋至》、张国利的《坐在椅子上的姑娘》、冯炳文的《艺术与克隆》以及李晓宇的《花样·年华》等作品，在成功塑造了这一群体的人物形象后，却又在画面上留下了更多诉说与解释的空间，一种挥之不去的“欲说还休”总是与他们塑造的形象如影随形。

对重大事件的刻画与表现历来是艺术的一个不可回避的使命。“5·12”的汶川地震给当地民众的生命和财产造成了巨大的损失，全国同悲，世界震惊。从更深的层次上来说，如何面对灾难和对灾区的救援不仅是对我们国力的一种考验，也是对这个民族精神的一次考验。在这一关键时刻，艺术家们用他们的画笔激情地记录了许多感人的历史瞬间，为我们留下了一笔宝贵的精神财富。在这次入选的作品中，有不少就是抗震救灾为主题的，其中还有两幅被评为金奖，如陈树东的《生命挺进》和续鹤贤的《空中救援》等。这些作品中既有宏大场面的描绘，也有微观细节的刻画。白展望的《生命孤岛》以一个空降兵的视角展示了救援工作的波澜壮阔，而张树军的《千斤顶》、高阳的《不要忘记》和李庆、施茜的《爱的脊梁》则从一个细微局部表现了救援工作的艰难与危险。在这里，我觉得这些作品的入围至少包含了两个选择：首先，画家的关注和成功塑造是一种选择；其次，评委的关注和情感倾向是另一种选择。而这两种选择最终汇成一种精神的引导，那就是对生命的厚爱和尊重，以人为本的思想终于成为我们这个时代的一个重要精神标识。于是，画展又有了王驰的《我们祈祷》，一群青春的少男少女在荧荧的烛光中真诚地祈祷，他们和我们一起在祈祷和平，祈祷平安，祈祷生命的奇迹。

2008年的北京奥运会同样也是我们这个时代最为耀眼的亮点，艺术家们自然地会在这个亮点上添上自己的光芒。吴威的《巅峰时刻》记录了中国奥运健儿的光荣与梦想，魏鲁安的《彩虹》描绘了奥运火炬在珠峰传递时壮丽时刻。秦静的《奥运宝贝》和前面提到的《奥运场馆的建设者》则表现了全民参与、关心和支持奥运的民族自豪感。

当然，作为一个全国性的旨在博求高水准的艺术大展，在入选作品中，还缺乏那种在真正意义上的具有划时代影响的宏幅巨制，也缺乏那种具有时代符号意义的，像罗中立的《父亲》那样的形象塑造，这最终会影响到我们这个时代艺术积淀的丰厚和力度。总之，时代需要艺术的全面深入的把握，时代也更需要宏幅巨制的艺术记录。

（作者系南京艺术学院副院长、艺术史教授，江苏省美协理事，《美术与设计》主编）

“传神”“写心”的时代诉求

——谈当代中国油画肖像画与肖像性人物画

马鸿增

【内容提要】 肖像画是人物画创作的基础和前提。本文分析了新时期以来中国油画肖像画与肖像性人物画的代表性作品，指出了取得的主要成果和存在问题。进而重新解读中国文化传统中自成体系的“传神论”，分别剖析其审美客体之“神”、审美主体之“神”、形式语言本体之“神”三个组成部分，独特的东方智慧和辩证思维，对于当代肖像画及人物画创作水平的提高，具有深远的意义。

【关键词】 肖像画　肖像性人物画　传神论　客体之神　主体之神　本体之神

肖像画，在中国古代称为“传神”“写真”“写照”“写心”。其基本要求是形神兼备，而优秀的肖像画则不仅传达出人物的形貌特征、身份地位，而且表现出性格心理、精神气质乃至时代气息。当然，其中必定寄寓着画家的思想感情。阎立本笔下的历代帝王，顾闳中笔下的韩熙载，任伯年笔下的高邕之，达·芬奇笔下的蒙娜丽莎，伦勃朗笔下的火枪手，委拉斯贵兹笔下的英诺森教皇，都是中外画史上的经典杰作。

肖像画的意义和价值不仅在于本身“巧夺天工”的品格，而且可以断言，一个画家肖像画的水平，关系着他从事人物画创作的成败得失。任何描写历史事实和以塑造现实人物形象为主的作品（我称之为肖像性人物画），无论画中人物是否有名有姓，画家都会自觉不自觉地借助于自身生活阅历所积累的活生生的某些人物的形神。因此，以发现、捕捉和表现人物“真”“神”为特长的肖像画，既是人物画（无论有无情节性）创作的基础，也是人物画创作的前提。

一

如何评价改革开放以来中国油画肖像画与肖像性人物画创作？我们需要做一些比较研究。

回顾1949年至1977年的油画肖像画，大体以革命领袖造像为主，画得最多的是毛泽东主席。代表作如靳尚谊的《毛主席在十二月会议上》、刘春华的《毛主席去安源》；再就是文化名人，如汤小铭的《永不休战》（鲁迅）、吴作人的《齐白石像》。还有少量精神昂扬的劳动者，如温葆的《四个姑娘》。

1978年以后，最先打破“文革”模式的是两件油画肖像——罗中立的《父亲》和陈丹青的《西藏组画》，它们标志着现实关怀和人物精神果敢地登上了绘画舞台。前者以昔日画领袖像的大篇幅为老农民写像，这是一个历史性的突破；而形象刻划的极度真实，毫不掩饰的沟壑纵横般的皱纹，干裂的嘴唇、善良的眼神，不仅饱含着画家的同情、怜悯和感慨，同时也使人对构成中华民族脊梁的农民产生诚挚的敬意。后者则以群像的方式，直观地表现出高原牧民强悍、粗犷的生命，纯朴、自然的人性。其后，韦尔申的《吉祥蒙古》也以三人群像方式面世，但表现的重点转向了静穆、尊严、崇高的内在精神。这三件作品，可以视为“乡土油画”肖像的代表。

另一类被称为“新古典主义”的油画流派，以靳尚谊为领军人物。可以说，这一流派的建树主要在于肖像画。他的《塔吉克新娘》《小提琴手》《果实》《医生》等，一反当时油画界流行的风格取向，转而汲取西方古典美学中的理想美，并与中国古典美学中简洁的写意性相融合，舍弃背景道具，不求色彩的丰富性和笔触的表现性，而以单纯的色调明暗微妙变化来塑造人物形象。在他的影响下，杨飞云、王沂东、孙为民等也有不少佳作。他们的共同特点在于对普通百姓、普通生活状态的关注，重在刻划人物此时此地的精神状态，突显了对人性的尊重和纯化语言的追求。

詹建俊的部分作品也具有一定的肖像性。《潮》以风动的丛树映衬着立于天地之间的拄锹人，人物面部做"暗部"处理而未加细致描绘，显然着力点更强调整体气势，画面黑色与草绿色构成强烈的形式感。不妨说这是一件颇具象征意味的全身像。另一件《旭日》也有类似特点。在追求单纯化、简略化方面，他和靳尚谊有共通之处，但审美取向大不相同。

这一时期的历史画创作中，比较有代表性的是沈尧伊的《八七会议》、高泉的《决策出兵》、骆根兴的《西部年代》。多以写实的手法，描绘众多前辈革命家形象，摆脱了"高大全""红光亮"的模式，有一定的历史感。遗憾的是也有以丑化历史人物来表现某种"前卫"意识的作品，如《志愿军总部》把几位领导者画得矮小猥琐，目光呆滞，其审美倾向令人难以理解。

2006年中国百家金陵画展油画获奖作品中，有三件可视为肖像画或肖像性人物画。吴云华的《山村男子汉》，淳朴、憨厚的小男孩与晾晒的蘑菇组成暖色调，而他略带苦涩的神情，窄小的上衣与肥大的裤子，喻示出生活处境。张延昭的《老乡》，以略带写意的手法，绘写一群伫立村头的北方农民肖像，老老少少(青壮年都进城打工了吧)，他们朴实、贫困，但乐观、开朗，这种肖像式的组合，在当代绘画中似乎已成为流行的样式。吴晓询的《信仰》，以一位"文革"中的女"红卫兵"肖像为中心，用写实手法与并置的现代语言相结合的方式，年轻、幼稚、单纯的面部表情中，交织着忠诚与迷惘，手持煤油灯、手持红宝书、手抚像章三者的并置，表现出那一时代的悲剧性，同时暗示着追问真理、追求光明的心灵期盼。

综合观感，新时期的油画肖像画与肖像性人物画，在题材的拓展性、内涵的人文性、语言的丰富性方面，都有了很大发展变化。但也存在不少问题，一些作品还停留在"习作"状态，并未进入"创作"；还有一些作品低位重复，自恋泛滥，乃至解构崇高，张扬鄙俗。如何进一步提高肖像画与肖像性人物画的艺术品位？如何更自觉地张显中国文化精神？这些问题被提上了画坛的学术议程。

二

重新梳理和解读中国文化传统中有关肖像画和人物画的理论，在当前颇有必要性和针对性。

中国传统人物画创作中，肖像画可能是最早出现的具有祭祀和鉴戒作用的画种，东晋时期便产生了与之密切相关的重要理论——传神论，创始人是顾恺之。后又经过历代画家和理论家的传承与发展，其中在理论阐述上有新意的是唐代张彦远，宋代郭若虚、苏东坡、陈造、陈郁，元代王绎，清代沈宗骞、蒋骥、丁皋。

既往对传神论的研究多局限于形神关系，未免狭隘。我认为，"传神论"应当视为一个自成体系的审美范畴，其构成包含三个部分——审美客体之"神"，审美主体之"神"，形式语言本体之"神"。这三者结合的完美程度，决定着艺术作品的水平高度。

关于审美客体之"神"。顾恺之最先提出"以形写神""悟对通神"的命题，要求通过对人物外在形态以及人物之间的关系来表现其内在精神。而"神"的内涵，按当时品评人物的标准，有"八观"之说，包括"感变""志质""情机""聪明"等涉及人的气质、道德、情商、智商诸方面的审美评价。顾恺之还具体剖析了"以形写神"的三方面要领：一是外形、动作——"容仪""骨法""服章""大势"。二是眼神——"传神写照，正在阿堵中"；"点睛之节……有一毫小失，则神气与之俱变"。三是人物之间、人与环境道具的关系——"空其实对则大失，对而不正则小失，一像之明昧，不若悟对之通神也"。应当承认，顾恺之对"以形写神"的见解之深广，超过当今不少人。到宋代，产生了人物类型论。郭若虚将人物划为十二种类型，一一提出传神要求。如画儒贤要有

"忠信礼义之风",画隐士要有"肥遁高世之节",画农民要有"醇氓朴野之真",画武士要有"勇悍英烈之貌",画贵戚要有"纷华侈靡之容"等。而且要求反映出他们恭、傲、愉、悲等不同情绪、心理的变化。到清代沈宗骞,正式提出"人各一神","天下之人无一定之神情",直接指涉性格化、个性化问题。

所谓审美主体之"神",是论述画家主观精神在传达客体之神过程中的重要作用。顾恺之的主要论点有"神仪在心""迁想妙得""巧密于情思",都是强调画家应有的体察、感悟对象的多方面才能。他认为只有真正把对象的精神气质融合于内心,并且能够在感受的基础上发挥艺术想象力,才能产生巧妙的艺术构思。他还举例说,为了准确地传神,有时可以夸张,如画裴楷,颊上加三根毛,越发显出俊朗见识。他批评前人画的"壮士","有奔腾大势,恨不尽激扬之态";又批评"烈士""有骨俱,然蔺生恨急烈,不似英贤之慨"。这就是说,表现不够味或过分,都是不可取的。

如何才能做到"神仪在心"? 宋人做了进一步的阐发。苏东坡说:"传神与相一道,欲得其人之天,法当于众中阴察之。"画家要能把握住人物的"天"——天性、本性,必须隐身在人多的地方悄悄观察,而不是"使人具衣冠坐,注视一物",那样"彼敛容自持,岂复见其天乎?"陈造也认为,在静态中画肖像"未必不木偶也",提倡在动态中体味,着眼于人物在行走、应对、进退、或喜或悲等时空中的表现,那么,"熟视而默识,一得佳思,亟运笔墨,兔起鹘落,则气旺而神完矣"。其后陈郁更指出"写形不难,写心惟难,写之人尤其难"。"写心"就是写出人物的内心世界;"写之人"就是写出"这一个人"所特有的心态。而善写心者,"必胸次广,识见高,讨论博,知其人则笔下流出"。这里强调画家本人的胸襟、修养、见识,决定着传神写心的得失。说得更直接是清代丁皋,"提神之要,以己之神,取人之神","发于心,领于目,应于手,则神贯于人,人在于我,我禀于法,则自然笔笔皆肖矣"。这样看来,所谓传神,不仅是传客体对象之神,也是传画家主体之神。

至于形式语言本体之神,主要探讨实现传神的表现手法,技法美、形式美问题。顾恺之的观点是"神仪在心而手称其目",即心手相应,得心应手。具体涉及"置陈布势"(构图安排)、"美丽之形"(造型之美)、"尺寸之制"(远近比例)、"阴阳之数"(明暗虚实)、"纤妙之迹"(运笔设色)等,特别是"点睛之节,上下,大小、浓薄,有一毫小失,则神气与之俱变矣"。为此,他又强调用笔的轻重疾徐、刚柔曲直变化,依据不同对象和画家情思"各以全其想"。此后历代有关笔墨神韵的论述不断丰富。唐代人说"下笔有神";宋代人说"神采生于用笔";清代沈宗骞分别论及取神、约形、用笔、用墨、傅色等各个环节,一再强调"欲得灵秀韶韵之致,而不讲求笔法之所在,亦万万无由得也"。为避免僵化的程式,他又提出"活法",认为"天下之人无一定之神情,是以吾取之道亦无一定之法则"。进而阐明"法外求法,乃为用法之神;变中更变,方是求变之道,此则所谓藉巧变以得之者也"。这就是说,画家运用笔墨之法,必须根据人物形神的具体特性而加以灵活变通,才能实现相互协调的传神之境。

以上概略的论析表明,中国艺术美学中所特有的传神论,充满了东方智慧,体现了艺术创作中客体、主体与本体三者之间相辅相成、互动互依的辩证关系,是极其宝贵的精神财富。其涉及面的广度和切入点的深度,特别是有关主体之神的见解,有许多是今人所欠缺和忽视了的。

民族传统的传神论虽然产生于中国画创作领域,但其意义决不限于此。就本文所讨论的油画创作而言,多年来,不少油画家和理论家都在探讨油画的民族化、本土化问题,努力在东方与西方、传统与现代之间,追寻着具有民族精神、时代特色和个性特征的艺术道路。在我看来,所谓油画的中国性,应包含强烈的中国文化精神,鲜明的艺术审美特色、自主的评判标准和价值取向。从这一角度来看,重新解读和研究中国传统美学的传神、写心理论,对于当代油画肖像画、肖像性人物画和所有人物画创作水平的提高,包括强化"中国性"品格,具有深远的意义。

(作者系中国美术家协会理论委员会副主任,江苏省文艺评论家协会副主席,江苏省美术馆研究员)

仲秋时节话中秋

陶思炎

一、名称由来

我国的春夏秋冬四时各包含三个月份，其中七、八、九月为秋。古人以“孟”“仲”“季”作为季节中的三个月份的名称，拿秋季说，七月为“孟秋”，八月为“仲秋”，九月为“季秋”。八月十五时在“仲秋”及整个秋季之中，故称作“中秋节”。

我国早在先秦时期就形成了秋季祭月、中秋迎寒的传统。《国语·周语》有“秋暮夕月”之载，而《礼记》曰：“天子春朝日，秋夕月，朝日以朝，夕月以夕。”此外，《周礼》载：“中春，昼击土鼓，吹豳诗以逆暑；中秋，夜迎寒，亦如之。”可见，古代祭月、迎寒是在中秋时节。

不过，作为民俗大节的中秋节在我国传统的岁时节日中却形成较晚，但也不晚于宋代。唐代在宫中和文人雅士间有八月十五搭台望月和备酒玩月的风气，但还未形成全民的风俗，当时的八月十五还未称作“中秋节”。到北宋时，不仅出现了“中秋节”的名称，而且已成为“贵家”和“民家”共享同乐的节日。宋人孟元老《东京梦华录》载：

> 中秋节前，诸店皆卖新酒，重新结络门面彩楼。……中秋夜，贵家结饰台榭，民间争占酒楼玩月。……闾里儿童，连宵嬉戏；夜市骈阗，至于通晓。

可见，在北宋，中秋节已如同元宵节一样成为全民同乐的狂欢节。

中秋节，在北宋已定在阴历八月十五，其历代名称很多，有“仲秋”“夕月”“秋夕”“八月半”“八月节”“团圆节”“月饼节”“果子节”，等等。

中秋时节天高气爽，月朗风清，故又有“中秋佳节”之称。所谓“月到中秋分外明”，“一年明月今宵多”，“十分明月五分秋”等，是对中秋景致的最好概括。

二、月的神话和传说

中秋节以月亮为标志，而中秋的月亮又是花好人圆的象征。中秋的民俗主题大多与我国古代有关月亮的神话和信仰分不开。月亮的主题是“不死”，并由不死产生了再生、生育、永恒、团圆等文化联想。

屈原在《天问》中发出“夜光何德，死则又育?”之问。月有阴晴圆缺的周而复始的盈亏变化诱发了古人关于“不死”的联想，于是，创造出嫦娥、蟾蜍、吴刚、桂树、玉兔的神话和传说。

嫦娥偷吃不死药而奔月的神话，最佳地演绎了不死的主题。《淮南子》曰：“羿请不死药于西王母，姮娥窃以奔月，怅然有丧，无以续之。”嫦娥因吃了不死药成为不死之人，对这个自私的女人，只能打发到不死的境界——月宫去受清冷、寂寞的惩罚，永无终日。因此，唐诗人李商隐才有“嫦娥应悔偷灵药，碧海青天夜夜心”的诗咏。

蟾蜍作为月的兽体形象，是月亮的精魂和象征，正如乌鸦为日的象征、鱼为星辰的象征一样。这种兽体宇宙模式的构建乃出于对这些动物形象与习性的文化理解。蟾蜍身有痱磊，形似月中的环形山；蟾蜍有冬眠春苏之性，其生命的循环，又恰似月的盈亏生死之变。因此，蟾蜍成了月中之物,成了月亮的象征。

至于吴刚和桂树也都有不死的神能。据唐代的段成式《酉阳杂俎》载:

旧言月中有桂,有蟾蜍,故异书言月桂高五百丈,下有一人,常斫之,树创随合。人姓吴名刚,西河人,学仙有过,谪令伐树。

这棵月桂树因"树创随合"而表明其为不死之树。吴刚"学仙有过",看来他仙已学成,已是长生不老之人,并能飞迁异境,但犯了大忌,被罚到月中去做砍树的苦工,因只有在月亮这一不死的境界,惩罚才能遥遥无期。

如果说,蟾蜍像月影,玉兔则像月中的亮面。兔子的善生多育之性,也使人联想到月亮的常生常育。在汉代的画像石上有玉兔捣药、蛤蟆丸药的图像,这种制作不死药的场景也表明玉兔同样具有不死之性。

嫦娥与月亮的神话最富于浪漫精神,它通过现世与异境(人间与月宫)、美丽与丑陋(嫦娥的外形与内德)、明朗与幽暗(玉兔与蟾蜍)等对比关系调动人的审美理想,使人产生情感的波澜。可以说,嫦娥神话为后世西方的浪漫派文学提供了最早的范例。

三、中秋风俗

(一)赏月玩月

中秋赏月玩月的风俗不晚于唐代。据五代王仁裕《开元天宝遗事》载:"玄宗八月十五日夜,与贵妃临太液池,凭栏望月不尽,帝意不快,遂敕令左右,于池西岸别筑百尺高台,与吾妃子来年望月。"到宋代,除了登台望月,还有登楼玩月、临轩玩月、泛舟赏月、饮酒对月等赏乐活动。宋人吴自牧《梦粱录》对中秋之夜有这样的记录:

此夜月色倍明于常时,又谓之"月夕"。此际金风荐爽,玉露生凉,丹桂香飘,银蟾光满,王孙公子,富家巨室,莫不登危楼,临轩玩月。或开广榭,玳筵罗列,琴瑟铿锵,酌酒高歌,以卜竟夕之欢。至如铺席之家,亦登小小月台,安排家宴,团圞子女,以酬佳节。虽陋巷贫窭之人,解衣市酒,勉强迎欢,不肯虚度。此夜天街卖买,直至五鼓,玩月游人,婆娑于市,至晓不绝。

可见,当年赏月玩月风俗的普遍与繁盛。

在民间有妇女"走月亮""踏月"的民俗活动。往往村上的几位妇女相约相邀,在月光下到处漫游。清代蔡云的《吴歈》诗记录了当时乡间的中秋玩月风俗,诗云:"木樨球压鬓间香,两两三三姊妹行。行冷不嫌罗袖薄,路遥翻恨绣裙长。"此外,人们还踏桥观赏水中皓月,或者乘船在皎洁的月光下"游月"。蔡云另有《游月》诗写当时苏州的民俗:"七里山塘七里船,船船笙笛夜喧天。十千哪够一船费?月未上弦直到圆。"

正因为人们赏月、玩月,才有了唐明皇游月宫作《霓裳羽衣曲》的故事,以及唱念月中物的儿童歌谣。例如,在南京五十年代还流传着"月亮月亮巴巴"的歌谣,因在赏月中注入了幼稚的幻想而更富情趣。

(二)祭月拜月

古有"祭日祭月不宜迟,仲春仲秋刚适时"之说。中秋节祭拜月亮是古已有之的传统,是天体信仰的岁时化和仪式化。旧时祭拜月亮,或祈月圆人圆,或祈多生多育,或求早步蟾宫,高攀仙桂。因月为"太阴",是妇女的保护神,故拜月有先女后男之序,亦有"男不拜月,女不祭灶"的禁忌。老年妇女在祭月时会念道:"八月十五月正圆,西瓜月饼敬老天,敬得老天心喜欢,一年四季保平安。"

拜月时一般对天拜,或者挂上月光马儿,北方儿童则对兔儿爷玩具祭拜。祭时要烧斗香或塔香,陈瓜果、月饼。供案上放的果蔬,北方有苹果、葡萄、枣子、栗子、西瓜、鸡冠花等,南方则供芋头(相遇)、红菱(洪福)、莲藕(相怜)、石榴(多子)、毛豆(喂玉兔)等。有的地方不用果品中的梨,以避讳分离。

北方人在拜月后把祭拜用的秫秸放在炕下面,专打尿床儿,信能治尿床。

在广东，过去未婚的小伙子三五成群，在中秋夜的三更时分祭拜月下老人，以盼牵上红线，觅得佳偶。在台湾、福建，人们在中秋之夜听月声，希望偷听到嫦娥、吴刚的对话，以盼讨得爱情的秘密。

（三）中秋俗信

1. **乞子**。

照月得子：在浙江，中秋夜，婚后不孕的妇女，独自一人静坐庭院之中，沐浴月光，望接到月中仙女洒下的甘露而怀孕。

摸秋：南京中秋民俗。据《金陵琐志·炳烛里谈》卷上载："江南妇女艰于子嗣者，每于中秋月夜潜至菜园，偷一瓜回，以为宜男之兆。谓之摸秋。"另，光绪《六合县志》载："（中秋）乡村愚妇有夜分私取园瓜，谓之摸秋，以兆生子。"又，《金陵岁时记》："金陵俗，中秋月夜妇女有摸秋之戏。尝往茉莉园，以得瓜豆宜男。"瓜为多子果实，秋日瓜熟子成，瓜瓞绵绵，通过交感巫术的作用，信能感应得子。

送瓜祝子：是公开的中秋祝子仪式。在贵州土家族中，妇女婚后三年不育，其亲友会在中秋时偷或买一瓜，用小新衣包上，乘轿马，奏鼓乐，送到不孕妇的床上，口念吉语。夜晚，不孕妇伴瓜而眠，第二天将瓜煮熟而食，信能怀孕得子。此外，《吴友如画宝》也记录了汉口送瓜祝子的风俗。

癞宝扔床：在泰兴，中秋节，人们用红纸裹一只癞蛤蟆，扔到不孕妇的床上，成为近月感孕的象征。

2. **除病**。

剥鬼皮：广东人在中秋夜吃香蕉、芋头、柚子时，要对月剥弃外皮，名为"剥疵癞"，又叫"剥鬼皮"。以祛除癞疥一类的皮肤病。

3. **占验**。

农占："八月十五云遮月，来岁元宵雨打灯。""云掩中秋月，雨打上元灯。""八月十五雨淋淋，正月十五雪打灯。""中秋月朗来年熟。""中秋不见月，珍珠收成薄。"

占财（爬月）：北方俗，中秋节在蟹背上按一个浸了油的纸捻儿，点燃纸捻后，把蟹放在庭院当中，任其乱爬，以卜财运。以向里爬为进财，向外爬为没有财运。

听香：闽南、台湾俗。女子于中秋焚香礼拜后，掷物卜方向，循此向前巡游，或静立，听第一句人语而卜配偶、子嗣、吉凶、休咎。

4. **禁忌**。

"男不拜月，女不祭灶。""宁留女一秋，不许过中秋。"（不在娘家过中秋）

禁止儿童戏弄兔子和捉蟾蜍，说会长兔唇、生癞疮疙瘩。（与月的象征有关）

5. **祈福**。

游宝塔：在湖南湘潭，人们有中秋游宝塔的祈福习俗。有歌谣唱道："八月十五游宝塔，带着香烛敬菩萨。老人家青头发，后生子有财发，堂客们生个胖娃娃，满妹子对个好人家。"

（四）儿童风俗——以游乐为主

烧宝塔：湖南湘潭儿童在中秋节晚上，在湘江边把拾来的断砖残瓦垒成一座座的小宝塔，宝塔中空，塞入柴草，点火燃烧。大人也来参与。塔前有小供桌，放着月饼、菱角、甜藕、柚子等供品，并燃香点烛。宝塔往往被烧得里外通红，十分好看。在江西亦有类似风俗，叫"烧瓦子灯"。

烧月亮饭：湖南儿童们，在中秋节晚上从家中拿出锅、碗、柴禾、食物，在户外院中垒起砖灶做"月亮饭"，不用大人帮忙，煮熟后大家分吃，喜气洋洋。

舞气柑：在成都，中秋节之夜家家宴饮，饮至一半，要给孩子分月饼，孩子拿着月饼，又点香插在柑橘上，然后抓在手上舞动取乐。有《竹枝词》说："茶半温时酒半酣，家人夜饮作清谈。儿童月饼才分得，又插香球舞气柑。"

打中秋炮：安徽绩溪中秋节，儿童用稻蒿扎成中秋炮。形状似发辫，长约五尺，粗盈握。先浸水中数分钟，再拿出来击打石块，声如放炮，故名为"打中秋炮"。

四、中秋月饼

"中秋节"的名称虽然在北宋已有，但"月饼"

在当时尚未出现。苏东坡有"小饼如嚼月,中有酥和饴"的诗句,指的是一种加有饴糖和油酥的小圆饼,它也许是月饼的雏形,但其名称并不叫"月饼"。"月饼"二字作为食物的名称出现在南宋周密的《武林旧事》卷六"蒸作从食"中。这种月饼与当今的月饼在制法上完全不同。当时在临安的"市食"中还有一种用果仁、饴糖、油酥烤制的"七色烧饼",有可能是后世月饼的过渡形态。元代的陶宗仪在《元氏掖庭记》中有"酌元霜之酒,啖华月之糕"的记述,这"华月之糕"也可能还是蒸制的月饼。有说,月饼与唐代的"红绫"有关,在有的地方就以"红绫饼"代指月饼,如周作人在《儿童杂事诗·中秋》中有"虽然惯吃红绫饼,却爱神前素夹沙"句。

现代所见的月饼形制大约出现在元末明初,传说与元末农民起义有关。

月饼既是拜月祭品,又是馈赠礼品,当然又是佳节食品。月饼有自制的,也有从饼店购取的。明沈榜《宛署杂记》载:

> 八月馈月饼,士庶家俱以是月造面饼相遗,大小不等,呼为"月饼"。市肆至以果为馅,巧名异状,有一饼值数百钱者。

历代月饼的形制,有圆形、月牙形、多角形、椭圆形、方形者,饼的名称因图案或配料多种多样,大多富有诗情画意,例如:"嫦娥奔月""西施醉月""蟾轮桂殿""吴刚倚树""三潭印月""银河夜月""银河映秋""东坡腾皓""五仁罗汉""凤凰西山""宝鸭穿莲",等等。近年还出现了用黑米、黑豆、黑木耳、黑芝麻、海带等黑色配料制作的"黑宝月饼",用凤梨、榴梿制作的"水果月饼",用金丝燕的燕窝制作的"宫燕月饼",还有用纯金打制的"黄金月饼"等。月饼有苏式、广式、潮式、宁式等不同风格。

过去穷人买不起月饼,就买月饼皮,上面印着三个红字"月光饼",以作佳节之用。台湾有"状元饼"的游戏,大小一套六十三个(分状元、榜眼、探花、进士、举人、贡生、童生、白丁),其中状元饼直径一尺,白丁饼只有硬币大。全家人在中秋之夜掷骰子数点争状元饼。

月饼也用来祈求丰收。北方农村在中秋节让孩子们拿着自制的红枣圆饼或芝麻糖饼在月光下边吃边唱:"唱月来,唱月来,来年日子好过来;唱月饼,念月饼,明年是个好年景!"

月饼在中国民俗中是象征团圆、丰收、吉祥的节物,是我们寄托节日情结的文化符号。

五、传承中秋节俗的当代意义

(1)在社会变革与经济发展中的文化保护意义;

(2)唤起文化认同,凝聚世界华人的纽带作用;

(3)节日符号与节日资源在文化创意产业中极高的应用价值;

(4)加强文化教育,培养文化传人,鼓励继承、创新的特殊方式;

(5)以天人相亲、家族团圆的节日气息表达社会和谐、天下太平的美好愿景。

(作者系中国民间文艺家协会副主席,江苏省文联副主席,省民间文艺家协会主席,东南大学教授、博士生导师)

文艺评奖

2008年度江苏省文联各团体会员获全国性文艺奖项情况统计表

单位	作品种类	获奖作品名称	奖项名称	获奖者	获奖者单位
江苏省舞蹈家协会	舞蹈	《1+1》	首届“荷花奖”校园奖编导银奖、优秀表演奖	宋世婷 陈扬	南京艺术学院舞蹈学院
	舞蹈	《花腰红》	首届“荷花奖”全国大学生舞蹈比赛表演十佳奖	张文慧	南京师范大学舞蹈系
江苏省曲艺家协会	现代中篇苏州弹词	《风雨黄昏》	第五届中国曲艺牡丹奖节目奖		苏州市评弹团
	苏州短篇弹词	《田阿桐》	第五届中国曲艺牡丹奖表演奖	陆建华	常熟市评弹团
	扬州长篇评话	《王少堂》	第五届中国曲艺牡丹奖文学奖	李真 徐德明	扬州市曲艺团
	扬州弹词	《啼笑姻缘·误入师长府》	第五届中国曲艺牡丹奖新人奖	刘芓君	扬州市曲艺团
	论文	《常州道情缺失探》	第五届中国曲艺牡丹奖理论奖	周玉峰	常州市文化艺术研究所
			第五届中国曲艺牡丹奖终身成就奖	杨乃珍	江苏省曲艺家协会
江苏省戏剧家协会	滑稽戏	《青春跑道》	第十届中国戏剧节优秀表演奖	顾芗	苏州市滑稽剧团
	滑稽戏	《青春跑道》	第十届中国戏剧节优秀表演奖	张克勤	苏州市滑稽剧团
	越剧	《柳毅传书》	第十届中国戏剧节优秀表演奖	陶琪	南京市越剧团
	越剧	《柳毅传书》	第十届中国戏剧节优秀舞美奖	俞辉 张海豹	南京市越剧团
	锡剧	《江南雨》	第十届中国戏剧节优秀表演奖	黄静慧	无锡市锡剧院
	话剧	《青春红肩章》	首届中国戏剧奖·校园戏剧优秀编剧奖	张红爽	解放军理工大学
	话剧	《青春红肩章》	首届中国戏剧奖·校园戏剧优秀表演奖	张红爽	解放军理工大学
	话剧	《人民公敌事件》	首届中国校园戏剧之星编剧奖	吕效平	南京大学

续表

单位	作品种类	获奖作品名称	奖项名称	获奖者	获奖者单位
	滑稽戏	《青春跑道》	第十届中国戏剧节优秀剧目奖		苏州市滑稽剧团
	锡　剧	《江南雨》	第十届中国戏剧节优秀剧目奖		无锡市锡剧院
	越　剧	《柳毅传书》	第十届中国戏剧节剧目奖		南京市越剧团
	话　剧	《青春红肩章》	首届中国戏剧奖·校园戏剧优秀剧目奖		解放军理工大学
	话　剧	《人民公敌事件》	首届中国校园戏剧节优秀剧目奖		南京大学
			首届中国校园戏剧节优秀组织奖		江苏省戏剧家协会、解放军理工大学
江苏省杂技家协　会	杂　技	《牌缘》	中国杂技金菊奖第四次全国魔术比赛银奖	刘子豪	苏州市魔术俱乐部
江苏省电视艺术家协会	电视剧	《孝子》	第二十四届中国电视金鹰奖长篇电视剧好作品奖(三等奖)		江苏省广播电视总台等
	电视剧	《不能没有她》	第二十四届中国电视金鹰奖长篇电视剧好作品奖(三等奖)		江苏省广播电视总台等
	电视剧	《那时花开》	第二十四届中国电视金鹰奖长篇电视剧好作品奖(三等奖)		江苏省广播电视总台等
	电视剧	《老柿子树》	第二十四届中国电视金鹰奖长篇电视剧好作品奖(三等奖)		徐州市广播电视总台
	电视剧	《笛声何处》	第二十四届中国电视金鹰奖中短篇电视剧好作品奖(三等奖)		苏州市广播电视总台
	电视纪录片	《见证南京大屠杀》	第二十四届中国电视金鹰奖最佳长篇电视纪录片奖(一等奖)		南京市广播电视台等
	电视纪录片	《昆曲六百年》	第二十四届中国电视金鹰奖长篇优秀纪录片奖(二等奖)		江苏省广播电视总台等
	电视纪录片	《晚饭花》	第二十四届中国电视金鹰奖好作品奖(三等奖)		扬州市广播电视总台
	电视文艺节目	《感动2006—中国十大真情故事评选颁奖晚会》	第二十四届中国电视金鹰奖优秀文艺节目奖(二等奖)		江苏省广播电视总台

续表

单位	作品种类	获奖作品名称	奖项名称	获奖者	获奖者单位
	电视文艺节目	《春江花月夜——大型综艺情景晚会》	第二十四届中国电视金鹰奖好作品奖(三等奖)		扬州市广播电视总台
	动画片	《哈皮父子》	第二十四届中国电视金鹰奖优秀动画片奖(二等奖)		江苏省广播电视总台
			第二十四届中国电视金鹰奖电视节目主持人提名奖(三等奖)	孟　非	江苏省广播电视总台
			第二十四届中国电视金鹰奖电视节目主持人提名奖(三等奖)	东　方	南京市广播电视台
	论　文	《论当代中国电视剧意识形态“世俗化”选择——以电视连续剧〈红粉〉为例》	第七届中国金鹰电视艺术节电视艺术论文理论类二等奖	周安华	
	论　文	《如何把好影视作品语言》	第七届中国金鹰电视艺术节电视艺术论文理论类二等奖	宫海洋 刘　超	
	论　文	《论新历史主义电视剧的兴起与创作策略》	第七届中国金鹰电视艺术节电视艺术论文理论类三等奖	白小易	
	论　文	《论国产电视剧表述策略的调整与变化——以“福纳出品”为例》	第七届中国金鹰电视艺术节电视艺术论文理论类三等奖	康　尔	
	论　文	《〈赛事周末大“屏”点〉:体育与娱乐的嫁妆》	第七届中国金鹰电视艺术节电视艺术论文评论类二等奖	张进伟	
	论　文	《〈士兵突击〉:收视率VS满意度》	第七届中国金鹰电视艺术节电视艺术论文评论类三等奖	陈　辉 王卫军 李　钢	

文艺评奖

1. **第二届江苏曲艺"芦花奖"评奖。**

4月11日，第二届江苏曲艺"芦花奖"颁奖晚会在苏州隆重举行。本届"芦花奖"共评出"节目奖""表演奖""文学奖""音乐奖""理论奖""新人奖"等8大项共39个奖项，集中反映了近年来江苏曲艺在曲本创作、舞台表演、节目打造、音乐设计、理论研究、人才培养、工作组织等方面的最新成就。

2. **第二十四届江苏电视"金凤凰奖"评奖。**

4月21日，第二十四届江苏省电视"金凤凰奖"评奖在溧阳天目湖举行。江苏省电视金凤凰奖是江苏省唯一的由专家评选的省级电视艺术综合性大奖。本届共收到江苏省内各电视台、制作单位报送的参评作品(电视剧、电视文艺专题、文学专题、文艺晚会、MTV、电视纪录片、动漫美术片、广告片等)330余部(集)、参评电视节目主持人8人。30位评委经过4天紧张看片、评议和投票，有87部作品获奖。其中有15部电视剧分获最佳作品奖和优秀作品奖；有8部作品分获长篇纪录片一、二、三等奖；有11部作品分获短篇纪录片一、二、三等奖；有26台晚会分获电视文艺晚会一、二、三等奖；有8部作品分获电视文艺、电视文学二、三等奖(一等奖空缺)；有3部作品分获音乐电视一、三等奖(二等奖空缺)；有1部作品获得最佳动漫片奖；有3部作品获电视栏目剧类三等奖(最佳、优秀作品奖空缺)；有12条广告作品分获电视广告一、二、三等奖，另外，还有6人获得最佳节目主持人和优秀节目主持人奖称号。

3. **第五届小戏小品大赛。**

11月23日晚，江苏省第五届小戏小品大赛颁奖晚会暨江苏省文艺家送欢乐下基层演出在张家港永联村文化活动中心隆重举行。省委老领导、省文联主席顾浩，省文联党组书记、常务副主席、书记处第一书记王慧芬，省剧协主席刘俊鸿，苏州市委宣传部副部长缪学为，张家港市委宣传部部长梁一波，永联村党委书记吴栋材、副书记吴惠芳等出席。来自全省专业、业余剧团的200余名选手参赛的36个丰富多彩的"小戏小品"剧节目通过两天精彩角逐，评出了节目一、二、三等奖及导演、表演、音乐、舞美等奖项。

4. **全省少儿舞蹈新作大赛。**

11月16日，由江苏省文联、省舞蹈家协会、无锡市文联、市舞蹈家协会主办的江苏舞蹈"莲花奖"第二届少儿舞蹈新作品"崇安杯"比赛颁奖典礼，在无锡市广电集团演播厅举行，来自全省少儿艺术团体的11个舞蹈节目参加了汇报演出。江苏省文联党组书记、常务副主席、书记处第一书记王慧芬，无锡市副市长华博雅，市文联党组书记、常务副主席雷群虎，省舞蹈家协会副主席刘英姿，省舞蹈家协会副主席、无锡市舞蹈家协会主席刘仲宝，无锡市崇安区委常委、宣传部部长王铭涛，崇安区人大副主任曹海燕，崇安区政协副主席严岩，崇安区教育局党委副书记、教育局局长李方平等主办单位领导和嘉宾，与全省各参赛队的代表、舞蹈工作者以及市民群众一起观看了汇报演出，并分别为获一、二、三等奖的单位颁奖。

第二届少儿舞蹈新作品"崇安杯"比赛，是江苏省舞蹈艺术最高奖——"莲花奖"的重要项目，旨在加强未成年人文化素质和艺术修养，进一步推动我省青少年舞蹈艺术的蓬勃发展。本届比赛历时半年，发动面广，参与率高，涌现出了许多精彩的舞蹈节目。经过层层选拔，在参赛的70多个节目中，共评选出了一等奖节目9个，二等奖节目6个，三等奖节目14个。这些舞蹈时代感强，新颖活泼，充满了清新的校园气息和健康的审美情趣，展现了未成年人的精神风貌，以及爱祖国、爱家乡、爱学习的良好品格，反映了青少年儿童活泼向上的精神风貌和快乐幸福的校园生活。

5.2008**“春满江苏”暨江苏音乐“茉莉花奖”少儿歌曲创作演唱大赛**。

本次大赛共收到来自全国的参赛作品285首，于11月25日评出一等奖1首、二等奖2首、三等奖3首。

各团体会员（一）

江苏省戏剧家协会

综　述

2008 年省剧协在省文联党组的关心和领导下，以科学发展观为指导，以强化六种意识为要求，扎实工作、努力进取，在重大紧急任务面前，主动、积极，展现出剧协一贯的责任意识和工作作风。

重要会议

为纪念我国著名戏剧家、文学家、教育家和文艺活动家陈白尘诞辰 100 周年，由省文学艺术界联合会和省作家协会主办，省剧协承办的纪念陈白尘先生诞辰 100 周年座谈会于 6 月 15 日在南京凤凰台饭店隆重举行。陈白尘先生的夫人、家属及各界代表 100 多人出席了座谈会。

座谈会上，省文联主席顾浩，省委宣传部副部长梁勇，省作家协会副主席、著名作家范小青，中国戏剧家协会顾问、著名戏剧家刘厚生，中国现代文学馆原馆长舒乙，南京大学教授董健，省剧协主席刘俊鸿，陈白尘先生的弟子、著名剧作家李龙云和姚远等先后发言。他们高度评价陈白尘先生一生著作等身，在 70 年的创作和教学生涯中，为中国戏剧舞台留下了一大批脍炙人口的艺术精品，培养扶持了一大批优秀中青年剧作家。

座谈会由省文联党组书记、常务副主席王慧芬主持。她希望以深切纪念老一辈艺术家的活动为契机，进一步激发全省广大文艺工作者的社会责任感和强烈的事业心，共同努力为繁荣江苏艺术事业作出更大贡献。中国戏剧家协会、中国剧协顾问郭汉城等发来贺信。与会的著名表演艺术家倪同芳、石小梅、竺小招、张毅燃等用自己独特的艺术表现方式，表达了对陈白尘先生的敬仰怀念之情。在座谈会现场还制作了收录陈白尘先生200多幅珍贵历史照片的展板，其中大部分是第一次公开面世。另委托江苏省美术出版社出版发行了陈白尘画传《我这样走过来……》。

省委常委、宣传部部长杨新力于纪念会前专程看望了陈白尘先生的夫人金玲及家属。

重要活动

5月12日下午，四川省汶川县发生了8.0级强烈地震，给汶川人民群众生命财产造成严重损失。一方有难，八方支援，省文联决定组织一次义捐义演，为灾区人民贡献一份力量。省剧协在省文联领导的统一安排下，立即行动起来，通过多种形式和渠道，在时间紧、范围广、责任大的情况下，联系演员、撰写台本和组织创作排演，于5月22日在南京市湖南路市民广场举办了大型义捐义演活动，受到各界好评。其中剧协共组织捐款23 200元，另为义演录音制作及购置服装支出6 613元。

汶川地震后，南京林业大学主动与省剧协联系，在剧协的指导和帮助下，积极创作剧本、组织人员，联合专业演员和学生剧社在短时间内排出了一部以青年志愿者为题材的诗剧《我们万众一心》。6月至11月，该剧在林业大学、中国科技大学、南京审计学院、南京师范大学、中北学院等地共演出12场，观众万余人。在校园、教师及部分市民中产生了较大的影响，受到广泛的好评。

由江苏省文化厅、江苏省文学艺术界联合会联合举办的"江苏省小戏小品大赛"是省级艺术赛事，已成功地举办了四届，与"中国戏剧奖·小戏小品奖"接轨选拔，为江苏小戏小品创作和推动出人出戏起到了积极作用，在全国大赛中屡获佳绩。2008年第五届"江苏省小戏小品大赛"收到各市县寄来的参赛稿件223份，其中小戏73份，小品150份。经过初审、复选，"第五届江苏省小戏小品大赛"于11月中旬在张家港永联村圆满落下帷幕。来自全省专业、业余剧团的200余名选手及参赛的36个丰富多彩的小戏小品剧节目通过两天精彩角逐，评出了节目一、二、三等奖及导演、表演、音乐、舞美等若干奖项。23日举办了隆重的颁奖晚会暨文艺家送欢乐下基层活动，省文联主席顾浩、省文联党组书记王慧芬、省文联书记处书记言恭达出席颁奖晚会并为获奖者颁奖。颁奖晚会除部分获奖作品参加展演外，来自我省的著名艺术家龚苏萍、周东亮、小王彬彬、范以程等也前来献演，为张家港永联村献上了一道文化大餐，受到了广大村民的热烈欢迎。

部分优秀获奖作品将由省剧协推荐参加2009年"中国戏剧奖·小戏小品大赛"。

文艺创作

为推动校园文化建设，给大学生的健康成长营造良好的文化环境，向首届中国校园戏剧节遴选优秀入围剧目，省剧协于去年组织承办了由省委宣传部、省教育厅、省文化厅、省文联主办的首届江苏省校园戏剧节。组织邀请了10余位著名戏剧家担任评委，评选审定了34所高校、52个参赛剧目，走进7个城市观看了20余场复赛剧目演出，行程8千多公里，开展座谈交流、现场点评20余次，观众达2万余人。对推动校园戏剧的开展,活跃大学生文化生活、培养戏剧后备演艺人才和戏剧观众队伍,培育戏剧市场,起到了积极的作用。此项活动持续进行了5个多月,评出了剧目一等奖6名,剧目二等奖11名,剧目三等奖10名以及单项奖若干。南京大学的话剧《人民公敌事件》入围首届中国校园戏剧节。解放军理工大学钟山艺术团的大型情景剧《青春红肩章》更是作为今年在上海市举办的首届中国校园戏剧节的首场演出。

为了确保我省推选的剧目在全国取得优异成绩,省剧协组织著名编导王承刚、方洪友、汪人达、蔡伟、杨丽娟等深入校园,对入围剧目开展研讨,并提出修改意见,使舞台剧目更加成熟,受到了学校领导和演员的高度赞赏。10月,杨丽娟秘书长亲自率队参加在上海举行的首届中国校园戏剧节。解放军理工大学参赛剧目——话剧《青春红肩章》得到各界好评,荣获"首届中国戏剧奖、校园戏剧奖"优秀剧目一等奖第一名,并获两项单项奖——优秀编剧奖和优秀表演奖(全国共设6个单项奖)。南京大学参赛剧目——话剧《人民公敌事件》获首届中国校园戏剧节组委会设立的优秀剧目奖及"校园之星奖"优秀编剧奖。省剧协荣获优秀组织工作奖。

5月27日,由江苏剧协摄制的儿童电影《同一片蓝天》首映式在省政协礼堂举行。受邀参加首映式的有国家教育部、省委宣传部、省政协、省教育厅、省文联、常州市武进区教育局、南京市建邺区文化局等单位;观看影片的领导有教育部:张天保;省关工委:陈焕友、储江、曹鸿鸣、钱协寅、刘庭安;省文联:顾浩、王慧芬、杨丽娟;省教育厅:丛懋林;省委省政府有关部门:张兴建、张永根、刘可泰;老同志:戴顺智、林玉英、徐慧征等。我省文艺界部分编导、知名演员及中央、省内新闻单位代表均到场,主演曹颖现场主持。

首映式后,由省剧协秘书长杨丽娟主持了在政协礼堂贵宾室举行的座谈会,座谈会上,陈焕友、张天保、顾浩、曹鸿鸣、储江等老同志很感慨,很激动,踊跃发言,对影片作了充分肯定,认为这是一部成功反映现实题材的主旋律作品,应当予以大力扶持、扩大宣传。

我国长江流域12个省、市、自治区蕴藏着大量的传统戏曲剧种,这些剧种分布在长江流域各个地区和各个民族中,对形成长江文化和民族精神起到了重要的作用与影响。然而,目前许多戏曲剧种都面临着生存和发展的困难,有些剧种甚至濒临消亡灭绝,因此保护民族戏曲艺术是一项重要而又紧迫的任务。2004年省剧协为张家港打造城市文化品牌时,创意推出长江文化品牌"长江流域戏剧艺术节",并发起建立"长江流域戏剧发展战略联盟",旨在全面加强各成员协会之间的交流与合作,共同致力于长江流域戏剧艺术的传承与发展,推进长江流域戏剧艺术市场和产业发展目标的实现,建立并开拓长江流域戏剧事业合作的新机制和新局面。长江流域戏剧艺术节每两年一届,已成功举办了两届,为张家港市文化品格的提升、文化品牌的建立,以及长江流域戏剧的传承发展奠定了坚实的基础。11月在张家港市举办"第三届长江流域戏剧艺术节",有12个省、市、自治区的15台剧目参演,艺术节期间召开了长江流域戏剧发展战略联盟第四次年会,年会听取讨论了执委会主任杨丽娟所做的工作报告,并就长江流域戏剧艺术节和长江戏剧博物馆建设等若干问题开展了热烈而积极的讨论,就相关问题达成了共识。

理论研究

省剧协组织评选优秀剧目,征集评选剧本和理论文章参加的中国剧协主办的全国性戏剧活动有:1.第十届中国少儿戏曲小梅花荟萃;2.中国滨州博兴小戏艺术节;3.第二届中国戏剧奖、理论评论奖;4.第二届中国戏剧奖曹禺剧本奖。

文艺队伍建设

江苏省第十二期文艺家读书班暨第十八期江苏知名演员暑期读书班于7月28日在常州太湖湾金陵大酒店举行。省知名演员暑期读书班是全国戏剧界人才培养的一个响亮品牌,已经连续成功举办了17期。今年,暑期读书班与省文艺家读书班合班开课,这一举措得到了学员的一致好评,认为本期读书班知识面更宽,教师层次更高，人气更旺，学习气氛更浓。29 日晚省文联党组书记、常务副主席王慧芬参加了第十八期知名演员座谈会。来自全省各地京、昆、锡、越、淮、扬、淮海、柳琴、梆子、评弹等剧种的优秀演员和各市剧协负责人共 32 人参加了座谈。参加座谈会的还有省文联副主席顾芗，省剧协主席刘俊鸿，副主席倪同芳、石小梅和省文联人事部主任叶飚荣等。座谈会气氛热烈，大家表示文联就是艺术家的家，在家里可以畅所欲言，可以说心里话。在座学员一致认为文联的读书班为大家提供了学习交流的平台，对省文联、省剧协坚持举办了 18 期读书班，培养了大批戏剧人才，充满感激之情，并希望读书班继续办下去。省文联党组书记、常务副主席王慧芬在听了座谈发言后，即席做了讲话，她鼓励艺术家坚守阵地、练好内功，为江苏文化强省建设做出应有的贡献！

为繁荣江苏戏剧事业、推出优秀青年戏剧表演艺术人才，在戏剧人才队伍建设上实施梯队式人才培养计划，由省文联主办、省剧协承办的首届江苏优秀青年戏剧人才评选活动，圆满完成。本次评选活动共接受参评申报材料 78 份，由省剧协组织省内具有权威性、代表性的专业人士组成评委会，进行公平、公正、公开的综合评选。最终有 20 名演员荣获“首届江苏优秀青年戏剧人才”称号。

文艺交流

在省委宣传部、省文化厅、省文联及有识之士的共同努力下，今年 10 月份，第三十一届国际戏剧节在南京成功举办。来自五大洲 16 个国家和地区的 26 台剧节目、10 台展演剧目以及 1 台祝贺演出在宁隆重献演。戏剧节期间还举办了国际学术论坛，中外专家围绕戏剧的本土化与国际化问题、全球化视野中戏剧的继承与发展、戏剧与未来文化的关系等议题进行了 9 场研讨，杨丽娟秘书长全程参与了组织接待工作。

江苏省电影家协会

综　述

2008年,江苏省电影家协会在江苏省委宣传部、省文联党组、书记处的正确领导下,以邓小平理论和"三个代表"重要思想为指导,认真学习实践科学发展观,坚持"围绕中心,服务大局",发挥多种优势,开拓创新,通过组织高质量的学术活动、社会公益活动,通过为艺术家服务,努力推动出作品、出人才,使影协成为广大会员的温馨之家、艺术交流之家、精品创作之家。

研讨活动

4月7日至8日,在苏州吴江同里镇人民政府的大力支持下,江苏省影协承办了第三届中国同里电影论坛——青年演员表演艺术研讨会。这已经是省影协连续3年成功承办中国同里电影论坛。来自北京电影学院、中央戏剧学院、上海大学影视学院、上海戏剧学院、传媒大学影视学院、解放军艺术学院、南京艺术学院等多所国内著名艺术院校的从事表演艺术教学的40余位专家学者参加了此次论坛,本届论坛研讨主题为青年演员表演艺术。这也是中国电影家协会在近年举办多种学术活动以来,第一次就表演艺术召开的研讨会。研讨会上共收到25篇学术论文,提供了许多富有价值的理论见解与依据,并汇集成《青年演员表演艺术研究》一书,已由中国电影出版社出版。

重要活动

"5·12"汶川大地震发生后,江苏省影协在第一时间号召全体会员积极投入到各种形式的抗震救灾活动中,积极组织会员在江苏省文联主办的"我们万众一心——江苏省文艺界大型广场赈灾义演义捐活动"现场募捐。在距大地震发生整整一个月后的6月12日,省影协组织江苏电影编导抗震救灾采访团,奔赴四川抗震救灾第一线进行采访。江苏省文联党组书记、常务副主席王慧芬,省文联副主席、书记处书记言恭达专程为采访团送行。采访团先后深入到这次地震的重灾区德阳市、绵竹市、什邡市、都江堰市、汉旺镇、蓥华镇、聚源镇等地,在灾区实地采访、收集江苏援建队伍的模范先进事迹,感受一线军民抗震救灾重建家园的伟大精神,汲取创作营养。在灾区的亲身经历给了采访团每一位成员极大的震撼,让他们深深感受到了生命的顽强与美好、在灾难面前人们永不放弃的精神和人与人之间的真情。采访团成员回来后每人都写下了自己的感受,作家、《周末》报原副总编速泰椿是成员之一,他主动和报社商量,提供了《周末》报的几个整版篇幅报道这次的采访经历,江苏新闻网、文艺网也予以转载。其他编导们纷纷拿出了电影故事，经过专家论证，有两个电影剧本故事得到肯定，将择时对剧本进一步修改与完善后进行拍摄。在这次灾难面前电影艺术家表现出的责任感和行动，受到省文联党组、书记处领导和有关方面的高度肯定。

10月，中国电影导演协会向新中国第一代电影人，著名导演艺术家、江苏省影协顾问、南京电影制片厂导演、顾问严恭同志授予“中国电影导演协会终身成就荣誉奖”，以表彰他对中国电影作出的杰出贡献。受中国电影导演协会委托，江苏省影协常务副主席陈国富、副主席曹霖、南京电影制片厂厂长邵文林及省影协驻会干部一行人专程前往严老住处，看望这位老电影艺术家并向他颁发“中国电影导演协会终身成就荣誉奖”的奖牌和证书。严恭导演早年从事进步戏剧、电影工作，新中国成立后，他拍摄了许多优秀电影，他执导的《三毛流浪记》《祖国的花朵》《满意不满意》《月到中秋》等电影作品曾感染了新中国几代人，在中国电影史上留下了重要的篇章。

文艺惠民

1月8日至10日，由中国文联、中国影协、江苏省文联主办，江苏省影协承办的“送欢乐、下基层”惠民文化活动在徐州市和沛县举行。此次活动是中国文联、中国影协、江苏省文联认真贯彻落实党的十七大精神的行动。旨在引导广大文艺工作者深入基层、服务群众，转达党和政府的关怀和温暖，满足基层群众丰富“两节”期间精神文化生活的热切愿望，并以此为契机，进一步推进地方文化大发展大繁荣，为发展和谐文化、构建和谐社会作出积极贡献。

自身建设

中国文联、中国影协领导和谢铁骊、于洋、杨在葆、王霙、吴军、岳红、高宝宝、潘粤明、赵越、丁柳元等40多位老中青电影工作者，携带国产优秀影片及部分电影放映设备、影视光碟、文化书籍和生活用品，为基层群众举行慰问演出和捐赠活动。在沛县中心广场、栖山镇胡楼村和江苏大屯铝业公司等地，共有近万名群众观看了电影并与电影主创人员见面。电影慰问团向当地捐赠了电影放映机3台，DVD播放机10台，优秀文化书籍1 600余套，影视光碟400套，向基层电影放映员赠送60件防寒服，举办了一场“送欢乐、下基层——情系沛县公益慰问演出”晚会。活动期间，电影艺术家与沛县基层电影工作者就农村基层电影放映现状进行了座谈，还专程走访慰问了全国著名模范集体徐州下水道四班，了解下水道四班的事迹，并与四班全体职工座谈，艺术家们被女工们“宁可脏一人，服务千万家”的精神深深打动，表示要创作出电影讴歌他们的奉献精神。在这次惠民文化活动中，电影慰问团所到之处，都受到当地群众的热烈欢迎，同时，艺术家们通过活动密切了与人民群众的血肉联系，积累了创作素材，也受到了一次深刻的思想教育。

2008年，在省文联组织的深入学习实践科学发展观的活动中，省影协严格按照省文联的部署与要求，认真学习，理论联系实际，查找工作中的突出问题，总结经验，剖析原因，并结合江苏电影创作的实际情况，将“电影发展的现状，我省在电影创作上存在的问题及对策”定为调研题目，进行了深入的调查、研究，拿出了翔实的调研报告。

随着艺术创作的蓬勃繁荣，文艺著作权问题也日益凸显，维护广大电影工作者的正当权益，加强行业管理、行业服务和行业自律成为我会在新形势下拓展的服务职能之一。较长时间以来，省影协在为会员提供法律咨询与服务方面做了许多努力,如聘请了协会常年法律顾问,成立了“江苏省电影家权益保障委员会”。2008 年,在省文艺著作权维护中心指导下,为扩大宣传和服务,省影协在全国各协会中率先编撰、印制了《江苏省电影家维权手册》发放给每位影协会员和全国兄弟协会,受到了广泛的好评。

江苏省音乐家协会

综　述

2008年,江苏省音乐家协会在省文联党组、书记处和协会主席团领导下,围绕中心、服务大局,在音乐创作、表演、理论研究及举办大型音乐活动等方面,为发展音乐事业、建设文化江苏作出了积极努力,取得了一定的成绩,较好地完成了全年各项工作任务。特别在创作方面抓得比较紧,比较实,紧扣“出作品、出人才”的宗旨,取得了较显著的成果。

重要会议

1. **召开**2008**年音协理事会**。

4月2日,省音协在双门楼宾馆召开了2008年度协会理事会,这是新一届协会的首次理事会。会上进行了2007年工作汇报,通过了2008年工作计划,宣布了协会各专业委员会组成人员名单,通过了开展会员重新登记工作的决议,并展开了热烈的讨论。此后,协会专业委员会积极开展活动,如创作委员会、民族音乐委员会都召开了多次学术活动,很有成效。

2. **组织抗震救灾歌曲征集活动,召开专题研讨会**。

“5·12”汶川大地震发生以后,省音协响应省文联倡议,在第一时间向全省音乐界发出征集抗震救灾歌曲的通知。6月20日,省音协创作委员会召开“抗震救灾歌曲作品专题研讨会”,词曲作家30余人出席了会议。研讨会对来自全省各地、各单位的100余首抗震救灾歌曲展开了交流、研讨,播放了部分作品录音,听取了亲赴汶川救灾第一线的作家和词曲作者感人至深的发言。会议开得十分成功,鼓舞了人心,检阅了成果,振奋了我省作曲家的创作热情,增强了协会的凝聚力。

重要活动

1.**《在灿烂阳光下》——江苏省纪念改革开放**30**年合唱比赛**。

此项活动是纪念改革开放30年系列活动之一,也是列入省文联30项重点项目的活动。大赛的复赛及决赛于12月13～14日在南京艺术学院音乐厅举行。合唱艺术有着独特的艺术感染力,群众参与度高,社会影响大。为了纪念改革开放30周年,省委宣传部、省文化厅、省文联共同主办了这次建国以来首届全省性的大型合唱比赛活动,省音协作为承办单位承担了主要具体工作。经过紧张激烈的角逐,来自全省各地的14支团队分别获得金、银、铜奖,苏州市音协、无锡市音协、南通市音协、徐州市音协获得优秀组织奖,镇江市音协、扬州市音协获得组织奖。此次大赛在复赛、决赛中共演唱了40多首中国作曲家的合唱作品,热情讴歌了改革开放30年取得的丰硕成果,征集了10首我省作曲家创作的原创作品充实规定曲目,同时在比赛中专设新作品演唱奖,特设指挥奖和伴奏奖,在决赛阶段还进行了现场视唱考核。大赛特邀中国音协合唱联盟主席、著名作曲家、指挥家徐锡宜先生主持评委会工作,并举行了精彩生动的合唱艺术讲座。14日晚上的颁奖晚会上,获奖团队的演出高潮迭起,全场激情涌动,人们无不沉浸在美好的合唱艺术之中。此次比赛非常成功,受到全国专家和观众的高度评价,一致认为此次大赛将成为推动我省合唱事业发展的新的起点。

2. 主办全省第六届青少年钢琴大赛。

作为省音协今年的重要工作之一，由省文化厅和省音协联合主办，省音协和苏州市文联、音协、苏州钢琴学会承办的"建屋杯"第六届江苏省青少年钢琴大赛于10月2日至4日在苏州举行。苏州市文联、音协为本次大赛做出了特殊的贡献，筹集了全部资金。11日晚，在国内一流的苏州科文中心大剧院举办了隆重的颁奖音乐会。本次大赛有三个特点：首先，这是全省最高规格、最高水平的钢琴赛事。大赛发动广泛，选手参与踊跃，全省各地有近两千人参加了比赛。其次，本次大赛首次邀请了中国音协副主席、著名钢琴家鲍蕙荞等全国知名音乐家担任评委工作。整个赛事组织工作严密规范，获得了评委和选手们的高度评价。第三，首次举办"江苏省钢琴教育论坛"，特邀鲍蕙荞等专家出席论坛作了主题发言。镇江、常州、南通等地音协都组织了当地钢琴教师专程前来参加。本次大赛是我省钢琴界的一次盛会，检验了教学成果，开阔了眼界，提高了水平。中国音协副主席鲍蕙荞女士称赞道："江苏青少年人才整体素质如此之好，比赛水准之高，有点没想到！"大赛的成功举办对我省钢琴演奏和教学起到了很好的促进作用。

3. 参与协办著名音乐家陈洪教授百年诞辰纪念活动。

曾长期担任省文联副主席、省音协副主席的音乐教育家、理论家、翻译家、作曲家陈洪先生是我国现代高等音乐教育开拓者之一，曾荣获中国文联、中国音协颁发的音乐界最高荣誉——中国音乐金钟奖终身荣誉勋章。陈洪先生100年诞辰纪念活动于6月16日在南京师范大学隆重举办。音协作为协办单位参与了此次重要的纪念活动。

文艺创作

1. 承办"春满江苏"元宵歌会，展示历年歌曲创作成果。

2月21日晚，音协承办了由省委宣传部、省文联、省广电总台主办的"春满江苏"2008元宵歌会。省领导林祥国、陈一远、杨新力、柏苏宁、张桃林与省委宣传部和省文联领导观看了在南京文化艺术中心举行的演出。晚会集中展示了由省音协组织江苏本土词曲作家在历次创作活动中涌现出的一批优秀作品，其中包括获得中国音乐金钟奖的获奖歌曲。我省音乐界人士和词曲作家们观看了演出，大家深有感触，备受鼓舞。江苏卫视于2月23日向全国播出了这台晚会实况。

2.组织"美在新江苏"采风创作活动。

4月7日至10日，我会组团赴江西婺源采风。4月15日至19日，在南通市文联、音协的大力支持下，音协赴南通进行了采风创作活动。词曲作家们参观了苏通长江大桥、经济开发区、渔港、小康示范村、农业现代化开发示范项目及洋口港工程等，还和南通音乐界朋友们召开了创作座谈会。

3.承办"全国优秀流行歌曲创作大赛"江苏赛区创作比赛。

"全国优秀流行歌曲创作大赛"是中宣部直接领导，由中国音协、中央人民广播电台、中央电视台举办的跨年度的全国性重大活动，在全国设六大分赛区。省委宣传部对此项活动非常重视，音协在宣传部、文联党组直接领导下承担了我省作品的方案制订、发动、征集、评选、加工、录制、报送等一系列工作。9月召开江苏赛区作品创作动员大会，10月底共收到有录音的稿件289首。第一轮采用录音评选，第二轮于11月11～12日在江苏电视台演播厅举行现场演唱决赛，经过两轮角逐，选出10首优秀作品送上海华东赛区参加进一步选拔评比。在省委宣传部的领导和大家的共同努力下，江苏作品在华东赛区取得了优异的成绩，在华东赛区30首晋京的作品中，我省有《乡愁》《爱情的味道》《迷彩80后》《芒花》《婚礼上的歌》《梦中的他》《有一个美丽的名字叫江南》等7首作品入选，参加在北京举行的全国总决赛角逐。最后，有2首作品获奖，由林欣、孟文豪(南京市歌舞团)作词，孟文豪作曲的女声独唱《爱情的味道》获二等奖，姜涛(南京理工大学)作词作曲的男声独唱《婚礼上的歌》获优秀创作奖，同时省音协获优秀组织奖。在颁奖晚会上，我省参赛作品《爱情的味道》以及《迷彩80后》参加了颁奖晚会演出。此后，《爱情的味道》被选为比赛曲目参加罗马尼亚国际音乐节。在此次大赛中，省音协在省委宣传部和省文联党组书记处的正确领导下，全力以赴，广泛发动，精心组织，在注重作品思想性和艺术性的同时，注意创作风格、题材、体裁、样式的丰富性和多样化，与各有关方面紧密合作，从而取得了较好的成果，使江苏的总体成绩在全国位居前列。组委会和评委会主任徐沛东说："本次大赛中，华东区作品质量高，而江苏无论从作品入围数量还是得奖方面都成了大户之一。"

4."春满江苏"暨江苏音乐"茉莉花奖"青少年合唱作品征集评奖。

这是为落实省委宣传部、省文化厅、省文联关于举办"春满江苏"暨江苏音乐"茉莉花奖"创作评奖精神而举办的、面向全国的重要作品征集活动。此项征集评奖共收到少儿合唱作品285首，于11月25日评出一等奖1首、二等奖2首、三等奖3首、优秀奖若干首。据包括北京、上海等全国著名专家在内的评委会一致反映，有多首作品质量较高，有望受到少儿合唱队伍的欢迎。今后，协会将努力促成全省少儿合唱演唱大赛的举办。

5.《让历史告诉未来——南京大屠杀70周年祭》参加"上海之春国际音乐节"演出。

由省音协协办，江苏省交响乐团担纲演奏的"让历史告诉未来"大型交响音乐会作为2008年"上海之春国际音乐节"专场音乐会之一，于5月2日在上海音乐厅隆重献演。音乐会上演奏了著名作曲家徐振民作曲的交响音乐《让历史告诉未来——南京大屠杀70周年祭》。5月3日在上海音乐家协会举行了上海音乐界座谈会，会上，上海音乐界对江苏推动重大历史题材器乐作品创作的做法给予了高度评价。

文艺惠民

1. **做好音乐考级工作**。

4月1日,召开了全省音乐考级工作会议。8月4日上午,省文联党组书记、常务副主席王慧芬和党组成员、书记处书记杨企鹏到南京师范大学音乐学院、江苏教育学院考级现场视察。两位领导亲切慰问了在炎热的夏天坚持考试的评委老师们,并对省音协的考级工作给予了高度评价,认为音协的考级工作做得很好,能按照打造品牌的要求,高标准、严要求,细致规范,服务意识强。希望音协再接再厉,把好事做好,做成品牌,扩大影响,为江苏的文化建设作出贡献。2008年,音协考级依然保持了良好的势头,在全省13个市及多个县级市全面展开,深受社会各界欢迎和好评,全省有3万名考生参加了音乐考级。

文艺交流

1. **参与主办长三角青年歌手大赛**。

由上海、江苏、浙江、福建四省市音乐家协会联合主办的"中国澳泰·金港名都杯"第三届长三角(华东地区)青年歌手大赛,于10月8日在福建省宁德市落下帷幕。我省选派了16名优秀青年歌手参赛,获得了优异成绩,得到了评委和观众的好评。经过激烈争夺,省歌舞剧院青年男高音歌手钱伟华荣获美声组金奖,省歌舞剧院刘雨东等获美声组、民族组和通俗组银奖。

2. **承办全省职工歌手大赛**。

由江苏省总工会、江苏省文联主办,省音乐家协会参与承办的纪念改革开放30周年"永钢杯"全省职工歌手大赛决赛及颁奖晚会于10月11～12日在江苏永钢集团隆重举行。此次大赛检阅了职工音乐活动的成果,丰富了职工业余文艺生活。

江苏省美术家协会

综　述

2008年江苏省美术家协会在省文联党组、书记处的领导和关心下，在中国美协的指导下，深入学习实践科学发展观，全面贯彻落实党的十七大精神，围绕中心、服务大局，制定了全年的工作计划，以创新工作思路和灵活的运行机制，完成了各项规定项目和自选项目。成功地召开了省美术家协会第四次代表大会，举办了“奥运情·翰墨缘——江苏省著名书画家捐赠作品展览”系列活动，以及组织画家义捐作品支援四川抗震赈灾等。

重要会议

江苏省美术家协会第四次代表大会于6月25日至27日在南京召开。经过全体代表的共同努力，顺利完成了各项任务。这次会议实现了真正意义上的“民主、团结、鼓劲、繁荣”，是一次圆满成功的大会。江苏省美术家协会第四次代表大会实到代表158人，特邀代表12人，分布在美术的创作、理论、教育、组织管理等各个领域。会议听取并认真学习了省委常委、宣传部部长杨新力同志的重要讲话，审议并通过了喻继高同志代表江苏省美术家协会第三届主席团所作的《江苏省美术家协会第三届理事会工作报告》，听取了范保文同志所作的《关于〈江苏省美术家协会章程〉的修改说明》，讨论修改了《江苏省美术家协会章程》。会议选举产生江苏省美术家协会第四届理事会和主席团。经过大会选举，产生了由丁立江等66位同志组成的江苏省美术家协会第四届理事会。经新一届理事会的选举，产生了以宋玉麟同志为主席，尹石、朱道平、吴为山、李向伟、陈世宁、陈坚、周京新、胡宁娜、高云、徐惠泉等同志为副主席的新一届省美协主席团。聘请冯健亲、赵绪成、喻继高、朱葵、张华清、张新予、范保文、赵文元、徐明华等9位同志为本届美协理事会顾问，马鸿增等23人被授为名誉理事。

重要活动

1.举办奥运情·翰墨缘—— 江苏省著名书画家捐赠作品等系列活动。

为表达江苏省书画家喜迎2008北京奥运会的情缘，以实际行动宣传奥运、支持奥运，宣传江苏体育、支持江苏体育，由中共江苏省委宣传部、江苏省文化厅、江苏省文学艺术界联合会、江苏省体育局共同主办，并由江苏省美术家协会、江苏省书法家协会和江苏省发展体育基金会承办，向全省著名书画家征集捐赠书法、中国画作品。于北京奥运会倒计时100天即4月30日，在江苏省美术馆隆重举办了“奥运情·翰墨缘——江苏省著名书画家捐赠作品展览”。

本次征集的书画作品共230件，其中中国画121件，书法109件。在征集中，省美协和省书协主席团的艺术家们身先士卒，许多德高望重的老艺术家率先垂范，中青年书画家积极踊跃，在短短的20余天内圆满地完成了捐赠作品征集工作。所捐作品题材积极向上，精神振奋，充分表达了书画家们对祖国和体育事业的一片赤子之心。为配合捐赠作品展活动，组委会在4月3日邀请了20多位书画家和10余位江苏省往届奥运、世界冠军共同举办了“奥运情·翰墨缘——江苏省书画名家·体育明星联谊活动暨书画捐赠仪式”。会上画家们集体创作了3幅八尺宣纸山水、人物、花鸟画，书法家们为体育明星分别题词相赠，共畅奥运情缘。“翰墨寄怀，大爱无疆。”本次书画捐赠活动将进行义卖，所得款项将全部捐赠给江苏省发展体育基金会，用于支持备战北京奥运会的江苏军团、奖励参赛北京奥运会的江苏籍运动员、教练员，支持江苏体育事业发展，寄望于在本国举办的奥运会上江苏体育健儿能取得好成绩。这是一次有着深远历史意义的公益活动，必将载入江苏美术史、书法史。为记住历史的瞬间，为感谢积极参加捐赠书画作品的艺术家们，省美协和省书协在本次活动中做了大量具体的组织、实施工作，编辑出版了《奥运情·翰墨缘——江苏省著名书画家捐赠作品集》作永久纪念。

2.组织画家义捐作品支援四川抗震赈灾。

5月12日，四川汶川地区发生8.0级强烈地震后，举国上下震惊，全世界关注。我省美术界和四川灾区民众一样沉浸在悲痛的气氛中。省美协按照省文联统一安排，向全省美术界迅速发出倡议书，要求立即行动起来，通过多种形式和渠道，为抗震救灾作贡献。5月22日上午，省美协组织了以省美协主席团成员为主的赵绪成、高云、喻继高、范保文、朱葵、张新予、赵文元、朱道平、尹石等画家携50余件作品参加由省文联、省电视台等单位主办的“我们万众一心——江苏省文艺界大型广场赈灾义演义捐活动”，仅现场中国画作品义卖所得就达30余万元，加之捐款所得的50余万元，全部交红十字会用于四川赈灾。另外，由省美协联合江苏工人报共同在全国邀请了90件抗震救灾漫画作品也参与了7月23日在南图举办的“大爱无疆——江苏省支援四川抗震救灾摄

影、美术、书法展”。

3. **举办“2008·江苏省水彩画作品邀请展”**。

由江苏省美术家协会和无锡市文学艺术界联合会联合主办的“2008·江苏省水彩画作品邀请展”于2月5日在太湖之滨无锡市程及美术馆隆重开幕。江苏省文联党组书记、书记处第一书记、常务副主席王慧芬,中国美术家协会理事、江苏省美术家协会秘书长尹石,中国美术家协会水彩画艺委会委员、江苏省美协理事、南京师范大学美术学院绘画系主任高柏年以及无锡市文联党组书记、主席雷群虎等和无锡各界人士出席了开幕式。省文联党组书记王慧芬在开幕式上发表了热情洋溢的致词,对江苏省美术工作表示关心和支持。此次在戊子新年前一天推出的“2008·江苏省水彩画作品邀请展”共展出精品80件。充分展示了江苏水彩画艺术创作的整体面貌。这些作品气息清新,贴近生活,画家们熟练的表达技巧,魔幻般的色彩驾驭能力令人赞叹,作品中出色的绘画语言和技巧给人以震撼的美感。

4. **江苏省美术家协会第二次新人美术作品展览**。

12月14日,“江苏省美术家协会第二次新人美术作品展览”在省美术馆开幕。两年前,省美协为了发现新人、培养新人、提携新人,为非省美协会员朋友提供一个展示作品的平台,并为进一步壮大江苏的美术队伍,决定每两年举办一次“江苏省美术家协会新人美术作品展览”,并举办了首次新人作品展和出版了画展作品集。首展上展出作品300件,其中33件获优秀奖作者均已被接纳为省美协会员。换届后的第四届江苏省美术家协会主席团在主席宋玉麟主持下召开首次工作会议,确立今后5年的工作方向和目标,其中把新人美术作品展列入重要的品牌展之一。本次展览自征稿发出之后,各市、省直、南艺、南师大美院等单位极为重视,宣传、鼓励并组织作者创作投稿。至截稿,主办方共收到1 000余件作品照片稿件,画种包括中国画、油画、水彩(粉)、雕塑、漆画等10余种。经评审委员会的初评和终评,确定入选作品320件,获新人奖38件,佳作奖64件。评审的原则在于强调美术创作的基本语言,强调美术创作的思维意识,强调美术创作的个性风格。这次展出的作品给观众带来深刻的印象,获得良好的反响。

5. **参与组织“数风流人物·2008中国百家金陵画展(油画)”**。

此次中国百家金陵画展共展出作品133幅,其中包括四届金奖作品40幅,油画入选作品和特邀(含评委)作品中也有93幅作品参展。

文艺创作

1. **水彩画家走进江南水乡嘉兴写生慰问**。

9月17日至19日,由江苏省美协副主席、秘书长尹石带队,水彩画艺委会主任高柏年及画家庄弘醒、李平秋、张五力、刘宾、钱泓兵、邬烈炎、毕鸣仁、莫雄、姜竹松、陆庆龙、李庆、高建胜等14人,应浙江省嘉兴市政府邀请,赴乌镇、嘉善、桐庐等江南水乡进行采风写生创作,完成创作稿30余件,并有36件水彩画作参加9月20日由华东六省一市在嘉兴举办的“华东六省一市水彩画邀请展”,我省会展作品受到了好评。

2. **国画家走进苏南农村采风写生慰问**。

由尹石带队,画家张伟、刘宇甲、徐培晨、晏明、张兴来、高建胜、叶维、徐建明、王野翔等10余位画家于11月至12月上旬分别赴六合金牛湖生态源、溧水农村、江阴创业园三地10余处地点进行写生采风,完成写生资料稿100余件,为当地创作出书画作品100余件,受到地方政府和群众的欢迎。

3. **组织19位画家“八·一”慰问省警卫局**。

在省文联党组书记王慧芬带领下,省美协组织了宋玉麟以及赵绪成、喻继高、范保文、赵文元、尹石、朱道平、胡宁娜、张友宪、赵治平、张兴来、陈培光、魏镇、王飞飞、许怀华、王野翔、朱新龙、毕宝祥、袁峰、包信源、高建胜等在内的19位画家,和省书协代表团一道,于8月1日慰问了江苏省警卫局,听取了警卫局领导邵木金局长的介绍,体验了警卫局部队生活,得到了教育。书画家们为警卫局创作了80余件慰问作品作为纪念,受到热烈的欢迎。

理论研究

省美协理论艺委会积极地开展了美术理论研讨、撰文、出版等工作。据不完全统计,组织的研讨会有3月22日的“肖峰夫妇作品回顾展研讨会”;5月13日的“新吴门画派研讨会”;7月10日的“陆俨少画展研讨会”;10月9日的“时代与经典——当代中国画学术邀请展研讨会”;10月25日的“百家金陵高层论坛”和12月3日的“传神写心——重庆画院人物画展学术研讨会”等。这些研讨会对当前美术创作、画展起到了分析、升华和指导的作用。

文艺交流

参与组织了由中国美协和华东六省一市在浙江嘉兴举办的“华东六省一市水彩画展览”作品征集工作,共有12位画家的作品参加了画展。

参与组织“与时代同行·改革开放30年长三角美术作品展”的工作。由江、浙、沪三省文化厅(局)、美协联合举办的本次画展于12月19日在上海首展,而后转杭州和南京巡展。我省有80余件作品参展。

自身建设

8月6日,换届后的第四届江苏省美术家协会主席团首次工作会议在江苏省国画院召开。这次会议的主要议题是:(一)讨论美协未来5年的重大工作,制定了大略纲要以及主席团的责任。(二)决定主席团工作分工及所联系的艺术委员会。(三)通过各艺委会的健全建立原则及决定各艺术委员会主任名单。(四)讨论制订《江苏省美术家协会个人会员入会条件细则》。(五)通过《关于承办〈第十一届全国美展(版画展区)的报告〉》。(六)其他事项:1.举办画展,提高发展繁荣江苏美术平台。围绕大局,服务社会。联办、承办各类与时事、政治相关的庆典、纪念、成果等主题性画展。服务会员,服务画家。为老艺术家举办艺术成果展和研讨会,使他们的艺术成就得以弘扬;发现新人,扶持新人,为中青年创造展示的平台。2.举办精品展览,构建高品位学术平台。继续举办已有品牌画展,在已有的届展基础上引进新的运作模式,进一步做精做强,如省山水画展、人物画展、新人展等连续性的大展。将已举办过的对培养和发展江苏美术后备力量、促进江苏美术事业繁荣、可持续发展有益的展事规范化,使之成为有影响、有活力、规范化的美术展事,如省青年美展、女画家作品展等。在条件成熟的情况下,分层次举办具有全国影响、代表江苏最高学术水平的专题(届)美术展览。3.服务基层,推动全省美术全面发展。主席团提议,将一些省级展览交由各市美协、系统和高校承办,采用省美协立项、地方申办或地方申办、省美协立项的方法,支持地方美协、系统和高校开展活动,充分发挥各地美协、系统和高校的积极作用,发现和培养地方美术人才,整合社会美术资源,使之在江苏美术事业和谐发展中发挥更大的作用。4.服务社会,提升民众的审美情趣。①为加强全体美术家的社会责任感,配合重大社会事件,适时举办公益活动及展览。②扶植和培养群众性的美术活动,指导支持社会各部门开展美术活动。丰富广大人民群众的文化生活,同时提高全社会对美术的爱好。5.健全内部机构、开展活动。会议通过了以下决议:①明确了主席团成员的分工及所联系艺术委员会。②健全建立江苏省美术家协会15个艺术委员会。在原有7个艺术委员会基础上。新建和改建山水、人物、花鸟、设计、工艺、美育、少儿等8个艺术委员会,发挥和调动美术专家的作用;③通过了各艺术委员会主任、执行主任人选的提名。④通过了《关于承办〈第十一届全国美术展览(版画展区)〉》的报告。

1. **出席全国第七次美代会**。

中国美协第七次代表大会于12月10～13日在北京召开。我省宋玉麟、赵绪成、冯健亲、喻继高、朱道平、尹石、刘伟冬、吴为山、李向伟、陈世宁、陈新建、胡宁娜、高云、高柏年、徐惠泉等15位代表出席会议,宋玉麟、尹石、朱道平、吴为山、陈世宁、高云等6人当选为第七届中国美协理事。

2. **发展会员**。

4月15日,主席团会议发展新会员143人,全国美协通过了2007年和2008年的我省中国美协新会员共65人,这使得协会的队伍建设进一步壮大,增强了协会的凝聚力。

江苏省曲艺家协会

综 述

省曲协在省文联党组、书记处的领导和关心下,深入学习实践科学发展观,全面贯彻落实党的十七大精神,围绕中心、服务大局,根据省曲协的实际工作特点,制定了全年的工作计划。在全年工作中,协会以创新工作思路和灵活的机制,充分利用“牡丹奖”颁奖系列活动的丰富资源,推动全省曲艺事业大发展、大繁荣,积极发挥江苏曲艺“芦花奖”平台作用,努力提升全省曲艺原创水平。立足地方曲艺资源优势,打造区域艺术品牌。加强曲艺文学和理论建设,坚持“出人、出书、走正路”的原则,深入生活,贴近群众。坚持采风创作和曲艺惠民相结合,创新服务机制,提高协会工作水平。以科学发展观为统领,以品牌活动为龙头,举办丰富多彩的曲艺活动。省曲协继续开展了“百名文艺家百场惠民演出”“美在新江苏创作采风系列活动”,推出精品力作,促进人才培养,创建更多的“中国曲艺之乡”与曲艺创作基地。加强协会自身建设,进一步提高服务水平,完成了规定项目和自选项目。按照省文联党组和书记处提出的“高扬一面旗帜,创造一个机制,推出一批人才,展示一批成果,锻炼一支队伍”的指示精神,曲协将再接再厉,奋发进取,努力开创江苏曲艺事业的新局面,为文化强省建设作出新的更大的贡献!

重要会议

省曲协组织召开了参选第五届中国曲艺牡丹奖文学奖的长篇扬州评话《王少堂》作品研讨会,该书目是江苏省曲艺家协会2007—2008年重点扶持创作项目之一。来自有关方面的专家对这部讲述评书巨匠王少堂一生传奇的长篇评话进行了深入研讨,并对加工修改提出了精辟的建议。这项活动的及时组织,对这部书目获得“牡丹奖”文学奖起到了至关重要的作用。

重要活动

2月27日至3月2日，由省曲协主办的第二届江苏曲艺“芦花奖”的评选活动在南京举行。中国曲协副主席吴文科，省文联副主席、书记处书记言恭达，参加了此次活动。共评出各类奖项总计39个。

4月11日，由省文联、省曲协、苏州市文联联合主办，苏州曲协、苏州广电总台、昆山市千灯镇人民政府承办的“姑苏芦花颂”第二届江苏曲艺芦花奖颁奖晚会在苏州举行。省老领导顾浩、陆军，江苏省委常委、宣传部部长杨新力，中国曲协分党组书记、常务副主席姜昆，省文联党组书记、常务副主席王慧芬等出席了颁奖晚会。王慧芬同志在颁奖仪式上发表了讲话，苏州市各级领导及昆山市千灯镇党委、政府等领导参加了此次活动。

4月28日至29日，江苏省曲艺家协会创作演出基地落户昆山市千灯镇揭牌仪式在千灯镇举行。省文联副主席、书记处书记言恭达，省文联顾问、省曲协主席杨乃珍及千灯镇各级领导和有关部门的负责人出席了揭牌仪式。“江、浙、沪曲艺名家送欢笑下基层——走进千灯镇专场演出”隆重举行。

5月22日，由江苏省文联、江苏省广电总台联合主办的“我们万众一心——江苏省文艺界大型广场赈灾义演义捐活动”在南京山西路隆重举行。省曲协组织江苏的曲艺家们顶着烈日义演义捐，现场捐善款四万余元。这笔善款凝聚了我省曲艺艺术家对灾区人民的爱心和祝福。

5月30日至31日，由江苏省曲艺家协会、常州市文联主办，常州市曲协承办的“第二十三届沪、苏、锡、宁、杭、常六城市评弹名票名段汇演”(2场)在常州市天宁书场举行。中国曲艺家协会副主席、中国艺术研究院曲艺研究所所长吴文科参加了此次活动。

7月18日至20日，由中国曲艺家协会、江苏省文联、常熟市人民政府主办、江苏省曲艺家协会、常熟市文化局承办的，2008常熟“中国曲艺之乡”授牌仪式暨中国曲艺名家“送欢笑到基层”专场演出在常熟市虞山大剧院举行。中国曲协分党组书记、副主席姜昆，中国文联副主席、中国曲协主席刘兰芳，江苏省文联党组书记、常务副主席王慧芬等出席授牌仪式。姜昆代表中国曲艺家协会宣读了《关于命名常熟为“中国曲艺之乡”称号的决定》。刘兰芳代表中国文联、中国曲艺家协会向常熟市委副书记、市长王建康授牌，常熟成为江苏唯一获得该荣誉称号的城市。

7月27日至8月3日，由中国曲艺家协会、全国少工委和中央电视台青少部共同主办的第三届全国少儿曲艺大赛在中央电视台少儿频道举行。江苏省曲协报送的节目获表演一等奖1个，表演二等奖1个，新苗奖1个，省曲协因成绩突出而获组织奖。

10月26日，第六届中国曲艺节在河南省平顶山举行。我省著名评弹表演艺术家盛小云、黄霞芬受邀分别参加了开、闭幕式的演出；著名相声表演艺术家杨鲁平、韩兰成作为曲艺节特邀嘉宾参加了专场晚会演出。我省共有8个曲目入选展演，其中扬州清曲弹唱《不负好春光》、相声《永远是朋友》、苏州弹词开篇《人面桃花》、滑稽双簧《笑语欢歌》、扬州评话《一代儒将》、相声《老板员工对对碰》荣获优秀节目奖。

文艺创作

5月7日至8日，由江苏省曲艺家协会主办的“美在新江苏”创作采风活动和“五走进”活动的“文化为民服务送欢笑——仪征”展开，一行十八人在仪征采风、创作，并在仪征市化纤工人影剧院举行“缤纷芍药五月天——大型综艺晚会”。

文艺惠民

8月23日，由江苏省曲艺家协会主办，常熟市曲艺家协会承办，常熟市评弹票友会、虞山镇戏曲协会、常熟市文化馆协办的常熟“苏州评弹”惠民演出专场在常熟市文化馆戏曲大舞台举行。

8月30日，由江苏省曲艺家协会、盐城广播电视台、江苏省文化馆少儿曲艺培训基地主办，盐都区文化馆承办的“南北相声名家走进盐城”活动在盐城苏果市民广场举行

9月10日，由江苏省曲艺家协会主办，淮阴

工业园区承办的“淮安市曲艺家惠民演出专场”在淮阴工业园区举行。

9 月 12 日，由江苏省曲艺家协会主办，无锡市“大阿福”俱乐部承办的“无锡‘大阿福’惠民演出专场”在无锡太湖市民广场举行。

9 月 13 日，由江苏省曲艺家协会、中共常州市委宣传部主办，常州市文联承办的“传播文明，文化惠民——欢乐社区行”常州市曲艺家惠民演出专场在常州市武进新天地广场举行。

9 月 14 日，由江苏省曲艺家协会主办，扬州市曲艺家协会承办的“扬州曲艺家惠民演出专场”在扬州市江海职业技术学院举行。

9 月 15 日，由江苏省曲艺家协会主办，连云港曲艺杂技家协会、连云港市富强房地产开发有限公司承办的“连云港曲艺杂技家协会惠民演出专场”在灌南县人民广场举行。

9 月 16 日，由江苏省曲艺家协会主办，苏州市评弹学校承办的“苏州评弹学校‘雅韵新秀’——惠民演出专场”在苏州三香广场举行。

9 月 18 日，由江苏省曲艺家协会主办，徐州市曲艺家协会承办的“徐州市曲艺家惠民演出专场”在徐州市淮海会堂举行。

9 月 18 日，由江苏省曲艺家协会主办，盐城市文联承办的“盐城市‘少儿曲艺’——惠民演出专场”在盐城市建军路小学举行。

9 月 19 日，由江苏省曲艺家协会主办，栖霞区委宣传部、栖霞区文联承办的“江苏相声名家走进栖霞惠民演出专场”在南京市栖霞区新合社区举行。

12 月 6 日，由江苏省曲艺家协会主办，“江苏省曲艺名家走进——中国人民解放军理工大学专场演出”在通讯兵工程学院礼堂举行。

江苏省舞蹈家协会

综　述

2008年省舞蹈家协会本着务实、求真的工作态度,认真执行和落实文联党组对协会工作的各项要求和部署。通过在具体工作中增强服务意识,在理论实践中提高创新观念,在自我完善中优化服务质量的实践理念,圆满完成了各项工作计划。在日常工作中,根据会员分布相对集中的特点,省舞协加强了与前线文工团、省歌舞剧院、南京艺术学院等单位的合作与资源开发,增强了会员的责任感与凝聚力,提升了省舞协组织活动的档次,舞蹈考级工作也进入了更加规范化和规模化的操作模式。有效发挥了省舞蹈家协会在全省舞蹈事业普及、繁荣工作中的职能作用。

重要会议

3月17日至19日,省舞协参加中国舞协2008年工作会议,听取了中国舞协主席团和中国文联领导对今年工作的部署和要求。

4月1日,省舞协参加中国舞协为庆祝贾作光86岁生日的纪念活动。

4月11日,召开省舞协五届六次主席团会议及理事会。研究确定2008年工作计划,传达中国文联及中国舞协领导在"2008年中国舞协工作会议"上的讲话精神。

重要活动

4月16日至20日,省舞协与安徽、浙江、江西、福建、山东、上海等华东六省一市舞蹈家协会共同主办的"华东六省一市专业演员舞蹈比赛"在上海举行。这是一次展示华东各省改革开放以来专业舞蹈演员表演技能的盛会,也是省舞协转变观念、向外拓展的一次成功经验。在活动中,省舞协以良好的专业素质、出色的策划和协调能力,对比赛的组织与实施起到了主导作用。同时在本次比赛中由省舞协选拔推荐的参赛作品成绩斐然:南艺舞蹈学院的舞蹈《梅园梅》获得组委会大奖,省歌舞剧院的舞蹈《迎风》获一等奖,省歌舞剧院的舞蹈《水趣》、苏州市歌舞团的舞蹈《苏童》获二等奖。在"华东六省一市专业演员舞蹈比赛"中,省代表队取得了获奖数量和获奖名次均高居六省一市之冠的骄人成果,给评委会留下了深刻印象。

10月初,省舞协负责选拔并组队参加了在山西太原举行的"中国舞蹈'荷花奖'全国首届校园舞蹈大赛"。在强手云集、佳作频出的比赛中,省舞协选送的舞蹈《一加一》(南艺舞蹈学院)和《花腰红》(南京师范大学)分别获得创作银奖和优秀表演奖,省舞协为此获得组委会颁发的优秀组织奖。

11月16日,由省文联、省舞协、无锡市文联、舞协共同主办的江苏舞蹈"莲花奖"第二届少儿舞蹈新作品比赛颁奖晚会在无锡隆重举行。2007年,省文联在创新思路、创新形式、打造品牌项目的系统工程中,设立了江苏舞蹈"莲花奖"。为了及早发现和系统培养舞蹈新秀,省舞协把"莲花奖"这一项目作为贯彻落实"文化大发展、大繁荣"的中心工作。通过深入学习科学发展观,结合我省具体情况,形成一年抓专业队伍的创作和演员技能的提高,一年抓基层及业余队伍(包括老年和少儿)的人才选拔和培养的梯队模式,为创作队伍和演员阵容在递进的良性循环

中科学而可持续地发展夯实基础。今年省舞协把重点放在少儿舞蹈的创作上,举办了江苏舞蹈"莲花奖"第二届少儿舞蹈新作品比赛,这次活动历时半年,影响面广,参与者多。全省13个市共选送了70多个作品,29个优秀新作进入决赛,最终《鱼趣·童趣》等9个节目获一等奖,《挺着肚子的小淘气》等6个节目获二等奖,《又见映山红》等14个节目获三等奖。这些获奖作品题材广泛、构想新颖,特别是反映在5·12汶川大地震中为抢救学生而英勇献身的教师形象的舞蹈《美丽的生命》、反映2008北京奥运的舞蹈《为奥运加油》等优秀作品突出体现了我省年轻的舞蹈编导们关注民生、关注现实的责任感和使命感,也充分展示了我省少年儿童健康、阳光的精神风貌和心理素质。专家们一致认为,这是近年来全国同类少儿舞蹈比赛中水平较高的一次赛事。

7月初,为了丰富和加强协会的服务职能、提高凝聚力,省舞协组织了两次观摩活动:(1)组织观看前线文工团委托"解放军艺术学院"培养的舞蹈学员的毕业汇报演出;(2)组织全省专业和群文舞蹈工作者观看前线文工团创作并演出的大型民族舞剧《牡丹亭》。通过这样的活动,促进了协会与会员的沟通和联系,增强了协会在广大会员中的公信度和亲和力。

顺利完成2008年全省13个市、43个考点的舞蹈考级工作。约7 000多人次获得了不同级别的资格证书,新增了5个考点。在竞争日趋激烈的情况下,舞协考级人员始终坚持规范操作、专业诚信,实现着为广大舞蹈工作者和业余爱好者真诚、热情、周到服务的宗旨。

文艺创作

3月,由省舞协出资编撰,中国文联出版社出版的《为人民而舞 为人生而舞——纪念吴晓邦百年诞辰文集》顺利出版。吴晓邦先生是20世纪中国新舞蹈艺术的开拓者、传播人,被誉为中国舞坛一代宗师。先生祖籍江苏太仓,青年时代就在"五·四"新文化思潮的激励下投身革命队伍。他确立的"为人民、为大众、为人生而舞蹈"的艺术主张曾荡涤了低俗、矫造的旧时代舞风;他用毕生的热情和执着,为新中国舞台创作了大量作品、培养了无数优秀人才;他的人生如绚烂的百花,如优美的舞蹈,为从业者树起了一座不朽的丰碑。在纪念先生的百岁诞辰之际,省舞协搜集整理并投资编撰了《为人民而舞 为人生而舞——纪念吴晓邦百年诞辰文集》一书,为传承先生的志向,弘扬民族舞蹈的优秀文化尽一份绵薄之力。

理论研究

4月21日,在"华东六省一市专业演员舞蹈比赛"期间,省舞协与安徽、浙江、江西、福建、山东、上海等六省一市的舞蹈家协会共同主办了"华东六省一市专业演员舞蹈比赛研讨会"。研讨会旨在总结和交流近期各省的创作成果;讨论和协商今后如何加强联系,进一步促进华东六省一市舞蹈事业的共同繁荣和发展。

5月,了解到南艺正在组织编写《江苏民间舞蹈教材》后,省舞协便主动把联系民间舞蹈老艺人、组织深入民间搜集和采风的工作承担了起来,充分发挥舞协在参与编写《中国民族民间舞蹈·江苏卷》时所积累的经验与资源,在历时近半年的工作中,多次在人力物力上给予帮助,为教材的完成提供了有力的保障。

结合深入学习和贯彻落实科学发展观,举办"新时期舞蹈教学工作的困惑与超越"主题讲座。7月5日,由省舞协牵头,南京军区前线文工团、解放军艺术学院共同主办的"江苏舞蹈教学研讨会"在南京举行,针对目前各文艺团体和院校在市场经济的大背景下,舞蹈教学所面临的困惑与危机进行交流和探讨。本次会议特别邀请了著名舞蹈家、中国舞协副主席、解放军艺术学院舞蹈系主任刘敏女士做了关于"新时期舞蹈教学工作的困惑与超越"的主题讲座。与会者一致认为,这样的研讨会开得及时有效,对全省舞蹈教学工作的现状和发展都有着非常积极的启发和指导意义。

文艺队伍建设

1月至3月期间,舞协深入基层组织,开办针对舞蹈考级教师的培训,给新增考区免费赠送教材,针对较弱的考级承办点所存在的问题,帮他们找出差距并进行针对性的辅导和培训。到目前为止,经舞协培训班培训出来的考级教师300多人,分布在全省13个市、县以及乡镇,并且人数每年都在递增。

11月份,省舞协选拔推荐了5名江苏优秀中、青年舞蹈家赴北京参加由中国舞协开办的"中国舞蹈大师班"的进修学习。这一工作为提升我省专业舞蹈队伍的整体素质,推动从业人员向着高水平、高技能的职业化发展打下了蓄势待发的扎实基础。

文艺惠民

在省文联"2008文艺惠民演出与'美在新江苏'采风创作活动"的实施过程中,5月18日,舞协组织了"纪念毛泽东同志《在延安文艺座谈会上的讲话》发表66周年暨江苏省优秀演员及获奖作品走进校园"的大型演出活动。活动以"纪念毛泽东同志《在延安文艺座谈会上的讲话》发表66周年"为契机,以贯彻文艺为大众服务为宗旨,组织在江苏舞蹈"莲花奖"首届青年演员舞蹈比赛中的获奖演员及获奖节目走进淮安工学院,为广大师生送去了一台高雅、精彩的惠民演出，得到师生们由衷的赞叹和热情的互动。

2008年是起伏跌宕的一年，是中国人在灾难中感悟坚强，在“奥运”中振奋、崛起的一年。省舞协在文联党组的正确领导下，与中央保持一致，在广大会员的共同努力下，圆满完成拟定工作。

江苏省民间文艺家协会

综　述

2008年，省民间文艺家协会在中国民协主办的“首届中国集美民间艺术精品博览会暨第九届民间文艺山花奖入围奖评比活动”中再创佳绩，入围、获奖均名列前茅。承办由中国文联、中国民协、江苏省委宣传部、省文联共同策划主办的“我们的节日——中国·江苏首届中秋民俗节”。参与承办第十届中国上海国际艺术节长三角地区“黄渡杯”故事表演大赛和“廊下杯”打莲湘邀请赛等重大活动。扬州的高邮被中国民协授予“中国民间文艺之乡(民歌)”。开展“建设社会主义新农村与古村落保护和谐发展——走进扬州、宝应、高邮、江都”创作采风活动。举办“江苏民间艺术行业管理、行业自律、行业服务工作现场会”“江苏省第八届民间文艺‘青年论坛’”等。

重要会议

7月，省民协在江都召开“江苏民间艺术行业管理、行业自律、行业服务工作现场会”，听取江都文联为民间艺人评定职称的汇报。省文联副主席、书记处书记言恭达亲自参加并作了重要讲话，他肯定江都文联的做法，称赞江都文联是职能拓展的先行者。对江都的经验总结出八个字：启示、借鉴、推广、深化，指出在当前文化大发展大繁荣的背景下，拓展文联的职能，搞好行业管理、行业自律、行业服务工作的“四性”，即创意性、普惠性、人文性、当代性(时代性)，真正走出一条体制与机制创新的路子。他表示将借鉴江都文联的做法，将其在苏南、苏北、苏中推广，搞好行业管理、行业自律、行业服务工作，从形势、态势、趋势三个方面拓宽思路，从更广阔的视野、更高的层面上结合当地的实际情况做好这一服务工作。

重要活动

9月12日至14日，在中山陵中国文联、中国民协、江苏省委宣传部、省文联共同策划主办"我们的节日——首届中国江苏中秋民俗节"，共有6个活动项目：(1)"今晚月儿圆"文艺晚会；(2)民间文化讲坛；(3)民间绝活表演；(4)民间广场歌舞表演；(5)民间工艺现场展示；(6)民间小吃荟萃。共演出14场，游客人数8万多人次，中央电视台等几十家媒体对本次活动进行报道，《新闻联播》正点播出相关新闻。

文艺创作

9月28日至10月6日，省民协参加了由中国民协主办的首届中国集美民间艺术精品博览会暨第九届民间文艺"山花奖"入围奖评比活动。江苏代表团共35人，作品100多件(套)，获"山花奖"入围奖7人，博览会金奖7人，银奖14人，铜奖14人，入围、获奖均名列前茅，观众人数达10万多人次，王爱国获得优秀组织工作奖。

9月19日至21日，省民协参加了由上海市民间文艺家协会、浙江省民间文艺家协会、江苏省民间文艺家协会主办的第十届中国上海国际艺术节长三角地区"黄渡杯"故事表演大赛，代表江苏参赛的江阴代表队张树森获金奖，表演作品《秤公公》。

10月25日至26日，由上海市民间文艺家协会、浙江省民间文艺家协会、江苏省民间文艺家协会主办的第十届中国上海国际艺术节长三角地区"廊下杯"打莲湘邀请赛中，代表江苏参赛的南京市六合区留左民间艺术团获得唯一金奖。

理论研究

12月20日至22日，省民协主办的江苏省第八届民间文艺"青年论坛"在泰兴举行，共有60人参加并在论坛上发表论文，省文联副主席、省民协主席陶思炎和省民协副主席曹永森分别对发表的论文做现场点评。省民协发起并组织的民间文艺"青年论坛"已成为全国民协系统的一个品牌，多次受到中国文联、中国民协以及省文联领导的好评，影响力越来越大，吸引了国内外许多高校的博士生、硕士生参加，对民间文艺理论的研究起到了很好的推动作用。

江苏省摄影家协会

综　述

2008年,省摄影家协会在省文联党组和书记处的领导下,坚持"二为"方向和"双百"方针,以邓小平理论和"三个代表"重要思想为指导,深入学习实践科学发展观,贯彻落实党的十七大精神和省宣传文化工作会议精神,坚持出作品、出人才、出理论的工作方针,团结广大会员,群策群力、开拓创新,按照省摄协理事会确定的全年工作目标,围绕中心,服务大局,举办多项重大展示活动。成功召开省摄协七次代表大会,促进全省摄影事业繁荣发展;组织会员深入生活,摄影采风创作取得明显成效;举办各类影展、影赛,推出新人新作取得新成果;举办摄影师职业培训,取得新的进展;拓展协会职能,为会员服务的质量有了新的提高;圆满完成了全年工作目标,为加快江苏摄影事业的繁荣与发展作出了新的贡献。

重要会议

省摄协第七次会员代表大会于11月在南京召开,来自全省摄影界的113位代表欢聚一堂,共商江苏摄影事业繁荣发展大计,省委宣传部副部长梁勇,省文联党组书记、常务副主席王慧芬,省文联副主席、书记处书记言恭达,省文联党组成员、书记处书记杨企鹏出席大会并发表讲话。大会审议并通过了《江苏省摄影家协会第六届理事会工作报告》,讨论并修改了《江苏省摄影家协会章程》。大会选举并产生了由40人组成的江苏省摄影家协会理事会,选举产生了省摄影家协会主席团,沈遥为主席,于先云、于惠通、汤德胜、许益民、李培林、赵浏兰、范钦尧、梁玉飞为副主席,推举刘向东为协会名誉主席,聘请许家声、王广林、顾祚维、郑云峰为协会顾问以及马增寅等九位名誉理事。

重要活动

为了充分展示改革开放30年来江苏现代化建设取得的突出成就和带来的巨大变化,颂扬全省人民全面建设小康社会,努力奋斗所取得的辉煌业绩,9月,由省委宣传部和省文联主办,省摄协承办了"辉煌巨变"——江苏省纪念改革开放30年大型摄影图片巡回展。

7月31日,由省文联主办,省摄协承办的"大爱无疆——江苏省支援四川抗震救灾纪实摄影展"在南京举办。展览分"江海驰援""灾情纪实""灾区援救"和"重建家园"四部分展出。

11月,由省文联和省妇联联合主办、省摄影家协会承办的"我家30年"摄影图片展在南京图书馆展厅展出,展出的近200幅图片是从3 000多幅来稿中遴选出来的。

年初,为了反映江苏优美的自然环境和社会

的和谐发展，由省文联主办、省摄协承办的“和谐江苏·美好家园”大型摄影图片展在南京山西路广场展出，展出的280幅作品是在省摄协组织全省摄影家深入生活，采风创作的基础上征集评选出来的佳作，展览连续10天在广场上展出，参观观众近万人，在社会上产生了较大的反响。

文艺创作

生活是创作的源泉，深入生活、贴近生活、贴近群众，感悟时代精神，激发创作灵感，是每一位摄影家进行艺术实践，获得成功的必由之路。2008年，省摄协按照省文联的要求，加大了组织会员深入生活进行摄影创作的力度，多次组织创作活动，取得明显成效。

3月初，在溧水举办梅花节期间，为了扩大省摄协与溧水县政府联合举办的“溧水风情摄影大赛”的影响，让更多的摄影家能够关注溧水和宣传溧水，省摄协邀请了省内的50多位摄影家走进溧水，进行了为期三天的拍摄创作，将溧水的自然景观、社会生活以及溧水梅花节开幕式的盛况和精彩瞬间定格在他们的镜头中，其中有相当数量的作品在后来举办的大赛中入选和获奖。

3月下旬，省摄协在苏州召开六届九次理事会期间，组织全体理事在苏州进行摄影采风创作，理事们深入到苏州金鸡湖畔的苏州新区、东山和西山风景旅游区以及苏州的水乡古镇，感受苏州秀美的景致和改革开放带来的巨大变化，进行摄影采风，拍摄创作了一大批优秀的作品，为全省摄影家深入生活进行摄影采风创作活动拉开了序幕。

4月初，在由省摄协与姜堰市政府联合举办的“淤溪杯”姜堰水乡风情摄影采风和摄影比赛期间，省摄协组织了100多位摄影家深入到姜堰淤溪古镇参加摄影采风创作活动。摄影家们以“淤溪风情”为拍摄主题，拍摄当地的风俗民情和水乡垛田菜花飘香的盛景，用镜头反映了淤溪古镇的建设面貌、水乡美景和人民群众的精神风采，为姜堰淤溪镇留下了一批优秀的摄影作品和影像资料。

5月初，省摄影家协会邀请了省内20位摄影家组成了“美在新江苏”摄影采风团，先后到淮安、连云港、盐城、无锡等地进行摄影采风创作，采风团先后深入到淮安的洪泽湖区和淮安开发区，连云港的港口码头和海岛渔村，盐城的野生动物保护区和沿海滩涂开发区、无锡的城镇新区和太湖风景区进行摄影创作，反映当地城乡建设的繁荣，自然环境的优美，社会和谐和人民生活幸福的崭新面貌，拍摄了数以千计的摄影作品，为后来举办的“辉煌巨变——江苏省纪念改革开放30年大型摄影图片巡回展”奠定了基础。

6月初，省摄协与扬子晚报、句容市旅游局共同组织省内摄影名家分两批赴茅山旅游风光带进行摄影采风创作，对茅山的自然景观、乡镇建设、旅游设施和古迹文化进行多方位的拍摄，拍摄的照片连续在扬子晚报上刊登，为句容的城乡建设和旅游资源开发服务，在社会上起到了很好的宣传效果。

文艺队伍建设

推出新人新作是协会的一项重要工作。2008年，省摄影家协会举办了江苏省第十二期摄影师职业技能培训班，参加培训的169位学员经过10天的培训和考核，获得了国家劳动部统一颁发的高级摄影师的资格证书，这期培训班得到了社会各方面的支持，为社会培养了一批专业的摄影人才。

江苏省书法家协会

综　述

2008年是不平凡的一年。省书法家协会在中国书协主办的展览上再创佳绩，入展、获奖均在全国名列前茅。省书协承办了“奥运情·翰墨缘——江苏省书画名家与体育明星联谊暨书画捐赠活动”“江苏省纪念改革开放30周年美术书法作品大展”“常州书法晋京展”“2008·林散之奖书法双年展”“2008中国书法金陵论坛”等重大活动；苏州、徐州被中国书协第一批授予“中国书法名城”的称号，淮安楚州被授予“中国书法之乡”的称号，南京浦口、昆山巴城成为“中国书协创作基地”；开展了“中国书法进万家——走进阳澄湖、沙家浜”创作采风活动；举办了“陈潮与清代书法研讨会”“胡小石学术研讨会”；组织书法家向四川汶川捐赠书法作品数百件；“八·一”建军节慰问省警卫局公安干警，受到社会各界好评。

重要会议

11月2日，为了纪念泰州籍著名篆刻家陈潮诞辰207周年，由中国书协学术委员会主办，江苏省书协、泰州市人民政府承办的“陈潮与清代书法研讨会”在泰州举行。12月19日，我会与南京博物院、南京大学等单位共同主办了“胡小石学术研讨会”，研讨会期间还举办了“胡小石书法展”。

重要活动

4月6日，我会与美协承办了由省委宣传部、省文联、省体育局主办的“奥运情·翰墨缘——江苏省书画名家与体育明星联谊活动暨书画捐赠仪式”。4月20日至21日，“中国书法名城——苏州、徐州”授牌仪式分别在苏州文庙大成殿广场、徐州李可染艺术馆举行。

文艺创作

2008年，我省书法作者在中国书协主办的专业展览上再创佳绩。“全国首届册页书法展”获奖7人，入展39人；“全国第六届书坛新人新作展”获奖4人，入展35人；“全国第二届隶书展”获奖2人，入展33人；“全国第二届草书展”获奖4人，入展48人，以上入展、获奖人数均在全国名列前茅。此外，我会与中国书协共同主办了“全国第七届现代刻字艺术展”，江苏有3人获“全国奖”，1人获提名奖，71人入展，获奖、入展人数均居全国第一。2月26～28日，由中国书协、江苏省文联、淮安市委、市政府主办，江苏省书协、淮安楚州区委、区政府承办的“翔宇情——纪念周恩来诞辰110周年中国书法家走进楚州创作采风活动”在淮安楚州举行。4月6日，我

会与常州市政府共同主办的“常州书法晋京展”在北京中国美术馆开幕。4月30日上午,“奥运情·翰墨缘——江苏省著名书法家作品展览”在江苏南京省美术馆开幕。6月6日,“2008·林散之奖书法双年展”在江苏省美术馆隆重开幕,江苏宇文家林、李啸和管峻3人获会“林散之奖”,16人作品特邀入展,在全国产生了广泛的影响。7月23日,“大爱无疆——江苏省支援四川抗震救灾摄影美术书法展”在南京图书馆新馆开幕。10月28～30日,“中国书法进万家——全国著名书法家走进阳澄湖、沙家浜”创作采风活动在昆山巴城、常熟举行,昆山巴城“中国书法家创作基地”挂牌。12月5日,“春天的故事·江苏省纪念改革开放三十周年美术书法作品大展”在南京博物院隆重开幕。

理论研究

“2008·中国书法金陵论坛”12月26日至28日在浦口求雨山举行,论坛邀请了国内50位专家学者参加,期间还举办了“金陵四老”书法展、“全国书法名家作品邀请展”等活动。

文艺惠民

8月1日,省文联组织书画家赴江苏省警卫局慰问公安干警,言恭达、张杰、孙晓云、徐利明、李啸等著名书法家当场创作书画作品100余幅。

江苏省杂技家协会

综　述

省杂协在省文联党组、书记处的领导和关心下，深入学习实践科学发展观，全面贯彻落实党的十七大精神，围绕中心、服务大局，根据省杂协的实际工作特点，制定了全年的工作计划，在全年工作中，协会以创新工作思路和灵活的机制，圆满完成了规定项目和自选项目。

重要会议

省杂技家协会第五次代表大会于10月19日至21日在南京召开，来自全省的60位杂技界代表欢聚一堂，共商杂技繁荣发展大计，选举产生新一届省杂协主席团。省委宣传部副部长梁勇，省文联党组书记、常务副主席王慧芬，省文联副主席、书记处书记言恭达，省文联党组成员、书记处书记杨企鹏出席了大会。

自省杂技家协会第四次代表大会以来，全省杂技艺术工作者以"三个代表"重要思想为指导，认真贯彻落实科学发展观，坚持"二为"方向和"双百"方针，坚持"贴近实际、贴近生活、贴近群众"，以高度的社会责任感和历史使命感，积极投身"全面达小康、建设新江苏"的伟大实践，努力用杂技艺术表现时代精神、弘扬民族文化、服务人民群众，涌现了一批德艺双馨的优秀杂技工作者。

中国杂技家协会，各省、市、自治区杂协发来贺电、贺信。省电影家协会副主席陈国富代表省各艺术家协会致贺词。

会议听取并审议了曹志龙代表省杂技家协会第四届理事会所做的工作报告，讨论并修改了《江苏省杂技家协会章程》。大会选举产生了由28人组成的江苏省杂技家协会第五届理事会，选举费广生为省杂技家协会主席，朱伏生、吴其凯、沙雪芬、曹志龙为副主席，推举梁同歧担任省杂协名誉主席，聘请周蔚海担任省杂协第五届理事会顾问。

重要活动

由中国杂技家协会、江苏省文联主办，中国杂协滑稽艺术专业委员会、美国旧金山马戏中心、江苏省杂技家协会、南京市杂技团共同承办的"美式滑稽培训班"于9月18日在南京举行开班仪式，旨在为目前尚处于生长停滞状态的中国杂技中的滑稽艺术培育新绿。

出席此次开班仪式的嘉宾有：中国文联副主席、中国杂协主席夏菊花，中国杂协副主席宁根福、程海宝，中国杂协分党组成员、副秘书长邹玉华、曹建明，江苏省文联党组成员、书记处书记杨企鹏，南京市文化局副局长徐开利，中国杂协滑艺会副主任董争臻、孟凡和，南京市杂技团团长费广生。

来自美国旧金山马戏中心的滑稽表演艺术家琼·梅根女士将在南京收下23名弟子，这些来自全国12个省，基本功扎实的杂技学员将花上一个月的时间，跟外教学习如何把观众"逗乐"。

中国杂技素以精湛的技艺和高难度的动作闻名于世，却缺乏引人发笑的滑稽表演艺术。用行家的话说，中国杂技舞台上不缺超人缺小丑，台下不缺掌声缺笑声。人们看一场2小时的节目，精神一直处于高度紧张状态，没有一刻放松，这一缺憾某种程度上制约了中国杂技的市场扩容。

美国有喜剧大师卓别林，俄罗斯有滑稽大师波波夫……中国杂技界的有识之士一直希望当今中国也能出现具有国际知名度的中国“丑角”。中国观众喜闻乐见的杂技艺术也就是西方人的“马戏”，在国际马戏舞台上，如美国太阳马戏团的每场演出，滑稽戏比例高达40%，小丑幽默滑稽的表演使整台表演妙趣横生。如今国内也有不少活跃在舞台上的滑稽艺术家，像刘全和、刘全利兄弟等。但总体而言，国内的滑稽艺术尚处于停滞状态。

中国文联副主席、中国杂技家协会副主席夏菊花一直对此表示关注，早在十年前中国杂技家协会筹办1998年中国武汉杂技艺术节前，她就亲自向俄罗斯滑稽大师波波夫发出来华访问的邀请，波波夫高兴地欣然应允。但由于当年武汉发生了百年不遇的大洪水，杂技艺术节因此停办，波波夫未能来华，此后阴差阳错，中国观众一次次错失了与波波夫大师见面的机会，直到他如今病卧在床，访华之行终成憾事。在美式滑稽培训班开班仪式上，夏菊花谈起此事，仍然为之动容。夏主席还祝愿滑稽培训班取得圆满成功！祝学员们认真学习，取得优异的成绩！

中国杂技家协会副主席宁根福表示，目前国内的各大杂技院团基本上没有滑稽艺术的位置，专业杂技比赛也将滑稽排斥在外。如今杂技演员不断地向生理极限发起挑战，表演越来越惊险刺激，舞台美术也越做越美轮美奂，但是，颇具亲和力、强调与观众幽默互动的滑稽艺术在国内却呈现出不断萎缩的态势。“这意味着中国杂技是残缺的，我们的舞台不缺掌声，缺的是笑声；不缺‘超人’，缺的是互动者。”宁根福说，自己就曾亲耳听一名外国观众说，尽管中国的杂技难度很高，但是看久了还是让人觉得无聊乏味。

江苏省文联党组成员、书记处书记杨企鹏指出，杂技滑稽的表演既是杂技艺术不可分割的一部分，同时也可以独立于杂技之外，形成滑稽独立的表演艺术。今年初，江苏省文联党组、书记处把举办“美式滑稽培训班”作为省文联今年的30项重点活动之一，将全力为本省杂技界乃至全国杂技同行们开拓杂技工作新思路做好服务工作。

是由于中国人缺乏幽默感，而导致滑稽艺术在中国的发展滞后吗？即将给中国学生开课讲授滑稽表演基本理论的滑稽表演艺术家琼·梅根女士并不这样认为。有38年舞台表演经验的琼·梅根女士对中国杂技赞誉有加：“许多表演在我看来，几乎是不可能完成的，可是中国人做到了。”中国人的难度表演在她眼中几乎成了一个神话。她表示，以自己多年与中国艺术家合作的经验来看，中国人并不像传说中的那么严肃。“重要的是中国文化要敞开怀抱拥抱幽默艺术，逗乐是人们生活中必须的。”

文艺惠民

省杂协充分发挥滑稽的特长，与美国的老师一起编排了杂技滑稽剧《南京一日游》，分别在南京水游城商业广场、南京市南湖二小、金陵中学河西分校、江苏省经贸职业技术学院举行了6场惠民演出活动，现场观众共计5 000多人。这场由美国老师、各省及我省多位杂技艺术家共同打造的精彩表演，受到了在校学生和广大人民群众的热烈欢迎。金陵中学河西分校的一位学生在观后感中写:"同学们都觉得小丑表现得可爱活泼、热情开朗。这一跑,也跑出了小丑文化的开放、平等与自由。有人说'1 个小丑胜过 100 个医生',那么我在想一场精彩的中西合璧的小丑演出,该胜过多少名医生,多少次治疗,多少种药物!衷心感谢此次前来表演的美国旧金山马戏团和中国江苏的艺术团,这一次,中美文化的融合走进校园,下一次,中美文化的融合将走向世界!"

江苏省电视艺术家协会

综　述

2008 年是令人难忘的一年，大事、喜事和难事不断，是极不平凡的一年，我们在困难和挑战面前经受了考验。一年来，江苏省视协在省文联党组领导下，紧紧围绕全党开展的学习实践科学发展观活动，深入学习贯彻十七大精神，进一步增强了用科学发展观统领协会工作的自觉性。在围绕中心、服务大局，面向基层、服务会员，履行职能、践行使命等方面积极开展活动，注重在开拓创新中增强活力，在热情服务中提升凝聚力，在锻造电视文化品牌项目中扩大影响力，在创建“和谐温馨之家”中集合向心力。一年来，圆满完成了三届七次理事会确定的各项任务，为团结队伍、推动创作，促进电视艺术事业的繁荣发展做出了积极贡献。

重要会议

1 月 24 日，江苏省视协在南京召开了三届十二次主席团会议和三届七次理事会议，会议通过增补连云港电视台台长王克法、淮安电视台台长薛涛、盐城广播电视台副台长张标、南京市影视家协会秘书长肖梅 4 位同志为江苏省视协理事。电视是强势媒体，业界是一个十分忙碌的团队，根据这一个性特征，江苏省视协高度重视开好每年一次的主席团和理事会议，这是坚持协会建设正规化，议事、决策民主化的重要体现和途径。

重要活动

6 月—11 月，举行第二届江苏省电视专题片(纪录片)《新农村新农民——江苏农村小康故事》创作作品征集、评比活动。活动突出以“繁荣社会主义先进文化、建设和谐文化，聚焦新农村，走近新农民，发现、记录真善美”这一主题，并以此为切入点、为平台，探索服务新农村建设有效途径。全省共有 10 多家电视台组织近 20 个摄制组，深入实际，深入农村，深入采风(采访)，共摄制 20 多部作品参加本次征集评比活动。经过评委们评比，建湖电视台《我当村官的故事》等 3 部作品获得最佳作品奖，连云港台《猪儿住“别墅”，农民乐开花》等 5 部作品获得优秀作品奖，扬州广电总台《大地飞歌——走进高邮》等 12 部作品获得好作品奖。

6 月—12 月，举办“纪念改革开放 30 年——江苏省改革题材电视剧、纪录片(专题片)作品征集、评选、出版”系列活动。2008 年是改革开放三十年，活动要求作品围绕改革开放大背景，以改革为题材，通过叙述改革开放的生动故事，唱响三十年变迁的创业之歌，艺术地展示中国人民在党的领导下，解放思想，实事求是，开拓创新，

建设美好家园的崇高精神以及追求幸福、构建和谐的心路历程。经过半年时间的发动、组织，全省有20多家电视台(含部队、地方电视制作单位、公司)共选送了20部电视剧、33部纪录片(专题片)参加此次评选活动。经评审委员会评比，电视剧类《双桥故事》《中英街》《干部》《DA师》《春天的故事》《民心作证》《人间正道》等9部作品获最佳作品奖，《深圳人》《农民陈奂生》《我的农民兄弟》《如歌的岁月》《蓝色马蹄莲》等11部作品获优秀作品奖。电视纪录片(专题片)类《中国1978—2008》《共同的见证》《小平您好》《吴仁宝与华西村》《责任》《一位农民与〈农业法〉》《凤图腾》《苏南魂》《激荡三十年》等11部作品获最佳作品奖，《苏通大桥》《跨越》《河那边》《歌者老胡》《晚饭花》等22部作品获优秀作品奖。

11月，中国电视艺术家协会举办的抗震救灾优秀电视节目评选活动在北京举行，江苏省视协积极组织江苏省抗震救灾电视节目共30多部参加。经评审委员会评选，南京台《我们心手相连》、连云港台《牵挂》、无锡台《和你在一起》、扬州台《四川伤员在扬州，贴心关怀慰心田》、镇江台《心路——寻找失落的家园》、宿迁台《连线四川灾区》、南通台《热血融冰战龚山》等16部作品获奖。

参加中国电视金鹰奖，评奖成绩斐然。江苏省视协选送了近30部优秀作品参加第24届中国电视金鹰奖评选、角逐。经过专家评委会评选、中国视协会员和全国观众投票三个环节博弈，我省有11部作品榜上有名，获奖总成绩(数量及档次、级别)列全国各省之首。其中，南京广播电视台摄制的《见证南京大屠杀》在全国200多部参评纪录片中脱颖而出，一举摘得最佳长篇电视纪录片桂冠，这是全国唯一一部赢得最佳奖的长篇纪录片。江苏省广电总台等联合摄制的《孝子》《不能没有她》《那时花开》，徐州广电总台的《老柿子树》，苏州广电总台的《笛声何处》等5部作品获得长篇和中短篇电视剧三等奖，获奖数量居全国各省领先地位。《见证南京大屠杀》荣获最佳长篇电视纪录片奖(一等奖)，省广电总台等摄制的《昆曲六百年》荣获长篇优秀纪录片奖(二等奖)，扬州广电总台摄制的《晚饭花》获好作品奖(三等奖)。省广电总台的《感动2006——中国十大真情故事评选颁奖晚会》荣获优秀文艺节目奖(二等奖)，扬州广电总台的《春江花月夜——大型综艺情景晚会》获好作品奖(三等奖)。省广电总台摄制的《哈皮父子》获优秀作品奖(二等奖)，省广电总台孟非、南京广播电视台东方两人还获得节目主持人提名奖。

本年，中国金鹰电视艺术节组委会举办第七届中国金鹰电视艺术节电视艺术论文(分理论、评论两部分)评选活动，江苏省视协组织省、市电视台以及有关院校电视理论工作者遴选作品踊跃参评。全国共收到参评文章231篇，我省占有20篇，经评委会评选，南京大学周安华的《论当代中国电视剧意识形态“世俗化”选择——以电视连续剧〈红粉〉为例》，连云港电视台宫海洋、刘超的《如何把握好影视作品语言关》获理论类二等奖(共12个奖额)；南京师范大学白小易的《论新历史主义电视剧的兴起与创作策略》，南京大学康尔的《论国产电视剧表述策略的调整与变化——以“福纳出品”为例》获理论类三等奖(共26个奖额)。省广电总台张进伟的《〈赛事周末大“屏”点〉体育与娱乐的嫁妆》获评论类二等奖(共10个奖额)，陈辉、王卫军、李钢的《〈士兵突击〉:收视率VS满意度》获评论类三等奖(共16个奖额)。

10月20～25日，《“东南花都杯”全国十省市电视主持新人大赛》由福建省视协在漳州举办，江苏省视协拨出专门经费并邀请南京市视协共同主持省内选手选拔。经广泛动员、宣传，省有关院校、影视专业学生共200多人报名参加初赛，18人参加决赛，最终选出6位来自中国传媒大学南广学院、南京师范大学、南京艺术学院的选手代表江苏省赴漳州参赛。通过比赛，取得一等奖1名、二等奖1名的优异成绩。

12月，中国视协举办的全国优秀电视剧编剧、导演、出品人推选活动在北京揭晓。江苏省视协积极开展组织和推荐工作(共推荐出品人2人，导演3人，编剧1人)，经推选委员会评议并无记名投票,江苏省视协主席、江苏省广电总台台长周莉,江苏省作家协会副主席、作家周梅森,南京军区政治部文工团艺术指导邵钧林,政委黄继胜获优秀出品人或优秀编剧称号。

理论研究

2008 年,在促进电视艺术理论创新,推动科学的电视艺术评论健康发展,鼓励电视艺术研究领域出成果、出人才等方面,江苏省视协组织江苏省电视理论工作者取得了丰硕的成果。中国金鹰电视艺术节组委会举办第七届中国金鹰电视艺术节电视艺术论文(分理论、评论两部分)评选活动,江苏省视协选送了 20 篇,经评委会评选,共有 6 篇论文获得各类奖项。

文艺队伍建设

1 月 24 日,第五届江苏省十佳电视艺术家评选在南京揭晓。江苏省十佳电视艺术家评选是江苏省电视界积极营造崇德尚艺良好风气,加强德艺双馨电视艺术队伍建设的重要措施,同时也是为推荐省电视艺术界优秀分子参加中国电视“德艺双馨”艺术工作者的评选活动储备人才。江苏省电视艺术家协会在全省各团体会员单位民主推荐基础上,经江苏省视协主席团审议评选并无记名投票,决定授予江苏省广电总台万莉,苏州广电总台孙欣,无锡广电集团(台)严克勤,扬州广电总台张红军,南京广播电视台周进、张建宁,江苏省广电总台柳嘉,连云港广电局杨增泰,江苏省广电总台蒋文博,南京军区政治部前线文工团嵇道青(以姓氏笔画为序)10 位同志为第五届江苏省十佳电视艺术家光荣称号。

文艺交流

6 月,第三届中俄电视合作论坛于 2008 年 6 月在上海举行。本届论坛主题为“回顾与展望”。中、俄两国共有 80 余名电视业内人士、专家、学者参加了论坛。江苏省视协秘书长魏云辉、南京广播电视台专题部主任吴建宁、连云港电视台副台长张琦、省广电总台海外拓展部主任仇园园应邀出席论坛并作了大会发言。

9 月,“第八届中日韩电视制作者论坛”在日本福冈举行,主题为“年青人”。江苏省视协选派了省广电总台高王珏、无锡广电集团(台)刘军、苏州广电总台李国荣、扬州广电总台张红军等 4 位青年电视艺术工作者随中国电视艺术家代表团赴日本出席。他们在日本期间出席了主题演讲会、作品观摩、主题讨论和分组交流等活动,通过与日、韩同行相互交流,开阔了眼界,丰富了知识,增进了友谊。

自身建设

年初,江苏省视协下发《关于发展新会员的条件和程序》的通知,进一步加大个人会员的发展力度。全年共发展省级会员 43 名,推荐发展中国视协会员 15 名。截止 2008 年 12 底,我省有省视协会员 1 018 名,中国视协会员 380 名,中国视协会员数在全国各省(市、区)中名列第二位。

江苏省文艺评论家协会

综 述

2008年,江苏省评论家协会在省文联党组、书记处和协会主席团的正确领导下,以党的"二为"方向和"双百"方针为指导,认真学习实践科学发展观,坚持"围绕中心,服务大局",积极开展理论研讨、学术讲座、文艺评论等活动。组织评论家对省内外的文艺家、文艺作品和文艺现象进行理论研究和分析,并且注重理论评论成果的积累与应用,努力为文艺创作服务,为艺术家服务,为会员服务,使省评协成为广大文艺评论工作者的温馨之家、艺术交流之家,为推介优秀文艺家与优秀文艺作品,促进学术研究、创作繁荣而努力,较好地完成了全年各项工作任务。

重要活动

省文艺评论家协会以"批评的现状与对策"为题,召开在宁中青年文艺评论家座谈会。省文联党组原副书记、书记处原书记高以俭,南京大学文学院教授、省文艺评论家协会主席董健,中国美术家协会理论委员会副主任、省文艺评论家协会副主席马鸿增,省作家协会研究员、省文艺评论家协会副主席黄毓璜,省文艺评论家协会副主席陆建华,省文艺评论家协会秘书长汪政,以及毛贵民、王卫军、张光芒、黄发有、傅元峰、何言宏、贺仲明、何平、张宗刚、李美皆、李静、徐晓华、孙宜君、贾冀川、陈积德、韩丛耀、李芹、聂危谷、倪建林、黄正明、张其凤、万新华、石延平、任大庆、衡正安、路璐、商勇、王雪峰等30多位文艺评论家参加了座谈会。

与会的文艺评论家对当前文艺评论的状况作了分析,充分肯定了文艺评论的作用,同时重点对文艺批评中的不正常现象提出了批评:

一是评论的浮泛化、随意化。许多评论脱离具体的作品与现象,流于一般化,满足于程式化的表述和玩弄概念的游戏。不从艺术规律出发,不管是什么体裁,什么艺术样式,什么艺术个性,到了评论家的笔下都是一副面孔,既不能给作者启发,对欣赏者也无教益。

二是缺乏公正性,走极端。不是捧杀,就是骂杀。将人情关系与个人恩怨、门派之争带进文学艺术领域,使文艺评论走向了庸俗化,成了不良社会风气的奴隶和附庸,丧失了文艺评论的品格和评论家的独立人格。

三是传媒化和商业化。许多评论家对文艺评论空间的萎缩与阵地的减少感到忧虑。现在,文艺评论正在被娱乐化的炒作所代替,对明星、隐私的兴趣远远超过了文艺创作与文艺作品本身,而正常的文艺评论却难有通畅的渠道。

与会的评论家们认为,批评变味缘于浮躁。"今天的批评家面临着很大的金钱诱惑。"文艺评论家陆建华说,现在很多企业家喜欢写文章,他有的是钱,作品研讨会的规格超过了真正的作家。很多批评家参加这类研讨会,说的都是庸俗的吹捧语言,而真正的有价值的文艺家和作品却被忽略了。南通有位画家尤无曲,96岁逝世,画了92年,画得很不错。他年轻时办画展,连齐白石都去捧场,且当场掏钱买了他的画。但他却长期名不出乡里,得不到评论家的关照,这种事情是非常令人遗憾的。

如今的各类作品研讨会特别多,很多批评家忙于赶场子,拿红包。南大文学院教授黄发有说，一些评论家参加研讨会，其实他根本没有读过作品。开会之前，他临时看一下作品开头和结尾，会上就号称“里程碑式作品”。这类批评缺少独立性和公正性，属于人情批评，是没有价值的。它不仅不能促进创作，反而会误导公众。

哗众取宠的言论多，折射了批评家的浮躁。各种有关文化名人的奇谈怪论，如李白是古惑仔，孔子是私生子，“章子怡与孔子一样伟大”之类。“这些话竟出自以严谨著称的学院派，真的不可思议，”南师大文学院陈吉德认真地说，“但这些评论发表后，网上点击率很高，一天都有几十万，一些学者批评家因此一夜成名。他们是出名了，但严重影响了批评家在公众中的形象”。

南理工新闻系教授孙宜君分析，这种哗众取宠的批评是急功近利的表现，因为现在人们的阅读量太大了，如果不语出惊人，就不能迅速引起关注。严格地说，这种评论不是真正的文化批评，因为它缺少指导性、前瞻性。

娱乐炒作多，加剧了批评阵地的萎缩。“20世纪80年代，江苏每个市都有报纸和杂志发表文艺评论，评论家们可方便地发表自己的观点和文章。但现在，全省只有两三家杂志还登文艺评论了。文艺评论的话语平台少了。许多传媒对娱乐的炒作与追捧，加剧了文艺评论生存的困难。”陆建华的一番话，让在场很多人都有同感，他们对文艺评论空间的萎缩和阵地的减少都感到忧虑。南理工人文学院的张宗刚透露说，现在一些青年评论家要发表自己的评论非常难，很多人不得不节衣缩食，把钱拿去交版面费。

尽管如此，著名评论家、南京大学教授董健还是鼓励青年评论家们：相对过去而言，现在的文艺评论空间还是很大的。我们评论家自己要坚守理想和良知，坚守对艺术价值的公正判断，才能获得公众的信任。尤其是江苏的青年评论家，要敢于对文艺界一些不正之风“说三道四”，不放弃属于自己的话语权，树立起江苏批评家的整体形象。

座谈会上，省文艺评论家协会秘书长汪政还宣读了《2005—2006 江苏省文联文艺评论奖获奖篇目》。

江苏省文联文艺评论奖是省文联的常设奖项，与中国文联文艺评论奖同年度举行。本次江苏省文联文艺评论“双年奖”，共有 26 篇文艺评论分获一、二、三等奖。

江苏省动漫艺术协会

综　述

2008年江苏省动漫艺术协会在省文联党组、书记处的正确领导下，认真贯彻落实科学发展观，围绕中心，服务大局，克服了人员少、资金短缺等诸多困难，较好地完成了任务，其中“2008江苏省商业吉祥物原创设计大赛”获得省文联2008年度优秀文艺活动评比三等奖。

重要会议

7月23日，省动漫艺术协会召开一届三次理事长会议，主要议题为：

(1)讨论协会届内主要工作规划及工作运作机制，讨论协会组织机构的设置与副理事长的分工，明确各委员会负责人及工作职能，拟设教育培训委员会、产业发展委员会、艺术研究委员会、网络游戏委员会、传媒推广委员会。

(2)讨论组织发展工作，增(替)补副理事长、理事(会员)单位。

(3)讨论会费的交纳形式与标准。

重要活动

年初，协会对江苏省动漫艺术初、中、高级资格条件的评审细则试行方案进行了反复调研、制定和论证。

5月12日汶川地震发生后，协会紧急行动并组织在宁的动漫艺术家代表向贫困灾区捐款现金7千余元，发放抗震救灾主题T恤600件。

12月24日至28日，第二届国际东方动漫节由江苏广电总台、江苏省动漫艺术协会主办，南京光和热文化传媒公司承办。本次动漫节以动漫狂欢与圣诞嘉年华为主题，引进了文化部国家动漫游戏产业振兴基地的品牌，举办了中国国际动漫游戏博览会南京巡回展。

12月29日，由江苏省文联主办，省动漫艺术协会、省动漫艺术协会发展推广中心、南京邦石文化艺术有限公司联合承办的2008江苏省商业吉祥物原创设计大赛获奖作品展暨“江苏省动漫艺术协会发展推广中心”揭牌，《江苏动漫》官方网站正式开通，在南京晨光1865科技创意产业园举行了隆重的庆典。

各团体会员（二）

南京市文学艺术界联合会

综　述

2008年，是全面贯彻落实党的十七大精神和南京市第八次文代会精神的第一年，是纪念改革开放30周年和举办北京奥运会的重要一年。南京市文联在市委、市政府的领导下，在江苏省文联和南京市委宣传部的指导下，推动文艺创作，培养文艺人才，开展文艺活动，促进文艺交流，成功举办了“金陵五月风”2008南京市文学艺术节，经过充分的准备和一个月的集中展示，共举办了4大类40余项重点活动，受到社会各界的广泛好评。据不完全统计，约有15万人参与了此次文艺节的各项活动。市文联积极参与了第四届世界城市论坛和第三届中国·南京历史文化名城博览会，为名城会征集会歌，承办了“盛世华章·翰墨名城”纪念改革开放30周年南京名家书法篆刻精品展、“梅之韵”摄影艺术作品展、“2008中国·南京第二届民间艺术节”、日本代表书家樱花书法作品展、“金陵风”中国画精品展等一系列活动。市文联带领文艺界以文艺的形式促进科学发展、支援抗震救灾、创建文明城市、推动文化惠民、建设文化南京，在全市中心工作中发挥了文学艺术凝聚人心、促进和谐的重要作用。

重要会议

1. **南京市文联八届二次全委会**。

1月17日，南京市文联召开八届二次全委会，全市文联120名委员出席了会议。南京市委常委、宣传部部长、市文联主席叶皓，江苏省文联党组副书记、书记处书记高以俭到会并作重要讲话。南京市文联党组书记、常务副主席张玉宝代表市文联主席团作工作报告，对2007年的工作进行总结，对2008年的工作进行了部署。会议增补陶琪同志为市文联副主席，增补黄俊等3位同志为市文联委员。会议表彰了2007年全市文联工作先进集体和先进个人，表彰了 2007 年市文联争创品牌工作先进项目。

2. 南京市基层文联建设工作会议。

3 月 25 日，南京市基层文联建设工作会议在江宁区禄口街道召开，全市区县文联、企业文联、部分街道文联、行业协会文联负责人参加了会议。南京市文联副主席赵浏兰同志全面总结了去年基层文联的工作，并对今年基层文联的建设工作进行了部署。江宁区文联等就举办有特色有亮点的活动、抓文艺精品创作、人才队伍的培养、丰富群众文化生活等作了专题发言。市文联党组书记、常务副主席张玉宝结合当前文艺事业发展的新形势，对全市文艺工作提出了新要求。

3. 南京作家鲁敏作品研讨会在京召开。

5 月 12 日，南京作家鲁敏作品研讨会在北京召开，该研讨会由中国作家协会《小说选刊》杂志社、江苏省作家协会、南京市文联联合主办。

中国作家协会党组成员、书记处书记杨承志，江苏省作家协会党组副书记、副主席范小青，江苏省作家协会副主席赵本夫、储福金，市文联副主席孙尔台，著名作家张洁、徐坤，评论家孟繁华、贺绍俊、李建军、汪政，《人民文学》主编韩作荣、鲁迅文学院常务副院长胡平等出席了研讨会。会上，大家就鲁敏的创作成绩、创作风格、创作走向等问题展开了深入的讨论，对鲁敏创作中存在的问题也坦诚地提出了意见和建议。

4. 南京电视台重大历史题材作品创作研讨会。

5 月 22 日，由南京电影电视艺术家协会策划并具体承办的《历史的记录与见证——南京电视台重大历史题材作品创作研讨会》在南京举行。

研讨会由南京影视艺术家协会副主席陈民泽主持，中国电视纪录片学会会长刘效礼、中共中央文献研究室主任廖心文、中共中央党史研究室主任刘益涛以及上海电视台纪实频道艺术顾

问朱贤亮、南京师范大学文学院教授沈国芳、南京航空航天大学艺术学院教授屈雅红等30余人出席研讨会并作了主题发言。会上,南京影视艺术家协会主席陈梦娟,南京广电集团党委副书记、南京广播电视台副台长陈炜代表主办方讲话。市文联党组书记、常务副主席张玉宝代表市文联对这次学术研讨会的成功举办给予了高度评价。

5. 2008 **南京舞蹈创作研讨会**。

2月29日,2008南京舞蹈界创作研讨会在南京市文联召开,南京舞蹈界40多名舞蹈家参加了会议,来自全市专业、艺术类高校、职教、幼教等舞蹈代表分别就各自的创作工作进行了交流,就新一年的舞蹈创作工作提出了规划,提出对舞蹈的创作及表现形式应加入现代手法并具有创新意识。会上明确舞蹈界应加强团结协作精神,集合专业、群众的力量搞精品创作,共同推进舞蹈事业的繁荣发展。

6. **南京市音协音乐创作会议**。

3月21日,南京市音协召开2008年音乐创作工作会议。音乐家们广泛交流,并表示要抓住机遇,深入民间采集鲜活的民歌素材,积极、巧妙地利用本土音乐元素,创作出人们喜爱的音乐作品。

重要活动

1. **“金陵五月风”大型文学艺术节**。

本次艺术节为南京市十大节庆活动之一,由南京市文联主办。今年紧紧围绕纪念改革开放30周年、迎奥运和支援抗震救灾三大主题,经过充分的准备和一个月的集中展示,共完成了文艺演出、展览、研讨等40多项活动,市、区县文联,企业文联,市各文艺家协会及相关单位携手参加,约15万群众加入到文艺节的各项活动中,受到文艺家、社区群众、农民兄弟的热烈欢迎,充分体现了文联系统的凝聚力和战斗力。

南京市委常委、宣传部长、市文联主席叶皓,副市长王咏红,市政协副主席俞明、邹建平,江苏省文联副主席、书记处书记言恭达,省文联党组成员、书记处书记杨企鹏,省文化厅副厅长高云等出席各项活动。

2. **南京文艺界抗震救灾大型活动**。

5月25日,由南京市文联主办,市音乐家协会、市群艺馆、鼓楼区文联承办,鼓楼区文化馆、市合唱协会(筹)协办的“我们在一起”南京文艺界抗震救灾献爱心大型广场活动在山西路广场隆重举行。南京市委常委、宣传部部长、市文联主席叶皓,市政协副主席、市音乐家协会主席、南京艺术学院音乐学院院长邹建平,市委宣传部副部长张俊等出席了本次活动。

演出现场,还进行了支持抗震救灾募捐活动。市领导、市文联负责同志和我市文艺界各领域的艺术家纷纷登台为四川汶川地震灾区捐款捐物。据统计,现场共募得善款28万余元,各企业通过活动先后捐款1 800万元,这些捐款已通过市红十字会转给灾区人民。

3. **南京美术家二十人精品展**。

5月9日,“金陵五月风——南京美术家二十人精品展”在南京美术馆开幕。展览展出了朱道平、吴为山、张伟等20位美术家的100余幅国画、油画、版画、雕塑和水彩画作品。画家们以自己擅长的绘画语言和不同的艺术风格体现了时代发展的特征,表达了人与自然,人与社会相处、相融的和谐之美。

4. **纪念南京改革开放30周年纪实摄影作品展**。

5月16日,由南京市文联主办、市摄协承办的“我看南京新面貌——纪念南京改革开放30周年纪实摄影作品展”在南京美术馆展出。

此次展览共收到摄影作品2 214件(组),摄影作者有机关干部、军人、工人、农民、在校大学生,还有已退休的白发老人。经过省、市专家的评选,共有150幅作品入选本次展览,其中的10幅作品被评为佳作奖。图片反映了我市改革开放30年来经济发展、城市建设、人民生活、环境风貌等方面的巨大变化,无论是纪实性还是艺术性,都是上乘之作。该影展在美术馆结束后,又赴全市各区县、部分企事业单位进行巡展,并出版了《我看南京新面貌》画册。

5.**李味青百年诞辰遗作展**。

5月28日,由南京市文联、南京市文化局主办的李味青百年诞辰遗作展在太平天国历史博物馆展出,副市长王咏红等为画展剪彩。

李味青的笔墨包含着极大的人文内涵,既承载着传统的精粹,又凝结着画家的人生沧桑,传递着时代的气息,同时还体现了画家激昂向上、无拘无束的个性气质。在宁的著名画家、美术理论家召开了作品研讨会,《李味青写意花鸟画集》同时出版。

6.**纪念改革开放30周年南京名家书法篆刻精品展**。

11月2日,"盛世华章·翰墨名城——南京名家书法篆刻精品展"在南京美术馆开幕,此次展览由南京市文联主办,市书法家协会承办。南京市委常委、宣传部部长叶皓,市人大副主任张宁生、市政协副主席俞明,市委宣传部副部长张俊,省文联副主席、书记处书记言恭达,省文联副主席赵绪成,省书协副主席徐利明、孙晓云等,以及市文联、市书协领导出席了开幕式。书法爱好者300余人参加了开幕式并观看了展览。

该展汇集了南京地区的145位书法(篆刻)家的作品,作者中既有艺术成就卓著的著名书法家,也有年轻有为的后起之秀。展览作品思想内容积极向上,表现形式丰富多彩,既有气势磅礴的巨制,也有俊逸清丽的小品;既有传统精神的发扬,更有创新意识的彰显。讴歌了改革开放30年来的巨大成就和深刻变化,抒发了艺术家的个性追求和审美情趣。同时,主办方还编印了《盛世华章·翰墨名城——南京名家书法篆刻精品展作品集》。

7.**2008中国·南京第二届民间艺术节**。

11月4日上午,2008中国·南京第二届民间艺术节在夫子庙大成殿广场开幕。这是南京市第三届名城会系列活动之一,由南京市文联、秦淮区人民政府、南京广播电视集团主办,南京市民间文艺家协会、秦淮区委宣传部、秦淮区文化局、秦淮区文联等单位承办。市委常委、宣传部部长叶皓,市人大副主任金实、副市长王咏红、市政协副主席俞明等参加了艺术节开幕式。

本次艺术节为期5天,主要活动有:展现南京、韩国及我国东北地区优秀民间歌舞表演,体现群众广泛参与的百人风筝放飞及抖嗡表演,宣传普及民间艺术知识的名家讲坛,展示传统工艺的民间美术展、民间工艺现场展示和秦淮灯彩摄影作品展等七项活动。

8.**"梅之韵"摄影艺术作品展**。

11月4日,"梅之韵"摄影艺术作品展在南艺美术学院展览馆开幕。该展览为南京第三届名城会系列活动之一。市领导李福全、邹建平等为开幕式剪彩。摄影家和广大市民、学生200余人参观了展览。"梅之韵"摄影艺术作品展是我市首个梅花专题展,展出了124幅来自我市各行各业的摄影家的作品,充分展示了南京市花梅花的美丽和气节。

9.**"金陵风"中国画精品展**。

11月6日,由南京市文联、江苏省美术家协会主办的"金陵风"中国画精品展在南京美术馆展出。此次共收到画家选送作品290余件,主办方本着"传统——生活——创新"的宗旨,评选出80幅作品参展。这些作品表现手法多样,既有层峦叠嶂、万壑争鸣、群峰茂林、气势磅礴的山水画,也有喜唱春花、清风拂竹、香远溢清的花鸟画。广大作者从现实生活中取材,又注重创新,反映出画家对金陵画风的继承和对真善美的追求。画展还特邀了一些江苏著名画家的作品同时展出,为本次“金陵风”中国画精品展增添了新亮点。

10. **南京戏剧家走进句容**。

3月14日,“南京戏剧家走进句容”电视文艺晚会在句容举行。艺术家们献演各自的拿手好戏,声情并茂,使整台晚会高潮迭起,精彩纷呈,赢得句容观众的一片叫好声。南京市政协原主席汪正生,句容市委、市政府和人大、政协的主要领导人出席了文艺晚会。

文艺创作

1. **第六届南京市文学艺术奖获奖名单揭晓**。

南京市文学艺术奖是由中共南京市委、南京市人民政府颁发的南京市文学艺术专业奖项,每三年评一次。经第六届市文学艺术奖评委会评选,评奖组委会审核,市委、市政府决定授予电视剧《香樟树》等9部作品荣誉金奖,历史散文《秦汉罗马》等10部作品金奖,诗集《屏子的诗》等16部作品银奖,散文集《单身母亲手记》等28部作品铜奖,南京市话剧团等11家单位组织奖,长篇小说《城市中校》等35部作品提名奖。

2. **南京作家与江苏省作协签约**。

4月8日,在江苏省作协举行的签约作家与重点扶持项目签约仪式上,南京作家占绝对优势。在全省9名签约作家中,南京市作家鲁敏、黄孝阳、王传宏、李强、李凤群、李萍占了6名。顾前、雪静的作品也入围了全省10部签约作品。

3. **组织文艺家采风**。

2008年,市文联在以往文艺采风的基础上,组织近200名文艺家,分成10支队伍奔赴祖国各地采风,引导文艺家深入生活积累丰富的创作素材,推动社会主义文化大发展大繁荣。采风活动大大激发了艺术家们的创作热情。市影视协举办了贵州采风纪实摄影展,南京电视台《标点》和《生活110》播出了这次采风的专题片。市美协举办了《寄情陕北——采风作品汇报展》。

4. **第三届紫金山文学奖揭晓,南京作家成绩斐然**。

11月10日,江苏省第三届紫金山文学奖颁奖仪式在南京举行。紫金山文学奖是我省最具权威的文学大奖,也是全国颇具影响力的省级文学奖之一。从本届开始,紫金山文学奖从五年一届改为三年一届,全面展示了2005年至2007年间江苏文学创作令人瞩目的成就,毕飞宇的《平原》、苏童的《西瓜船》、叶兆言的《陈旧人物》等46部作品获得殊荣,获奖作品是从申报的221部作品中遴选出来的。

5. **南京市文联举行第13届签约作家仪式**。

11月20日下午,邹雷、李伶伶、申赋渔、李美皆、雪静、李子悦、周荣耀、章红、赵锐、姚世仁、谢峰等11人与南京市文联签约,从而成为南京市文联第十三届签约作家。此次签约题材丰富,有大型文化纪录片、人物传记、文学理论研究、长篇小说、儿童文学、随笔集等。

6. **南京市书协副主席苏金海印拓作品搭载“神七”飞天**。

9月25日,南京市书协副主席、书法家、篆刻家苏金海的印章作品搭载神舟七号载人飞船飞向太空,苏金海因此成为我市有幸获得此项殊荣的唯一书法家。

7. **作品获奖**。

2008年,是近年来南京市文艺创作,尤其是文学创作成绩最为突出的一年。在我省最具权威的文学大奖“紫金山文学奖”的评比中,南京作家成绩斐然。鲁敏《逝者的恩泽》、周伟的《大马一丈高》获中篇小说奖,朱庆和的《在集市》获短篇小说奖,傅宁军的《吞吐大荒》获报告文学奖,冯亦同的《紫金花》获诗歌奖,格格获新人奖,我市获奖数位列全省各市之首。市文联签约作家傅宁军的作品《吞吐大荒:徐悲鸿寻踪》获得第五届全国报告文学大奖,这是南京作家首次获得此项全国性报告文学大奖。在《人民文学》和《南方文坛》组织的“第七届青年作家批评家论坛”上,鲁敏被授予“年度青年作家”称号。鲁敏中篇小说《逝者的恩泽》获得首届“中国小说双年奖”。姚鄂梅的短篇小说《秘密通道》获得《人民文学》优秀短篇小说奖。兰兰诗歌《梦游天姥》获得全国诗歌散文大赛奖。在2008年度“中国最美的书”的评比中,南京市文联签约作家李伶伶的《梅兰芳与孟小冬》、申赋渔的《不哭》荣列其中，获奖图书将代表中国参加2009年度德国莱比锡“世界最美的书”评选。冯亦同的《金镶玉的节日》、蔡宁的《圣火，腾起心灵的火焰》入选北京奥组委主办的《2008奥运诗选》。

我市各艺术门类的创作也取得了可喜成绩。市舞协主席应志琪主创编导的大型舞剧《牡丹亭》在北京首演，受到广泛好评。在中宣部牵头组织的全国优秀流行歌曲创作大赛中，由市音协组织创作报送的《迷彩八〇后》《中国，你好》和《蓝色梦想》3首歌入围江苏赛区10件优秀作品，入围作品总数名列全省之首。由市民协和六合留左民间艺术团组织创作的民间舞蹈《打莲湘》在上海第十届艺术节上获得唯一金奖。在中国书协主办的全国第七届刻字艺术展上，我市14位书法家的作品入展，李志勤获“全国提名奖”。我市的刻字艺术取得了新的突破和跨越发展。顾光明、杨家良的作品在全国第七届工笔画大展中荣获三等奖，我市画家许晓鹏油画《建设者》入选全国“金陵百家”油画展，6幅作品在江苏省改革开放30周年美术作品展中获奖，19幅作品在江苏省第二届美术新人新作展中获奖。由我市影视家协会参与组队的江苏代表队在全国电视主持新人大赛总决赛中获得一等奖1个，二等奖1个，奖次列十省市之首。贲道春、吴志忠、屠国啸、刘晓光获江苏省第四届“金瞬奖”，我市摄影界在全省各市获奖数位列第一。在江苏省大学生艺术比赛中，《春舞江南》《我生长的地方》获得特等奖，《娇子》《她们》获得一等奖。在江苏省“莲花杯”第二届少儿舞蹈新作品比赛中，市舞协组织创作的《水乡妞》《可爱的米老鼠》获金奖，《天鹅与米老鼠》获银奖，《小书童》《爱的翅膀》《球迷拉拉队》获铜奖。《梨园俏妞妞》获第四届小荷风采比赛金奖。张方林等8位民间艺术家在江苏省政府第四届工艺美术大师评选中被评为工艺美术大师和工艺美术名人。

8. **南京作家鲁敏新书首发式。**

10月30日，南京作家鲁敏的新书《纸醉》和歌手苏云的新专辑首发式在新街口新华书店举行。市领导叶皓、市委宣传部副部长张俊及宣传文化系统各单位负责人出席首发式。此举是我市培养、宣传文艺新人的重要举措。

9. **南京市书协举办“金陵书法讲坛”推动创作。**

7月25日，市书协在市文联开设“金陵书法讲坛”，邀请金竺雨主讲“书法与中国文学”，俞律主讲“书法与诗词”，书协会员中有400多人次出席报告会。“金陵书法讲坛”是南京市书协长期举办的学术活动，是一个全力打造的文化品牌。

10. **“名城颂”诗词赋联征集。**

为迎接在宁举行的第三届世界历史文化名城博览会，由南京市文联、南京日报报业集团主办，南京市作协、南京诗词协会承办的“名城颂”诗词赋联征集活动历时2个月，面向广大市民公开征集，收到大量来稿，体裁包括古体诗词、赋、楹联，内容富有金陵文化特色，有山水园林之趣，富有时代气息，兼具传统底蕴，集中反映南京作为“人文绿都、博爱之都、历史名城、现代都市”的特色，借古诵今，传承文化，为名城会渲染了更多的文化氛围。部分优秀作品在《南京日报》刊出后，受到好评。

11. 2008 **中国南京历史文化名城博览会会歌征集。**

征集活动由中国南京世界历史文化名城博览会组委会主办，南京市音乐家协会、金陵晚报社和龙虎网承办。9月份启动后，共收到应征歌曲130余首，经市民投票、专家评选及名城会组委会的审定，歌曲《名城会金陵》(木木作词、赵春作曲)被选定为名城会会歌，歌曲《南京，你好》(董春作词、惠培峰作曲)，《以诚会友》(宋青松作词、王华作曲)，《与世界握手》(刘爱斌作词、齐国作曲)，《我爱你，南京》(俞华作词、常畅作曲)获得优秀歌曲奖。

文艺队伍建设

2008年，是我市基层文联工作成绩最为突出的一年，全市文联工作的新局面初步形成，即形成了市文联领导下，9个市属文艺家协会、6个市属文艺事业单位、13个区县文联，18个街道文联，11个企业文联、1个区级行业文联、1个区级企业文联的新局面。

文艺惠民

1. **南京市文联送文艺下乡**。

1月7日,南京市文联组织近70名文艺工作者冒着严寒,来到高淳县桠溪镇瑶宕村,送去了优秀的精神文化产品和精彩的文艺节目,受到农民兄弟的热烈欢迎。

1月中旬,市文联又组织艺术家赴六合农村慰问,受到热烈欢迎。市文联送文艺下乡活动已举行了十余年,并呈现出贴近农民需求、内容丰富多彩、形式不断创新等特点,得到了农民兄弟的普遍好评。文联也在全心全意为人民服务的过程中锻炼了队伍,树立了良好的社会形象。

2. **南京市作协送诗进大学**。

3月28日,市作协组织作家、诗人前往南京理工大学,举办"和平的春天"新诗朗诵会,南京诗人孙友田、王盛、邓海南、王德安、陈咏华、冯亦同、叶庆瑞等参加活动,并各朗诵了一首自己写的与春天、和平有关的诗歌。爱国诗歌激起了大学生们的爱国情怀,受到在校大学生的欢迎。

3. **南京市舞协送舞蹈入校园**。

5月13日,"金陵五月风——激情奥运、飞舞旋律"舞蹈艺术走进校园专场演出在东南大学九龙湖校区大礼堂举办。演出包含了古典舞、民族民间舞、国标舞、街舞、踢踏舞等,形式生动活泼,构思精巧独特,受到了大学师生们的热烈欢迎。

4. **南京市剧协举办戏曲邀请赛**。

5月29日,"金陵五月风"——南京市区县戏曲邀请赛颁奖晚会在江宁区湖熟街道举行。该活动历时2个月,得到全市13个区县的积极响应,取得圆满成功。在颁奖广场演出中,获奖选手和我市戏曲名家表演了精彩选段,为当地群众送上了一道精美的戏曲大餐。

5. **南京市书协举办书法培训班**。

4月和12月南京市书协分别举办了两期市级机关局以上干部书法培训班,参训人数达160人次。协会合理科学地安排教程和教材,努力为培训班提供良好的保障和服务,并选配了优秀的辅导教师,教学质量和辅导方法得到了参训人员的一致好评和赞赏。

文艺交流

1. **南京书画艺术家访问韩国大田**。

4月13日至18日,南京艺术家代表团在南京市文联副主席刘惠敏的带领下赴韩国大田市进行书画艺术交流访问。大田市行政副市长朴赞宇和议长金荣观分别会见了代表团一行,共同回顾了南京和大田建立友好城市以来在科技、经济、教育等领域的交流,尤其是近年来双方在文化方面的互访,为两国及两市人民的友谊做出了积极贡献。

14日下午,"第十三届大田·南京书画交流展"开幕式及画册首发式在燕亭国乐文化会馆举行,此次展览共展出两市书画家120幅书法、美术精品,大田市有关方面的领导和百余名书画家参加了开幕式,大田电视台、《大田日报》等媒体报道了开幕式的盛况。代表团在大田访问期间,南京的书画家们与韩国书画家进行了交流笔会,互相切磋书画技艺,畅叙友情。代表团还参观了大田市政府、市议会、大田美术馆以及青瓦台等名胜,留下了美好的回忆。

2. **南京上海青年书法展**。

5月25日,"金陵五月风"活动之一的"江海交汇——南京、上海青年书法作品展"在南京美术馆举办,展出了34位来自上海和南京的青年书法家的100余幅作品。作品传承了中国书法帖学的精髓,风格多样,为金陵五月吹来一股海上新风,促进了两市青年书法家的交流。

3. **日本代表书家樱花书法作品展**。

10月31日,在南京美术馆开幕。是南京市文联、日中文化交流促进会、南京·和平友好樱花园为庆祝南京友好城市工作30周年和"南京·和平友好樱花园"开园而主办。这次参展的200幅作品全部是以樱花为主题的诗文佳句,展出的作品融古拙、雅致于一体,或汉字或假名,皆显精妙之笔墨,飘逸之神彩,空灵之意韵,展现了日本书法家文化修养,也为南京观众奉献了别具一格的风情。南京市人大主任陈家宝、市人大副主任黄煌，日本驻上海总领事横井裕等为展览开幕剪彩。来自日本的200多位书法家及各界友人，南京文艺界代表等参加开幕式并参观展览。

4. **韩国大田鼓乐团来宁演出**。

11月2日，应南京市文联邀请，韩国大田鼓乐团来宁进行文艺交流。作为2008中国南京第二届民间艺术节上唯一的外国表演团体，艺术家们在名城会和民间艺术节开幕式上作了精彩表演，受到广大南京市民和中外游客的欢迎。11月3日，市人大副主任金实在市政府东会议室会见韩国大田鼓乐团的艺术家。她祝贺鼓乐团在南京的演出圆满成功，并希望两市文学艺术交流取得新成果。

5. **组织艺术家赴台交流**。

11月21日，部分艺术家赴台参加"两岸城市艺术节——台北文化艺术周"活动，南京市文联作为活动的主要承办单位之一，与市文化局、市台办共同组织了有关交流活动，参与了文化论坛，组织90幅作品赴台举办《南京今昔》摄影图片展，从不同侧面向台湾同胞展示了古都南京独特的文化魅力。

无锡市文学艺术界联合会

综　述

2008年，无锡市文联坚持以科学发展观为统领，围绕中心，服务大局，在“着力建设文化强市，积极打造文化品牌”上下功夫，团结奋进，扎实工作，认真履行“联络、协调、指导、服务”职能，坚持在开拓创新中激发创造力，在强化服务中增强凝聚力，在奋发有为中扩大影响力，卓有成效地开展工作。在推动无锡文艺创作、文化品牌建设、文化人才工程、对外文化交流等方面，做了大量积极有效的工作。圆满召开无锡市九届文代会，相继完成市作协、书协、美协、民协、戏剧协等8个文艺家协会的换届改选，成功举办无锡市第三届文学艺术奖评选活动，首次主办无锡市文艺家读书班，为加强文艺队伍建设、培养德艺双馨文艺家和创建学习型、创新型团队搭建了平台。全市广大文艺工作者以昂扬的精神状态、出色的艺术劳动，热情讴歌人民群众的伟大实践，完成了一批文学、音乐、影视、舞台剧等“五个一工程”重点作品的立项和创作工作。全市文艺创作更加积极活跃，各个文艺门类百花竞放、异彩纷呈，全年有30多件文艺作品分别获得全国和省级奖项。文联的亲和力、影响力和凝聚力不断增强，涌现出一批优秀文艺新人，文艺氛围更加融洽和谐，文艺队伍更加意气风发，呈现出面上有创新、点上有突破、整体有跨越的良好态势，为丰富人民群众的精神文化生活、推动无锡文化大发展大繁荣作出了积极贡献。

重要会议

1. **无锡市文联第九次代表大会隆重召开。**

无锡市文联第九次代表大会于6月29日至30日隆重召开，来自无锡各领域的300余位文学艺术家代表济济一堂，回顾过去、展望未来，共商无锡文艺事业发展繁荣大计。会议听取了江苏省委常委、无锡市委书记杨卫泽的重要讲话，审议通过了市文联八届委员会工作报告和修改后的《无锡市文联章程》，选举产生了无锡市文联第九届委员会及主席团，圆满完成了会议的各项任务。大会选举产生了市文联第九届委员会，新的委员会由88人组成，是一个政治素质强、专业水平高、年龄结构合理、具有广泛代表性的文联委员会。雷群虎当选第九届无锡市文联主席。

2. **中国文联文艺理论工作研讨会在锡召开。**

10月17日，由中国文联主办，江苏省文联、无锡市委宣传部、市文联承办的中国文联文艺理论工作研讨会在无锡召开，中国文联党组成员、副主席、书记处书记杨志今，江苏省委常委、无锡市委书记杨卫泽，省委常委、宣传部部长杨新力，省文联党组书记、常务副主席、书记处第一书记王慧芬，市委常委、宣传部部长王立人等出席会议，中国文联党组书记、常务副主席胡振民发来贺信。

重要活动

1. **“无锡是个好地方”摄影展开幕。**

1月6日，由市委宣传部、市委外宣办、市文联等主办的“无锡是个好地方”大型摄影作品巡回展在市图书馆开幕，本次巡回展是一个感受无锡改革开放和城市建设新成就的窗口，也是一个展示无锡开放、发展、和谐城市形象的平台。本次巡回展于无锡“两会”期间，在市人民大会堂专程为代表们展出，并赴锡城的文化场馆、广场、商店、社区等巡回展出。

2. **程及美术馆开馆**。

2月5日，程及美术馆在无锡开馆。江苏省委常委、无锡市委书记杨卫泽，市长毛小平，市人大常委会主任周解清，市政协主席贡培兴，省文联党组书记、常务副主席、书记处第一书记王慧芬，市领导王立人、麻建国、刘鸿志、蔡捷敏、孙志亮，市文联主席雷群虎，老同志马健、陈璧显以及市委秘书长许刚出席了程及美术馆开馆剪彩仪式。杨卫泽宣布程及美术馆开馆，杨卫泽一行还饶有兴致地参观了美术馆。

已故无锡籍杰出艺术家程及先生是享誉世界的水彩画大师，2004年，他向无锡市政府捐赠了85幅作品和50万美元，在无锡建立程及美术馆。已竣工的程及美术馆将成为无锡重要的文化艺术窗口，为弘扬程及艺术成就、为无锡建设文化名城作出贡献。程及美术馆开馆之际，程及画展、2008江苏省水彩画作品邀请展与程及美术奖获奖作品展同时在馆内开幕。

3. **惠山民俗文化庙会暨吴地非物质文化遗产展示活动开幕**。

4月12日，由中国民协、江苏省文联、无锡市人民政府主办，无锡市文联承办的“惠山民俗文化庙会暨吴地非物质文化遗产展示活动”在锡惠风景名胜区开幕。无锡市副市长吴建选主持。出席开幕式的有：中国民协分党组书记罗扬，中国民间文艺家协会副主席，江苏省文联副主席、省民间文艺家协会主席陶思炎，省民协领导蔡焜、张建华，无锡市领导贡培兴、王立人、麻建国、蔡捷敏、许刚、肖新岳、唐喜泉，以及有关市、区、局的领导和嘉宾共80余人。罗扬、陶思炎、王立人等领导分别发表了热情洋溢的讲话，市政协主席贡培兴宣布活动开幕。巡游出会表演共有51个节目，1 000余人参加，形成1 000米的长龙，浩浩荡荡，组成了一道流动亮丽的风景，体现了吴地浓郁的民俗文化。

4. **“无锡是个好地方”书法美术摄影联展揭幕**。

4月13日，由市委宣传部和市文联主办的“无锡是个好地方”书法、美术、摄影联展在无锡美术馆开幕，省文联副主席、书记处书记言恭达，市领导王立人、麻建国、华博雅、蔡捷敏出席了开幕式。本次展出的200幅作品中，书法、美术作品各50幅，摄影作品100幅，作品主题突出，内容丰富，从自然风光、文化遗产、城市建设、经济建设、人民生活等各个方面展现了近年来无锡的新形象、新风貌，同时也全面展现了无锡书法、美术、摄影等艺术领域的新成果。

5. 文联党员干部积极向四川灾区献爱心。

5月12日，四川汶川强烈地震发生后，文联机关党员干部职工心系灾区，大家发扬“一方有难，八方支援”的精神，纷纷向灾区伸出援助之手，仅2天时间，就收集捐款4 700元。灾情发生后，第一时间向全体党员发出号召。党支部立即以短信形式通知外出考察采风人员，确保每个党员干部了解捐款情况。文联机关全体共产党员踊跃交纳“特殊党费”共25 700元，为支援抗震救灾和灾区人民早日重建家园献上一份爱心。

6. 著名书法家言恭达赈灾义捐书法精品义募活动在锡举行。

5月26日上午，著名书法家言恭达作品义卖会在锡州花园酒店举行，此次拍卖的作品，其款项捐赠给四川地震灾区。省文联党组书记、常务副主席王慧芬，市委常委、宣传部长王立人，市委常委、锡山区委书记徐劼，市文联党组书记、主席雷群虎等参加此次义卖活动。本次义募活动是由江苏省文联、无锡市委宣传部、无锡市文联、民进江海书画会、中央数字电视书画频道主办，无锡市锡山区委、区人民政府承办。

此次，言恭达同志共展出了近年来创作的18幅书法作品，来锡举行赈灾义卖。来自本省各地的40家企业和50位爱心人士踊跃争购，18幅作品最后成功拍卖，共计募集款项112.8万元。

7. 全国刻字展初评在锡举行。

由中国书法家协会、中国书协刻字委员会、江苏省书法家协会和无锡市委宣传部联合主办，无锡市国画院承办的全国第七届刻字艺术展初评7月7日在无锡开评。18位中国书协及全国各地的专家参与了初评。本次艺术展征稿历时半年，共收到来自全国三十个省市近5 000件作品，其中400件作品将进入8月初在无锡进行的终评。

8. 法治文化书画作品展。

9月19日，由无锡市政法委、市文联主办的第三届“中国・无锡法治建设论坛”的“法治文化书画作品展”在无锡文化馆开幕。本次展览的书画作品均出自本市书法家、美术家之手，作品紧扣法治建设的主题，充分展示了无锡法治文化的群众性和艺术性。

9. “辉煌巨变”大型摄影图片巡回展在锡展出。

由省委宣传部、省文联、省摄影家协会主办，市委宣传部、市文联、市摄影家协会协办的“辉煌巨变——江苏省纪念改革开放30年大型摄影图片巡回展”于9月28日至10月7日在市图书馆展出。巡回展共展出180幅摄影佳作，选自4 000多件参赛作品，是近年来江苏省内规模最大的图片巡回展，其中展出我市50余幅作品。

10. 无锡市改革开放30周年美术作品展。

10月18日，由市文联主办，市美协、市文化馆承办的无锡市改革开放30周年美术作品展在市文化馆开幕，市领导麻建国、蔡捷敏，市人大副秘书长朱建平，市文联主席雷群虎等出席开幕式。美术作品展共展出反映改革开放30年来无锡社会、经济等各个方面所发生的变迁，以及所取得的突出成就的155件作品。

11. 第七届全国刻字艺术展暨第十二届国际刻字艺术交流大展揭幕。

10月28日，第七届全国刻字艺术展暨第十二届国际刻字艺术交流大展在无锡隆重揭幕。

此次展览由中国书协、中国书协刻字研究会、江苏省书协、无锡市委宣传部联合主办,江苏省书协刻字委员会、无锡市文联、市国画院承办,展览于11月2日结束。来自全国的450余件佳作以及来自日本、韩国、新加坡、马来西亚的113件刻字艺术精品荟萃无锡博物院,为观者营造了一个独具魅力的艺术空间。全国政协常委、中国书协主席张海,江苏省委常委、市委书记杨卫泽,省政协副主席曹卫星,中国书协顾问、省书协主席尉天池,中国书协副主席、刻字研究会主任吴东民,中国书协副主席、省文联副主席、书记处书记言恭达,市领导王立人、王金大、王国中、蔡捷敏,以及来自日本、韩国、新加坡、马来西亚刻字协会的代表出席开幕式并剪彩,开幕式由中国书协分党组成员、副秘书长戴志祺主持,市委常委、宣传部长王立人致欢迎辞。经过初评和终评,最后共评选出入展作品450余件,其中获奖作品10件,获奖提名作品10件。

12. 无锡市国际舞表演赛暨第七届少儿拉丁舞锦标赛。

11月9日,由无锡市舞蹈家协会、市工人文化宫联合举办的"无锡市国际舞表演赛暨第七届少儿拉丁舞锦标赛"在江南大学体育馆隆重举行。来自江阴、宜兴和市区的11个代表队400余名选手参加了本次比赛。

13. 江苏舞蹈"莲花奖"第二届少儿舞蹈新作品"崇安杯"比赛颁奖典礼在锡举行。

11月16日,江苏舞蹈"莲花奖"第二届少儿舞蹈新作品"崇安杯"比赛颁奖典礼在我市举行,来自全省的11个少儿艺术团体参加了汇报演出。

14. "爱我无锡"书画展。

11月19日,由无锡市委宣传部、市文广新局、市文联主办,钱松岩艺术研究会、方召麟艺术研究会承办的《爱我无锡》书画巡回展在钱松岩藏画馆与广大市民见面。

15. "江南好"第二届书画作品展揭幕。

12月7日,由市文联、市美协、市书协联合主办,市江南书画院承办的"江南好"第二届书画作品展在市文化馆揭幕。这次展出的上百幅书画作品充分展示了锡城改革开放30周年来取得的成就,旨在歌颂改革开放的成果,展示书画家们近来的新作,也是向社会各界的汇报。其中既有德高望重的艺术家前辈的经典之作,也不乏中青年实力书画家的精品,也有值得期待的后起之秀的力作。

16. 无锡市纪念改革开放30周年美术书法作品展隆重开幕。

12月18日上午,由市委宣传部和市文联主办的无锡市纪念改革开放30周年美术书法作品展在无锡市博物院隆重开幕。市委常委、宣传部部长王立人等领导出席开幕式。本次展览包括中国画、油画、书法三部分,共90幅作品。这些展品都是以我市改革开放30年的重大事件为背景,以真人真事为素材进行的艺术创作。

17. 汪建春书法篆刻展在无锡市文化馆开幕。

12月25日,由江苏省书协、无锡市文联主办的汪建春书法篆刻展在市文化馆开幕,市领导王立人、吴峰枫、卢伯生等出席开幕式。本次展览展出汪建春书法作品80件,篆刻作品88方,绘画作品18幅。

文艺创作

1. 2006—2007年度太湖文学奖揭晓。

2月21日,2006—2007年度太湖文学奖颁奖仪式在锡举行。黑桃的散文集《绿昼》、徐风的长篇小说《缘去来》、王学芯的诗集《天上的草原》、谢雪荣的散文集《美丽》、丁一的散文集《超越生死》获得本届太湖文学奖,儿童文学《童声伴唱》等3部作品获得"太湖文学奖入围奖"。本届文学奖增设了"太湖文学青年创作奖",苏迅的散文集《簪花小唱》等4部作品获奖。

2. 无锡市第三届文学艺术奖揭晓。

2月27日,无锡市第四届"五个一工程"奖和第三届"文学艺术"奖颁奖晚会在无锡广播电视台隆重举行。无锡市文联被授予"五个一工程"奖的组织工作奖。

无锡市第三届文学艺术奖突出贡献奖：刘仲宝、朱海容、唐灏。无锡市第三届文学艺术奖优秀成果奖：民族舞剧《红河谷》、泥人作品《贵妃醉酒》、电视专题片《徐悲鸿》、锡剧《江南雨》、歌曲《竹乡谣》、创篇小说《浮沉之路》、电视专题片《中国紫砂》、长篇小说《吴门柳》、书法理论《名帖考（卷上）》、陶艺作品《韵》。无锡市第三届文学艺术奖荣誉奖：何建明、门文元。无锡市第三届文学艺术奖突出贡献提名奖：李桂英、周阿城、钱浩良。无锡市第三届文学艺术奖优秀成果提名奖：民族舞剧《阿炳》、小戏《鸡笼风波》、摄影《草木年华》、雕塑《滑向奥运之星》、古装滑稽戏《祝枝山选女婿》。

3. **市文联举行现实题材创作动员会**。

3月19日，为了纪念改革开放30周年，无锡市文联举行了无锡市改革开放30年暨现实题材创作动员会。各协会的主要负责人和一批创作骨干坐在一起畅谈，讨论无锡市改革开放30年来取得的巨大的成就，大家表示在今后的创作中要以现实题材为创作主题，多创作贴近时代的作品。

4. **紫砂珍品"三通壶"赠吴伯雄**。

5月底，中国国民党主席吴伯雄率代表团来大陆访问时获赠紫砂珍品"三通壶"。该壶由宜兴高工、江苏省工艺美术名人顾治培创作，扁圆柱形壶体上有三道凸线束腰贯通，系在传统"紫菱壶"的基础上融入了作者的激情创意之作，气势宏大而精美、内蕴深厚而典雅。

5. **摄影作品《雪天鹅》在国际摄影大赛获奖**。

第四十四届国际野生动植物摄影大赛于10月30日晚揭晓，并于10月31日在英国伦敦自然历史博物馆正式展出，我市摄影家朱永康的摄影作品《雪天鹅》荣获"动物与生存环境"类第一名。

6. **散文作品集《吴山点点幽》研讨会**。

11月5日，由无锡市文联和江南大学文学院联合举办的杜国玲散文作品集《吴山点点幽》研讨会在江南大学举行。无锡市作家协会副主席顾忠德、曹建平，作家许墨林、佥山、阮夕清，书法家沈海清等出席研讨会并发言。苏州市文联党组书记、副主席朱建华，民协大众文学研究会副秘书长诸家瑜、作家柯继承、吴眉等，江南大学文学院党委书记、研究员程勉中，院长、博士赵建军，副院长、博士蔡爱国，教授、作家庄若江等30余人出席并作了专题发言。著名作家范小青、著名诗人车前子、作家居易，以及社会学家、中国当代社会研究中心主任、教授田森等作了书面发言。

7. **金山、达黄、王学芯诗歌作品研讨会**。

11月16日，由无锡市文联和江南大学文学院联合举办的"金山、达黄、王学芯诗歌作品研讨会"在江南大学举行。无锡市作家、诗人及文学院师生30余人参加，讨论了金山、达黄、王学芯诗歌作品的创作成因、艺术特色和审美价值。

理论研究

1. **省文联领导王慧芬来锡调研**。

2月29日，江苏省文联党组书记、常务副主席、书记处第一书记王慧芬一行来锡就文艺工作及基层文联建设等情况进行调研。无锡市文联中层以上干部等参加座谈会，无锡市文联主席雷群虎详细汇报了无锡文联的基本情况。与会人员紧密联系无锡文艺界工作实际，畅所欲言，就新形势下文联的地位作用、精品生产、行业管理、市场运作以及经费困扰等诸多问题发表了意见。王慧芬在调研讲话中发表了5点指导意见。

2. **"无锡文艺界还少什么"思想解放大讨论**。

3月20日，召开"无锡文艺界还少什么"思想解放大讨论动员大会，4月4日与文广新局联合召开文化界大讨论座谈会，4月30日召开了文联机关全体干部职工参与的思想解放大讨论专题座谈交流会。整个大讨论始终注重联系工作实际，既有对无锡文艺界还少什么的宏观分析，也有对文联机关职能作用发挥、思想作风建设和工作效能建设等方面存在问题的排查和剖析，讨论有思想、有观点，有分析、有思考，体现了文联每一名同志强烈的主人翁精神。

3. **无锡市文联深入学习实践科学发展观活动试点工作**。

11月25日，无锡市深入学习实践科学发展观活动试点工作动员大会召开后，市文联以强烈的政治责任感和历史使命感，按照中央和省、市委的部署要求，积极启动文联深入学习实践科学发展观活动试点工作。按照方案，市文联学习实践活动从2008年11月底开始，到2009年4月基本结束，历时半年。市文联党组成立了学习实践科学发展观活动领导小组，市文联领导雷群虎任组长，陆永基、潘基峰为领导小组成员，下设办公室，潘基峰同志兼任办公室主任。实践活动采取统一部署、领导带头、全面推进的方式进行。活动总体分为学习调研、分析检查、整改落实3个阶段，每个阶段有3个重点环节，加上活动前的准备环节和后面的总结以及满意度测评环节，共11个重点环节。

文艺队伍建设

1. **江苏省第三届现代刻字艺术创作培训班在锡开课**。

3月15日，由省书协主办、省书协刻字委员会和无锡市国画院承办的"江苏省第三届现代刻字艺术培训班"在锡开课。省文联党组书记、常务副主席、书记处第一书记王慧芬，省书协主席尉天池，武警指挥学院原院长王荣周少将，武警某部队长王春新大校，中国书协有关领导吕如雄、张陆一，无锡市人大副主任王金大，市政协副主席秦蕴石，市文联党组书记、主席雷群虎等领导出席了开学典礼。这次培训班上，来自全国13个市的200多位刻字艺术家和作者参加了为期6天的学习。

2. **市文联举办文艺家读书班**。

11月17日至19日，由无锡市委宣传部、无锡市文联举办的无锡市文艺家读书班在太湖花卉园开班，来自全市的80多位文艺家济济一堂，参加学习。读书班期间，市委常委、宣传部部长王立人看望了全体学员并作重要讲话。江苏省文联党组书记、常务副主席、书记处第一书记王慧芬为学员作了专题讲座。市政府副秘书长、研究室主任相江、市文联党组书记、主席雷群虎、副主席陆永基分别为学员授课,市委宣传部副部长须俭作小结。

文艺惠民

1. 市文联组织志愿者参加"三下乡"活动。

1月26日,无锡市文化、科技、卫生"三下乡"活动在江阴市顾山镇红豆村启动。由市委宣传部、市文明办、市文联等20多个机关部门和江阴市有关方面组成的无锡市文化科技卫生"三下乡"服务总团,共向当地农民群众赠送了总价值超过35万元的"大礼包",尽管大雪纷飞,但仍吸引了当地数百农民群众参加活动。来自无锡市书协和市民协的志愿者们还开展了现场服务,书法家们现场挥毫,为当地农民献上新年的祝福。泥塑艺人向当地老百姓赠送了有趣的泥人作品。

2. 无锡市2008年"文明之春"系列活动。

2月4日,无锡市2008年"文明之春"系列活动在南阐寺广场举行。作为主办单位之一的无锡文联积极组织艺术家举办现场民间艺术活动,表演和拍卖义捐活动,受到了观众的欢迎。

3. 2008中富美林湖中秋灯谜节。

9月13日至15日,无锡市民协联合无锡广播电视台、太湖明珠网、太湖工人文化宫谜联社在公花园举办了"2008中富美林湖中秋灯谜节",以"改革开放、北京奥运、无锡人文"为重点,组织谜家创作了"讴歌改革开放30年的胜利成果、弘扬奥运健儿的拼搏精神、宣传无锡历史文化的丰厚底蕴"等方面内容的灯谜,历时3天,悬谜万条,并设立了价值5万多元的多种奖品,让无锡市民热热闹闹地欢度了首个中秋小长假。

4. "锡剧走近大学生"。

由无锡市委宣传部、市文联等主办的"锡剧走近大学生"活动,于10月8日、9日、13日在江南大学、苏州大学、常州工程职业技术学院演出。演出剧目撷取经典锡剧《珍珠塔》"前见姑""赠塔""跌雪""后见姑"的折子片段,并配以主持人的解说词,演、说同行。80分钟的演出活动,生动地将锡剧的艺术风格、流派唱腔特色,通俗易懂地进行了诠释。

文艺交流

1. "经典美术·名家名作邀请展"巡回展示。

由无锡市文联、无锡市文广新局主办的"经典美术·名家名作邀请展"于2至4月间,分别在无锡市惠山区等地连续进行了多次巡回展示,此举为无锡市的一大批书画艺术家走出市区、相互学习提供了一个很好的艺术交流平台,为书画艺术的研讨、提高、创新提供了很好的发展思路。

2. 林海钟、赵跃鹏画展在无锡美术馆开幕。

3月16日,由无锡市文联、无锡广电集团主办的著名画家林海钟、赵跃鹏画展在无锡美术馆开幕,市领导贡培兴、王立人和我市的书画爱好者观看了展览。本次画展共展出两位画家的作品80幅,展期5天。

3. 无锡三明书画联展在无锡美术展馆举办。

5月24日,无锡三明书画联展由无锡市文联、三明市文联共同主办,共展出了两市书画家的近百件作品,充分展现了两地鲜明的地域特色和艺术特点,显现了两市书画家在艺术上的探索和追求。这是无锡市时隔11年后再度与闽地书画家联合办展,进行艺术交流。

4. 穆家善中国画国际巡回展·无锡展。

为促进无锡市对外文化艺术的交流和发展,由市文联主办的"穆家善中国画国际巡回展·无锡展"于6月29日在无锡美术展馆开幕,共展出这位当代国际著名华裔画家从学生时代起创作的近百幅优秀作品。省政协副主席周健民,市领导王立人、许卫国、刘鸿志、蔡捷敏和各界人士一起参观了画展。穆家善中国画国际巡回展在华盛顿首展后,先后到上海、北京、香港、台湾及京都、东京、多伦多、洛杉矶等地的美术馆办过展览,最后将回到联合国世界银行总部展出。

5. **文联组织机关干部赴云南学习交流活动**。

7月30日,无锡文联组织15名机关干部职工赴云南,就文艺事业繁荣与发展和文联机关建设等方面情况进行了考察、学习。昆明市文联党组书记、常务副主席谭爱苹介绍了昆明市文联的基本情况以及如何狠抓文联机关作风建设的先进经验,通过听取介绍、座谈交流、实地考察了解,大家获益良多,感触颇深,启发良多。

6. **昆明市文联一行十多人来我会交流**。

9月4日,昆明文联一行十多人在昆明市政协副主席、文联主席汪叶菊的带领下,来无锡文联交流工作。无锡文联党组书记、主席雷群虎向昆明文联的同志介绍了无锡近年来的经济、社会和文化发展情况,重点介绍了近年来无锡文联在如何围绕市委市政府中心工作积极发挥"联络、协调、指导和服务"的职能,狠抓文艺创作、大力培养宣传文艺人才、大搞地方特色的文艺品牌活动、营造良好的文艺氛围的做法,得到了昆明文联的同志的大加赞赏。

7. **李岚清篆刻艺术讲座暨展览在无锡举行**。

10月1日,李岚清篆刻艺术讲座在市人民大会堂进行,原国务院副总理李岚清出席并作讲座,与大家一起分享自己"以石言志"的篆刻人生。讲座由省委常委、市委书记杨卫泽主持,随后,在新落成的无锡博物院举行了李岚清篆刻艺术展暨无锡博物院开馆仪式。此次展览共展出篆刻作品274方,配有精美的书法,精粹的题记、短文、诗词、乐曲,以及相关的图片、绘画、故事等,内容丰富,形式活泼,洋溢着强烈的时代气息。

8. **德国啤酒文化展在锡举办**。

10月28日,"干杯!海德堡啤酒文化展"在无锡博物馆开幕,无锡市委常委、宣传部部长王立人为展览剪彩,市有关部门领导朱建平、汤可可、盛晓奇和市文联主席雷群虎等出席开幕活动。这次展览是无锡市档案局、市文联、市外办联合主办的"无锡市手工艺展"2007年赴德国海德堡市展出的回访交流。

9. **"无锡—三明书画作品交流展"在福建省三明市隆重举行**。

11月30日,由无锡市文联、三明市文联共同主办的"无锡—三明书画作品交流展"在福建省三明市书画院隆重举行开幕式。三明市政协主席袁德俊、人大副主任严凤英、文联党组书记主席龚一风、书画院院长黄文渊,无锡市文联党组书记、主席雷群虎,秘书长潘基峰,事业发展部主任毛建安,国画院常务副院长孙璘以及无锡的书画家代表出席开幕式并参观了展览。

10. **"无锡是个好地方"乌克兰功勋画家油画展开幕**。

12月8日上午,12位乌克兰艺术大师来无锡举办的"无锡是个好地方"油画展在江南坊艺术中心隆重开幕,市人大副主任麻建国、市文联主席雷群虎等出席了开幕式。中国油画协会副主席金山石先生将其编著的《雅勃隆斯卡娅油画集》赠送给乌克兰驻沪总领事安娜·卡尔玛多诺娃博士,雅勃隆斯卡娅是乌克兰著名的油画家,她的代表作《粮食》《春》为中国美术界所津津乐道的经典名作。

徐州市文学艺术界联合会

综　述

2008年是我国经济社会发展极不寻常、极不平凡的一年，大事多，热点多，困难和挑战也多。一年来，市文联坚持以邓小平理论和“三个代表”重要思想为指导，全面落实科学发展观，深入学习贯彻党的十七大精神，在市委、市政府的坚强领导下，在市委宣传部和省文联的指导下，在全市文艺界的共同努力下，认真履行联络、协调、服务职能，积极发挥组织引领作用，团结动员我市广大文艺工作者，埋头苦干、开拓奋进，在改进创新中激发创造力，在热情服务中增强凝聚力，在奋发有为中扩大影响力，文艺队伍不断发展壮大，文艺成果硕果累累，文艺活动异彩纷呈。全年，紧密围绕纪念改革开放30周年、北京奥运会、抗震救灾、振兴徐州老工业基地等重大事项，开展了一系列有规模、高质量、有影响的文艺活动。如成功申报徐州为全国首批中国书法名城，开展抗震救灾主题活动，启动振兴徐州老工业基地百名文艺家专题采风活动。紧紧抓住“出人才、出作品”这一根本任务，致力推动文艺繁荣；整合资源，突出特色，倾力打造徐州文艺品牌；内引外联，借力出海，使文艺活动质量得到提高；转变观念，面向会员，努力提高服务水平；发挥优势，精心策划，进一步提升李可染艺术馆影响力；思想重视，措施得力，文联自身建设取得成效。过去的一年，文联工作和文艺工作发挥的作用日趋凸显，不仅圆满完成了市文联年初确定的工作安排，也为徐州文化名市建设做出了积极努力。

重要会议

1. **召开四届十一次全委会**。

3月18日，徐州市文联四届十一次全委会在李可染艺术馆报告厅举行。会议对去年的工作进行回顾，安排部署今年的工作，并对先进集体和个人进行了表彰。中共徐州市委常委、宣传部部长邹徐文同志出席会议，40多位市文联委员及各区委、院校、企业宣传部相关负责人参加会议。

邹徐文部长充分肯定了市文联2007年度的工作，他代表市委、市委宣传部对全市广大文艺工作者的辛勤劳动，为徐州文化艺术事业大发展、大繁荣作出的贡献表示衷心的感谢和崇高的敬意。他着重就做好当前我市文艺工作谈了几点意见：一是坚持改革创新，努力推进我市文化大发展、大繁荣；二是突出工作重点，竭力打造具有徐州特色的文艺精品；三是服务人民群众，全面推进文化惠民和文化普及工作；四是增进团结和谐，不断提升文艺人才队伍素质。

徐州市委宣传部副部长，市文联党组书记、主席王雪春作了工作报告。徐州市文联副主席王勇主持会议。副主席吴继永、党组成员郭念堂分别宣读了省、市文联关于对先进集体、先进个人对2007年度文艺创作成绩突出的文艺工作者进行表彰的决定。丰县、沛县、贾汪区文联代表，市摄协会员王铁君分别在会上做了交流发言。

2. **市音协召开第六次会员代表大会**。

8月30日，徐州市音乐家协会第六次会员代表大会召开。徐州市人大副主任、市总工会主席徐崇先，江苏省音协副主席、秘书长何山，徐州市委宣传部副部长、市文联党组书记、主席王雪春,市文联副主席王勇、吴继永,党组成员郭念堂等出席会议。江苏省各市音乐家协会也发来贺电、贺信表示祝贺。

重要活动

1.成功举办“中国书法名城——徐州”命名授牌仪式。

中国书法家协会在全国开展创建中国书法名城活动,市文联高度重视,积极申报争取,并扎扎实实地做好申报准备工作。1月,我市以深厚的历史文化底蕴和卓著的书法艺术成绩,和苏州市一同成为首批命名的中国书法名城。

4月21日上午,“中国书法名城——徐州”命名授牌仪式在李可染艺术馆隆重举行。中国书协分党组书记、副主席赵长青亲来徐州授牌;中共徐州市委副书记、市长曹新平同志因在外地,特致信祝贺;中国书协副主席、省文联副主席言恭达,中国书协顾问、省书协主席尉天池,市人大原主任王希龙,市委常委、宣传部长邹徐文,市人大副主任李君超,副市长段雄,市政协副主席赵彭城等同志出席了开幕式。整个活动隆重、热烈,富有创意。其中中国书协、省书协、市书协领导、书法家每人一字,共同创作的“中国书法名城——徐州”牌匾成为一道独具意义的风景线。

2.开展抗震救灾主题活动。

5月12日,四川汶川发生地特大震后,市文联快速行动,在第一时间向全市艺术家发出倡议书,在我市文艺界迅速开展抗震救灾捐赠活动。全市广大文艺工作者积极响应,纷纷慷慨解囊为灾区人民奉献爱心。

5月18日,由市文联和市文化局联合举办的“关爱生命——徐州赈灾书画义卖”活动在李可染艺术馆隆重举行。全市书画艺术家踊跃参加,短短两天就收到赈灾义卖作品247件。徐州开甲置业有限公司将义卖书画作品全部买下,共10万元义卖款当场交给市红十字会。

5月19日下午3时,徐州市知名书画家马奉信、高洪啸、刘鸿、王国宇、华敬福、张伟等又向徐州艺术品赈灾拍卖会捐赠了16幅书画作品。5月19日晚，市文联机关及离退休老干部、艺术家代表参加了在徐州电视台举行的“爱心飞越”赈灾救助活动启动仪式，在现场又捐款22 300元。至5月底，市文联组织文艺界累计向灾区捐款132 800元。

3. **启动振兴徐州老工业基地百名文艺家专题采风活动。**

8月，我市召开振兴徐州老工业基地动员大会后，市文联组织全市文艺工作者认真学习会议精神，深刻领会这一战略的精神内涵。广大文艺工作者备受鼓舞，纷纷表示要用文艺的形式为振兴徐州鼓劲，为振兴徐州作出自己应有的贡献。在广泛征求意见的基础上，市文联决定开展振兴徐州老工业基地百名文艺家专题采风活动，组织广大文艺工作者深入经济发展主战场，体验火热生活，感受时代强音，融入振兴氛围之中，从而获取创作灵感和激情，创作出优秀作品。

10月上旬至年底，市文联先后组织近百名文艺工作者前往铜山经济开发区、九里区、贾汪区等地，围绕振兴主题，深入工厂一线开展采风创作活动，并为战斗在第一线的广大建设者献上了戏剧、相声、小品、独唱、舞蹈等精彩的文艺节目。市委宣传部副部长、市文联主席王雪春，市文联副主席王勇、吴继永，党组成员郭念堂等参加活动。

在铜山经济开发区，近30名知名书画艺术家在现场挥毫泼墨，用手中的画笔描绘振兴的宏伟画卷。中国摄影金像奖获得者王铁君及摄影家们用镜头留住了振兴的美好瞬间。此项活动受到了广大建设者的热烈欢迎。

4. **成功举办纪念改革开放30年徐州文艺成果展。**

12月9日至12月15日，由省委宣传部、省文联、省摄协、徐州市委宣传部、市文联主办，市文联所属的10个文艺家协会与李可染艺术馆承办的“辉煌巨变——纪念改革开放30年大型摄影

图片展"暨改革开放30年徐州文艺成果展在我市李可染艺术馆展出。市领导邹徐文、徐崇先、段雄、赵彭城,省作家协会副主席、著名作家赵本夫,市人大原主任王希龙,市政府副秘书长王志华,市委宣传部副部长、市文联主席王雪春,副主席王勇、吴继永、王冰石、姜舟、吴敢、马奉信,党组成员郭念堂等参加了开幕式。

5.举办徐州市第四届广场舞蹈大赛。

11月9日,由徐州市委宣传部、市文联主办,市舞蹈家协会、关玉舞蹈学校承办的徐州市第四届广场舞蹈大赛暨徐州市第九届国际标准舞比赛在体育场篮球馆举行。市人大副主任、总工会主席徐崇先,副市长段雄,市委宣传部副部长、市文联主席王雪春,副主席王勇、吴继永,党组成员郭念堂参加了开幕仪式。

该大赛共分设幼儿组、少儿组、青年组、中年组、老年组5个大组,参赛舞蹈形式多样,包括民族民间舞、中国舞、芭蕾舞(增设单双三)、健身舞、交谊舞(含国标舞)、现代舞、服装服饰表演5个项目。来自全市六县五区各基层单位及大中专院校的30个代表队,近3 000名选手参加了210个节目的比赛。经过一天半时间的激烈角逐,产生了57枚金牌、31枚银牌、31枚铜牌。

6.各县(区)文联开展形式多样的文艺活动。

2008年度,丰县文联主办的"家乡美广场舞蹈大赛"在中国(丰县)第九届梨花节期间成功举行,成为艺术节的一大亮点。睢宁县文联积极组织书法家参加三下乡活动,丰富了群众的文化生活。沛县文联举办了全国书画名家邀请展,在周边地区引起了较大反响。铜山文联成功举办了"地税杯文学作品大赛",征集了一批好作品,发现了一些文学人才。邳州文联组织开展了"纪念改革开放30周年全国文学奖征文大赛"。新沂文联举办了"喜迎奥运,圆百年梦想"美术、书法、摄影、诗词创作、征文系列宣传活动。贾汪区文联以"百花回报沃土,艺术服务人民,建设和谐文化,构建和谐贾汪"为主题开展了"名家书画进万家"活动,内容丰富多彩,深受群众喜爱。

文艺品牌建设

1.积极创办民间文学杂志《乡风》。

该刊主要发表民间文学作品、群众创作的新故事、新歌谣及有关风土人情方面的研究性短文。全年出版6期,每期印刷近万册。由于知识性、可读性强,图文并茂,通俗易懂,已呈现较大市场发展潜力,迅速成为徐州有较大影响的刊物。

2.编辑出版4套不同艺术门类的徐州文化特色丛书。

2008年,市文联组织编辑出版了4套系列徐州文化特色丛书:《徐州民间音乐集成》(四卷)《徐州风光——摄影画册》《说唱文萃——徐州曲艺作品60年精选》《彭城歌萃——徐州解放60周年音乐作品选》。这些书籍的出版多数是由我市老艺术家策划、主编,在社会各界的支持下完成的。

3.大型文献书籍《徐州民间音乐集成》引起反响。

该丛书由中国戏剧出版社出版,是全国第一家由地级市编纂出版的民间音乐专著。这套丛书共收入明清以来徐州民间流传的民歌506首、各类器乐曲牌281首、锣鼓谱38首、琴书基本曲牌9类。另外,还收入了柳琴、花鼓的唱腔谱例,集资料性、实用性、欣赏性于一体,较全面地反映了徐州六县(市)民间音乐面貌,丛书的出版为徐州市的非物质文化遗产抢救与保护工作作出了贡献。

文艺创作

2008年，我市作家、艺术家和广大文艺工作者振奋精神，潜心创作，取得了骄人成绩和可喜成果。据不完全统计，市文联所属各文艺家协会共出版、发表、上演、展出各类文艺作品3 000余件（次），获省以上奖励的作品210余件（次），其中获全国性奖项60余件（次）。

1. **市作协文学创作取得新的突破**。

全年共创作发表文学作品100余篇，出版各类文学作品30余部，其中市作协副主席王建创作出版的散文集《走过遥远的风景》荣获江苏省文学最高奖——第三届紫金山文学奖·散文奖。参与编写《江苏省改革开放30周年报告文学集》，徐州有16万字作品入选。

2. **市书协、美协创作势头不减**。

我市书法家马亚、谢少承的作品入选由《书法导报》、中国兰亭书法网、书法导报网联合举办的“小品展”；王文学、翟立新等6人的书法作品入选“2008全国首届册页书法展览”，其中翟立新获三等奖；王冰石、仇高驰的作品入选由中国文联、中国书协、北京市文联共同举办的“第八届国际书法交流大展”；程大宁、秦国权的作品入选“全国第七届刻字艺术展”；仇高驰、李守银等5人的作品入选“中国千名书法家精品”走进奥运场馆捐赠仪式；郭荐等3人的作品入选“全国第二届草书艺术展”；王冰石、仇高驰等9人的作品入选由江苏省委宣传部、省文化厅、省文联、省体育局主办的“奥运情·翰墨缘——江苏省著名书画家捐赠作品展览”。市美协5件作品入选全国金陵百家画展，获1枚金奖和江苏省“五个一工程奖”；10件作品入选江苏省改革开放30年画展，其中1件获创作奖；39件作品入选江苏省美术家协会第二次新人美术作品展，获新人奖一名，佳作奖两名，市美协获“组织奖”。

3. **市民协、摄协硕果累累，成绩斐然**。

市民协会员马小林获由中国农业博物馆、中国民间文艺家协会和北京市文物局联合举办的“迎奥运·中国农民艺术展”精品奖。市摄协荣获中宣部、中国文联共同举办的“全国第二届新农村摄影展览”优秀组织工作奖，刘立明等3人的作品入选；邓元生等人的6幅作品入选“江苏省纪念改革开放30周年摄影巡回展作品集”；田然作品入选迎奥运中国乡村体育画册。

4. **市舞协繁荣创作，成绩喜人**。

市舞协薛黔星创编的反映汶川大地震题材的作品《美丽生命》，唐玉兰创编的《落子舞》分别荣获由江苏省文联、江苏省舞协主办的崇安杯江苏省少儿舞蹈新作品比赛一等奖，王晗创编的少儿芭蕾群舞《青青小荷尖尖角》、关玉创编的群舞《又见映山红》分别荣获三等奖。其中《美丽生命》参加江苏省“五星工程奖”评奖，名列全省总分第二名并荣获金奖；副主席刘安慰创编的群舞《丰收落子》继去年荣获省两项金奖后，今年被审报参加江苏省第八届“五星工程奖”的评选；刘毅的原创作品《无悔的历程》获济南铁路局主办的“巾帼风采”文艺晚会最佳舞蹈作品奖、演出一等奖；唐玉兰作品《小小木兰》获全国青少年才艺大赛银奖。

5. **市音协唱响主旋律，取得好成绩**。

由市音协唐殿坤作曲的女声独唱《你是咱供销的贴心人》获得江苏省供销系统歌曲大赛一等奖；男声独唱《电业人》获得全国优秀职工歌曲一等奖；音乐剧《铁塔情怀》获得江苏省电力系统一等奖；由吴广川作词、孟宪同作曲的女声独唱《家乡恋歌》获得中国音乐文学学报举办的歌曲征集银奖；由梁国华作词、费承铿作曲的大合唱《汶川，你听我说》获得江苏省抗振救灾歌曲征集优秀创作奖；由梁国华作词、吴小平作曲的独唱歌曲《霸王吟》获得江、浙、沪流行歌曲大赛二等奖；由梁国华作词、乔惟进作曲的女声独唱《金陵明珠》在中央电视台音乐频道作为江苏新民歌予以介绍。

6. **市剧协、曲协再创佳绩，好戏连台**。

市曲协张巧玲、蒋立霞、吴长青表演的《一个女人三个娘》获第二届江苏曲艺芦花奖·节目奖，张巧玲的《回娘家》同时还获得芦花奖·音乐奖。市剧协选送的小戏《分家》，荣获第五届中国滨洲·情景小戏艺术节优秀剧目奖，王静、霍秀珍获得优秀表演奖；柳琴戏《水远路长》入选江苏省2007—2008年舞台艺术精品工程十台大戏之一。

7. 举办“2008徐州首届作家夏季读书班”。

为提高我市作家的创作水平，加强对青年作家的培养。6月12日，市作协举办了“2008徐州首届作家夏季读书班”，64名中青年作家参加了为期4天的活动。期间邀请了徐州师范大学资深教授前来授课，对当代小说、散文、诗歌、报告文学、文学评论等方面进行了深层次的剖析和探索，深受作家欢迎。会后还进行了文学采风活动。

8. 举办“徐州市首届美术家读书班”。

5月29日至31日，由徐州市文联、沛县县委宣传部、徐州市美术家协会主办，沛县文联、美协承办的“徐州市首期美术家读书班”活动在沛县举行。来自徐州市区及六县(市)、贾汪区的50余位美协会员代表参加了读书班学习。徐州市人大原副主任、市美协名誉主席朱继荣，市文联副主席王勇，市文联党组成员、副调研员郭念堂，沛县县委副书记、县长冯兴振，县委常委、宣传部部长胡成彪，副县长贺伟等出席了开学典礼。市文联副主席吴继永主持开学仪式。

读书班开设了文化部中国演出管理中心执行总经理彭健主讲的《城市文化与艺术构建》，北京大学教授、博士生导师翁剑青主讲的《当代艺术审美取向》，工程兵指挥学院孙陆教授主讲的《国际反恐组织研究》等课程，深受与会人员欢迎。

文艺理论研究

1. 面向社会举办文学艺术专题讲座。

为建设高素质的文艺工作者队伍，提高广大会员及文艺爱好者的艺术修养，着力为广大文艺工作者在出作品、出人才等方面提供服务，市文联从3月开始，每月在李可染艺术馆学术报告厅举办一次文学艺术专题系列讲座，全年共举办了10余次。讲座邀请著名专家、学者、教授授课，内容丰富，形式多样。

2. 邀请著名文艺评论家何振邦、著名作家赵本夫来徐调研并举办文学讲座。

6月初，市文联邀请著名文艺评论家何振邦，省作协副主席、著名作家赵本夫来徐进行文学交流活动。在徐期间，何振邦和赵本夫先生与徐州作家进行了交流活动，并作了专题文学讲座。

3. 开展调研工作。

2008年，市文联还积极开展调研工作，广泛征求全国各地的徐州籍知名艺术家的意见、建议，为发展振兴徐州老工业基地积极出谋划策，为推动徐州大繁荣大发展作出努力。

文艺队伍建设

1. 承办国家级、省级书画考级活动。

11月15日，由市文联承办的国家级、省级书画考级活动在风化街中心小学和商业中专举行，我市共有千余名考生参加了本次书画考级。考生以中小学生为主，考级内容有书法和绘画，书法分软笔和硬笔书法，绘画分素描、色彩、国画、儿童画等。

2. 举办徐州市第七期摄影师资格认证培训班。

5月下旬至6月底在彭城老年大学举办了徐州市第七期摄影师资格认证培训班。培训面向社会，聘请摄影界有教学经验的教授，采取理论与实践相结合方式教学，组织辅导学员到外景地实习创作。由于组织精心，加上参加培训人员的积极性高，培训的质量、效果都达了很高的水平，在培养摄影专业技术人才，满足广大摄影爱好者需要方面发挥了积极作用。

3. 组织参加省舞蹈、音乐考级。

5月10日，市舞协组织500余人次参加舞蹈考级，取得好成绩。省舞协主席黄素嘉、驻会秘书长胡春田来我市亲临现场参加考核评审工作，我市学生严格规范的训练，整齐熟练的展演动作，井然有序的考场组织工作受到省舞协领导的好评。8月16日至22日，市音协精心组织参加了2008年江苏省音乐考级工作，来自徐州市区及各县(市)的1 300余名考生参加了考试，取得了成绩。

文艺惠民

1. 承办“江苏百名艺术家百场惠民演出徐州专场”活动。

由江苏省委宣传部、江苏省文联主办，徐州

市委宣传部、徐州市文联承办的百名艺术家百场惠民演出徐州专场活动,9 月 19 日至 20 日,分别在云龙区、鼓楼区、泉山区和新沂市专场演出。陈文生、范以程、林云等省内著名艺术家和来自省各大艺术院团的部分国家一级演员为我市观众表演了京剧、戏曲、相声等精彩的文艺节目。市委宣传部副部长、市文联主席王雪春,市文联副主席王勇、吴继永,党组成员郭念堂等观看了演出。11 月 18 日,“江苏省百名文艺家百场惠民演出”再次来徐,走进贾汪区马庄村,为马庄父老乡亲送去温暖,受到马庄村民的欢迎。

2. 配合搞好中国文联来徐开展“送欢乐、下基层”活动。

1 月 8 日至 10 日,中国文联、中国影协、江苏省文联来徐举行“送欢乐、下基层”慰问活动。中国文联党组成员、副主席冯远,中国影协分党组书记康健民及谢铁骊、于洋、杨在葆、王伍福、王霙、岳红、高宝宝等著名电影工作者来到徐州,深入农村送电影下乡。他们与农村观众座谈,为农民朋友放映电影,赠送了系列文化用品。之后,又前往全国著名模范集体徐州下水道四班学习、参观、交流,艺术家们深深被英雄群体的事迹所打动,活动取得圆满成功。

3. 举办曲艺家惠民专场演出。

为祝贺第五届中国曲艺奖颁奖晚会在宁隆重召开,9 月 18 日,我市曲艺家协会在淮海堂举行了曲艺家惠民专场演出。当晚,我市老中青三代演员同台献艺,全国曲艺牡丹奖获得者、老一代山东快书名家刘蔚兰,国家一级演员魏云彩,中年一代快书名家王连成,国家一级演员杨全明、张巧玲、蒋立霞,后起之秀魏晓娟、吴长青、侯九莲等演员为我市观众献上了相声、山东快书、徐州琴书、小品等老百姓喜闻乐见的节目,整台演出受到现场观众的广泛好评。

文艺交流

1. 中国书法名城·徐州书画展在香港、深圳成功举办。

由徐州市文联和华润电力控股有限公司联合主办的“华润电力杯——中国书法名城·徐州书画展”于 12 月 17 日、20 日分别在香港华润大厦展览中心和深圳市博物馆举办。在展览开幕式上,中联办宣传文体部副部长司锦泉,深圳市原市长郑良玉,华润电力控股有限公司技术副总监李乃钊等为活动剪彩。香港浸会大学视觉艺术学院院长万青力,香港艺术发展局艺术顾问蔡布谷,深圳市文联、美术家协会、书法家协会负责人以及香港、深圳两地的著名书画家参加了开幕式,香港《大公报》在 18 日的报纸上作了大篇幅报道,王冰石、马奉信、朱天杰等 42 位徐州著名书画家的作品参加展出。

本次共展出近 200 幅书画作品,充分展示了徐州书画艺术魅力和徐州书画家厚重、质朴的气质,让香港、深圳两地观众见识到徐州文化艺术的独特风采,感受到来自徐州这座“历史文化名城”浓郁的文化气息和艺术氛围。同时,通过展示书画徐州魅力,也从一种文化艺术的角度反映了一个地区的精神风貌,对于扩大徐州的城市影响力,提高徐州的知名度,创造新时期的精神文明有着十分重要的意义。

2. 组织民间艺术代表团赴澳开展文化交流。

应澳大利亚昆士兰中国人协会的邀请,由徐州市民间文艺家协会 7 位艺术家组成的民间艺术代表团,于 2 月 12 日至 16 日到澳大利亚布里斯班参加了第六届中华文化艺术节。此次有剪纸、布艺、浮雕绳艺等我市民间特色艺术家前往,他们现场展示民间工艺的制作过程,与当地居民进行文化艺术方面的交流,为宣传徐州和徐州文化走向世界作出了努力。

3. **组织参加中日青少年书画大赛**。

为在广大青少年中进一步普及和开展书画活动，同时为纪念中日和平友好条约缔结30周年，进一步促进两国青少年的文化交流，加强两国青少年之间的了解，江苏省文学艺术界联合会与日本爱知县日中友好协会，共同发起中日青少年书画大赛活动。

市文联积极组织青少年学生共287人参加了大赛，其中获得金奖人数达41人，银奖人数100余人，取得了可喜的成绩。在7月中旬，又组织我市一中高二学生陈俊达、三中初一学生薛智源、星光双语学校六年级学生王砚桥等人作为代表赴日本进行书画交流活动。

4. **与市外办联合举办纪念徐州和日本半田市建立友好城市15周年书画展**。

10月26日至28日，徐州市文联与市外办在李可染艺术馆联合举办了"中国徐州市·日本半田市纪念缔结友好城市15周年青少年书画联展"。此次书画联展，共展出作品200余件，其中包括我市青少年的作品150余幅，日本青少年的作品70余件。作品包括书法、儿童画、国画、版画等类型。日本半田市长和议长一行来到李可染艺术馆观展并参观艺术馆陈设，题字留念，给予了高度评价。

5. **与徐州工程学院书画中心联合举办全国书画名家邀请展活动**。

5月20日，由中共徐州市委宣传部，徐州市文联、徐州工程学院主办，徐州工程学院艺术学院、书画艺术研究中心、李可染艺术馆、张伯英艺术馆承办的"徐州工程学院书画艺术中心揭牌暨全国书画名家邀请展"在李可染艺术馆举行。市领导陈美行、邹徐文出席揭牌仪式并参观书画展。中国书法家协会副主席、海南省书协主席吴东民，中国书法家协会副主席、宁夏回族自治区书协主席吴善璋，中国书法家协会副主席、辽宁省书协主席聂成文及浙江、青海、山东等六七个省市的书协领导前来徐州参加活动，与徐州艺术家交流、切磋，进一步提升了徐州书法名城形象。

6. **与西宁市文联联合举办徐州·西宁美术作品交流展**。

8月10日，由江苏省徐州市、青海省西宁市文联主办，徐州西楚山水画会、青海书画院承办的徐州、西宁美术作品交流展在青海省博物馆隆重开幕。青海省文联主席樊光明，省美协主席井汉升，西宁市文联主席汪生鲸，副主席刘会彬，徐州市文联副主席王勇、吴继永及两市艺术家和嘉宾出席了开幕式。

本次展览共展出徐州的中国山水画和西宁市的油画作品150余幅。两市的作品各具特色，相得益彰，给观众留下了深刻印象。

7. **开展民族传统文化进校园活动**。

徐州有11座高校，高等教育资源丰富。市文联积极与高校联手开展文艺活动。积极开展传统文化、曲艺进校园活动，收到较好效果。4月20日、5月11日，徐州市曲艺家先后两次走进中国矿业大学，举办"相声小品专场演出"，与大学生同台表演传统相声，受到大学生们的热烈欢迎。活动结束后，很多大学生不愿离去，希望这样的活动能继续下去。今后，市曲协还将组织曲艺表演艺术家和著名相声演员到驻徐各高校举办曲艺表演专场演出及讲座，以进一步提高我市大学生的人文素养和艺术修养。

机关自身建设

以机关效能建设为重点，加强文联自身建设。

一是完善内部管理制度。为规范内部管理，加强机关作风建设，市文联于2008年制定颁布了文联机关各部室工作职责、文联党组、主席团办公会议制度及人事管理等方面的工作新规定。二是抓好机关效能建设。在市委、市政府"加强机关效能建设，优化发展环境"的统一部署下，市文联认真制定了机关效能建设计划，并加以落实。三是协会建设扎实推进。2008年以来，市文联认真学习娄底等市的经验，重新制定了徐州市文联所属文艺家协会管理办法。该办法从协会组织建设、队伍建设、艺术活动、财务管理、奖惩办法等方面对协会工作进行了规范化管理。

常州市文学艺术界联合会

综述

2008年，在市委、市政府的领导下，在市委宣传部的指导下，常州市文联高举中国特色社会主义伟大旗帜，深入贯彻落实党的十七大精神，坚持“两为”方向和“双百”方针，坚持以科学发展观为统领，积极履行组织、协调、服务职能，进一步解放思想，坚定信心，调动全市文艺界的积极因素，创新机制，拓展领域，努力营造健康向上的文化氛围。积极围绕中心，服务大局，认真筹划，精心组织，开展了一系列有特色有声势有影响的文艺活动；以打造文艺精品为重点，积极实施精品战略，通过抓精品、优秀作品和重点题材作品的示范作用，以点带面，使文学创作再上台阶，各艺术门类成果斐然，推动了整个文艺创作的繁荣；组织开展抗震救灾活动，彰显了文艺界的大爱无疆；以优化服务为抓手，着眼在“联”字上下功夫，加强协会建设，坚持联系制度，实行青年作家签约创作制度，重视内部管理，不断提高了服务意识和服务水平；以思想建设为动力，加强理论学习，加强班子建设，加强机关作风建设和机关党组织建设，内强素质，外树形象，把建设一支一流的干部队伍作为一项重要工作来抓。

重要会议

1. **召开九届三次全委会**。

3月，常州市文联九届三次全委会在文联会议室召开，常州市委宣传部代部长徐缨出席了会议。会议由文联副主席黄瑞康主持，市委宣传部副部长、市文联党组书记、主席蒋节勤作工作报告，回顾总结了2007年文联工作，提出2008年工作思路，并对常州市作家协会“幽香苏茶杯”新人新作大赛等13项“重大文艺活动奖”、常州市摄影家协会“十大城市名片”摄影宣传活动等8项“工作创新奖”及张健等53名“会员奉献奖”进行了表彰。最后，市委宣传部代部长徐缨作了重要讲话，对全体委员提出了三点要求：一是要提高认识。要求全体文艺工作者把繁荣和发展社会主义文艺作为造福人民群众、建设文明社会的大事来抓，坚持多做工作求发展，多出作品求发展；二是要充分发挥文联的桥梁纽带作用。围绕市委、市政府的中心工作，服务大局，开展体现时代主题的文艺活动。树立精品意识，凝聚力量，注重人才聚优、创作争优，使新人佳作不断涌现，共同打造常州文化品牌。同时要加强自身建设，树立良好形象，为广大会员、艺术家服务；三是要提高创作水平。团结动员广大文艺工作者坚持“三贴近”原则，创作融时代性、开放性、包容性、开创性、特色性为一体的精品力作，为全市率先基本实现现代化，推动常州文化大发展大繁荣而共同努力。会上，还对市文联部分委员进行了更替。

2. **参与筹备召开全市新闻文艺界座谈会**。

2月，市委范燕青书记亲自召开新闻文艺界座谈会，与全市新闻文艺界代表欢聚一堂，畅谈过去，展望未来。与会人员结合各自的工作情况和创作思路，与市领导范燕青、邹宏国、居丽琴等进行面对面的交流，并为常州文艺事业的发展建言献策。会上，范书记用“有创新、有活力、有效益、有实力”12个字充分肯定了我市新闻界、文艺界工作者的辛勤劳动和巨大成绩，并就在率先基本实现现代化的历史征程中，如何实现常州文艺事业的大发展、大繁荣提出了具体要求。座谈会极大地鼓舞了全市文艺工作者,为全市文艺工作的进一步发展指明了方向。

重要活动

1.举办了常州市书法篆刻晋京展。

4月,为了宣传常州,提高常州知名度,推动常州书法事业发展,由常州市政府、江苏省书法家协会主办,常州市文联、常州市文广新局、常州市书法家协会承办的“常州书法篆刻作品展”在中国美术馆开幕。全国政协副主席、中国文联主席孙家正,中央纪律检查委员会副书记黄树贤,全国政协常委、人口资源环境委员会副主任刘志锋,中国作家协会书记处书记杨承志,中国文联书记处书记廖奔,文化部原副部长、国家博物馆名誉馆长潘震宙,全国总工会原副主席徐锡澄,中国书法家协会主席张海,中国书法家协会副主席、江苏省文联副主席、书记处书记言恭达,常州市市长王伟成,常州市人大常委会副主任赵忠和,副市长张力航、居丽琴,市政协副主席陆志奋,市政府秘书长赵忠齐以及原市长孟金元等领导出席了开幕式。此次展览共展出常州100位书法篆刻家的作品,书体多样,风格迥异,有着明显的地域特色,充分表现了江南书法篆刻的独特气质和求新意识。参展作者都曾在全国书法篆刻比赛、展览中入选、获奖,代表了当前常州书法篆刻艺术的最高水平,同时还出版发行了《常州书法作品集》。中央电视台新闻频道、中央数字电视书法频道、《人民日报》、《光明日报》、《人民日报海外版》、《中国文化报》、《中国艺术报》、《中国书法》、《书法导报》、《新华日报》等媒体对常州的经济、社会文化事业作了深入、全面的宣传,对我市社会主义文化大繁荣、大发展起到了积极的推动作用。

2.举办了“幽香苏茶”杯新人新作文学大赛。

4月,常州市文联、《常州日报》社联合主办,常州市作家协会、常州《翠苑》杂志社、《常州日报》副刊部共同承办了“幽香苏茶”杯新人新作文学大赛颁奖会。此次大赛旨在发现和提携文学新人,推动文学事业的繁荣发展,倡导健康向上的审美情趣和艺术创新精神,营造全社会关注和支持文学事业的良好氛围。征稿日期自2007年

7月至2008年1月，共收到关注社会变革、讴歌城市形象、倡导生态环保、抒发家园情怀、表述创业感悟、描摹挚爱亲情、体察山水之乐、展示和谐之美的散文、随笔、短小说等100多篇，分别在《常州日报》和《翠苑》杂志刊发了30多篇。最后经大赛组委会评选，评出一等奖2名，二等奖4名，三等奖8名，优秀奖若干名，并分别给予获奖作者一定的物质奖励。

3. 开展抗震救灾活动。

“5·12”汶川大地震发生后，常州市文联立即召开动员大会，呼吁全体机关工作人员和广大文艺工作者行动起来，向灾区同胞奉献爱心。这一倡议得到了积极响应，文联所属12个文艺家协会和市文联机关干部、离退休干部纷纷慷慨解囊，通过多种渠道奉献爱心，向灾区人民伸出援助之手，共计捐款、交特殊党费14万余元。常州市书协创作了有关抗震救灾题材的160余幅作品，举办了“常州市抗震救灾书法作品展览”，同时举行了书法作品义卖和现场捐款活动。市曲艺家协会主办了“抗震救灾·沪、苏、锡、宁、杭、常六城市评弹名票名段会演”，将会演所得的收入全部捐献给灾区。市作家协会在组织捐款的同时，与《翠苑》杂志和常州日报副刊部联合组织抗震救灾诗歌专版。市美术家协会和书法家协会积极参加全国、省机关捐献书画活动。音乐家协会创作了《孩子啊，你慢些走》《重建美好的家园》《祖国的脊梁》《我的汶川好兄弟》等抗震救灾歌曲，给灾区人民鼓劲。市文联组织举办了常州市文艺家亲历四川抗震救灾现场报告会，请赶赴第一线的文艺家沈国凡、汤德胜、徐晨钟同志讲述了亲历现场的所见、所闻、所感，展示了大量反映灾区人民、子弟兵、志愿者在灾难面前勇敢、坚强、无私奉献的图片，激励全市文艺界充分发挥文艺家的才艺特长，勇于担当，深入生活，促进创作，把伟大的抗震救灾精神转化为推动各项工作的强大动力，贯穿到日常的工作、学习、创作中，落实在发奋学习、钻研业务、支援灾区的具体行动上。在2008年11月12日由中国摄影家协会召开的“2008抗震救灾优秀摄影家表彰会暨向中央档案馆捐赠抗震救灾优秀作品仪式”上，我市摄影家协会主席汤德胜荣获“2008抗震救灾优秀摄影家”称号，是全国获此殊荣的150名摄影家中唯一的江苏摄影家。

文艺创作

《翠岭秋华》获首届中国山水画双年展优秀奖（最高奖）；油画作品《爱的脊梁》入选中国百家金陵油画展；汪凯作品获全国第七届刻字展优秀奖；论文《常州道情缺失探》获第五届中国曲艺牡丹奖理论奖、第二届江苏曲艺“芦花奖”理论奖；小品《女儿买车了》获“纪念改革开放30周年——首届中国农民文艺汇演”银奖、全国首届“新农村、新文化、新风貌”小品展演一等奖；摄影作品《西藏系列》《人帆竞发》分获第一、二届国际郎静山摄影艺术金像奖；《五一村农民的幸福生活（组照）》《在灾区支教老师》《丰收》获全国第二届“社会主义新农村”摄影大赛优秀奖；乱针绣《汶川的烛光》《花落知多少》、工艺套梳《鱼瓶琵琶》、象牙雕刻《玉楼醉春图》获第十六届世界手工艺博览会、第九届中国工艺美术大师作品展暨国际艺术精品博览会金奖；相声《小顽童》、沈伟伟的中篇弹词《无丝夫人》分获第二届江苏曲艺“芦花奖”理论奖、文学奖和新人奖；韩献忠的小品《我的地盘我做主》获江苏省戏剧文学作品三等奖。

1. 常州市青年作家年度创作颁奖暨签约。

6月，常州市作家协会2007年度青年作家年度创作颁奖暨2008年度签约仪式在常州市文联举行。2007年，与作协签约的青年作家张健、金文琴分别在全国重要文学期刊上发表10.6万字和9.3万字的文学作品，获得5 000元的奖励。另有3位签约作家获得2 000元奖励。为繁荣常州市文学创作，鼓励众多有志于文学创作的人士多出优秀作品，2008年，除了原有的《常州市青年作家年度创作奖励办法》外，又出台了《常州市作家协会创作奖励办法》，作为对常州市文学创作激励机制的补充和完善。办法提出，凡常州市(辖市、区)常住人士在重要文学期刊上发表作品及在重要选刊及年编上入选、入编的作品，奖励同等稿费。颁奖仪式之后，又有11位青年作家与常州市作家协会签约。

2. **承办了江苏省第十二期文艺家读书班暨常州市第九期文艺家读书班。**

7月，由省文联主办、常州市文联协办的江苏省第十二期文艺家读书班暨常州市第九期文艺家读书班在常州太湖湾金陵大饭店举办，来自全省文学艺术界的代表和省部分知名演员及常州市文学艺术界共200余位文艺家参加了本期读书班。

3. **开展纪念改革开放30周年系列活动。**

(1)组织参加泛长三角地区纪念改革开放30周年摄影展。常州市文联、市摄影家协会精选了反映我市改革开放以来历史巨变的30幅风格各异、情趣盎然、斑斓多彩的龙城新貌、奇瑞风光、人文景观的摄影作品，参加了由合肥市委主办、合肥市委宣传部和合肥市文联承办，旨在以摄影艺术搭建平台、开展城际间文化交流与合作的“纪念改革开放30周年·泛长三角地区城市摄影联展”，备受各地摄影家和广大观众的关注。

(2)举办了《常州美术作品回顾展》。作品集中展示了我市美术工作者近十年来的创作成果，表达了广大美术工作者深入生活、深入实际、亲历改革开放，以自己的画笔热情讴歌伟大祖国、伟大人民的挚热情感。展出的50余幅作品，都是美术工作者在全国展入选、获奖和省展获奖的作品，具有一定的影响力和震撼力，彰显了改革开放30年以来祖国山河和人们精神面貌、思想观念的深刻变化。

(3)参与组织编写的反映常州改革开放30周年辉煌成就的《英雄中国》丛书之《乘着歌声的翅膀》，由中国青年出版社出版发行，并被常州市委宣传部列入全市机关干部学习日活动中必学的三部著作之一。

(4)常州市文联、常州市音乐家协会组织编印了纪念改革开放30周年常州市创作歌曲集——《岁月如歌》。

4. **开展了“荷园文化”系列活动。**

为打造富有地方特色的文化活动品牌，使专业文化与市民休闲文化相结合，倡导时尚、健康的休闲娱乐方式，丰富和提升全体市民的精神文化生活，常州市钟楼区、常州市园林局、常州市文联、新闻街道等有关单位联合举办了首届荷园文化系列活动。

活动包括大型文艺晚会、“荷园诗会”、“荷园书画笔会”、“书画创作展览”、“荷花主题摄影大赛”、“摄影现场指导”等一系列文化活动，吸引了数千名市民和文学、书画、摄影爱好者踊跃参加。11月18日，举行了首届荷园文化系列活动展览及颁奖仪式，共有100多首诗词作品、600多幅摄影作品参加评选，展出的82幅书画作品被荷园收藏。此次系列活动的开展，不仅为市民提供了一个休闲观光的好场所，也为常州提供了一张崭新的“荷文化”名片，使荷园真正成为我市文艺工作者的创作基地。

5.举办了第三届《水墨江南》全国著名山水画家作品邀请展。

为进一步弘扬民族文化,提高江南水乡题材中国画的创作与研究水平,共同打造具有民族风格、时代精神、区域特色的美术活动品牌,常州市文联举办了第三届《水墨江南》全国著名山水画家作品邀请展。

来自天津、广西、安徽、深圳、浙江、江苏等地的17位画家参加了活动,展出的60余幅具有浓烈的江南水乡情怀的作品,以其独特、新颖的创作手法赢得了广大美术爱好者的好评,多家媒体予以宣传报道,在社会上尤其是美术界产生了较大的影响。邀请展开幕式后还召开了作品座谈会,来自全国各地的艺术家们就参加《水墨江南》作品展及提高江南水乡题材的国画创作水平,共同打造具有民族风格、时代精神、地方特色的精品力作,畅谈了自己的体会和感想,并就今后如何坚持把《水墨江南》画展活动更深入更成功地举办下去,逐步形成具有鲜明特点的创作群体、创作风格和创作流派提出了许多中肯的意见和建议。这种有地域风貌、水乡特色的主题性双年展,已成为常州文联的一个艺术品牌。

文艺队伍建设

多措并举切实提高服务水平。

2008年,常州市文联党组以各协会任期届满为契机,将那些德艺双馨且具有奉献精神和强烈责任感,肯真正为协会办事,为会员办事,具有较高专业水平、较强活动能力和公益意识的年轻同志选进协会班子,并为协会换届提供了必要的经费。同时，加大了对协会的扶持力度，对各协会举办的有一定规模和影响的重大艺术活动，提供一定额度的经费支持，充分调动各协会开展文艺活动的积极性。坚持联络员制度。指定年轻同志担任协会联络员，为协会开展活动提供力所能及的帮助。以《文艺界》《翠苑》杂志为依托，加强文联与社会各界、协会以及广大会员的沟通，全年出版《文艺界》《翠苑》各6期。组织艺术家赴安徽、浙江、昆山等地考察采风。坚持联络、走访老艺术家、老领导、老同志，一年来走访、慰问30余人(次)。重视内部管理，提高服务意识。文联紧紧围绕“全面达小康、建设新常州”的伟大实践，组织开展了“建设学习型机关”活动、“解放思想找差距，科学发展创新业”大讨论活动。组织全体党员开展“融合、奉献、和谐”志愿服务活动，号召党员干部走进社区，充分发挥党员先锋模范作用。同时重视内部管理，使文联全体干部职工的政治素质、理论素养、服务意识、知识水平和业务能力有了较大提高，工作作风有了新的转变，整体凝聚力得到了进一步增强，为促进全市文艺事业繁荣提供坚强的思想和组织保证。

自身建设

强身健体提升文联整体形象。

坚持党组理论中心组学习制度，围绕科学发展观及“解放思想找差距　科学发展创新业”，组织学习和讨论。大力开展创建活动。以创建学习型机关、“廉洁勤政好机关”等活动为载体，认真制订落实文联机关干部的学习培训计划，加强思想道德教育，拓展学习载体。全面贯彻落实科学发展观，加强反腐倡廉制度建设，营造廉政文化的浓烈氛围，进一步提高了全体机关干部的理论素养和法律意识。加强班子建设，增强团结与协作。以创建“好班子”为抓手，全力提升领导班子的工作水平，正、副领导之间协调团结，发挥模范带头作用。坚持集体领导和个人负责相结合，坚持每月召开工作会议，对重大问题，都坚持集体讨论。同时对班子成员进行明确分工，坚持谈心制度，结合机关作风建设活动，通过个别谈心、召开座谈会等形式，及时了解机关干部的思想动态，有针对性地做好思想政治工作，促进了文联机关的团结。

以提高服务水平为目标，加强机关作风建设。认真贯彻市级机关作风建设动员大会和《2008年市级机关作风建设实施意见》的精神，进一步加强机关作风建设，不断提升文联机关服务群众、服务会员、服务发展的水平。制订了《常州市文联加强机关作风建设实施方案》和《科室作风建设活动方案》，对文艺界百名服务对象和市级机关发放征求作风建设意见表，对各界提出的问题、意见和建议进行了认真梳理、思考与剖析，提出了机关作风建设的整改措施。在机关、事业全体人员中组织开展了“机关作风建设”征文活动，切实解决了文联机关干部作风中存在的突出问题。

切实加强机关党组织建设，不断增强机关干部队伍的凝聚力和战斗力。认真做好党员的教育管理工作。继续开展新《党章》学习教育活动，进一步健全完善中心组学习制度、日常政治学习制度和党支部“三会一课”制度等机关基本学习制度，坚持用党的十七大精神武装头脑，不断加强机关干部的能力建设，为常州经济社会又好又快发展、率先基本实现现代化提供强有力的思想保证。继续抓好“共产党员示范岗”的创建活动，尤其是加强对被市级机关工委命名为“党员示范岗”的办公室的管理，激励办公室同志发挥党员先锋模范作用。

落实党建工作责任。继续完善《市文联党建工作目标管理责任制》，把落实党建工作责任制与实施党建工作目标管理考核结合起来。与天皇堂弄社区联合开展了“争创文明城市，争当文明市民”活动，走访慰问了荷花池社区困难、生病的老党员，和常州市锡剧团联合送戏到天皇堂社区，开展中秋慰问演出活动，丰富人民群众的精神生活。组织全体党员赴溧阳新四军江南指挥部纪念馆参观学习，接受爱国主义教育。继续深入开展了“党员进社区，万人帮万户”系列活动，捐助金坛朱林镇唐王村14户贫困家庭20 000元，并组织大型传统锡剧《春江月》到朱林镇为广大人民群众演出。

加强党建带"三建"工作。成立了文联首届妇女委员会,选举产生了市文联第一届妇女委员会委员。组织开展了"沁尔康"杯"两性平等与社会和谐"论文评比活动,促进女性对男女平等与社会和谐的思考。同时,组织定期制作宣传橱窗,使之成为对内对外工作交流的平台,加强了对文联机关的宣传力度,共出宣传板报 4 期。信息上报工作有声有色。全年共上报信息 45 条,被江苏文艺网、江苏省文联《繁荣》、市委市政府重要信息平台的《每日快讯》、市委宣传部、市级机关工委等部门采用 30 余条,另外有近 20 篇新闻报道被《常州日报》、《常州晚报》、《新华日报》、《文艺报》、《美术报》、常州电视台采用。

苏州市文学艺术界联合会

综　述

2008年,苏州市文联坚持用科学发展观统领全局,围绕中心,服务大局,积极履行联络、协调、服务、指导的职能,按照文联九届三次全委会确定的工作目标,求真务实,开拓创新,在繁荣文艺创作、丰富文艺活动、加强队伍建设、拓展工作领域等方面取得了长足的进步。全市文艺事业呈现出团结和谐、创作繁荣、事业兴旺的喜人局面。文艺创作喜结硕果,全市文艺工作者创作了一批思想艺术性俱佳、深受群众欢迎的优秀作品,在中国百家金陵画展(油画)、江苏省第三届紫金山文学奖等国家和省级重要文艺奖项中取得了可喜的成绩。成功举办了纪念改革开放30周年、首届中国苏州(相城)书法史讲坛、江苏省第二届曲艺芦花奖颁奖晚会、江苏省第五届小戏小品比赛等重大文艺活动,精心组织了抗震救灾义演义卖和各类文化惠民活动,充分发挥了文艺的独特作用,扩大了文联的影响力,增强了文联的凝聚力。苏州市文联的工作得到了中国文联、江苏省文联的高度评价。2008年,苏州被中国书法家协会命名为首批"中国书法名城"。

重要会议

3月12日,苏州市文联在苏州饭店召开九届三次全委会,总结了2007年度的工作,明确了今年文联工作的总体思路和工作任务。苏州市文联党组书记、副主席朱建华受文联九届委员会主席团的委托作工作报告;苏州市委常委、宣传部长徐国强出席会议并作重要讲话,充分肯定了市文联2007年的工作,并对苏州文艺工作者提出希望。会上对省、市文联先进集体、先进个人和2007年度文艺创作成绩突出的文艺工作者和优秀作品进行了表彰,增补了朱丙华等7人为文联九届委员会委员。特聘苏州工业园区联合投资有限公司董事长兼总经理顾三官,苏州天元置业有限公司董事长、昆山玉山胜境文化有限公司董事长沈岗为市文联九届委员会荣誉委员。

6月22日至24日,江苏省基层文联现场交流会在苏州市举行。省文联党组书记、常务副主席王慧芬,苏州市委常委、宣传部长徐国强,省文联副主席、书记处书记言恭达,省文联党组成员、书记处书记杨企鹏和来自省、市、县三级文联及企业文联的负责同志160余人参加了交流会。苏州市文联、常熟市文联及我省的有关市、县级文联分别就文艺创作、文艺人才培养、基层文联建设等方面在工作会上作了交流发言。会议期间,与会代表还参观考察了我市金阊区文联、苏州美术院,观摩了我市文联近年来的文艺创作成果展览。

12月12日下午,《苏州杂志》创刊20周年座谈会在胥城大厦举行。苏州市委常委、宣传部长徐国强,江苏省作协党组副书记、副主席,苏州市文联主席、《苏州杂志》主编范小青,苏州市副市长王鸿声,苏州市文联党组书记、副主席朱建华,以及社会各界人士、作者、读者代表出席了座谈会。座谈会上,市委常委、宣传部长徐国强对《苏州杂志》创办20年来,坚持"当代意识,地方特色,文化风貌"的办刊方针,提高刊物质量和品味给予了充分肯定,并希望在各种文化日益丰富的今天,《苏州杂志》坚持走创新发展之路,不断增添活力,进一步扩大发行量,提高影响力,为苏州文化建设发挥更大的作用。

12 月 12 日,由苏州市文联承办的中国曲艺家协会工作会议在相城区召开。中国文联副主席、中国曲协主席刘兰芳,中国曲协党组书记、副主席姜昆,江苏省文联党组书记、常务副主席王慧芬,苏州市副市长王鸿声,苏州市文联党组书记、副主席朱建华,中国曲协六届二次主席团成员以及各省、市曲协负责同志出席了开幕式。王鸿声副市长代表苏州市政府致欢迎辞,刘兰芳主席致大会贺词,姜昆同志作工作报告。

重要活动

苏州市文联围绕纪念改革开放 30 周年开展了一系列有声有势有影响的主题文艺活动,以文艺的形式讴歌改革开放和现代化建设的辉煌成就。3 月 21 日,举办了"美在新苏州,美在新农村"美术书法摄影比赛获奖作品展。此次比赛自 2007 年 3 月份启动,得到了全市广大美术书法摄影艺术家和爱好者的积极响应,大赛共征集到 3 400 余件作品,其中 120 件作品获奖,苏州市美术家协会等 14 个单位分获优秀组织工作奖和组织工作奖。12 月 26 日,举办了"纪念改革开放 30 周年·2008 苏州文艺论坛",全市近 300 位文艺界老领导、文艺评论家出席论坛。论坛当场公布了苏州文联 30 年发展历程的 30 件文艺大事,14 位论文作者在论坛作了发言,论坛上还首次发放了《苏州文艺评论(2008)》一书。承办了"辉煌巨变——江苏省纪念改革开放 30 周年摄影作品巡回展"在苏州的展出。

4 月 11 日,"第二届江苏曲艺'芦花奖'颁奖晚会"在苏州广电总台演播大厅隆重举行。省委常委、宣传部长杨新力,中国曲协党组书记、常务副主席姜昆颁发了本届"芦花奖"终身成就奖,省文联主席顾浩,省政协昆评室主任陆军,省文联党组书记、常务副主席王慧芬,市领导徐国强、朱

玉文、王鸿声，以及中国曲协、江苏省文联、江苏省曲协有关领导出席了颁奖晚会并颁奖。王慧芬为颁奖晚会致辞。此届“芦花奖”所评出的8大项39个奖项中，苏州共夺得6大项17个奖项，占全省获奖总数的40%。

4月20日上午10时，“中国书法名城苏州”命名授牌仪式在苏州文庙大成殿广场隆重举行。应邀参加的有文化部、中国书协、江苏省文联、江苏省作协、江苏省书协的领导赵长青、张陆一、王慧芬、范小青、言恭达、尉天池、李啸、郭志鸿及苏州市四套班子的领导徐国强、朱玉文、府采芹等。中央电视台及有关新闻单位、全国主要书法媒体记者应邀作新闻报道。中国书协、江苏省文联有关领导作了热情洋溢的讲话，充分肯定和高度评价了苏州书法艺术。中国书协分党组书记、驻会副主席兼秘书长赵长青，中国书协顾问、江苏省书协主席尉天池，中国书协副主席、江苏省文联副主席、书记处书记言恭达授牌，苏州市委常委、宣传部长徐国强代表市委、市政府接牌。

5月23日，苏州市文联在苏州饭店举办了“情系灾区，奉献爱心——苏州市文艺界抗震救灾义演义卖会”，来自苏州文艺界的300多位演员参加了义演活动。苏州市的文艺家协会以及分会、文艺家、苏州市文联机关全体工作人员在晚会上积极捐款，通过义卖义演以及捐款共筹集了善款680 315元，全部捐献给四川地震灾区。在这次的书画义卖活动中，我市的书画家们参与的热情特别高，不仅参与人数最多、作品最多，而且义卖所得的金额也最高，20家爱心企业认购了530多位书画家捐献义卖的840件书画作品。

6月25日，由中国书法家协会、江苏省书法家协会、苏州市文联等共同主办，沧浪新城管委会承办的纪念著名书法家、篆刻家瓦翁先生百岁诞辰的“百步艺程——瓦翁百岁书画篆刻作品展暨《百步艺程——瓦翁百岁书画篆刻作品集》首发式”在苏州市工人文化宫举行，展出的60幅书法、篆刻、绘画作品均为瓦翁各个时期的精品力作。苏州市政协副主席府采芹，市委宣传部副部长郦方，苏州市关工委主任周彩宝，苏州市文联党组书记朱建华，著名书画家华人德、杭鸣时、张继馨等出席了活动。

9月13日晚，由苏州市文联主办的“2008·

中国苏州虎丘曲会（第九届）”在著名风景胜地虎丘山上隆重举行。来自北京、天津、上海、南京、杭州等17个曲社和苏州本地9个曲社，共500余名曲友参加了曲会活动，创下了历届参与人数之最。曲友们在虎丘山上拍曲表演，再现了历史上夜唱昆曲的盛况。另外，还组织曲友们参观了昆曲发源地之一昆山市千灯镇及顾坚纪念馆、顾炎武故居等，并在千灯老街古戏台进行演唱活动。

9月22日，由中共苏州市委宣传部、苏州市教育局、苏州市文联、苏州市文广新局、姑苏晚报社等联合主办的迎奥运苏州市万名青少年书画作品大赛暨第三届福临门大家庭“福吉佳杯”苏州市青少年书画作品大赛获奖作品颁奖仪式在沧浪少年宫隆重举行。此次大赛共收到应征书画作品13200多件，最终评出一等奖83名，二等奖109名，三等奖214名，佳作奖532名，新苗奖400名，43个单位获优秀组织奖，53名书画指导教师获园丁奖。

10月26日，苏州市少儿文学阅读指导站正式成立，这是市作协儿童文学分会在致力于少儿文学阅读推广、培养少年儿童从小享受文学乐趣而进行的开创性探索实践。成立仪式上，苏州市少儿文学阅读指导站向省作家协会党组副书记、副主席、苏州市文联主席范小青，市委宣传部副部长、市文明办主任缪学为，市文联党组书记、副主席朱建华，教育局局长鲍寅初，市文明办副主任邱惠霞，沧浪区委宣传部部长朱奚红和苏州高等幼儿师范学校党委书记潘建中等7人组成的顾问团颁发了聘书；向中国作家协会副主席、儿童文学委员会主任高洪波，中国作家协会儿童文学委员会副主任张之路，原中国作协儿童文学委员会主任、著名儿童文学评论家束沛德，中国社科院教授、原中国作协儿童文学委员会副主任樊发稼，首都师范大学教授、儿童文学作家金波等9人组成的专家团颁发了聘书；向市级机关民治路幼儿园等12所幼儿园授予首批苏州市少儿文学阅读指导站实践幼儿园铜牌。

11月23日晚，江苏省第五届小戏小品大赛颁奖晚会在张家港市南丰镇永联村文化活动中心隆重举行。省委老领导、省文联主席顾浩，省文联党组书记、常务副主席王慧芬，省戏剧家协会主席刘俊鸿，中共苏州市委宣传部副部长、市文明办主任缪学为，苏州市文联党组书记、副主席朱建华，苏州市文联副主席、市文广新局副局长成从武，张家港市委常委、宣传部部长梁一波，张家港市南丰镇永联村党委书记、江苏永钢集团有限公司董事长吴栋材等领导，以及江苏永钢集团有限公司、永联村的员工、村民千余人出席晚会，观看演出。本次大赛由省文化厅、省文联主办，省戏剧家协会、苏州市文联、市文广新局、江苏永钢集团有限公司承办，来自全省专业、业余剧团的200余名选手参演的35个小戏、小品节目在赛会上进行了激烈的角逐。最后决出小品类一等奖4个，小戏类一等奖4个，此外，大赛还评出了导演、表演、音乐、舞美以及组织奖等若干奖项。我市共获得41个奖项，苏州市文联、市文广新局获优秀组织奖。

文艺创作

文艺创作喜获丰收。2008 年我市作家发表于报刊的文学作品 2 000 余篇，约 490 万字，其中发表在省级以上刊物的有 1 200 余篇，近 400 万字，发表在国家级重点刊物的有 24 位作家 37 篇(部)作品。另有 47 位作家的 85 部专集出版，20 余位作家的作品在省级以上各类文学评选中获奖。在江苏省第三届紫金山文学奖评选中，苏州作家获得 3 个荣誉奖、11 个作品奖，其中范小青、叶弥、朱文颖、王一梅、王尧和马昇嘉蝉联紫金山文学奖。在中国百家金陵画展(油画)中，我市作者姚莨的作品《享受阳光》获金奖。在中国书协主办的全国册页展、草书展、新人展、篆刻展、隶书展及千人千作展等国家级书法赛事中，我市陆家衡、李双阳、钱玉清、杨建荣、顾宇驰、霍正斌等一批中青年书家均取得优异成绩。我市张炎龙的《家有喜事》获中国摄影协会主办的“我的中国符号”全国摄影比赛一等奖，阙明芬的《沐浴阳光》在中国摄影家协会主办的承德国际摄影大赛上获银奖。在上海第九届国际摄影艺术展中，陆华春的《雾洒徽州——夜秋》获艺术类金奖，陈树勋的《江南雨》获艺术类铜奖。在 2008 年江苏省音乐“茉莉花”奖评选中，杨瑞庆的《乘风凉》、戴海英的《水乡外婆桥》分别获三等奖。范广勋作词作曲的《有一个美丽的名字叫江南》参加中宣部举办的全国流行歌曲比赛，在江苏省赛区和华东六省一市赛区两轮比赛中脱颖而出，已进入北京总决赛，市音协也获得优秀组织奖。在中国曲艺牡丹奖评选中，中篇弹词《风雨黄昏》获节目奖，陆建华获表演奖。由我市文艺家创作演出的滑稽戏《青春跑道》获国家舞台艺术精品工程资助剧目，昆曲青春版《牡丹亭》在海外演出反响热烈，获文化部、财政部颁发的文化出口优秀项目特别奖。于丽娟创作的舞蹈《甪直水乡》在首届中国农民艺术节文艺汇演中获金穗奖。电视艺术工作者拍摄制作的故事片《笛声何处》获第 24 届中国电视金鹰奖中短篇电视剧三等奖。在纪念改革开放 30 年江苏省首届合唱比赛中，我市获得 1 个金奖、1 个铜奖和优秀组织奖。编辑出版了《苏州作家研究》。

3 月 28 日上午，《苏州街巷文化》座谈会在苏州市文联召开，张英霖、朱红、徐刚毅、叶正亭、柯继承、林锡旦、王稼句、陈雪春、徐卓人、江洛一、俞涌、诸家瑜等 10 余位苏州专家、学者应邀参加。《苏州街巷文化》是苏州市宣传文化发展专项资金立项资助项目的地方文献，作者潘君明以方位划块，以区域划分或以街、巷、里、弄编目等编法，向读者展示了苏州古城悠久的历史和深厚的文化。

4 月 16 日，苏州市作协在中国新农村建设明星村、中国(东部)小康建设十佳村之一的太仓沙溪太星村召开纪念改革开放 30 年“苏州新农村建设”报告文学创作会议，全市 30 余位知名作家和各市(县)文联负责人出席了会议。会议由苏州作协报告文学分会会长、报告文学作家叶正亭主持。会上作家们进一步明确了系列活动的意义，并确定了自己的创作选题。苏州市委农村工作办公室副研究员卢水生作了相关讲座，太星村党委书记柳国豪作了情况介绍，苏州市文联党组书记、副主席朱建华到会并讲话。

11 月 12 日至 13 日，由苏州市委宣传部、市文明办为指导单位，市文联、市文广新局联合主办，市戏剧家协会、市文艺创作中心、市文化馆联合承办，市小戏小品学会协办的“2008 年苏州市第五届小戏小品大赛决赛”在金阊区市民活动中心剧场举行。苏州市滑稽剧团小品《回家过年》获节目金奖；苏州市锡剧团小戏《银子浜》获节目铜奖；苏州市锡剧团(苏州舞美中心)、苏州市滑稽剧团获组织奖，苏州市文联、市文广新局获优秀组织奖。

12 月 2 日，由复旦大学出版社出版的《苏州作家研究》丛书举行首发式。这是我市首部为活跃在当今文坛上的范小青、苏童、叶弥、荆歌、金曾豪、王一梅、杨守松、车前子、朱文颖等 9 位具有代表性的苏州作家群体出版的创作评论专卷专集。该书由市委常委、宣传部长徐国强，市作协主席范培松共同主编，书中既有作家传记，又有作家自我描述，既有研究者对作家作品的深入研究，又有作家代表作及相关资料索引。

2008年,苏州市戏剧家协会通过建立文艺创作基地,为戏剧艺术工作者提供良好的创作、交流、研讨活动场所。7月和12月份分别在常熟尚湖镇、吴中区穹隆山风景区、相城区荷塘月色举行了创作基地揭牌仪式,双方签订了合作协议书。10月29日,中国书协在昆山巴城建立了创作基地。基地的建立为普及艺术知识、开展基层文艺人才培训,指导和推动基层群众性文化活动的开展发挥了重要作用。

理论研究

7月21日,由中国书法家协会、江苏省文联、苏州市文联和相城区人民政府共同主办的,为期5天的"首届中国书法史讲坛"在苏州市相城区闭幕。这是苏州市文联和中国书法家协会首次合作推出的书法国际高端学术论坛,举办以书法研究史专家讲述怀素《自叙帖》的真相、古代书画家水上行旅与创作鉴赏关系、网络时代的明清书法史研究的史料问题等为专题的讲座。华人德、傅申、白谦慎、黄敦、丛文俊、张朋川等海内外书法史研究专家和50多位重点高校的博士研究生、硕士研究生以及来自全国各地的百余名书法爱好者出席本次论坛。本次论坛重在培养书法研究的高层次后备人才,受到了全国多家书法专业媒体的高度关注,并全程参与,先后发布新闻530多篇。

文艺队伍建设

7月18日,由苏州市文联举办的"苏州中青年文艺家读书班"隆重开班。省文联党组书记、书记处第一书记、常务副主席王慧芬专程出席开班典礼,并作了重要讲话。来自苏州全市的120多名文艺家和文艺工作者参加了本期读书班的学习。本次读书班内容丰富,中国书法家协会党组书记、副主席、秘书长赵长青,中国曲艺家协会分党组书记、副主席姜昆分别作了书法和曲艺讲座,苏州大学教授、博士生导师、苏州市文艺评论家协会主席朱栋霖,市摄影家协会副主席、吴中区文联副主席张炎龙,苏州市评弹团团长孙惕分别作了戏剧、摄影和评弹讲座。读书班的学员们精神饱满,兴趣盎然,认真聆听了领导、专家们的讲课,获益匪浅。

文艺惠民

1月21日,苏州市文联组织的"送文艺下乡"活动在常熟蒋巷村举行。来自苏州市各个文艺家协会、沧浪区文联、江苏省苏州昆剧院、苏州市滑稽剧团、苏州市评弹剧团、常熟市文化馆、常熟市锡剧院、沧浪区南门艺术团组成的"文艺下乡"慰问团一行150多人参与了这次活动。慰问团的文艺家们开展了一系列文艺活动。知名书法家、画家为村民写春联作画,摄影家为十几位80岁以上老人的家庭拍摄全家福,民间文艺工作者展示了民间工艺品和民间风味小吃,音乐词曲家与村民座谈,慰问团还给蒋巷村的农民表演了精彩的文艺节目。表演艺术家顾芗、张克勤联袂表演的小品《团圆》、评弹艺术家金丽生演唱的弹词开篇《莺莺操琴》、梅花奖得主沈丰英、俞玖林表演的《牡丹亭·惊梦》片段等,使当地的农民朋友们大饱眼福,得到了高层次艺术的享受。

7月19日,常熟"中国曲艺之乡"授牌仪式暨中国曲艺家协会名家"送欢笑到基层"专场演出在常熟虞山大戏院举行。中国文联副主席、中国曲艺家协会主席、著名评书表演艺术家刘兰芳,中国曲艺家协会分党组书记、副主席、著名相声表演艺术家姜昆,省文联党组书记、常务副主席王慧芬,省文联副主席、书记处书记言恭达以及常熟市的有关领导出席了授牌仪式。姜昆代表中国曲协宣读了《关于命名常熟为"中国曲艺之乡"称号的决定》,刘兰芳代表中国文联、中国曲协向常熟市委副书记、市长王建康授牌。仪式结束后,举行了中国曲艺名家"送欢笑到基层"专场演出。

文艺交流

4月1日,由开封市文联、苏州市文联和开封市书协、苏州市书协联合主办的"开封·苏州书法展"在苏州美术馆开幕。展厅内展出了开封、苏州两地书法家的120幅精美作品,成为今春苏州文艺百花园中的一道亮丽风景。开封和苏州同属历史文化名城,出现过诸多极具影响的大书法家。此次书法展推进了两地书法艺术的交流和提高,促进了苏州文化事业的大繁荣大发展。

6月5日,“苏州书法作品展”在贵阳美术馆开幕。贵阳、苏州翰墨结缘自上世纪70年代,至今已有30个春秋。这次苏州书法家带去新近创作的50件书法精品,再一次吸引了贵阳的书法同道和爱好者。贵州省文联、书协,贵阳市文联、书协,江苏省文联、书协,苏州市文联、书协的领导以及两地的书法家、书法爱好者近300人出席此次活动,并观摩了书法作品展。展览期间,苏州的书法家在贵阳、遵义两地举办了笔会,与当地书法家切磋书艺,共叙友情。

7月12日至14日,由苏州市青少年书画协会组织的青少年书画交流夏令营在浙江宁波举办,45名书画指导教师和青少年会员参加了这项活动。期间,苏州市青少年与宁波市青少年在宁波美术馆举行了现场书画交流,参观了天一阁、宁波美术馆历史文化遗址和现代艺术展馆,考察游览了奉化溪口、中国渔村、浙东大峡谷等景点。

7月29日至8月10日,苏州市青少年书画协会日中友好书道展在鸟羽市隆重举行。本次赴日交流活动一行25人,29日上午举行展览交流开幕式,中国驻名古屋总领事李天然、三重县观光局局长辰巳清和、鸟羽市市长木田久主一等为开幕式剪彩。李天然领事在开幕式上发表了热情洋溢的讲话,希望通过两国青少年的书画交流,增进相互了解和友好情感。开幕式后,两国青少年进行了书画交流切磋,并互赠了书画作品。此次赴日交流活动的师生们还参观了东京、大阪、京都等地,大家在雨中岚山的纪念碑旁合影留念,深切缅怀敬爱的周恩来总理的丰功伟绩。

8月7日,苏州市文联吴侬女子合唱团应日本金泽市的邀请,展开为期5天的访问演出,在“苏州—金泽跨越海洋的歌声2008金泽城音乐节”上,合唱团的出色表演获得了金泽观众的热情鼓励。这是吴侬女子合唱团首次走出国门进行文化交流活动,取得了圆满的成功。

10月12日至13日,应日本冲绳县南城市政府的邀请,苏州市文联组成文化艺术交流团一行28人赴日本冲绳县南城市进行文化交流,在南城市音乐厅举行了两场题为“中国精粹·雅俗共赏”的专场演出,为日本观众送去了经典昆曲折子戏、古琴名曲,以及被列入国家级非物质文化遗产名录的苏州评弹和江南丝竹,演出现场反响热烈、效果轰动,在当地掀起了苏州文化的热潮,冲绳县南城市各大新闻媒体对此次演出进行了全程报道,并给予了高度评价。活动期间,交流团还分别为南城市政府官员和玉城小学师生举行了慰问演出活动。

文化产业

8月28日,苏州市委副书记、市长阎立,市委常委、常务副市长曹福龙,市委常委、宣传部长徐国强等市领导,在沧浪区委书记路军、区长陆春云、区委副书记周建华、市文联党组书记朱建华等陪同下,先后视察了位于况公祠内的苏州美术院,看望并了解画院画家的创作情况。美术院副院长沈民义介绍了画院情况。美术院是由沧浪区政府和苏州市文联创立的专业艺术团体,其宗旨是传承吴门画派优秀传统,繁荣新时期苏州美术,打造“文化沧浪”品牌。目前已有数十位苏州知名画家进驻美术院建立画室,优美洁静的环境为他们提供了良好的创作氛围。

9月28日下午,苏州古城内首个书画集卖地——定慧寺巷书画街正式开街,20多位知名书画家、9家从事书画展销的经营单位进驻。苏州市副市长王鸿声,沧浪区委书记路军,副书记周建华,区委常委、宣传部部长朱奚红,苏州市文联党组书记、副主席朱建华等领导出席开街仪式。定慧寺巷书画街是由苏州市文联和沧浪区政府共同打造的一条特色街,是集书画创作、展示交流的一个重要窗口,也是文联探索文化产业发展所作的新尝试。

南通市文学艺术界联合会

综　述

2008年南通市文联深入贯彻落实科学发展观,在各协会、各县(市)区文联的共同努力下,完成了八届五次全委会确定的目标,召开了八届六次全委会和协会、县(市)区文联工作会议。在理论学习上,举办了6期"文联大讲坛",邀请全国、省著名文艺家和文艺理论家来通进行专题讲座,举办了文艺家理论读书班,"记忆30年——造型艺术论坛"。在重要活动上,举办了第三届"五月风"文艺展示月系列活动,纪念改革开放30周年系列活动,抗震救灾系列公益活动,文艺惠民系列活动,不断打造文联的活动品牌。在繁荣文艺创作上,从"五个一工程"入手,打造文艺精品;组织会员赴河北、内蒙古、浙江、海南、河南等地采风;组织重点作品研讨会、座谈会;组织重点作者创作研讨会、座谈会;完善激励机制,加大表彰力度,出台了国家级和省级获奖作品的嘉奖办法;开展政府文艺奖评奖活动和团体会员创新奖、奉献奖评比活动。在队伍建设上,完成了文联所属12个协会的换届工作;推进了乡镇文联、街道文联等基层文联建设;建立了古琴研究会、越剧分会、海门山歌分会;建立了戏剧、音乐创作基地和影视教育基地。在传承文化遗产上,启动了南通民间故事(县卷本)的编辑工作,编辑出版了"江海文库"丛书第五辑。至2008年底,文联团体会员中有市级会员3 496人,省级会员1 027人,全国会员287人。2008年,市文联获省文联2008年度文艺惠民活动优秀组织工作奖、"美在新江苏"采风活动优秀组织奖、江苏省第五届小戏小品大赛组织奖、南通市委宣传部宣传文化系统工作创新奖。

重要会议

1. **市文联八届五次全委会**。

6月17日,市文联第八届五次全委会召开。会议听取并审议了市文联党组书记、常务副主席羌怡芳所作的题为《深入学习贯彻十七大精神,努力开创南通文艺和文联工作新局面》的八届五次全委会工作报告,增补了袁瑞良、杨忠坚、王法、吴培军为市文联八届委员会委员。袁瑞良当选为市文联主席。会议还对获第八届中国民间文艺山花奖·民间工艺美术作品奖的作品以及2007年度团体会员工作创新奖、2007年度团体会员工作奉献奖等进行了颁奖。

2. **协会、县(市)区文联工作会议**。

1月24日,市文联召开各协会、县(市)区文联工作会议。市文联党组书记、常务副主席羌怡芳对2007年的各协会、县(市)区文联工作进行了小结,并提出了2008年工作思路和工作目标。

3. **进一步"解放思想,迎接港桥时代"主题推进会**。

7月10日,市文联召开"进一步解放思想,迎接港桥新时代"主题推进会。市文联所属各文艺家协会、县(市)区文联的负责人以及市文联机关全体同志参加会议,市文联党组书记、常务副主席羌怡芳作了主题发言。会议围绕大桥通车,大港即将通航,如何用新的视角、新的定位和新的思维,团结全市文艺家,做好文艺工作进行了探讨。

重要活动

2. **抗击"5·12"汶川特大地震灾害**。

(1)市文联机关积极参与抗震救灾捐助。四川汶川大地震发生后,文联机关为灾区捐款共计5 800元。同时,市文联向全市文艺工作者发出《倡议书》,号召全市的文艺工作者积极投身于抗震救灾的斗争。5月26日,市文联机关党支部共收到11 300元特殊党费。

(2)南通书画家开展赈灾义卖活动。6月1日,由南通市美术家协会、南通市书法家协会等单位主办的"情系汶川——南通书画名家赈灾义卖作品展"在南通市中心美术馆开幕,400多人参加了该活动。活动共收到南通市书画名家的作品共46幅,义卖所得15.62万元,均捐赠给市慈善总会,用于灾区重建学校。

(3)南通摄影人义拍捐赠。6月12日下午,南通市拍卖行业"抗震救灾、奉献爱心"书画摄影作品专场义拍捐赠在市国际大厦三楼会议大厅举行。市摄影家协会29位会员的54幅作品共拍得人民币2.43万元,所得款项由拍卖行统一捐给南通市希望工程办公室。

(4)市作家协会编印抗震诗歌集。5月12日四川大地震发生后,市作协编印了《废墟上的崛起——2008·抗震救灾诗歌特辑》,收入诗集的共有35位作者的76首诗作。

(5)《汶川长歌》出版。南通作家陆汉洲创作的长篇组诗《汶川长歌》由中国经济出版社出版。5 200余行的长诗,叙写了汶川抗震救灾群星璀璨的英雄壮举。作者并将价值6 000余元的新书赠送给成都军区政治部等14家单位。

2. **迎奥运系列活动**。

(1)南通画家作品为奥运添彩。8月11日,2008奥林匹克美术大会在中国国际展览中心开幕。王奇寅的花鸟画作品《和风喜雨》、陈鹏刚版画《独鹰》参展。

(2)励志书法作品为奥运加油。6月3日下午,由市文联、市体育局主办,市书协承办的"为南通籍奥运健儿加油书法作品捐赠活动"在市体育局隆重举行。市文联将书法家的50幅励志主题的书法作品捐赠给市体育局。

3. **第四届南通市文学艺术奖颁奖**。

6月2日,市政府举行第四届南通市文学艺术奖颁奖大会,对2005年至2006年度我市文学艺术创作的优秀成果进行表彰。经评审委员会评审和政府网站公示,评选出获奖作品69件,其中《民间工艺品·蓝印花布四件套》和《吕四渔号》获得特别奖,另有一等奖10件、二等奖24件、三等奖33件。

4. **第三届"五月风"文艺展示月系列品牌活动**。

5月8日,南通市第三届"五月风"文艺展示月在南通博物苑开幕。省文联党组书记、常务副主席王慧芬,市委副书记黄利金,市委常委、宣传部长张小平,市委常委、市委秘书长秦厚德,市人大副主任王平出席了开幕式。第三届"五月风"文艺展示月,重点围绕纪念改革开放30周年,通过展演、展览、展示、展映等多种形式,组织开展22项惠民文艺活动。

5. **文学大师风采暨中国现代文学馆藏书票展览·南通文学名人风采展**。

"文学大师风采暨中国现代文学馆藏书票展览·南通文学名人风采展览"10月17日,在南

通市中心美术馆开幕,展出了茅盾、巴金、冰心3位文学大师宝贵的图文资料及实物。本次展览由中国现代文学馆、市文化局和市文联共同主办。同时,还展出了丁聪、靳尚谊等50位画家创作的藏书票。中国作协副主席、中国现代文学馆馆长陈建功等出席了开幕式。

6.**"水木清华"南通作家书展**。

5月12日上午,市作家协会在个簃艺术馆举办"水木清华·2004—2007南通作家书展",这是南通市文联、市作协首次集中地、较为系统地对外展出南通作家作品。这次书展汇集了2004年至2007年我市93位作家的126部作品,其中长篇小说31部、诗歌集30部、散文集25部、纪实传记14部、报告文学8部、文艺评论18部。

7.**尤无曲金石书画展**。

10月12日上午,由市美协和光朗堂(尤无曲艺术馆)联合举办的"尤无曲金石书画展"在光朗堂开幕。展出的作品中,有尤无曲2004年为陈半丁纪念馆撰写的对联"清风高节强其骨,淡墨浓烟写古心",有荣宝斋出版社出版的《近现代篆刻名家印谱丛书——尤无曲》一书中两百多面边款的原拓。

8.**耿颂九山水画回顾展**。

由市文联主办,南通市美术家协会、南通博物苑承办的九九老人"耿颂九山水画回顾展"于5月20日上午在南通博物苑开幕。这次画展展出了耿颂九先生一生各个时期的代表作60件。

9.**余建华油画艺术作品展**。

5月28日上午,由市美术家协会承办的余建华油画艺术作品展在南通博物苑开幕。画展展出了余建华从1990年创作至今的49幅作品。

10.**王法国画小品展**。

9月18日上午,由市美术家协会和尤无曲艺术馆联合举办的"王法中国画小品展"在名都广场光朗堂开幕。

11.**雪情·雪景·雪韵2008影展**。

5月23日,由市摄影家协会在市文化宫举办"雪情·雪景·雪韵2008影展"。72幅照片从多个侧面反映了2008年初南通市上下齐心协力抗雪救灾及支援外地的动人瞬间。

12.**第二届"情满崇川"影展**。

5月28日,由崇川区委宣传部、区文联、区文化局主办,区文化馆承办的第二届"情满崇川"

摄影比赛优秀作品展在崇川区文化馆开幕。380幅参赛作品涉及新闻图片、人物图片、民俗图片、风光图片等众多题材。

13. **第六届少儿书画作品展**。

6月1日,"南通市第六届少儿书画作品展"在个簃艺术馆开幕。本届少儿书画作品展共有172幅作品参展,其中书法作品146幅,美术作品26幅。

14. **东洲大地翰墨香——首届海门人著作展**。

海门市委宣传部、文联主办的"东洲大地翰墨香——首届海门人著作展"于5月26日举行开幕式,著作展共展出海门市文联会员的著作和海门籍人士的文艺著作共50人182部。其中林飞、陆天明、张烜等海门籍著名作家也积极赠书参展。

15. **"辉煌五月·翰墨传情"省、市著名书画家笔会**。

5月9日上午,"如皋市'辉煌五月·翰墨传情'省、市著名书画家笔会"在如城举行,共创作书画作品数十件。中国书法家协会副主席、江苏省文联副主席、书记处书记言恭达特地从南京寄来墨宝,以示祝贺。

16. **海安"五月风情"书画摄影精品展**。

5月19日,海安县文联举办了"五月风情"书画摄影精品展。南通市文联党组书记、常务副主席羌怡芳出席开幕式。"五月风情"书法、美术、摄影精品展共展出作品200件。

17. **南通民间艺术馆新馆开馆**。

南通民间艺术馆新馆于5月18日第32个"世界博物馆日"在东寺开馆。馆藏艺术品展览同时开幕。南通民间艺术馆建于1999年1月,是我国第一家集收藏、展示、交流、展览为一体的专业艺术馆。该馆收藏了南通数代民间艺术家毕生所作所藏的蓝印花布、南通板鹞、红木雕刻等2 000多件精品。2003年后,民间艺术馆一度闭馆停业。市文联、市文化局、市宗教局、市旅游局、市民间文艺家协会等有关领导和人员共200多人参加了开馆活动,中国民间文艺家协会、江苏省民间文艺家协会以及兄弟市民间文艺家协会分别发来了贺电和贺信。5月23日,市委书记罗一民参观了南通民间艺术新馆,并与市知名老民间艺术家们进行了亲切交谈。

文艺创作

1. **省市音乐家在南通采风**。

由省音乐家协会和南通市委宣传部、市文联、市音乐家协会联合组织的省市音乐家"江海行"创作采风活动于4月15日至19日在通举行。

2. **文艺家承德、坝上采风**。

7月22日,市各文艺家协会和县(市)区文联的负责人,以及各艺术门类的文艺家一行26人赴河北承德、木兰围场及内蒙古坝上采风。采风为期6天。文艺家们在采风中领略了草原风光和各民族风情,体验了牧民的生活,拍摄了草原风光作品。

3. **"走进洋口港"采风活动**。

由如东县文联主办的"走进洋口港"文艺采风系列活动于4月10日启动,历时2个月。共创作出文学作品80多篇,写生素描33件,摄影作品236件,以及多幅书法作品。5月16日,在县文化馆举办了"走进洋口港——书法、美术、摄影作品汇报展"。

4. **"走进装裱艺术'特色文化村'"采风活动**。

6月12日,市装裱艺术工作者协会采风团一行来到通州市兴仁镇长林桥村进行采风活动。该村现有400多人在北京、上海、广州、桂林、昆明等各大旅游城市从事装裱,并被评为"通州市特色文化村"。采风团参观了村装裱艺术陈列室,并就如何传承和发展装裱艺术进行了座谈和交流。

5. **获奖作品**。

诗集《八十初度》(沙白)、小说《哭泣》(刘剑波)分获江苏省作家协会第三届紫金山文学奖诗歌奖、中篇小说奖。吴建军书法作品获江苏省青年书法展一等奖。歌曲《问春》(卢辉荣曲)获江苏省第二届茉莉花评比优秀奖。小品《网上网下》获第十三届中国人口文化奖二等奖,小品《珍爱一生》、小锡剧《垃圾王》、小品《席位卡》分获江苏省第五届小戏小品大赛优秀剧目一等奖、三等奖、节目奖,小品《今天是你的生日》获江苏省五星工程奖银奖。红木雕刻《中华宝舟》(朱宇)获中国西湖博览会第九届中国工艺美术大师作品暨国际艺术精品博览会金奖。

6.**参展作品**。

中国画《版纳印象》(王法)入选第三届全国青年美展,陈鹏刚、李进、王汇涛2件花鸟作品、1件人物作品入选全国第七届工笔画大展。李夏荣、徐贵明、翟天兵书法作品入选全国第六届篆刻艺术展;摄影作品《大海的微笑》(黄志斌)、《童年的记忆》(李向东)入选上海第九届国际影展;任重、景南军、蒋瑞祥摄影作品入选江苏省第十九届影展。

7.**出版作品**。

出版文学作品26部,其中长篇小说9部,中短篇小说集2部,诗集8部,散文集4部,评论集3部。

编辑出版"江海文库"第五辑10部:《云洁轩存稿》《孤桐馆诗文》《鸡鸣集》《且为良医》《不变的步伐》《军营之春》《宾山顾曲集》《怡辛斋文粹》《文苑漫步》《一路跋涉》,编辑出版《南通特色文化》等5部作品。

8.**《江海祭》研讨会在京、宁举行**。

1月20日,由《文艺报》社、作家出版社、中共南通市委宣传部主办的黎化长篇小说《江海祭》作品研讨会在北京举行。中国作协党组成员、书记处书记张胜友,中国作协党组成员杨承志以及来自北京和江苏两地的文学界、新闻界人士40多人出席。8月4日,黎化长篇小说《江海祭》研讨会在南京举行,30多名专家学者参加了研讨。研讨会由省作家协会党组成员、书记处书记张王飞主持。省作家协会主席王臻中,党组副书记、副主席范小青,南通市委宣传部副部长徐仁祥,市文联党组书记、常务副主席羌怡芳,市作家协会主席冯新民,通州市委副书记王亚雄,通州市委常委、宣传部长施辉等有关领导和有关部门的同志参加了研讨会。

9.**老作家座谈会**。

2月22日下午,市作家协会召开南通市老作家座谈会,龚德、季茂之、徐应佩、徐景熙等26位老作家与会。

10.**中青年作家座谈会**。

8月29日上午,市作协召开全市中青年作家创作座谈会。参加座谈会的以全市45岁以下的中青年作家为主体,与会的30多位作家中,有多位是省作家协会会员。10多位代表谈了自己的创作体会和创作打算,并对市文联和市作协的工作提出了建议。

11.**《周恩来在万隆》作品座谈会**。

5月9日,南通市作家协会举行长篇纪实小说《周恩来在万隆》座谈会。该书由上海锦绣文章出版社出版发行,姚力、枫亚共同创作。

12.**《通扬河》作品讨论会**。

6月27日,市作家协会召开长篇小说《通扬河》座谈会。长篇小说《通扬河》由作家出版社出版,作者蒋琏,现为市作协副主席,发表小说、散文、报告文学100余万字。

13.**李新勇文学作品研讨会**。

9月26日,青年作家李新勇文学作品研讨会在市文联举行。李新勇创作足迹涉及散文、小说、诗歌等多个领域,在《当代小说》《青年作家》《散文》《人民日报》等报纸杂志发表文学作品160多万字。研讨会由市作家协会、启东市委宣传部、启东市文联等单位联合主办。

14.**歌曲创作专项会议**。

市音乐家协会于2月22日和2月29日,先后两次召开歌曲创作会议。2月22日下午,召开歌曲创作会预备会,2月29日上午,2008歌曲创作会议在文联举行。协会主席团成员和部分词曲创作人员参加了会议。会议决定邀请省和全国专家来通指导创作,并与本市部分作者一道采风创作。会议还讨论了"南通民歌大汇串(暂定名)"、庆祝改革开放30周年、建国60周年等重大歌曲创作活动的有关事宜。

15.**建立创作基地**。

市文联与戏剧家协会、影视家协会先后在南通更俗剧院、南通市文化馆、南通艺术剧院建立文艺家创作基地。

理论研究

1. **文联大讲坛**。

5月8日下午,第十期“文联大讲坛”暨“造型艺术论坛”在南通博物苑报告厅开讲。中国书法家协会副主席、江苏省文联副主席、书记处书记言恭达作了题为《全球化语境下的审美转型和文化自觉》的讲座。沈启鹏以《担负起现实主义人物画的时代责任》为题,吴耀华以《现代中国画的文化品格》为题,姚克义以《时代风格:特殊的“合力”》为题,何循真以《从中西方风光摄影比较看中国风光摄影的未来走势》为题,张毅以《手工染艺壁饰在室内装饰中的未来走势》为题,作了交流发言。本市文艺家、文艺爱好者、南通大学等院校艺术专业学生共200多人参加了论坛。

5月24日下午,第十一期“文联大讲坛”在文峰饭店举行,邀请了国家广电总局电影局副局长江平作了题为《中国电影与民族精神》的专题报告,同时进行了江平新著《我与电影人的亲密接触》南通首发签赠活动。南通影视界及有关高校影视专业的大学生400多人听取了报告。

6月11日下午,第十二期“文联大讲坛”在南通大学钟秀校区开讲。中国美术馆研究员、学术一部主任陈履生教授应邀作了《当代中国艺术与当代中国文化》的主题讲座。陈履生以丰富的图片和数据,展示了当代中国艺术事业不断发展的历程,从多方面阐述了当代中国艺术事业对中国文化的影响。

8月6日,第十三期“文联大讲坛”在南通博物苑学术报告厅开讲。中国当代著名剧作家罗怀臻应邀为200多名市戏剧家协会会员和文化艺术工作者作了题为《现代化和都市化进程中的地方艺术》的学术报告。

12月1日下午,第十四期“文联大讲坛”在南通博物苑开讲,邵大箴应市文联邀请作了《中国画的创作与研究》主题演讲。市文艺界200多人聆听了讲座。邵大箴水墨画展同时在市中心美术馆开幕。

12月8日下午,第十五期文联大讲坛开讲,邀请著名作曲家孟卫东,作了题为《中国音乐创作与发展》的讲座。南通文艺界300多人参加了讲座。

2. **第十期文艺家理论读书班**。

12月23日,市文联举办第十期文艺家读书班。这期读书班的主题为“切实加强协会组织建设”。新当选的市文联所属12个文艺家协会的主席、副主席、秘书长和各县(市)区文联负责人、市文联机关人员共80多人参加了读书班。

文艺队伍建设

1. **市文联《关于各协会换届工作的意见》**。

市文联所属12个文艺家协会按照各自章程,应于2008年进行换届工作。为此,市文联提出《关于各协会换届工作意见》,要求各协会认真总结本届5年来的工作经验和创作成果,对协会章程进行必要的修改,并就贯彻落实党的十七大精神,进一步繁荣创作进行研究,制定下一个5年的发展规划。《意见》还对协会换届工作中工作总结、修改章程、理事会的产生和五年规划的制定等提出了具体的要求。

2. **市文联所属文艺家协会换届**。

9月20日,南通市摄影家协会召开第七次代表大会,全市摄影界的85名代表参加了会议,市摄影家协会主席梁玉飞作工作报告。大会选举产生了新一届理事会。在七届一次理事会上,梁玉飞当选为主席,杨梦石、王广祥、高旗、陈建华、赵志勇、吴强、王希当选为副主席,聘朱新通为秘书长。

10月8日,市影视家协会召开第六次代表大会,全市影视界的85名代表参加了会议,陆云涛作工作报告。大会选举产生了新一届理事会。在六届一次理事会上,陆云涛当选为主席,张辉、姚家红、杨树德、吴炜当选为副主席,聘梁天明为秘书长。会上还进行了南通市大中学生影视教育基地揭牌仪式。

10月22日,市装裱艺术工作者协会召开第五次代表大会,全市装裱艺术界的24名代表参加了会议,范汉勋作工作报告,会议选举产生了新一届理事会。在五届一次理事会上,李彬当选为主席,丛球山、张建斌、王建高当选为副主席,聘范志辉为秘书长。

11 月 12 日，市杂技家协会召开第六次代表大会，全市杂技界的 42 名代表参加了会议，沙雪芬作工作报告。大会选举产生了新一届理事会。在六届一次理事会上，沙雪芬当选为主席，周旺东、管怀俊、季玉泉当选为副主席，季玉泉兼秘书长。

11 月 21 日，市书法家协会召开第七次代表大会，全市书法界的 85 名代表参加了会议，陈云作工作报告，大会选举产生了新一届理事会。在七届一次理事会上，丘石当选为主席，魏武、成汉飚、杨谔、谢骏、孙森、严正、冯智当选为副主席，聘周时君为秘书长。

11 月 27 日，市曲艺家协会召开第六次代表大会，全市曲艺界的 42 名代表参加大会，高龙民作工作报告。大会选举产生了新一届理事会。在第六届一次理事会上，高龙民当选为主席，陈培根、王晓东、唐启荣、倪禹、顾学军、强英秀当选为副主席，聘崔怀美为秘书长。

11 月 28 日，市美术家协会召开第七次代表大会，全市美术界的 78 名代表参加了大会，侯德剑作工作报告。大会选举产生了新一届理事会。在七届一次理事会上，侯德剑当选为主席，朱建忠、王法、朱建辉、吴耀华、康戎当选为副主席，王法兼秘书长。

12 月 2 日，市作家协会召开第七次代表大会，全市文学界的 83 名代表参加了会议，冯新民作工作报告。大会选举产生了新一届理事会。在七届一次理事会上，冯新民当选为主席，李军、成汉飚、蒋琏、仇红、范钦林当选为副主席，仇红兼秘书长。

12 月 5 日，市戏剧家协会召开第七次代表大会，全市戏剧界的 104 名代表参加会议，姚恭祥作工作报告。大会选举产生了新一届理事会。在七届一次理事会上，姚恭祥当选为主席，顾晓群、张贵驰、高龙民、王苏敏、杨洁、吴培军、李中慧、张志一当选为副主席，李中慧兼秘书长。

12 月 8 日，市音乐家协会召开第七次代表大会，全市音乐界的 50 名代表参加会议，张辉作工作报告。大会选举产生了新一届理事会。在七届一次理事会上，张辉当选为主席，陈军、黄慧、王远、黄忠当选为副主席，聘谢小兵为秘书长。

12月9日,市舞蹈家协会召开第七次代表大会,全市舞蹈界的110名代表参加了会议,魏云华作工作报告。大会选举产生了新一届理事会。在七届一次理事会上,魏云华当选为主席,王霞、杨培杰、顾震、潘建中、喜启明当选为副主席,聘陆一兵为秘书长。

12月10日,市民间文艺家协会召开第六次代表大会,全市民间文艺界的83名代表参加大会,王宇明作工作报告。大会选举产生了新一届理事会。在六届一次理事会上,吴元新当选为主席,吉华、朱宇、蒯本佑、邹鑫华当选为副主席,聘曹锦扬为秘书长。

市文联党组书记、常务副主席羌怡芳分别出席了各协会代表大会,并作了重要讲话。

3. **市文联成立文艺专家咨询委员会**。

12月30日,市文联召开了南通市文艺咨询专家委员会成立会议,首批聘请南通文艺界各文艺门类的19名专家代表担任委员。市文联党组书记、常务副主席羌怡芳宣读了《关于成立南通市文联文艺咨询委员会的决定》,并向委员们颁发聘书。

4. **建立基层文联**。

3月24日,海门市首个乡镇文联——海门镇文学艺术界联合会正式成立。南通市文联党组书记、常务副主席羌怡芳,南通市文联副主席陈建华,海门市委常委、宣传部部长王一鸣,海门市副市长王拥军参加成立大会。省文联专门发来贺电。当日下午,南通市文联在海门镇召开了各县(市)区文联主席和文联基层组织建设试点单位分管领导参加的工作推进会议。

5月28日,如东县首家镇文联——岔河镇文联成立。

12月26日,南通市第一个街道文联——虹桥街道文联成立。

12月26日,市区第一个乡镇文联——崇川区观音山镇文联成立。

5. **南通市古琴研究会成立**。

6月7日,市文联、市音协举办"中国古琴大师名家'琴韵风采'暨南通古琴研究会成立庆典"音乐会。新成立的南通古琴研究会有会员50余人,会长由王永昌担任。国家非物质文化遗产专家委员会会员、中国古琴学会名誉会长冯光钰教授到会祝贺。

6. **南通7人入选第二批省级"非遗"传承人**。

南通市7人入选第二批省级非物质文化遗产项目代表性传承人,他们分别是:通州市刘桥镇闻桥村15组胡夕平(童子戏);南通工艺美术研究所金蕾蕾(南通仿真绣);南通纺织职业技术学院张蕾(南通仿真绣);通州二甲建烽蓝印染厂王振兴(南通蓝印花布印染技艺);南通板鹞风筝艺术博物馆王志清(南通板鹞风筝制作技艺);通州市五接镇李港村3组王泽君(南通板鹞风筝制作技艺);南通市濠西园30幢陆宝如(南通板鹞风筝制作技艺)。

文艺惠民

1. **"长江第一桥"朗诵歌会巡回展演**。

4月11日下午,为了庆祝苏通大桥胜利通车,由市文联主办的"长江第一桥"朗诵歌会全市巡回展演在南通开发区实验小学体育馆拉开帷幕,来自苏通大桥指挥部的工作人员、开发区的部分学生代表共500多名观众观看了演出。此次巡回展演的主题是"把欢乐送给你——庆祝苏通大桥胜利通车"。开幕式演出后,市文联艺术团到港闸区等有关县(市)区进行了巡演。

2. **"五月风"广场文艺演出活动**。

5月19日,由港闸区委宣传部、区文联、区教文体局主办的"五月风"港闸区纪念改革开放30周年广场文艺演出在陈桥乡天玺花苑举行。

这次演出是市文联“五月风”系列文艺活动之一，也是港闸区纪念改革开放30周年系列活动之一。

3. **杂技魔术到军营**。

5月23日，市杂技家协会20多名会员由副主席季玉泉带队，赴如东县洋口边防哨所开展“杂技魔术到军营”活动，受到官兵的热烈欢迎。

4. **小戏小品乡镇行**。

作为南通市文联“五月风”文艺展示月系列活动之一，通州市文联组织的一台小戏小品“春满通州”分别于5月28日和29日到通州市经济开发区和东社镇进行演出。这台节目包括通州市近年得奖的小品《修电视》《儿行千里》《买阴凉》以及黄梅戏《桑树村》等。两天共演出了3场，观众达1万多人次。

5. **“欢乐送给你”进社区**。

7月29日上午，在新城桥街道文峰社区的“庆八一·迎奥运”社区文明之星颁奖典礼上，市文联艺术团的文艺家们为社区群众和南通军分区干休所的老干部们送上了一台文艺演出。此活动是南通文艺家“欢乐送给你”又一次走进社区。活动由市文联、南通军分区干休所主办，市文联艺术团、市戏剧家协会、市曲艺家协会、崇川区新城桥街道文峰社区承办。

6. **市文艺家慰问武警官兵**。

7月30日下午，在纪念中国人民解放军建军81周年之际，市文联组织南通知名书画家一行12人来到武警南通消防支队，慰问武警官兵。书画家们现场作书画30多幅，赠送给消防支队。市文联还向消防支队赠了“江海文库”丛书等有关书籍。

7. **庆“八·一”警民联谊文艺晚会**。

7月30日，市文联和市武警支队联合主办了“献给最可爱的人——庆‘八·一’警民联谊文艺晚会”。晚会由市曲艺家协会和市劳动人民文化宫承办。参加演出的有武警支队一中队的战士，有市曲艺家协会的艺术家，还有文化宫“小调皮”艺术团的小演员、文化宫影视班的应往届学员。

8. **“花好月圆”中秋吟诗赏月晚会**。

9月12日晚，市文联在虹桥公园露天舞台举办“花好月圆”中秋赏月晚会。参加晚会的有虹桥街道社区的居民，市文联艺术团、市音乐家协会、市书法家协会、市诗词协会的文艺家以及南通大学的学生共500余人。中秋吟诗赏月晚会由市文联主办，崇川区文联、崇川区虹桥街办协办。

文艺交流

1. **南通摄影作品赴日展出**。

由南通市文联党组书记、常务副主席羌怡芳带队的南通市摄影家协会一行5人于10月9日至10月14日赴日本爱知县名古屋，成功举办了“中日友好交流写真艺术代表作品展”。南通摄影艺术家百幅作品参展，中国驻名古屋领事郭宝忠出席影展开幕式并发表热情洋溢的讲话，日本爱知艺术文化协会理事长藤井知昭致辞，日本中日新闻、东海电视台等新闻媒体对南通市摄影家进行采访并对影展作了报道。在日5天时间，除了影展，还进行了学术交流，参观了铃木摄影工作室、德川美术馆，浏览了京都市，观看了名古屋市市民俗文化表演等。市摄协在通还举办了对外交流活动摄影展。

2. **师范作品研讨会**。

10月7日，82岁的著名作家师范从台湾跨海返乡，参加市作家协会为其小说集《不变的步伐》召开的座谈会。《不变的步伐》为市文联编辑出版的“江海文库”系列丛书之一。

3. **台湾高雄·南通崇川书画交流展**。

5月4日至10日,"台湾高雄·南通崇川书画交流展"在沈寿艺术馆开幕。这次交流展是崇川区文联参与市文联"五月风"文艺展示月系列的活动,共展出台湾指墨画家刘铭和南通籍著名画家范扬等人的100余幅书画作品。展览期间,台湾高雄、南通崇川两地画家还进行了现场书画交流。中央电视台4频道报道了此次活动。

4. **扎兰屯风光摄影作品展**。

11月18日,由南通市摄影家协会和内蒙古扎兰屯市委宣传部联袂举办的"扎兰屯风光摄影作品展"在南通市展出,共展出作品100幅。国庆前夕,扎兰屯市组织华东摄影家看扎兰,南通摄影家协会应邀前往拍摄采风。

5. **市文联与南京、杭州等市文联交流**。

2月28日,市文联党组书记、常务副主席羌怡芳率队,赴江阴市文联学习基层文联建设经验。6月5～6日,赴南京市、常州市文联参观学习。12月17～19日又组织各协会新当选主席赴无锡市、杭州市、湖州市、海宁市文联参观学习。

连云港市文学艺术界联合会

综　述

2008年,连云港市文联带领全市广大文艺工作者高举中国特色社会主义伟大旗帜,开展主题活动,实施精品战略,推进人才工程,推动全市文学艺术事业和文联工作迈上新台阶。一是围绕工作中心,在重大主题活动上唱响时代主旋律。围绕纪念中国改革开放30周年、连云港解放60周年、庆祝北京奥运会成功举办、连云港港实现亿吨大港百年梦想等重大主题开展了精彩纷呈的文艺活动。“一本书、一台音乐会、一场诗歌朗诵会、一次大型摄影图片展、一次少儿书画比赛、一次书画联展”的庆祝改革开放30周年“六个一”活动获市委宣传部“创新创优奖”表彰。二是发挥品牌效应,在精办文艺活动上求得新突破。“港城风韵”画展、“古海州”民间文艺、东海版画、陈武小说、何连海篆刻已初步形成了一定的品牌效应。三是实施精品战略,在繁荣文艺创作上争创新业绩。以广泛开展采风活动拉动文艺创作繁荣,以进一步完善激励机制促进文艺创作繁荣,以抓好优势门类及重点作品创作带动文艺创作繁荣,以加强理论研究推动文艺创作繁荣,全年有《易歌》等80余件作品在全国、全省重大评比和展事中获得可喜成绩。四是推进“雁阵”工程,在培养文艺人才上实施新举措。实施“造星计划”,大力推介拔尖人才,积极扶持骨干人才,热忱培养后备人才,认真落实“晚霞工程”。全年有8人获批加入国家级文艺家协会。五是强化服务职能,在增强工作活力上取得新成效。组织编写《连云港文艺志》,开通了连云港市文学艺术网,完善了连云港市文艺家档案。

重要会议

1. **连云港市文联五届六次全委会。**

4月2日,连云港市文联五届六次全委会在新浦区华裕宾馆召开。连云港市委常委、秘书长、宣传部部长张光东,市委宣传部副部长李锋古出席会议。张光东在会上作《抢抓机遇,乘势而上;开拓进取,奋发有为》重要讲话;市文联党组书记、主席杨浩作《深入学习贯彻党的十七大精神,不断推动港城文艺大发展大繁荣》工作报告,深入学习贯彻党的十七大精神和江苏省文联七届五次全委会、连云港市宣传思想工作会议精神,对2007年工作进行了回顾,总结交流经验,对2008年工作作出部署。与会人员认真学习了张光东的重要讲话,审议了杨浩所作的工作报告。与会人员达成共识,要从党和政府高度重视文艺事业的视角,充分认识和看待所面临的难得的历史机遇,从目前经济社会发展的视角,充分认识和看待发展文艺事业的重要性,从连云港历史文化积淀的视角,充分认识和看待发展文艺事业所具有的独特优势,从文联单位自身优势的视角,充分认识和看待文联及各协会理应成为发展文化事业的一支重要力量,从不断深化的文艺体制改革进程的视角,充分认识和看待文联参与、推进文化产业发展的必要性和紧迫性。会议还对2007年度市文联特色工作承办单位、2007年度连云港市优秀县区文联进行了表彰。灌南县文联、连云区文联、市书法家协会、市影视家协会作了大会交流发言。

2. **连云港市古代书法资源研讨会。**

12月25日,连云港市文联、市书法家协会在墟沟蔚蓝海岸大酒店举办连云港市古代书法资源研讨会。南京师范大学教授王继安，连云港市委宣传部副部长李锋古，连云港市文联党组书记、主席杨浩，副主席兼秘书长武传玉，市书法家协会主席张耀山，连云港市博物馆馆长周锦屏，连云港市文管办副主任李洪波，连云港市著名学者彭云，连云港市博物馆原馆长刘洪石，市书法家协会原主席陈凤桐，以及市书法家协会 15 名会员参加了会议。会议对连云港市苏马湾石刻、郁林观石刻等古代丰富书法资源的保护、研究、开发和利用进行了深入的研讨，并对我市的石刻资源的价值在中国书法史上进行了定位。

重要活动

1. **纪念改革开放 30 周年"六个一"活动**。

一本书：由连云港市委书记王建华作序，市委常委、秘书长、宣传部部长张光东任主编，市文联专业作家陈武编著的《海古神幽·连云港》出版发行。该书作为中国青年出版社编辑出版的《英雄中国》一套 16 本大型系列丛书之一，全面反映了连云港改革开放 30 年的发展变化。

一台音乐会：10 月 27 日，在连云港市广播电视大厅举办"连云港颂"大型音乐会，音乐会展演了由连云港市艺术家作词、作曲及表现连云港神奇浪漫的山海风光、日新月异发展变化的音乐作品。一场诗歌朗诵会：12 月 19 日，市作家协会和新浦区文联共同举办"拥抱蔚蓝"诗歌朗诵会，歌咏了连云港市改革开放 30 年的辉煌巨变，诗会上特邀《扬子江》诗刊主编徐明德现场朗诵了他创作的诗歌《连云港之恋》。

一次摄影图片展：11 月 22 日至 28 日，连云港市摄影家协会、连云港市图书馆承办的"辉煌巨变——江苏省纪念改革开放 30 年大型摄影图片巡回展"在连云港市图书馆展出。

一次少儿书画比赛：12 月下旬，举办以激情讴歌改革开放 30 年为主题的连云港市少儿书画大赛，1 000余件作品参赛，评选出一、二等奖 120 余名，并举办了优秀作品展览。

一次书画联展：7 月至 8 月，组织连云港·新疆奎屯大型书画联展，艺术地展示了黄海明珠连云港的山风海韵及戈壁明珠奎屯的异域风情。

2. **庆祝奥运活动**。

连云港市文联组织书法家精心创作，4 幅作品被推荐入选北京奥组委主办的“百名书家作品进奥运场馆”活动，悬挂于各主要奥运场馆。组织音乐家、舞蹈家、曲艺杂技家等协会会员以“激情奥运风·魅力连云港”为主题开展了十余场系列广场文艺演出。连云区文联协助中央电视台拍摄了《奥运城区行——走进连云港》节目，宣传了连云港。

3. **抗击“5·12”汶川特大地震灾害**。

5 月 12 日地震发生后，连云港市文联 5 月 16 日组织市音协会员在市中心繁华路段举行赈灾义演，现场募捐 3 万元款物捐献灾区；5 月 25 日，与中共连云港市委宣传部、连云港市广电局等单位共同主办《因为有爱——连云港市赈灾义演晚会》，晚会上，市文联美术家、书法家现场义卖作品，义卖所得 10 万元全部捐献给灾区；市音乐家、戏剧家、曲艺杂技家们积极参加演出，不计报酬，晚会当场筹得款物 4 000 余万元，全部捐献灾区人民重建家园。连云港市文联副主席、市作家协会主席张文宝随江苏省作家团赴四川绵竹采访，用一周时间采写出了 3 万余字的报告文学《2008 的史诗》，被收录进江苏文艺出版社编辑出版的《大爱搏云天》一书。连云港市影视家协会副主席张琦率精干力量赴四川重灾区拍摄 MTV《牵挂》，在中广协组织的全国抗震救灾电视节目评比中获一等奖。连云港市民间文艺家协会组织“情系灾区爱心捐献”活动，100 余名会员踊跃捐款 2 万余元。灌云县文联组织创作的歌曲《生死不离》登上全国抗震歌曲排行榜。

4. **服务地方发展特色主题活动**。

为迎接连云港港建成亿吨大港，连云港市作协主席张文宝耗时近一年深入港口第一线进行采访，撰写了长篇报告文学《崛起在东方海岸线上》，真实地记录了连云港港口干部及群众在市委、市政府领导下呕心沥血、共谋发展的历史性壮举，已由江苏文艺出版社计划出版；市摄影家协会组织会员历经春夏秋冬，到港口前沿采风，拍摄精美作品，举办了《连云港港》大型摄影图片展。

5. **文艺品牌活动**。

连云港市美术家协会着力打造“港城风韵”活动品牌，成功举办了第四届“港城风韵——连云港市花鸟画展”以及2008连云港市油画展、连云港市第二届版画展，《美术报》予以通版介绍，有力推动了全市美术精品创作。市民间文艺家协会协助市民保中心拍摄“海州民间智慧人物”省级非遗申报片，加强连云港非物质文化遗产的抢救力度。灌云县文联着力抓好传统曲艺保护，拍摄传统唢呐曲牌演奏资料片，收集传统曲牌手抄本、民间小调唱词、民间曲艺麒麟词等近百篇(首)。东海县文联发挥全国少儿版画基地品牌作用，承办第二届连云港市版画展和东海县版画展，并会同有关部门积极向中国美协争取，成功申请将全国少儿版画双年展览举办地落户在东海。新浦区文联服务于旅游文化品牌的建设，组织艺术家走进渔湾、东磊、南城等十余次创作采风活动。连云区文联致力打造特色海滨文化，开展先进文化进万家海滨广场文化系列活动。海州区文联努力挖掘地方文化丰厚资源，创作以“盐”为体的系列小说，努力推出本土文学作品。

文艺创作

1. **文学**。

连云港市作家协会副主席颜景标创作的组诗《易歌》荣获江苏省第三届“紫金山文学奖诗歌奖”；相裕亭微型小说集《盐河人家》、李洁冰短篇小说集《乡村戏子》荣获连云港市“五个一工程”奖；陈武、潘姗姗等作家十余部中篇小说在《钟山》《花城》《十月》等杂志发表；刘晶林创作完成了30万字长篇纪实文学《遍地阳光遍地金》，由山东黄河出版社出版发行；成刚等作家的作品在国内大型网站、刊物上发表或出版成书；仲芙蓉创作出版《仲芙蓉小说集》；韩加才创作出版《大峪口》；市文联副主席武传玉创作的作品《老乡》荣获中国散文学会2008年中国优秀散文银奖；李琳获得中国微型小说学会颁发的年度作品奖；孔灏的作品被《诗刊》以10个整版重点推出；《诗刊》主编叶延滨撰文予以评论推荐；诗人丰古厚积薄发，创作《请你把春天叫醒》《碎纸片上的情歌》两部诗集，先后由太白文艺出版社和大众文艺出版社出版发行；许善柏的诗集《缘分的天空》由中国文联出版社出版发行；杨春生、蔡勇等人的诗作在《扬子江》等刊物上发表；蔡骥鸣、蒯天等在《中国文化报》上发表了十余篇理论评论文章。

2. **书法**。

连云港市书法家协会主席张耀山等7人入展全国千人千作书法大展，汪能江等3人入展全国首届册页展，李敬伟等2人入展全国第二届草书展，何连海等3人入展全国第六届篆刻展，5人入展全国第七届新人展，郑丽敏等4人入展全国第七届刻字展，刘仲明在“全国第三届硬笔书法大展”中获特等奖。市书协邀请西安交大书法专业考察团、南京民盟书画家来连云港采风创作。

3. **美术**。

5月30日，连云港市美术家协会举办“墨舞中茵·名都汇丹青”国画名家邀请展。9件作品入选江苏省第二届新人新作展，2件作品获“新人奖”，3件作品获“佳作奖”。

4. **摄影**。

9月27日，连云港市摄影家协会举办连云港市改革开放30年摄影图片展，有40多件作品入选“辉煌巨变——江苏改革开放30年”大型图片展览。全年有70多件作品在省以上摄影展览、摄影专业刊物上入选、发表、获奖。市摄影家协会主席成磊荣获江苏省第四届摄影艺术“金瞬奖”。

5. **音乐**。

连云港市音乐家协会主席张素云等人作曲的《校园的早晨》《花季女孩》在“全国第三届校园歌曲、歌词选拔活动”中获奖；市音协副主席王咏梅创作的歌曲《最爱的还是你》获“中国杯”全国原创歌曲大赛一等奖；歌曲《赶上好时候》在央视播出；徐继东创作的《激情飞扬》在十一届全运会会歌评选中入围；张佑元作词的《山村金唢呐》在“田野的春天”——全国纪念改革开放30年歌曲征集中荣获优秀奖；市音协副主席董自伦被中国音乐家协会授予“中国民歌创作优秀专家奖”。

另有20余件作品在《词刊》《歌曲》《儿童音乐》等刊物上发表。

6. **舞蹈**。

连云港市舞蹈家协会组织会员深入港口、乡村进行采风,全年创作完成各类作品30余件,举办演出活动近20场(次),并撰写专业论文十余篇。

7. **影视**。

连云港市影视家协会组织拍摄了30集电视栏目剧《人间万象》,创作的《渔家故事》入选中视协纪录片委员会评选的短片十优作品,MTV《牵挂》、纪录片《抗震亲兄弟》在中广协组织的全国抗震救灾电视节目评比中获一、二等奖。创作的电视政论片《凤·图·腾》获得省视协组织的纪念改革开放30年作品征集活动最佳作品奖。6件作品获得江苏省电视"金凤凰"奖。全年举办20余台电视文艺晚会。

8. **曲艺杂技**。

汪其魔魔术杂技团参加全国农民艺术节并荣获"丰收"奖,其杂技团被中宣部、文化部等评为"服务农民、服务基层"先进集体。京剧表演《打虎上山》和京歌《前门情思大碗茶》获全国推新人大赛金奖。

9. **戏剧**。

连云港市戏剧家协会举办"纪念改革开放30年淮海戏票友演唱会";创作淮海戏《左邻右舍》参加世界戏剧节新剧目展演;组织创作的作品在由省文化厅、省文联举办的"江苏省第五届小戏小品大赛"中喜获17个奖项,其中小品《遥望家乡红灯笼》荣获大赛优秀剧目一等奖、优秀导演奖、优秀表演奖、优秀编剧奖;组织创作了纪念连云港解放60周年的淮海戏《扁担会》。

10. **民间文艺**。

连云港市民间文艺家协会会员张天明、孙洪香创作的《三打白骨精》《闹元宵》分获"东风颂,迎奥运"中国剪纸艺术大展金、银奖;刘罡的剪纸作品《火》在中华民族文化促进委员会和甘肃省文化厅共同举办的"西风烈·中国剪纸艺术大赛"上荣获金奖;连云港市民协主席崔月明和刘兆元合作完成《西连岛渔民风俗》一书;灯谜艺术研究会和连云港市气象局联手创作的46万字《中华气象科普灯谜》一书,由气象出版社出版;连云港市民协编著的《海州民间崇拜》《东海传说》和《花果山传说》3本书即将出版。

文艺队伍建设

1. **人才推介**。

加强与国家、省、市级媒体联系,《新华日报》两次对连云港市青年书法家阎揆进行了专题介绍;《诗刊》杂志11月号以10个整版强劲推出连云港市青年诗人孔灏的30首诗作;《连云港日报》、《苍梧晚报》、《连云港广播电视报》等连续对连云港市民协主席崔月明、市曲杂协会主席王善同、诗人颜景标、青年篆刻家何连海、作家相裕亭、李洁冰等进行了专访。推荐17人申报国家级会员,8人经推荐获批加入国家级文艺家协会。

2. **专项经费扶持拔尖人才重点作品**。

筹措资金扶持市作协主席张文宝赴四川灾区创作报告文学《2008的史诗》、作家陈武创作纪念改革开放30周年纪实散文集《海古神幽·连云港》、篆刻家何连海创作《何连海刻著名书画家常用印集》等。

3. **业务培训**。

连云港市作家协会邀请《当代》《十月》《人民日报》《光明日报》等专业刊物的负责人王必胜、

陈东捷等专家来连讲学，组织优秀人才重点作品的研讨会十余次；连云港市摄影家协会邀请中国摄影家协会副秘书长解海龙等来连举办摄影讲座；连云港市书法家协会推选 4 名书法家参加中国书法院、中国篆刻院的进修以及“当代中青年篆刻名家研习班”。

4. **青少年人才培养**。

举办 2008 年“朝霞工程”未成年人才艺大赛暨第十五届全国推新人大赛连云港赛区比赛，参赛人数以及获奖进京参赛的人数都创下了历史新高。书画类 15 人获省特别大奖，舞蹈音乐声乐类 10 人获省特别大奖，39 人赴北京参加了总决赛。精心组织，稳步推进书画、音乐、舞蹈考级工作。创办《小艺术家》通讯，深入发掘未成年人文艺资源，为广大未成年人增强艺术素质、展示艺术成果提供平台。举办市少儿艺术 PK 大赛，开展书法、美术、文学、音乐、舞蹈专业培训班，全年组织各类艺术培训达 3 000 多人次。

5. **精编《连云港文学》杂志**。

《连云港文学》坚持严把政治关，弘扬主旋律，在精选稿件、精细编辑、精美装帧上下功夫，不断提高刊物的专业水准。加强外向交流，约请名家稿件，提高刊物文化品位；加强专题策划，在汶川大地震之后，迅速安排版面组织作家创作抗震救灾诗歌，鼓舞斗志，共御天灾，在读者中引起较大反响；推介重点作家，先后组织了诗人孔灏、小说家相裕亭等作品专栏；积极培养文学新人，全年有十多位作者首次登上《连云港文学》的版面；努力开拓经营，广告经营取得了较大突破。

文艺惠民

1. **文艺惠民演出**。

连云港市文联、连云港市曲艺家协会为配合第五届中国曲艺牡丹奖颁奖晚会在江苏南京举行，9 月 15 日在灌南县人民广场举办了专场曲艺杂技文艺惠民演出，中国曲艺网等媒体对本次活动进行了大篇幅的宣传报道。赣榆县文联成立了文化艺术团，在全县巡回演出 50 余场次。市音乐家协会、市影视家协会、连云区文联等组织了“我们在一起”“东部地区第四届中青年艺术节”等一系列丰富多彩的文艺活动，走乡村、进社区、下盐场、上工地，极大地丰富了群众文化生活。据统计，全年全市文联系统共开展 600 余场惠民演出活动。

文艺交流

1. **日照市文联来连交流**。

9月18日，日照市文联党组书记林文刚等3人，到连云港市文联考察交流。林文刚一行就连云港市文联精品创作的组织、优秀人才的培养推介、《连云港文学》的编辑发行等工作进行了深入了解，对连云港市文联在全市“我如何为科学发展、跨越发展作贡献”为主题的解放思想大讨论中部署的各项工作以及开展的各项活动表示赞赏。

2. **连云港·奎屯书画联展**。

7月21日，连云港市文联、新疆奎屯市文联在连云港市博物馆举办了“迎奥运·桥贯东西”——连云港·奎屯书画联展，展出150余件书画作品，艺术地反映了黄海明珠连云港的山风海韵及戈壁明珠奎屯的异域风情。奎屯市人大副主任张建国、奎屯市书画院院长刘翔复等出席了展览。8月18日，连云港市书法家协会主席张耀山、美术家协会主席周明亮等出席了在新疆奎屯举办的奎屯·连云港书画联展。

3. 2008 **连云港市中日韩春节电视晚会**。

连云港市影视家协会大胆创新，首次邀请日本、韩国演艺家来连，于1月23日在连云港市文化艺术中心共同举办《欢乐今宵》2008连云港市中日韩春节电视晚会，中国演员表演的说唱《我们一起过大年》、歌舞《在海一方》、梨园组合《中国特色》等，韩国演员表演的《木浦赞歌》《杖鼓舞》《新阿里郎》等，日本神奈川歌舞团表演的民族特色舞蹈《花笠音头》、歌舞伎《八千代狮子》等精彩节目，受到观众热烈欢迎。晚会录像在中央电视台和江苏电视台播出。

自身建设

1. **解放思想大讨论活动**。

在连云港市委开展的“我如何为科学发展、跨越发展作贡献”为主题的解放思想大讨论活动中，连云港市文联认真对照市委提出的“七个方面”内容，在全市文联系统开展了“七查七想”活动，并面向全市文艺工作者征集“推动连云港文艺大发展大繁荣金点子”，广泛征求意见、建议，改进文联及各协会工作。

2. **连云港市文学艺术网开通**。

4月2日，连云港市委常委、秘书长、宣传部部长张光东点击开通连云港市文学艺术网，利用网络平台发布连云港市文联系统动态，宣传连云港市文艺活动，推介精品力作，加强了与广大文艺工作者的联系，至2008年底，点击率达到16万次。

3. **加强协会建设**。

连云港市各文艺家协会进一步激发自身活力，创新工作思路，拓展发展空间，加强对社会各界的服务，提升协会的社会形象。连云港市书协、美协进一步强化了与汤沟酒厂、中茵房地产等企业的深广联系，连云港市音协进一步加强了与电视台等强势媒体的合作，连云港市民间文艺家协会成立了剪纸艺术委员会等，为协会工作更好地开展注入了活力。

淮安市文学艺术界联合会

综　述

2008年,淮安市文联在市委、市政府和市委宣传部的正确领导下,在省文联和省作协的直接指导下,深入学习贯彻科学发展观,认真履行文联职能,按照三届四次全委会的工作目标,扎实开展各项工作,全市文联工作取得了显著成绩,为建设文化淮安、和谐淮安作出了积极努力。

首先,服务大局,主题文艺活动富有特色。举办了纪念周恩来诞辰110周年系列活动和“美丽清纯洪泽湖”全国摄影大赛;承办了纪念改革开放30周年文艺活动及“漂母杯”全国母爱主题散文征文大展。其次,突出重点,文艺精品生产好戏连台。积极组织参赛活动,不断推出优秀作品,全年在省以上各类赛事中获奖或入选、参展作品近300件。围绕社会关注热点组织创作,大力弘扬先进文化。用文学、书画、摄影等艺术形式来表现抗击雪灾、抗震救灾的不屈精神和颂扬淮安人民创业典型。打造《短小说》文艺品牌,《短小说》杂志连续三届被省新闻出版局评为省优秀期刊。第三,多措并举,文艺人才培养效果显著。恢复政府文艺奖评比,建立重点文艺作品奖励制度,表彰艺术家的艺术成就,激发他们的创作热情。举办文艺家创作采风和研讨活动6次,参与活动的文艺家达数百人。开展文艺展、文艺交流工作,举办书画、摄影等展览8次。第四,面向基层,文艺惠民工程丰富多彩。组织文艺家先后到学校、农村、社区、广场、军营等地开展写春联、送书画、作点评、演歌舞和举办诗歌朗诵会等活动10次,丰富了基层群众的文化生活。

重要会议

1. 召开三届四次全委会。

元月初,淮安市文联召开三届四次全委会。出席会议的市委常委、宣传部长刘希平希望全市广大文艺工作者深入学习、宣传、贯彻党的十七大精神,用卓有成效的工作为文化淮安建设贡献力量。刘希平从十七大精神的贯彻落实、文联组织的建立健全、精神产品的创作生产、文艺活动的拓展创新、文艺人才的培养造就等5个方面对市文联2008年的工作提出要求。刘希平说,要以十七大精神统领文联的工作,并贯穿于文联工作的始终。要用十七大精神武装头脑,进一步认清使命,推动各项工作的深入开展。2008年要把精神产品的创作生产作为文艺工作的重中之重,做到有质量、有品位、有特色、有市场、有影响。这就要求我们要有一个准确的目标定位,有一个明确的创作规划,有一个好的激励机制。在组织机构上,县(区)文联要按照“四落实”的要求,尽快落实机构、编制、经费和办公场所。文艺活动要进一步向社区、农村、校园和企业拓展,注重形式的多样性,让群众在潜移默化中接受艺术的熏陶。刘希平强调,事业发展的关键在人。要建立一支政治强、业务精,勇于吃苦耐劳、精心创作的文艺人才队伍,让年轻的文艺人才脱颖而出。王信淮总结了市文联2007年工作,部署了2008年工作计划。全会选举市委宣传部副部长、市文联党组书记王信淮为市文联主席。会议由市文联副主席刘跃进主持,副主席张玲玲会上宣读了《淮安市文联2007年度文联工作先进集体和先进个人表彰决定》。

2. 举办重点文艺作品表彰颁奖晚会。

5月18日，为纪念毛泽东同志在延安文艺座谈会上的讲话发表66周年，市文联在淮阴工学院体育馆举办重点文艺作品颁奖晚会，赵恺、宋长荣、魏佳宁获得杰出贡献奖，吴自标等28名文艺家分获二、三等奖。市委常委、宣传部长刘希平，市人大副主任刘泽源，市政协副主席王士高等市领导出席会议并为获奖文艺家颁奖。晚会上，省舞蹈大赛获奖选手奉献了一场精彩的演出。

重要活动

1. 举办纪念周恩来诞辰110周年系列活动。

为了颂扬周恩来的丰功伟绩，弘扬周恩来精神，市文联在我市举办纪念周恩来诞辰110周年系列活动中，认真策划、积极参与了相关文化活动。承办了由市委、市政府主办的纪念周恩来诞辰110周年全国书画名家邀请展，中国书协主席张海等100多名全国书画名家创作的作品在市博物馆展出；与《淮安日报》联合举办了学习周恩来精神征文活动，在报纸上刊发了两个整版的诗歌、散文等纪念与讴歌文章；会同市委宣传部、市文化局等部门联合承办了诗歌朗诵会，并为周恩来纪念馆碑林征集书法作品38件和部分反映淮安风光的优秀摄影作品，为宣传周恩来家乡、弘扬周恩来精神做出了积极贡献。

2. 抗击罕见雪灾和“5·12”汶川特大地震灾害。

年初，在全国遭受罕见雪灾之时，著名作家赵恺同志深入受灾地区收集素材，体验生活，创作了多篇弘扬民族精神的优秀作品。四川汶川地震发生后，市文联积极组织广大文艺工作者，利用电视、网络、报刊等媒体收集资料，及时创作了一批以“抗震救灾、众志成城”为主题的文艺作品，在《淮安日报》整版刊出，并在淮安市精英中学和淮阴区举办了“心向汶川”诗歌朗诵会，为支援灾区作出了积极的努力。

3. **承办纪念改革开放 30 周年文艺活动**。

为以文艺的形式热情讴歌改革开放和现代化建设的辉煌成就，市文联会同市委宣传部承办了淮安市纪念改革开放 30 年图片展，主办了市纪念改革开放 30 周年书画展，共展出各类图片千余张，书画作品百余幅，全市万余名干部群众参观了展览。11 月，市文联承办了“辉煌巨变——江苏省纪念改革开放 30 周年摄影作品巡回展”，并组织反映淮安新风貌的作品参展。12 月下旬，举办淮安市第五届摄影展。

4. **举办“漂母杯”全国母爱主题散文征文大赛**。

为进一步开发本地历史文化名人资源，弘扬淮安悠久的历史文化，由中国散文协会、江苏省作家协会、中共淮安市委宣传部主办，中共淮阴区委、淮阴区人民政府、淮安市文联承办的“漂母杯”全国母爱散文征文大赛启动仪式于 2008 年 12 月在新建成的漂母墓纪念馆举行，来自中国散文协会、江苏省作家协会的领导和我市文艺家、市县领导等近千人参加了启动仪式。

5. **举办“美丽清纯洪泽湖”全国摄影大展**。

大展由中共淮安市委宣传部、洪泽县人民政府与中国摄影家协会联合主办，淮安市文联、淮安市摄影家协会承办。据统计，有来自全国的 1 500 多名摄影家创作了数万张精美的作品，组委会共收到参评作品 6 000 余件，评出获奖作品 200 件。2008 年 6 月，淮安市文联还组织部分摄影家以“美丽清纯洪泽湖”为题进行采风创作，精选了 60 幅与水密切相关并真实反映淮安风土人情和发展成就的摄影作品，赴山西参加平遥国际摄影节，举办了“美丽清纯洪泽湖”专题摄影展，以此为平台宣传淮安，扩大了淮安的社会影响。

文艺创作

1. **举办文艺采风活动**。

(1)4 月上旬，淮安市文联组织音乐家赴苏南周庄、同里等历史古镇采风。

(2)4 月中旬，淮安市文联组织书画家、书画考级老师赴江西采风。

(3)策划组织省摄影家协会来淮采风活动。6 月上旬，由省摄影家协会主席兼秘书长沈遥带队，组织“美在新江苏”摄影采风团来淮采风创作，先后到洪泽、淮安经济开发区、淮安南互通工程等地进行拍摄。淮安市被省文联评为“美在新江苏”采风创作工作组织奖。

(4)7 月 18 日，金湖荷花节前夕，淮安市文联组织书画摄影文学等方面的文艺工作者到金湖采风，举办书画创作笔会，为金湖荷花节创作作品，并在《淮阴日报》整版发表。

(5)为创作反映我市改革开放 30 年的美术作品，迎接省委宣传部举办的“春天的故事”纪念改革开放 30 年书法美术展，淮安市文联组织美术家赴金湖、洪泽、盱眙等县写生，创作了一批优秀的美术作品。

(6)4 月下旬，淮安市音乐舞蹈家协会组织 10 人采风团赴金湖、盱眙等地搜集音乐舞蹈创作素材，对金湖秧歌、盱眙民间音乐进行了挖掘与探讨。

(7)淮安市作家协会先后组织淮安作家到淮

安水利工程、淮安水文、淮钢集团、洪泽龟山进行4次采风，创作了一批优秀作品，均在《淮安日报》整版刊出，取得了良好的社会影响。

2. **开展文艺研讨活动**。

淮安市文联及下属协会先后举办了音乐舞蹈、文学、摄影、书画等创作研讨活动多次，参与活动的文艺家达数百人。

（1）5月24日，邀请省刻字委员会主任孙熒来淮对我市刻字作品进行点评与指导，为参加全国第七届刻字展做好准备，全市20余名刻字爱好者创作了50余幅作品参加了现场点评。

（2）组织民间文艺家沿运河沿线收集民间故事和传说，召开创作研讨会，编辑出版了《运河之都——淮安故事》一书。

（3）9月下旬，淮安市文联召开优秀流行歌曲创作研讨会，讨论研究淮安本土流行歌曲创作方向，确定重点创作人才和重点作品，以迎接中宣部举办的“全国优秀流行歌曲创作大赛”。

3. **举办文艺家读书班**。

11月26日，由淮安市文联主办的淮安市文艺家读书班在市交通培训中心举行，来自全市的近百名文学艺术工作者，聆听了江苏省摄影家协会主席兼秘书长沈遥和省摄协副主席汤德胜、李培林讲授的“风光摄影的拍摄与欣赏”“汶川大地震目击”“摄影的加法与减法”等讲座。汤德胜先生在汶川大地震现场拍摄的作品令大家感动不已，体会到了自己的责任。

4. **开展精品创作**。

著名作家赵恺代表中国作协出席以色列举办的尼桑国际诗歌节，被组委会授予特殊贡献奖；吴光辉的地方民俗散文《向生命借贷》获得全国第三届冰心散文奖，入选《2008中国年度散文》《2008中国随笔排行榜》；曹政摄影作品在省摄影家协会举办的第四届金瞬奖评选中再次获得“江苏十佳”殊荣；徐为零、吴自标的篆刻作品在全国第五届篆刻展中分别获得二、三等奖，另有3人作品入展；徐为零、叶华洲、孙永志、吴自标、李守卫五人作品入选中国书法名家千人千作展；李守卫、张一冰、庄辉的草书作品，在全国第二届草书展上入展；市文联副主席、市美协主席吴夕兴的版画作品荣获纪念改革开放30年“春天的故事”美术作品展优秀奖；沈军、杜愚美术作品分别在全国花鸟画大展、全国首届山水画双年展大赛中入展;季云华瓷雕作品参加在京举办的中国民间工艺博览会,荣获中国民间文艺家协会颁发的金奖证书。据不完全统计,本市全年在省以上各类赛事中获奖或入选、参展作品近300件。

理论研究

沈克论文《元代王祯〈农书〉异版插图考辨》,刊于《新美术》2008年第五期;《谈谈市场经济下的中国画创作》,刊于《国画家》2008年第五期;《谈谈市场经济下的中国画创作》被《中国书画报》全文转载。

刘东芹课题《明代印人丛考》获得中国书法家协会年度学术课题立项资助;《印人皆吾友——略论万历间邹迪光与徽籍印人之交往》发表于《孤山证印》西泠印社第二届国际印学峰会论文集,2008年10月;《朱简生平考略》收入《明清徽州篆刻学术研讨会论文集》,西泠印社出版社出版,2008年5月;《宋曹书法'恶赖'辩》发表于《中国书画》2008年第9期;《苏宣轶事考》发表于《书谱》杂志复刊号,2008年9月;《范大澈与明中后期的古印收藏》发表于《书谱》杂志2008年第2期。

沙克著文艺评论集《心脏机构与文学艺术》,由中国文联出版社出版。

刘懿论文《论陈琳溪凫图的艺术特色及意义》,发表于南京艺术学院学报《美术与设计》2008年1期。

程渤论文《晚清民国时期的上海书法出版业》,入选中国书协2008年举办的"海派书法国际研讨会",并收录于上海书画出版社2008年12月出版的《海派书法国际研讨会论文集》

文艺队伍建设

1.关注老艺术家的艺术创作。

2008年淮安市文联对德高望重、全国知名、艺术创作成就不断的艺术名家进行表彰,激发了老艺术家的创作激情,在文艺界产生了积极反响。

2.实施奖励机制。

在纪念毛泽东在延安文艺座谈会上讲话发表66周年之际,淮安市文联对符合奖励条件的获奖作者加大了奖励力度,受到文艺家的普遍好评。恢复开展淮安市文学艺术奖(吴承恩文学艺术奖)评选工作,进一步表彰与奖励优秀文艺作品,为推进淮安文艺事业营造良好的环境。

3.开展推新人大赛和艺术考级。

2008年,淮安市从3 000余名艺术考级的考生中选拔出562名学生参加全国推新人大赛淮安预赛,120名小选手分获特别大奖、十佳、十优和优秀奖。104名选手参加江苏省推新人大赛,获3项特别大奖。两名选手参加全国推新人大赛,均获十佳选手称号。有3 013名考生参加书画和音乐考级,考生人数较上一年有大幅上升。淮安市文联获得省文联授予的"推新人大赛组织奖"和"书画考级二等奖"。

文化惠民

邀请并组织承办了省青年舞蹈大赛获奖节目和江苏省"百名文艺家百场演出"演出团来淮,分别到淮阴工学院、淮阴卷烟厂慰问演出,为学校师生和企业职工送去了高质量的文艺精品。

组织书画家参加全市"三下乡"活动,到洪泽岔河为农民义务写春联600多幅。在春节来临之际,组织书画家到工农兵社区为市民写春联300多幅。

在"六·一"儿童节到来之际,淮安市文联组织书画家到校园开展创作辅导活动，先后为实验小学、长征小学近千名学生进行现场创作辅导活动。

市委五届七次会议结束后，淮安市作协组织作家到淮钢进行采风，创作了一批反映改革一线风采的文学作品，以"敢问路在何方"为题在淮安日报整版刊发。

在汶川地震发生后，淮安市作协先后两次走进校园以"让爱赋予我们坚强"为题，举办诗歌朗诵会，为抗震救灾工作作出积极的努力。

在"八·一"建军节前夕，由市人大代主任范学恕、市文联主席王信淮同志带队，组织书画家前往南京军区十五分部慰问，为官兵创作篇书画作品60余幅。

8月25至29日，淮安市文联组织书画家赴安徽定远、霍山、肥东慰问十五分部指战员，为官兵创作书画作品200余幅，努力营造欢乐祥和的节日文化氛围。

文艺交流

1. **曾川澳门画展**。

由澳门基金会和深圳市人民政府外办主办的淮安市青年画家曾川中国画展，于7月31日下午在澳门科教文中心展厅举行，共展出作者中国画作品40余幅，淮安市文联副主席刘跃进出席了开幕式并为展览剪彩。

2. **忆乡情——淮北三人书画作品展**。

10月25～28日，淮北市的淮安籍书画家韩文秋、王朝玉、杨顺高在工学院展厅举办了"忆乡情——纪念改革开放30年三人书画作品展"，展出书法作品30件，中国画作品50件。淮安市文联、淮北市文联的领导出席了开幕式并参观了展览，两地的书画家举办了交流笔会。

自身建设

加强文联机关及协会建设，是推进文艺事业发展的重要环节。一年来，市文联从加强自身建设做起，全力推进组织建设、思想建设和网络建设，文联服务进一步优化，文联职能进一步加强，为推进文艺事业的发展提供了坚实的保障。

1. **机关制度建设更加完善**。

淮安市文联对机关内部管理制度进行了修订，出台了《淮安市文联工作例会管理制度》《淮安市文联党组议事制度》《淮安市文联财务管理制度》《淮安市文联内务管理制度》等规章制度，进一步规范了机关管理，改进了机关作风，优化了机关服务，提高了工作效率

2. **县区文联建设督查积极推进**。

为扎实推进文联网络建设，形成全市文联齐头并进的良好发展态势，淮安市文联根据市委、市政府《关于进一步加强和改善文联工作的意见》的文件精神，提请市委宣传部、市委督查办对各县区贯彻执行情况进行督查，并由市委督查办下发了督查通知，对部分县区贯彻执行情况进行了督查。部分县区已经完成组织机构的建立和文代会的召开，做到有机构、有编制、有人员、有经费、有办公场所；部分县区正着手考虑召开文代会，建立组织机构，物色合适人选。

3. **协会建设强化专业化**。

淮安市美术家协会成立了西画研究会、花鸟画研究会两个专业性协会，进一步细化专业，加强专业交流，提升创作水平；进一步发展省级、国家级会员，不断扩大协会的影响。全年新增国家级会员10人，省级会员36人，提升了全市文艺家协会会员的层次。

4. **全市文艺战线成绩显著**。

(1)淮安市书协在中国书法进万家活动中，被中国书协授予先进集体称号，张筱宁被评为先进个人。

(2)楚州区被中国书协授予"中国书法之乡"称号。

(3)淮安市文联承办的纪念周恩来诞辰110周年全国名家书画邀请展等活动，在全国产生了深远的影响，荣获市委2008年度宣传思想文化工作创新奖。

(4)《短小说》杂志连续三届被省新闻出版局评为省优秀期刊，是我省唯一获此殊荣的地市级文学期刊。

(5)淮安市文联组织的文艺家采风活动和文艺惠民活动，荣获省文联"美在新江苏"采风活动

和文艺惠民活动组织奖。

(6)淮安市摄影家协会在全国性摄影大赛中,两次被中国摄影家协会授予优秀组织奖。

(7)洪泽县、淮阴区文联因工作成绩突出,被省文联授予全省先进文联荣誉称号。

5.**县区文联日趋活跃**。

县区文联在经费紧张、人员缺乏的条件下,积极创造条件开展文艺活动。洪泽、盱眙、金湖积极利用本地资源举办洪泽湖水上运动会、中国盱眙龙虾节、金湖荷花节等重大节庆文化活动,组织开展各种形式的文化活动,不断丰富节庆文化活动内涵。涟水县文联积极组织开展元旦、春节等节日文化活动和送文艺到农村活动,大力营造祥和温馨的节日文化氛围。洪泽、淮阴等地文联充分挖掘本地历史文化资源和自然资源,在策划举办"美丽清纯洪泽湖"摄影大展、"漂母杯"全国母爱主题散文征文大赛等具有全国性影响的文化活动中发挥了积极的作用。楚州区文联和市书法家协会共同努力,为该区成功取得了"中国书法之乡"的荣誉称号。金湖县文联积极保护、开发、做大金湖秧歌等民间文艺品牌,举办金湖秧歌表演专场。盱眙县文联组织"迎新春——书画摄影家与群众零距离接触"系列活动,深受群众好评。清河区文联积极参与策划、协助组织中央电视台举办的"激情广场大家唱——走进清河新区"节目,活动取得圆满成功。清浦区文联积极参与举办清江文庙庙会等民间文艺活动,别具地方文化特色,为淮安大文化建设增添了丰富的内容。

盐城市文学艺术界联合会

综　述

2008 年,盐城市文联及所属文艺家协会在盐城市委、市政府及市委宣传部的关心领导下,在省文联的指导支持下,以"三个代表"重要思想为指导,以深入贯彻落实科学发展观为重点,以繁荣文艺为主题,突出五项活动,重点抓两项工程,积极开展丰富多彩的文艺活动,认真组织实施文艺精品创作扶持工程,切实推进文艺人才培育工程,努力发挥文学艺术在和谐社会建设中的积极作用,较好地完成了全年各项工作目标,其中"新盐城、新风采、新飞跃"系列文艺活动和编辑出版纪念改革开放 30 周年盐城文学专辑活动分别获得 2008 年度全市宣传思想工作"创新奖"和 2008 年度全市宣传思想工作"优秀奖"。在盐城市第三届精神文明建设"五个一工程"评选活动中,盐城市文联获组织工作奖,受到表彰,在市纪委牵头组织的"万人评议机关"中,盐城市文联排在第 6 名,受到市委、市政府的表彰。

重要会议

1. 盐城市文联 2008 年工作会议。

3 月 21 日,盐城市文联 2008 年工作会议在盐城举行,来自全市 9 个县(市、区)文联的主要负责人和 10 个文艺家协会的主席团成员汇聚一堂,为推进盐城文艺事业大发展大繁荣,建设文化盐城献计献策。会议由市政协副主席、市文联副主席蒋婉求主持。各县(市、区)文联和各文艺家协会的负责人在会上交流了 2007 年的工作情况,畅谈了 2008 年的工作思路。中共盐城市委常委、宣传部长周德祥同志在会上发表重要讲话,要求各县(市、区)文联及文艺家协会深入学习贯彻党的十七大精神和中央、省、市宣传思想工作会议精神,更加主动地担负起推动社会主义文化大发展大繁荣的使命要求;要以主题文艺活动为载体,繁荣文艺创作,推出文艺精品,不断增强推人才出作品的能力;要乘文化体制改革东风,创新机制,积极探索文化产业发展的道路;要提高组织协调能力,热情服务,增强团结,进一步树立文联及各协会的良好形象。会上,市委宣传部副部长陈建新同志传达了省、市宣传思想工作会议和省文联七届五次全委会会议精神。盐城市文联专职副主席王效平同志在会上作了 2007 年工作总结和 2008 年工作思路的报告。市文联 2008 年重点工作是围绕"开展五项活动,抓好两项工程":开展纪念改革开放 30 周年系列文艺活动,开展"文艺五走进"文化惠民活动,开展"文化盐城"主题系列文艺活动,开展"新盐城、新风采、新飞跃"系列宣传活动,开展"迎奥运、促发展"主题文艺活动;抓好文艺精品创作扶持工程,抓好文艺人才培育工程,以创新思维推动各项工作的开展,为盐城文艺的大发展大繁荣营造良好的环境。会上,蒋婉求宣读了省文联《关于表彰江苏省先进县(市)、企业文联的决定》,周德祥和陈建新为获得省文联先进县(市、区)文联的东台市文联、大丰市文联颁奖。

2. 王达银文学创作研讨会。

1 月 3 日,盐城市文联、盐城市作协、大丰市文联联合为市作协会员王达银举办了个人作品研讨会。王达银现为中国散文学会会员、江苏省作家协会会员,多年来,王达银勤于笔耕,先后发表各类体裁的文学作品 300 余万字,代表作《燃烧的大海》《雪夜》受到业内人士肯定。省作协主席王臻中、中国作协《文艺报》执行主编等出席了研讨会,一批来自全国各地的作家和文学爱好者参加了研讨会。省作协主席王臻中等与会者对王达银关注现实民生、刻意表现盐城人文历史和社会变迁、不断提升审美感受的创作道路等可贵之处给予了肯定。

3.**臧科先生从艺50周年学术研讨会**。

3月9日,盐城市文联与盐城市文化局联合为本市"书坛常青树、艺域年轻人"臧科先生举办了"臧科先生从事文艺工作50年学术研讨会"。盐城本地及外地特邀文化艺术界人士80余人出席研讨会。研讨会回顾、总结了臧科先生的书法成就和对盐城书画事业发展作出的积极贡献。省文化厅发来贺电,指出:"臧科先生从事文艺工作50年,潜心敬业,博学多思,集书、画、文于一身,尤其是在书画艺术创作和实践中取得了丰硕成果,融古汇今,厚积薄发,形成独特的风格。其修身润德、追求完美的人格形象,堪称为德艺双馨的盐阜骄子。"省书协也发来贺信,称赞臧科先生"从事文艺工作50年,长期担任盐城市书协主席、省书协理事,为盐城的文化建设、为江苏书法强省建设作出了积极的贡献,是一位值得尊敬的德艺双馨的老艺术家"。研讨会的成功举办,被文艺界称为是一次别开生面的"晚霞工程"。

重要活动

1.**省文联党组书记、常务副主席王慧芬来盐城调研**。

10月18至19日,省文联党组书记、常务副主席王慧芬出席"东西南北中,笑星闹盐城"专场晚会期间,对盐城市的基层文联工作进行了调研。市政协副主席、文联副主席蒋婉求,市文联专职副主席王效平等陪同调研。18日下午,王慧芬书记与市文联及部分文艺家协会负责同志座谈,王效平代表文联领导班子向王书记汇报了市文联的基本情况和近年来的工作开展情况,部分协会负责人就协会具体工作也作了汇报发言。王书记认真听取了市文联和协会的工作汇报,肯定了市文联强化协会管理的"四个机制"和近年来所取得的工作成绩,并就加强基层文联建设、抓好品牌活动提出建设性意见。她指出,文联要提高地位和扩大社会影响力,一定要抓好品牌文艺活动,品牌活动在于精而不在于多,要在内容上、形式上、机制上不断创新,县(市、区)文联每年至少要搞一至两个有影响有效益有特色的品牌文艺活动。她要求市文联在新形势下继续解放思想,努力创新和发展,抓住盐城特色,发挥人才优势,集中打造主题突出的品牌文艺活动,提高文联地位和扩大文联影响。18日晚,王慧芬书记出席了"东西南北中,笑星闹盐城"专场晚会,看望了演出人员,并向参加演出的著名相声表演艺术家、中国曲协分党组书记姜昆同志赠送了精美的江苏刺绣工艺品,祝贺姜昆同志58岁生日。19日,王慧芬书记在市政协副主席、文联副主席蒋婉求、市委宣传部副部长陈建新、市文联专职副主席王效平的陪同下,到大丰、东台等地进行了实地考察和调研。

2.**黄海明珠·魅力盐城大型档案史料陈列展**。

为积极贯彻落实全市宣传思想工作会议和省文联七届五次全委会会议精神,激发全市人民热爱家乡、建设盐城、进位争先的热情,并积极向外宣传盐城、推介盐城,提升盐城在海内外的知名度,盐城市文联积极组织实施纪念改革开放30周年系列文艺活动。3月8日,由盐城市文联、盐城市档案局联合主办的"黄海明珠·魅力盐城大型档案史料陈列展"在盐城市档案局开幕。"黄海明珠·魅力盐城大型档案史料陈列展"以真实的图片史料,记载了有史以来、特别是改革开放30年来盐城的发展变化,展示了盐城各行各业繁荣发展的大好局面。展览开幕式由盐城市人民政府副市长朱传耿主持,中共盐城市委常委、宣传部长周德祥发表讲话。盐城市委、市人大、市政府、市政协领导出席了开幕式并为开幕式剪彩。

3.**江苏省首届发绣艺术博览会获奖精品展**。

3月8日,由盐城市文联、盐城市商会、盐城市档案局联合主办的"江苏省首届发绣艺术博览会获奖精品展"在盐城市档案局开幕。展出的100多件发绣精品,多数是在国内外比赛中荣获大奖的作品。如长33.38米,宽0.39米的《五百罗汉》发绣作品，曾荣获“2007 年中国南京文化产业交易会、江苏艺博杯工艺美术精品奖”金奖。发绣艺术精品展通过实物展览和现场演示等形式向观众展示了发绣的艺术魅力。展览开幕式由盐城市人民政府副市长朱传耿主持，中共盐城市委常委、宣传部长周德祥讲话。盐城市委、市人大、市政府、市政协领导出席了开幕式并为开幕式剪彩。展览吸引了社会各界人士前来参观，参观人数达数千人次。

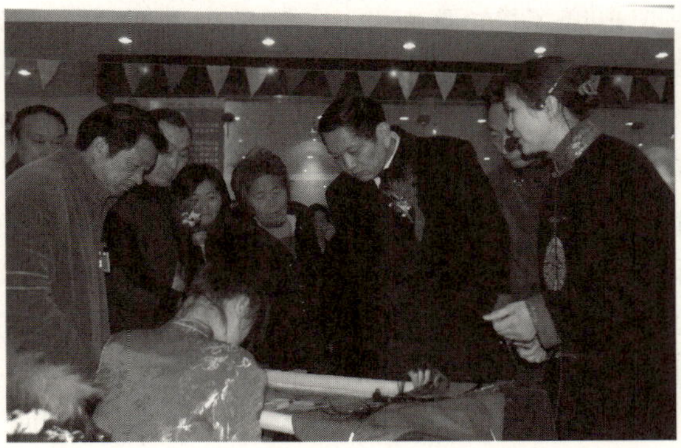

4. **编辑出版纪念改革开放 30 周年盐城文学专辑**。

为真实再现盐城改革开放 30 周年的文学历程，多方位展示盐城当代文学创作取得的长足进步，促进盐城文学创作的进一步发展，盐城市文联、盐城市作协与盐城市委宣传部、盐阜大众报业集团联合编辑出版纪念改革开放 30 周年盐城文学专辑。专辑分三卷五册，分别为《1978—2008 盐城文学专辑 · 散文卷》（上）、《1978—2008 盐城文学专辑 · 散文卷》（下）和《1978—2008 盐城文学专辑 · 小说卷》（上）、《1978—2008 盐城文学专辑 · 小说卷》（下）和《1978—2008 盐城文学专辑 · 诗歌卷》。征集的作品主要为盐城市作协会员和这 30 年曾在盐城生活工作过的作者创作的在市级以上报刊发表的文学作品。入选的作品，采取由作家自荐、编辑选编的办法选编。本着多角度、多侧面反映盐城这一时期文学创作水平和创作轨迹的原则，力求选录思想性与艺术性结合比较好的作品。专辑的编辑出版是对盐城新时期文学创作的历史性回顾和检阅，也是盐城文艺界 2008 年文学工作的亮点之一。由于工作扎实，该项工作获得 2008 年度全市宣传思想工作“优秀奖”。

5. **辉煌巨变——江苏省纪念改革开放 30 周年大型摄影图片盐城巡回展**。

11 月 18 日，由江苏省委宣传部、江苏省文联主办，盐城市委宣传部、盐城市文联承办的“辉煌巨变——江苏省纪念改革开放 30 周年大型摄影图片盐城巡回展”在盐都文化馆开幕，中共盐城市委常委、宣传部部长周德祥，市政协副主席蒋婉求等出席开幕式并讲话。本次展览是盐城市近 5 年来最大的一次摄影展，共展出 200 多幅摄影作品，其中包括盐城市摄影家创作入选的 36 幅作品。参展的作品以丰富的题材，多样的手法记录和反映了江苏改革开放的历史进程，赞颂了全省城乡建设面貌和经济建设所取得的突出成就，展现了江苏优美的自然环境、丰富多彩的社会生活以及人民群众奋发图强、投身新江苏建设的精神风貌。驻城部队官兵、学校师生、机关企事业单位的干部职工、本市的摄影工作者及摄影爱好者近千人参观展览。

6. **深入学习实践科学发展观活动**。

盐城市文联按照“思想上有新突破、作风上有新改进、工作上有新局面”的总体要求，坚持把市委、市政府开展的“深入解放思想、推进科学发展”教育实践活动与文联工作紧密结合起来，针对梳理出来的突出问题，从思想、行动、制度三方面狠下功夫，进一步理清工作思路，完善规章制度，使机关工作人员和协会负责人的“创新”意识明显增强，服务中心能力不断提高，组织开展的文艺活动亮点不断呈现。市文联通过主席团会议、机关全体人员会议、各协会理事会等多种途径，学习贯彻党的十七大会议精神和全市宣传工作会议的精神，号召大家结合自身实际，为繁荣盐城文学艺术创作，创建和谐文化作出贡献。同时，市文联召开了各县（市、区）文联和各协会负责人会议，传达省、市宣传工作会议及省文联七届五次全委会精神。通过系列学习活动，盐城文艺界在统一思想中凝聚了力量，焕发出热情，自觉围绕市委、市政府的工作中心，积极开展各项文艺活动。

7. **迎奥运系列活动**。

4 月 30 日，为弘扬奥林匹克精神，积极参与“迎奥运、讲文明、树新风”活动，盐城市文联和盐城市书协举办了“与奥运同行——盐城百家书法精品展”，市委常委、宣传部部长周德祥参加了开幕式。这次展览共征集了来自全市百名书法家以奥运为主题而精心创作的 200 多幅书法作品，书法艺术家用浓墨重彩抒发了对北京奥运会的热忱和对中华民族书法艺术的挚爱。这次展览的成功举办，为弘扬盐城地区优秀传统文化，彰显书法艺术魅力，为盐城书法事业的繁荣与发展，起到了积极的推动作用。

7 月 18 日，为表达盐城市美术家们对北京奥运会的良好祝愿，展示盐城美术家的整体实力，盐城市文联、盐城市美协在盐都区文化馆举办了“迎奥运、展风采”美术作品展。市政协副主席蒋婉求出席美展开幕式。展出的 80 多幅美术作品，主题突出，特色鲜明，风格各异，具有较强的时代感。作品通过画家的多重视角，表达了对祖国的热爱和美好生活的追求，用美术展现人文奥运的精髓，让更多的人支持奥运、热爱奥运、参与奥运，同时感受艺术的魅力，共享人文奥运的快乐。

8. **抗击“5·12”汶川特大地震灾害**。

“5·12”特大地震发生后，盐城市文联在为灾区捐款捐物的同时，积极组织主题文艺活动支援抗震救灾。6 月 6 日，盐城市文联、盐城市作家协会与盐城市电视台新闻综合频道、《江南时报》联合主办了“风在倾诉——欢迎抗震救灾勇士凯旋暨 2008 端午诗人节诗歌朗诵会”。诗会上，从抗震救灾一线返回家乡的勇士和盐城的作家、诗人、广大诗歌爱好者一起同台朗诵专门为 2008 年端午节和四川抗震救灾创作的诗歌、散文作品。朗诵者们用诗歌向抗灾勇士致敬，欢迎从四川抗震救灾一线凯旋的勇士，以特别的形式欢度端午诗人节。诗歌朗诵会吸引了两百多名作家、学生以及文学爱好者的积极参与，受到文艺工作者的广泛好评。

文艺创作

2008年度,盐城市文联及市各文艺家协会把催生优秀文艺作品作为工作重点,在组织文艺创作上狠下功夫,创作的文艺作品数量和质量都有明显提高。文学方面,李有干的长篇小说《大芦荡》获得第三届紫金山文学奖儿童文学奖;袁杰的诗歌《夜曲》获得第三届紫金山文学奖诗歌奖。在盐城市第三届精神文明建设"五个一工程"评选活动中,市文联组织报送的张晓惠的散文集《残痕若花》、姜桦的散文集《灰椋鸟之歌》入选并获奖。书法方面,魏海波、徐中林的作品入选"全国第二届草书展",徐于群、魏海波的作品入选"全国首届册页展",王湘平、储逸的作品入选"全国第二届隶书展",凌炳奇作品入选"全国新人新作书展"。美术方面,市美术家协会主席李晓东应邀与我省山水画家朱葵、华士清赴美国旧金山中国城国父纪念馆办画展,展览在当地获得好评。戏剧方面,陈明、袁福荣创作的大型现代淮剧《马代表进城》参加了第三十一届戏剧节,并与国内外著名剧团一道被推进世界戏剧节帷幕;张娟创作的大戏剧本《千古一丐》和徐新华创作的大型现代淮剧剧本《天路谣》分别获得江苏省第六届戏剧文学奖二、三等奖;由仲春梅创作的小锡剧《我是你的留守妻》获得江苏省五星工程奖金奖。曲艺方面,李更生创作、吴定作曲、滨海县实小演出的京韵表演唱《雷锋新唱》获得全国第四届校园文艺汇演金奖并入选第九届全国校园春节联欢晚会在央视演出,王红专创作的音乐快板《残鹰展翅》入选中央文明办主办的《好人颂》央视文艺晚会,王立志创演的《祖孙情》在央视《曲艺杂谭》"中华好人颂"特别节目播出。摄影方面,杨国美在香港成功举办《中华神兽——麋鹿》大型影展,其《逐鹿滩涂》获得江苏省第19届影展优秀奖,《故乡的麋鹿》获得郎静山国际摄影金像奖;俞文鸿的《撒向希望》入选江苏省第19届影展;周洪飞的《鹤翔云天》和严正东创作的《画中游》获得郎静山国际摄影金像奖;仇爱武的《小球迷》获得省妇联、省文化厅、省文联举办的"我家的30年"摄影比赛二等奖;王拥军创作的《家有喜事》获得江苏省摄影家协会"淤溪杯"摄影大赛佳作奖。音乐方面,蒋婉求创作的《海之恋》和沈忱创作的《乌衣巷》分别获得盐城市第三届精神文明建设"五个一工程"特别荣誉奖和入选奖。舞蹈方面,孙娅创作的少儿舞蹈《稻花飘香》获得江苏舞蹈"莲花奖"第二届少儿舞蹈新作品比赛二等奖;周维华编导的舞蹈《你是否来过拉萨》参加全国老年体协举办的舞蹈大赛获金奖;戴兰编导的健身球舞《希望的田野》参加全国中老年健身球操比赛获金奖;陶素华创作的舞蹈《憧憬》参加全国教委比赛获金奖,并参加2008年中央电视台"六·一"文艺晚会演出;张霞创作的少儿舞蹈《滩涂幼麋》获得江苏省2008年五星工程铜奖。

文艺队伍建设

1.盐城市曲艺家协会召开第二次代表大会。

盐城市文联以文艺家协会换届为契机,以目标管理为切入点,引入四个机制,努力创新协会工作机制和管理机制,增强协会活力。在协会无专职办公人员、无办公场地、无财政经费的情况下,千方百计自筹经费,在先后顺利完成盐城市作协、市音协、市舞协、市书协、市美协、市剧协、市民协7个文艺家协会换届的基础上,完成了盐城市曲艺家协会的换届工作。12月20日,盐城市曲艺家协会第二次代表大会在盐城召开,来自全市的50多名代表和嘉宾出席了会议。省曲艺家协会副主席金丽生到会祝贺并讲话。会议期间,代表们审议通过了理事会工作报告,通过了协会章程修改意见。会议民主选举产生新一届理事会，李更生当选为盐城市曲艺家协会主席。新一届主席团成员在大会上作了任职承诺，相关责任主体签订了责任状。盐城市文联所属的其他9个文艺家协会负责人列席了会议。在协会换届工作中，盐城市文联坚持“推人才、用人才”的原则，引入竞争机制，将有能力、有声望、有活力、有成就的中青年艺术家民主推选为协会班子成员，调整配强协会班子。换届后，协会工作出现了活力明显增强、活动明显增多的新局面。

2. **建立健全协会管理考核机制**。

为进一步规范协会管理，盐城市文联在竞争机制的基础上引入责任机制、淘汰机制、激励机制，建立健全长效管理机制，对各文艺家协会新产生的班子成员实行目标管理，建立明确的岗位目标责任制，相关责任主体之间签订责任状。每年定期进行协会班子成员考核工作，对每位班子成员的工作完成情况进行认真考核。对不按照承诺工作的协会班子成员指出存在的问题，提出整改要求，情况严重的建议自动辞职或通过有关程序罢免，改变过去只要任职，即使不好好干，也要干满一届，或只挂名不干事的情况，使协会班子人人有分工，事事有落实，让协会工作能真正“动”起来。在2008年度的协会考核工作中，盐城市委宣传部和盐城市文联联合发文，市委宣传部文艺处、干部处负责人全程参加考核，加强协会考核工作的力度，并在考核的基础上评选出先进协会予以表彰。协会管理新机制的建立健全，对于有效提高文艺家协会的活动能力和服务水平，起到了积极的作用。

文艺惠民

1. **盐城市首届水彩、水粉画提名展**。

6月1日，盐城市文联、盐城市美术家协会与盐城师范学院美术学院、盐城工学院设计艺术学院联合主办的“盐城市首届水彩、水粉画提名展”在盐城师范学院展出，驻盐高校师生、美术爱好者近千人观看了展览。本次提名展推出的八位画家分别来自于高校和画院，他们在全国、省、市级美展中都取得过优异成绩，是盐城水彩、水粉画的中坚力量。展出的50余幅水彩、水粉画作，主题鲜明，风格各异，技艺成熟，有较强的时代感，具有一定的学术性和创新性。在展览开幕式结束后，还组织召开了学术研讨会。画展的成功举办不仅丰富了在校大学生的精神生活，也为优秀艺术人才提供了展示和交流的平台。

2. **东西南北中,笑星闹盐城专场公益演出**。

10月18日,盐城市文联、盐城市曲艺家协会在盐城市一小承办江苏曲艺家协会来盐举办的“东西南北中,笑星闹盐城”专场晚会。著名相声表演艺术家姜昆和其弟子中国广播艺术团的刘惠、刘全刚,“金小丑奖”的双胞胎兄弟刘全和、刘全利,西安说唱团的周春晓、于海涛,著名快板表演艺术家张志宽,前线文工团青年相声演员尹宏伟、李明禹等齐聚盐城,与倪明、夏文兰等曲艺工作者一道,为盐城观众奉献了一台精彩的曲艺节目。

3. **舞动盐城、健康你我广场舞蹈大赛**。

11月3日,盐城市文联、盐城市舞蹈家协会在市体育馆举办“舞动盐城、健康你我”广场舞蹈大赛。决赛在体育馆进行并在盐城电视台播出。来自各县(市、区)的16个代表队、300多人参加决赛,许多富有盐城水乡特色的民间舞蹈在这次大赛上得到展示,活动既展现了新时期盐城人民群众的精神风貌,又体现了舞蹈艺术的独特魅力,对推动本市群众舞蹈事业的发展,丰富群众文化生活起到了积极的作用。

文艺交流

1. **连云港、宿迁、盐城书法联展**。

12月12日,由江苏省书法家协会和连云港、宿迁、盐城三市文联、盐城市文化局主办,三市书法家协会承办的“连云港、宿迁、盐城书法联展”在盐都文化馆开幕。此次联展,展出了三市书法家的150多幅精品力作。这次联展不仅为三市书法家提供了展示艺术才华、交流创作技艺的平台,增进了三市艺术家之间的友谊,同时也有力地促进了三市的群众性书法活动的繁荣。盐城市委常委、宣传部部长周德祥,市委常委、军分区司令员王公启,副市长曹友琥等出席开幕式并题词。

2. **2008中国画名家盐城行——六人作品联展**。

12月17日,盐城市文联、盐城市美术家协会、盐城市书画院联合主办了“2008中国画名家盐城行——六人作品联展”,同时出版了画集。参展画家有宋鸣、邓子芳、孙恩道、南恽笙、张卫、李晓东,分别来自海南、宁夏、湖北、河北和江苏,外省邀请的画家均为省级美协主席和副主席,是当代中国画坛颇具艺术个性和创作特色的画家代表。画展上展出的40余幅佳作透出浓郁的地域特色和艺术风味,是盐城市艺术交流史上一次难得的高品位、高层次的展览,为盐城市美术家提供了一次难得的学习机会,对本市的中国画创作起到了积极的推动作用。

扬州市文学艺术界联合会

综　述

扬州市文联在省文联的关心、指导下，坚持先进文化的前进方向，与时俱进，开拓创新，充分发挥了党和政府联系文艺界的桥梁和纽带作用，认真履行"联络、协调、指导、服务"职能，在推动我市文学艺术创作、文化品牌建设、文化人才工程、对外文化交流等方面，做了大量卓有成效的工作。去年，扬州市文联相继完成了市摄协、市作协的换届改选，积极组织文艺家们紧紧围绕纪念改革开放30周年、抗震救灾等主题举办了一系列文艺活动，广泛开展形式多样的文艺交流活动和理论研究活动，提高文艺工作者的整体素质，鼓励和激发扬州文艺界的创作热情，促进优秀文艺作品的诞生，使扬州文艺界呈现和谐、创新、繁荣、发展的良好局面。

重要会议

1. **市文联四届四次全委会。**

2月下旬，扬州市文联召开了四届四次全委会，总结了2007年度工作情况，提出了2008年度工作要点。当晚，扬州市文联还举办了第二届"扬州文艺界2008新春联谊会"，市有关领导，相关单位负责人，文艺界老艺术家、老前辈，市文联所属协会及县(市)文联主要负责人以及文艺新秀代表共200余人参加了联谊会。

2. **为农村工艺美术人才评定职称现场会。**

7月下旬，省文联、省民协联合在江都召开为农村工艺美术人才评定职称现场会，在全省推广江都经验，全省各县市50余人参加了本次会议。

重要活动

1. **纪念改革开放30周年。**

为纪念改革开放带来的翻天覆地的变化，扬州市文联举行了一系列的活动：

(1)年初，策划制作了DV纪录短片集锦《古城·运河·人家》。DV集锦共有11部反映扬州人生活的纪录短片，从多角度展示出扬州人的生活状态和生存环境的变迁，反映扬州城市天翻地覆的变化，展示扬州的新面貌。

(2)7月下旬，与市文明办、市总工会、市日报社在文昌广场工人之家联合举办了"1978—2008新旧对比看扬州——王金祥纪实摄影展"，展出摄影作品200余幅，吸引了近万人参观。

(3)为纪念改革开放30年特别是住房制度改革20年来，扬州市住房状况发生的变化，9月，扬州市文联与市房管局联合举办"和谐人居·恒通·帝景蓝湾杯"有奖征文活动，有来自北京、上海、山东等省市的作者近百篇作品应征。

(4)10月初，扬州市摄影家协会首次艺术影展《云破月来花弄影》，在扬州美术馆开展。此次展览共展出作品170多幅，将改革开放30年来的城乡建设新貌定格在一幅幅图片之中。

(5)11月初，扬州市文联与扬州市总工会、市广电总台等单位联合举办了"纪念改革开放30周年职工戏剧票友会"。

(6)市文联与市委老干部局等单位联合举办的"纪念改革开放30周年老干部诗书画作品展"，11月上旬在扬州市美术馆揭幕。这次展览共展出老干部为纪念改革开放30周年而精心创作的诗书画作品80余幅。此外，扬州市文联还举办了“纪念改革开放 30 年——首届扬州市中国画（人物画）展”。

（7）12 月 14 日，扬州市文联召开“扬州文艺界纪念改革开放 30 周年座谈会”，文艺界人士共聚一堂，畅谈了改革开放 30 年以来扬州在繁荣文艺事业方面取得的巨大成就。扬州市委常委、宣传部部长袁秋年参加会议并发表讲话。

2. **抗震救灾捐赠活动**。

在抗震救灾期间，扬州市文联及时行动，征集扬州书画家捐赠的 34 幅作品，经过义卖，共募集现金 11 100 元以及书画作品多幅，捐赠给市红十字会，由他们转交地震灾区。市音乐家协会副主席杨华、金录明以及数十名会员积极参加各类抗震救灾义演活动。市音乐家协会主席夏峰作词、作曲的歌曲《军魂不朽的长城》入选全国网友为抗震救灾创作歌曲专辑，并由江苏电视台播出。

3. **纪念朱自清诞辰** 110 **周年活动**。

2008 年是朱自清先生诞辰 110 周年，8 月 12 日，市作协与扬州晚报联合邀请扬州文学名家，以“朱自清与扬州文化”为题进行座谈。11 月 18 日，扬州市文联与市作协、朱自清故居联合举办了“纪念朱自清诞辰 110 周年诗会”。20 日，“纪念朱自清诞辰 110 周年书画展”在广陵琴派史料博物馆举行，书画展展出的数十幅作品是在全国范围内征集来的。22 日是朱自清诞辰纪念日，市文联与有关单位举行以“背影”为主题的全国同题征文颁奖典礼暨朱自清先生学术讨论会，百余位专家学者和相关人士出席了活动，并就“朱自清研究的拓展与深入”“朱自清散文与扬州文化”等进行了研讨。

4. **传统节日活动**。

2008 年是清明节、端午节、中秋节作为法定假日的第一年。清明节当天扬州市文联在趣园联合举办了“绿杨新韵虹桥雅集——扬州市首届迎春诗会”，诗人们吟诵吟唱自己的原创诗作，间以古筝《阳关三叠》的演奏，歌曲《在双东》、《扬州美女》及昆曲等演唱，活动现场气氛活跃而热闹。端午节之日，市文联又与《扬州晚报》社等单位联合举办了“迎端午·诗词创作座谈会”，全市近30位诗词创作者参加。中秋节之际，与市民间文艺家协会等在凤凰岛联合举行“中秋祭月”活动及篝火晚会，吸引众多市民参加。

5. 4·18 **活动**。

4·18期间，扬州市文联与有关部门共同举办了“第九届中国扬州‘烟花三月’国际经贸旅游节·《维扬风流》当代八家书画作品展”，共展出杨麟、鞠伏强、徐中、陈忠南、唐雨堤、龚定煜、顾扬、刘方明8人的作品100余幅。

6. **廉政文化活动**。

为推进我市廉政文化建设，展示地方特色，市文联与市纪委联合组织创作的《扬州廉政文化丛书》正式出版发行。丛书共140万字，由文学、书画、戏曲、诗词、灯谜、时评、论文7卷组成。6月，市文联还与市纪委、扬州日报社联合举办“扬州文化大讲堂之廉政文化讲堂”，扬州市文联曹永森同志、杜海同志登台做了题为“扬州传统文化与当代廉政建设”“《何氏家训》与何家英才”的讲座。

7. **纪念桑愉先生活动**。

今年3月14日，是已故著名书法篆刻家桑愉先生80诞辰纪念日，扬州市文联与相关单位联合召开了“纪念桑愉先生诞辰80周年座谈会”，还举办了“桑愉先生书法篆刻遗作展”，同时在《扬州日报》《扬州晚报》上专版刊登桑先生的书法篆刻作品和扬州文艺界人士缅怀桑先生的文章。

8. **青少年文艺活动**。

在注重文艺家队伍建设的同时，扬州市文联也注重青少年文艺人才的培养。扬州市文联积极筹备2008年度全省青少年书画考级和音乐考级扬州考区工作，有3 000多名考生参加了书画考级；6月下旬，市舞蹈家协会开展2008年市少儿舞蹈考级工作，近700名少年儿童参加了考级；举办了“2008‘扬州的夏日’青少年优秀书画考级作品展”，共展出作品245幅，吸引了1 000余人参加；组织编印的《2007年度江苏省文联少儿书画考级优秀作品选》也正式发行。7月18日，市文联与市文明办等单位联合举办了由扬州市17岁高二学生谈叶闻历经4年创作完成的长篇小说《前三国演义》上部《龙尾田》创作汇报会。国庆期间，市音乐家协会在琼花观举行少儿器乐演奏会，丰富少儿假期生活的同时，也展现了他们的风采。在江苏省舞蹈家协会举办的“莲花奖”第二届少儿舞蹈新作品比赛中，市舞蹈家协会选送的《小小花香鼓》获得编导一等奖；《银杏乐》《为奥运加油》获得编导二等奖；《快乐踢踏》《我是小小解放军》《为奥运喊加油》《俏浪花》获得编导三等奖。11月16日在无锡电视台举办的闭幕式颁奖晚会上，《小小花香鼓》参加了演出。

举办了“桂华清韵——庆贺徐桂清60华诞暨从艺48周年曲艺观摩座谈会”。省曲艺家协会副主席芦明等领导和专家、艺术家共20余位参加了座谈。当晚，还举行了晚会，曲艺界同仁和弟子们献演了精彩节目。

文艺创作

1. **文学创作**。

扬州市青年作家解飞飞的散文《扬州小巷》荣获“江苏省第十八届报纸副刊好作品”三等奖。青年女作家朱佳的长篇小说《低俗小说》、解飞飞的诗集《水磨是一种心计》等多部作品正式出版。7月份，中国文史出版社出版了《扬州微型小说22家》，该书由扬州市文联曹永森和宝应县文联主席何开文共同主编。金秋时节，扬州市作家王资鑫的两部各28万字的长篇小说《大明狂儒》和《水荡双魔》，以及30万字的史志专著《绿杨武踪》，分别由宁夏人民出版社和广陵书社出版发行。

2. **美术创作**。

在省美协举办的“美在新江苏——壁画大展”中，扬州入选17幅作品，在全省名列第二。在“江苏省新人新作展”中，扬州有15件作品参展。11月份，扬州顾扬、刘扬山、孔令威等三人的作品入选“江苏省市树市花展览”。在省“纪念中国改革开放30周年美术作品展”中，扬州市人大常委会副秘书长董雷的作品《向城市走来》获得了此次美术作品展的最高奖项——优秀奖。

3. **书法创作**。

在第九届全国书法篆刻作品展上,扬州市朱洪林、姜忠明、姜海宽、赵明、王之义、竺文斌、华续光、薛明泓等8名书法家的作品入选。在"全国千人千作书法大展"中,扬州市书法家徐正标、涂君、殷旭明的书法作品以及赵明的篆刻作品入选。由中国书法家协会举办的"纪念改革中国开放30周年,启动当代书坛名家系统工程全国千人千作书法大展"在北京隆重开幕,扬州市书法家徐正标、涂君、殷旭明的书法作品以及赵明的篆刻作品入选。

4. **音乐创作**。

张天宇作曲的《老百姓愿意跟你走》唱响北京人民大会堂,《奔向月球》获全国"晨钟奖";夏峰作曲的《秋思》成为中宣部主办的全国优秀流行歌曲大赛江苏赛区入选作品;王慧群获得江苏省文联、总工会主办的"江苏省纪念改革开放30周年"职工声乐比赛一、二等奖。

理论研究

1. **扬州人文精神研讨会**。

扬州市文联与相关单位联合举办的"扬州人文精神研讨会"在双博馆召开。本次研讨会有100余人次参加,收到论文40余篇,其中31篇论文全文发表在《扬州文学》(增刊)上,共评出一等奖3篇、二等奖5篇、三等奖7篇。

2. **研究著作**。

扬州市梅兰芳研究会会长、扬州大学文学院明光副教授的《扬州戏剧文化史论》,扬州大学文学院戴健副教授的《清初至中叶扬州娱乐文化与文学》均由社会科学文献出版社出版。

文艺队伍建设

1. **协会换届改选工作**。

5月27日,扬州市摄影家协会完成换届改选工作,戴兴发同志当选为市摄影家协会主席。9月11日,扬州市作协召开第三次作代会,完成换届选举工作,杜海同志当选为市作协主席。

2. **发展会员**。

扬州市有20名作家加入省作协。市音乐家协会发展加入中国音乐家协会会员6名,加入省音协会员12人。

3. **协会年检**。

市文联完成了所属17个协会(研究会)的年检工作,并针对存在的问题要求有关协会进行整改。

4. **成立机构**。

成立扬州市音乐家协会南风琴社工作委员会。

文艺惠民

1. **送文化下乡**。

春节期间,市文联组织书画家到邗江区杨庙镇参加送"送文化下乡"活动,共书写对联1 000余副,深受当地居民的喜爱。

2. **市民日活动**。

市民日期间,市文联组织书画家在江海学院校园内现场作书作画,丰富了市民的精神文化生活,展示了扬州书画艺术的魅力。此外,市文联还协助市文明办在漆器厂的工艺美术馆举办了捏面人、扎通草花、剪刻纸等民间艺术表演。这些活动受到了江海学院师生、市民及游客的广泛好评。

文艺交流

1. **文学交流**。

市文联与镇江市文联成功举办了"第三届双城记笔会",两地共约40余位作家参加了活动,写出了一批散文和诗歌作品，并已陆续发表。此外，市文联还与扬州晚报、扬州邮票公司等单位联合主办了扬州女作家创作交流座谈会。

2. **书画交流**。

为打造“新扬州画派”，拓宽扬州市书画家的眼界，提高他们的知名度，努力把扬州的书画艺术推向全国，扬州市文联坚持“走出去、请进来”的方针，先后组织 10 多位书画家赴洛阳美术馆举办“新扬州画派作品展”，与泰安市文联联合举办“泰安情·扬州梦两地书画交流展”，邀请芜湖市文联举办了美术书法作品交流展，均取得了良好的反响。此外，由扬州市文联和相关单位联合主办了“二分明月今更明——扬州市一级美术师作品汇展”“周文彰书法艺术展”“余新志精品展”等书画展览 10 余次。

3. **音乐交流**。

邀请著名指挥家卞祖善来扬举办关于“茉莉花与图兰朵”的音乐讲座，邀请全国“金钟奖”金奖、“文华大奖”获得者任洁前来举办新年音乐会。

自身建设

1. **基层文联建设**。

进一步加强基层文联建设，乡镇文联相继涌现。江都市成立了丁伙、小纪、大桥、邵伯四镇文联，宝应成立了射阳镇文联。

2. **表彰情况**。

江都市文联和高邮市文联荣获“2007 年度江苏省先进县(市)文联”称号。

镇江市文学艺术界联合会

综　述

镇江市文联围绕中心、服务大局，奋发努力、开拓创新，圆满完成各项任务，为繁荣文艺做出了积极贡献。举办了精彩纷呈的艺术活动，突出改革开放30周年和迎“奥运”主题，开展系列文艺活动，以文艺形式赞颂镇江的巨大变化。根据省文联“美在新江苏”创作采风活动的统一部署和全市“大爱镇江”主题活动，举办“爱我镇江”大型创作采风和“送欢乐下基层”文化惠民活动。文艺创作成绩喜人，通过及时发布赛事信息、逐步规范创作赛事和签约作家文学创作等措施，动员和鼓励广大文艺工作者积极投身到繁荣文艺创作活动中来。全市文艺工作者创作了一批思想性艺术性俱佳、深受群众喜爱的优秀作品，在国家和省级以上展赛中获得可喜成绩。人才培养创新举措，市文联会同市人事局首次评选表彰文联工作先进集体和先进文艺工作者。扎实推进文艺新秀工程，实施中期培养计划，为不同层次的文艺人才成名成家创造条件。构建艺术培训和展示平台，提高文艺工作者综合素养，积极开展对外文化交流和艺术展示活动。自身建设得到加强，在强化现有职能的基础上，积极拓展和创新文联工作的新举措。建设开通镇江文学艺术网，建立协会工作联络员制度，全面启动文艺人才信息库建设。

重要会议

召开四届十一次全委会。

4月25日，镇江市文联召开四届十一次全委会，市委常委、宣传部长张洪水出席会议并讲话。会议选举增补市文联党组书记蒋宁同志为市文联副主席。会上市委常委、宣传部长张洪水对市文联各项工作所取得的成绩给予充分肯定，就下一步文艺工作的开拓创新提出了明确要求：一是文艺工作挑战和机遇并存，希望大家增强使命感，满怀信心做好文艺工作。二是下定决心，集中智慧，集中资源，创造出反映镇江地域特色的精品力作，打造出有影响力的文艺项目。三是创新思维，创新机制，特别是要引入市场机制，努力促使文学艺术界出名品、出名作、出名人。会议回顾总结了2007年文联工作，提出2008年工作总体要求。市文联2008年工作的指导思想：要坚持以邓小平理论和“三个代表”重要思想为指导，深入学习实践科学发展观，按照“高举旗帜、围绕大局、服务人民、改革创新”的总要求，紧紧围绕市委、市政府中心工作，以解放思想、科学发展为主题，以满足人民群众精神文化生活需求为根本，认真履行联络、协调、服务的基本职能，团结动员广大文艺工作者，更加自觉、更加主动地为推动社会主义文化大发展大繁荣、兴起文化镇江建设新高潮，为镇江新一轮发展作出积极贡献。会议要求2008年工作要从六个方面进行大胆探索：一是深入学习贯彻十七大精神，更加自觉更加主动地推动镇江文艺大发展大繁荣；二是围绕大局，服务人民，更加自觉更加主动地投身“全面达小康、建设新镇江”的伟大实践；三是扎实推进文艺创作精品工程，切实增强镇江文艺的原创实力；四是进一步拓宽文艺人才培养和吸纳渠道，努力造就一批德艺双馨人才队伍；五是立足镇江优势资源，注重提升重点文艺项目的内聚力和影响力；六是进一步解放思想，创新思路，以文联自身建设的加强推动镇江文艺的发展繁荣。

重要活动

1. **纪念改革开放 30 周年系列活动**。

为纪念改革开放 30 周年，市文联及所属各文艺家协会，根据自身的特点和优势，组织开展丰富多彩的文艺活动。市文联配合市委宣传部举办“走过 30 年——镇江改革开放 30 年成果展”；市美协、市书协举办纪念改革开放 30 周年美术书法作品展；市摄协编辑出版反映改革开放 30 年成就的《镇江市优秀摄影作品集》《镇江摄影文论》，承办“辉煌巨变”——江苏省纪念改革开放 30 周年摄影巡回展；市戏剧曲艺家协会组织纪念改革开放 30 周年暨镇江市职工京剧协会成立 20 周年“国韵流芳——镇江京剧晚会”；市作家协会与市政协文史委、《镇江日报》社联合举办了“纪念改革开放 30 周年征文”，已出版作品集《从梦想到跨越》；市音乐家协会在《江南音乐》杂志上发表“爱在镇江”创作歌曲专集；市作协与《金山》杂志社联合创作出版报告文学集《九万里风鹏正举》。

2. **迎奥运系列活动**。

市文联参与市委宣传部开展的“微笑相约迎奥运”礼仪风采大赛；与市广电总台、市体育局等部门联合举办“登圌山·迎奥运”书法摄影展；与市总工会共同举办“迎北京奥运·讲文明礼仪”职工书法展；与市计生委共同举办“青春·奥运·和谐”镇江市青少年美术摄影大赛。

3. **“盛世良宵——2008 镇江文学艺术界元宵节联欢晚会”隆重举行**。

2 月 21 日晚，江苏省副省长、镇江市委书记史和平和市四套班子领导与文艺工作者欢聚一堂，并共同欣赏了“盛世良宵——2008 镇江市文学艺术界元宵节联欢晚会”。晚会以歌舞组合《挂红灯》拉开序幕，音乐剧《水漫金山》主题曲《因为爱》感人至深，无伴奏女声组合《南乡田歌》从原生态民歌中汲取创作元素，曾获全国“群星奖”，配乐诗朗诵《在文学的路上》表现出文艺工作者爱岗爱乡的深情，晚会在歌舞《我的爱永远属于你》中圆满结束。联欢会前，市委、市政府举办招待会，省市领导与全市文艺界老艺术家、近年来有突出贡献的中青年艺术家代表和市各文艺家协会主席进行了交流和座谈。市委常委、宣传部长张洪水在招待会上致辞，向全市文艺工作者致以新春的祝福，并衷心希望广大文艺工作者在新的一年里为镇江文化大发展大繁荣做出积极的贡献。

4. **举办纪念改革开放 30 周年美术书法作品展**。

12 月 4 日，由市委宣传部和市文联联合主办的“镇江市纪念改革开放 30 周年美术书法作品展”在镇江画院开展。本次展览共收到全市美术、书法工作者创作的 150 余件书画作品，80 余件具有较高思想水平和艺术水准的作品正式参展，其中7件书法作品、11件美术作品获奖。大部分作品以讴歌改革开放成就和时代精神为主题，通过美术、书法等形式展示了改革开放30年来我市经济社会发展取得的辉煌成就，颂扬了30年来涌现出的先进事迹和先进典型。为使参展作品更加凸显主题，市文联从上半年开始就组织部分书画家进行采风和集体创作。重点创作的中国画《稻花香里说丰年》《秋风满架玉琳琅》等一批作品，从不同侧面展现了改革开放30年来镇江市城乡取得的巨大变化。市领导张洪水、卢章平、王萍、宋敬伟为开展仪式剪彩并参观了画展。

文艺创作

1.美术书法创作再创佳绩。

庄道静创作的中国画《潮·美甲》获得"第三届全国青年美展"优秀作品奖，《潮·媚》获得"江苏省纪念改革开放30周年美术作品展"创作奖。市书法家协会副主席宇文家林创作的书法《王世贞论书》荣获中国书法林散之奖榜首，他的书法作品获得全国首届册页书法展三等奖。沈荣创作的油画《梨园娃》入选"数风流人物2008·中国百家金陵画展"。张乾元撰写的美术论文《创新形式 净化情感——2008中国百家金陵画展（油画）侧记》入选中国百家金陵画展（油画）论文集。范德平、杨镇、曹云鹏、柳达、何文祥等5人选送的5件刻字作品入选全国第七届刻字艺术展。吴宏昫、戴少华等创作的2件作品入展全国第六届书法新人展。宇文家林、郑为人、阚爱萍等3人的书法作品入选全国千人千作书法展。

2.摄影影视受到广泛关注。

赵国华、佘佳虎、华允庆等3人的作品入选第九届上海国际摄影展，其中华允庆创作的《记下幸福的时刻》获得纪实类铜奖。翟洁、赵国华、杨志宏等3人的作品入选香港首届全国摄影艺术展。2件作品入选"中国节中国情"全国摄影大赛，3件作品入选第二届建设社会主义新农村影展优秀奖，5件作品入选承德国际影展，5件作品入选中国最美丽的乡村摄影大赛。1件作品获得省第十九届摄影艺术展铜奖、2件作品获得优秀奖、2件作品入选。由北京九鑫（珠海）影业公司等单位投资，市文联副主席、市作家协会主席王川撰稿的数字电影纪录片《心中观世音》于10月28日在浙江普陀山首映，并在全球发行。市影视家协会与中央电视台签约创作《新鲜的日子》《羌寨情歌》两部影视剧本。张晓平创作的电影剧本《天恩》获得北京市广电局和北广传媒集团主办的"全国优秀剧本征集评选活动"优秀创意奖。

3.文学创作硕果累累。

市作协实施文学作品创作签约制度，《飞舞的碎片》等8部作品获得签约资助；市作协自筹资金颁发第三届镇江文学奖，《苏州青》等18部（篇）作品获奖。全市作家创作热情高涨，一年内出版了《千古江山》《千古名姬杜秋娘》《云雀之声》《连城》等10多部文学作品。市作协理事饶雪漫连续3年荣登全国文学作家实力排行榜前10位。市作协开通文学网站"镇江作家网"。郜志坚的《龙山，静静孕育着辉煌》，陆朝洪的《一个"爱心天使"和一个爱心城市》，蔡永祥的《破解"弱农"致富之谜》三部报告文学入选《江苏改革开放30周年报告文学集》。

4.舞台艺术取得突破。

由市戏剧曲艺家协会编排表演的小品《疏通"官"道》获得江苏省第五届小戏小品大赛优秀演员奖、演员奖、导演奖和剧目三等奖。王伟理创作的《白蛇传奇》获得中国戏剧文学会剧本征集优秀剧本奖。由市文联选送的合唱节目参加由省委宣传部、省文化厅、省文联举办的《在灿烂的阳光下》江苏省纪念改革开放30周年合唱比赛获得三等奖。市音协会员孙永斌获得全国职工歌手大赛银奖,孙铃爱获得长三角歌手大赛银奖,沈礼康获得全国吉他大赛少年组银奖等。市舞蹈家协会会同相关单位创作的舞蹈《车水汉子》获得江苏省第八届五星工程奖金奖。

5.**民间艺术创作扎实推进**。

在民间文艺保护利用方面,韩荣庆的邮票拼贴画入围2008年中国民间文艺山花奖。邵同义的瓷刻、耿月新的竹编、韩荣庆的邮票拼贴画、石丽君的乱针绣分别获得江苏省艺博杯工艺美术精品展金银铜奖,

6.**举行百名文艺家"爱我镇江"大型创作采风**。

5月23日,市委宣传部、市文联正式启动百名文艺家"爱我镇江"大型创作采风暨"送欢乐下基层"活动,用这种独特的形式纪念毛泽东同志《在延安文艺座谈会上的讲话》发表66周年。市委常委、宣传部长张洪水出席启动仪式,并为采风团授旗。系列采风活动从5月下旬开始,至7月初结束。在此期间,市委宣传部、市文联组织各个艺术门类的文艺家、市第二期文艺新秀工程培养新秀和市政协文艺界委员活动小组代表共100多人分别围绕新农村建设、现代工业、民俗风情和典型人物等4个专题,分赴句容市、镇江新区、丹阳、丹徒等地进行实地创作采风。采风过程中,采风团还组织形式多样的"送欢乐下基层"活动,采用歌舞、戏剧、小品现场演出;送图书进农村;现场创作书画作品;拍摄全家福等形式为基层群众提供文化服务。此采风活动为纪念改革开放30周年、建国60周年文艺创作等活动积累了素材,促进了镇江的文艺精品生产。

7.**王川编剧数字电影《心中观世音》**。

由市文联副主席,市作协主席王川编剧的数字电影《心中观世音》于10月18日在普陀山首映。该片由北京中视华阳国际文化传播公司、珠海九鑫文化传播有限公司联合摄制。影片全方位介绍了世界观音文化,内容涉及宗教、历史、文

化等多个方面，同时在全国 8 000 家院线公映，制成的 DVD 将在国内外市场上发行。11 月 13 日，市文联组织我市文艺家在新华影城观摩数字电影《心中观世音》，市人大常委会党组书记、代主任张甫雄，副主任卢章平，副市长王萍参加了观摩活动。

理论研究

1. **马季文艺理论研究成果丰硕。**

镇江作家马季创作的《读屏时代的写作——网络文学 10 年史》荣获中国社会科学院当代文学研究第十一届优秀成果表彰奖(该奖为当代文学理论研究最高奖项)。网络文学研究方面，他在《作家》杂志发表理论文章《网络文学或许是当代中国文学的一个"拐点"》。他撰写的《2007—2008 年网络文学年度报告》收入中国社会科学院《中国文情报告》一书，同时担任该书编委。主持了由中国作协长篇小说选刊组织的"网络文学十年盘点"活动，该活动召集了《人民文学》《中国作家》《当代》《收获》《十月》《钟山》《作家》等全国 20 余家文学期刊社，是主流媒体首次全面介入网络文学理论批评的一次盛会。

2. **《摄影文论》出版。**

为切实提高我市摄影工作者的创作水平，探索和推动数码时代下的摄影艺术理论研究，由市摄影家协会主席袁曾亭主编的《摄影文论》由江苏大学出版社出版。该书收录了市作者创作的 30 篇摄影理论文章，内容涉及摄影本质、新闻摄影、纪实摄影、艺术摄影、摄影技术、摄影维权等 7 个方面。

3. **注重加强文学评论工作。**

为推动文艺理论研究，市文联和作协先后召开了《他深深地爱着这片土地》《勐力板之梦》文学作品讨论会，到会的专家、教授们充分肯定了上述作品的思想性和艺术性，也实事求是地指出作者在创作上的不足之处，同时对他们未来的创作提出了期望。

文艺队伍建设

1. **评选表彰文联工作先进集体和先进文艺工作者。**

为弘扬先进，树立典型，激励全市文艺工作者继续奋发向上，为我市文艺事业的发展和繁荣再作新贡献。市文联在向市委分管领导进行汇报的基础上，主动与人事部门进行反复磋商。在 2008 年底，会同市人事局首次对 2006 年以来在我市文艺发展和繁荣中作出突出贡献的先进集体和先进文艺工作者进行评选表彰，共有 6 个集体、27 名个人受到表彰。

2. **全面启动文艺人才信息库建设。**

在对镇江文艺人才状况进行调研的基础上，提出文艺人才的"培养造就"和"集聚吸纳"的双轮驱动战略，并全面启动镇江文艺人才信息库建设。信息库不仅收集了我市现有文艺家资料，而且还在不断完善，吸纳镇江籍文艺名家、参与镇江文化建设的文艺名家以及镇江籍艺术院校学生等资料。目前，此项工作正在扎实推进过程中。

3. **举办文艺家读书班。**

9 月 9 日，由市文联举办的"2008 年镇江市文艺家读书班"在一泉礼堂开班。全市文学、戏曲、音乐、舞蹈、美术、书法、摄影、民间文艺、影视等 9 个艺术门类以及各辖市区的近百名艺术家参加了两天的封闭式学习。市委常委、宣传部长张洪水出席开班仪式并作重要讲话。这次读书班是在市文联领导班子调整后举办的第一次读书班，是市文联为文艺家提供学习、交流服务，加强文艺骨干队伍建设、培养德艺双馨文艺家的重要举措。为期两天的读书班，学员听取了有关文艺家职业道德，接受美学、文学与现实等方面的报告。

4. **举办重大文艺赛事信息发布。**

为进一步创新文联服务职能，让广大文艺家及时掌握和了解文艺赛事信息。市文联、市文化局联合举办 2008 年全国和省以上重大文艺赛事信息发布会，号召全市广大文艺工作者掌握赛事信息，增强参与意识，坚持以赛带练，努力提高我市的文艺创作水平。全市各辖市区文联，各文艺家协会负责人，市文联重点培育的文艺新秀和各文艺门类重点作者近百人参加了信息发布会议。市文联和文化局负责人分别对中国文联、文化部、省文联、省文化厅等部门2008年即将举办的各类文艺赛事的基本情况进行了发布，为进一步调动广大文艺家创作积极性起到了较好的服务激励作用。

5. **扎实推进文艺新秀工程**。

根据新秀工程中期培养计划，依据不同艺术门类的要求，对不同层次的优秀人才提供深入生活、进修深造、展览展示、个性化创作研究的机会和条件。召开了文艺新秀创作座谈会，听取了部分新秀的创作情况汇报，组织新秀们赴浙江、江西等地进行创作采风，还根据新秀们的创作情况，积极做好全省宣传文化系统“五个一批”人才的推荐工作，为他们在更高层次上接受教育培训创造条件。举办专场音乐会、创作成果展示点评等活动，有计划地为文艺新秀提升艺术素养创造良好的条件。积极推荐中青年文艺骨干参加高层文艺培训，推荐饶雪漫和马季参加中国作协在鲁迅文学院举办的文学创作和文学理论高研班，组织多位文学爱好者参加了省作协举办的各类读书班和研讨会。

文艺惠民

1. **“爱我镇江”系列文化惠民活动获得好评**。

根据省文联“美在新江苏”创作采风活动和全市“大爱镇江”主题，举办“爱我镇江”大型创作采风和文化惠民活动，先后组织各艺术门类的100多名文艺家围绕新农村建设、现代工业、民俗风情和先进典型人物等四个专题，分赴所辖丹阳市、句容市、丹徒区、镇江新区等地进行实地创作采风。采风团分赴句容九龙山风景区白沙村、华阳镇贾相村，丹阳延陵镇，丹徒宝埝镇等地，为广大人民群众送上了文化大餐，开展了送图书下基层、文艺演出下基层、书画名家下基层等系列文化惠民活动十余场，受惠群众达万人，受到广大群众的欢迎。会同市委宣传部举办“大爱镇江”摄影展。参与市委宣传部的“欢乐农家文化乡村行”活动，组织艺术家深入农村，为农民群众提供摄影服务，先后赠送照片2 000多张，制作反映新农村建设成就的展板30多块。市文联被江苏省文联评选为“美在新江苏”创作采风活动优秀组织奖。

文艺交流

1. **举办2008中国镇江赛珍珠国际学术研讨会**。

10月18日，由镇江市政府主办、市作家协会参与承办的“2008中国镇江赛珍珠国际学术研讨会”在镇江碧榆园宾馆举行。省文联主席顾浩、省作协党组副书记、副主席范小青应邀请出席会议。赛珍珠国际组织董事会总裁珍妮特以《铭记与赛珍珠的情结》为题，作了热情洋溢的致辞。来自国内外众多高校和社科研究机构的近百名著名赛珍珠研究专家学者，出席了学术研讨活动。此次赛珍珠国际学术研讨会共收到国内外学者论文70篇，众多专家还在会上进行了即兴演讲。上海市作家协会、《文学报》社、江苏省作家协会等20余个海内外机构和知名学者发来贺信。

2. **《金山》杂志连续六届承办全国微型小说(小小说)年度评选**。

《金山》杂志是市文联主办的面向国内外公开出版发行的文学期刊。该刊已连续六年承办全国微型小说(小小说)年度评选，该评选由中国微型小说学会主办，在海内外有较大得影响力。在第六届年度评选中，经过推荐、初评、复评和终评，100 篇作品在近万篇微型小说（小小说）中脱颖而出。《纪念一个孩子》等 10 篇作品获一等奖，另有 30 篇作品获二等奖，60 篇作品获三等奖。

3. **文艺交流和展示活动丰富多彩**。

市文联及各文艺家协会广泛开展各类艺术交流和展示活动，不仅展示了艺术家的风采，锻炼了创作队伍，还宣传了镇江文化。市书协副主席宇文家林应邀参加由江苏省书协、上海市书协共同举办的“2046——书法四名家作品联展”，该展在上海市浦东新区图书馆开幕。应常州市文联、书协的邀请，镇江市文联和书协在常州刘海粟美术馆举办“镇江市首届书法篆刻双年展”和王同顺个人书法展。在江苏大学举办邵惠良美术作品展，同时还举办了刘龙师生美术书法作品展，与省美协、省书协联合举办“不惑之约”孙炜、吴宏昀书画联展。市作协承办江苏省作家协会苏南片作家会议，与扬州市作协联合举办“双城记”文学笔会。

自身建设

1. **建立协会工作联络员制度**。

为更好地发挥工作职能，市文联通过多种渠道加强与各文艺家协会的联系，针对协会无人员、无经费、无场地的“三无”现状，从狠抓机关作风建设入手，选派 9 名机关同志分别担任各文艺家协会联络员，实行对口服务，进一步提高文联服务工作的效率和水平。

2. **开通镇江市文学艺术网**。

为积极适应时代和形势的要求，市文联建设开通镇江文学艺术网（域名 www.zjwy.org），并实现试运行。网站坚持“为文艺创作服务、为作家艺术家服务、为人民群众服务、为文学艺术事业发展服务”的办网宗旨，开设 20 多个栏目，反映工作信息，关注文艺热点，成为市文学艺术的展示、交流、服务、创作和发展的平台。

3. **机关作风建设得到加强**。

深入开展解放思想大讨论和“三创建三促进”活动，积极营造“凝心聚力谋发展、围绕发展献计策”的浓厚氛围。在市各文艺家协会开展的“我为文艺发展献计策”建言献策活动中，采取发放征求意见表、召开座谈会、个别谈心等形式广泛征求文艺家对繁荣发展文艺事业和机关作风建设的意见和建议。制定市文联《关于违反优化经济发展环境相关政策规定的处理办法》，进一步提高机关工作效能和服务水平。

4. **基层文联建设取得进展**。

各辖市（区）文联因地制宜积极开展文艺活动。丹阳市、扬中市文联积极开展形式多样的文化惠民活动；句容市文联在改善办公条件的同时，抓好人才的培养，涌现出一批文艺新人；丹徒区文联积极参与“米芾广场”文化产业园建设；京口区文联克服人手少的不利条件，围绕中心开展文化活动，较好地发挥了基层文联组织作用。句容市文联还被评为 2008 年度江苏省先进县（市）文联。丹阳、句容、扬中三市文联的办公条件得到了明显改善。

泰州市文学艺术界联合会

综　述

按照泰州市委的统一部署，市文联在文艺家协会和文联机关中，开展了“践行科学发展观，我为泰州作贡献”主题教育活动，深入基层进行调研座谈，先后召开了全委会和各文艺家协会会议，组织和动员全市广大文艺工作者提高认识，增强践行科学发展观，建设“文化泰州”的使命感和责任感。在精心筹备之下，于3月隆重召开了泰州市文联第三次代表大会，形成了强有力的新一届领导班子。市文联继续加大文艺人才的培养力度，先后为多名艺术家和文艺工作者举办个人展与作品研讨会。以开展“泰州市第二届文艺奖”的表彰评比工作为龙头，激励文艺创作，努力营造多出精品、多出人才的良好氛围，2008年的文艺创作成果喜人，亮点多多，在长篇小说、摄影、书法美术等方面均取得了很好的成绩。市文联团结引导广大文艺工作者用各种文艺形式，为时代放歌，为人民喝彩，9月与中央电视台“过把瘾”栏目联合举办了“全国京剧票友挑战赛”，打造梅兰芳这一文化品牌。市文联独立或与其他单位合作举办了20多场(次)各类文艺活动，丰富了群众的文化生活，展示了艺术家们的最新创作成果，收到良好的社会效果，得到上级主管部门的充分肯定。

重要会议

3月，在精心筹备的基础上，泰州市文联隆重召开了第三次代表大会。市委、市政府主要领导到会并作了重要讲话，大会通过了市文联二届委员会所作的工作报告，选举产生了市文联新一届领导班子。会议期间，颁发了“泰州市第二届文艺奖”，共有文学、美术、书法、音乐、舞蹈、戏剧、摄影、影视等7个门类94个文艺作品受到表彰。会上还举办了《泰州五年文艺创作成果展》，观看了反映泰州文艺事业发展的电视专题片《又到橙黄桔绿时》，组织了专题文艺晚会。整个大会自始至终洋溢着团结和谐的气氛，激发了文艺家们建设“文化泰州”的热情，为做好今后5年的文艺工作打下了坚实的基础。

重要活动

依托城市文化名人资源，与中央电视台合作，面向海内外华人京剧爱好者，举办“梅绽千秋·梅派戏迷挑战赛”，通过开展戏迷演唱会、邮品发行、参观交流、报刊宣传等系列活动，在世人面前亮出泰州个性浓郁的文化名片，为泰州文化建设增添了亮点。大赛在央视播出后，社会反响强烈，获得当年央视戏曲频道“最佳组织奖”。

2008年，围绕纪念改革开放30周年，“迎奥运，促和谐”等主题，市文联先后组织具有较高质量的文艺活动20多场次。“辉煌巨变”——“腾达杯”摄影大赛和摄影展，“泰隆杯”硬笔书法大赛，“卫岗杯”儿童画大赛，充分展现了改革开放30年来我市政治、经济、社会、文化等各个方面的喜人成就，人们在享受艺术陶冶的同时，受到一次实践科学发展观的现实教育。精心推出“祥云飘过·泰州表情”主题摄影大赛和展览，展示了泰州人民情系祖国、祝福北京的风采。汶川大地震发生后，市文联发动全市文艺家踊跃捐款，奉献爱心，组织市知名书画家向红十字会捐献作品，并向全市文艺工作者发出了成立红十字志愿者组织的倡议。及时举办了“情系灾区，守望汶川”摄影作品义展，以实际行动支持灾区建设。

市文联根据群众的需要，举办形式多样的活动，丰富了我市群众的文化生活。先后举办了“迎新春”国画展，“花甲迎春”三人专题画展，孔令挥等同志的摄影作品研讨会等，还组织了30多名文艺家赴江西婺源采风，创作了几百幅摄影和书画作品，举办了文艺家“采风汇报展”。继续加大文艺人才的培养力度，为十多位青年文艺家订阅文艺杂志，在《文学报》开辟专版刊登泰州作品，联合省书法家协会为青年书法家孙志勇举办了书法作品个人展，举办了青年摄影家尹家华摄影作品展，许人伟摄影作品展、钱新明童年游戏画展。组织全市青少年参加全省推新人大赛，徐俊银等四人分别获得书法、绘画、音乐等“十佳”称号。市文联开展的文艺活动不仅宣传了泰州，丰富了基层群众的文化生活，而且为广大文艺家和艺术爱好者提供了展示的舞台，收到了一举多得的效果。

文艺创作

今年文艺创作成果喜人，亮点多多，取材于泰州市典型人物并由我市作者参与剧本创作的电影《生死诺言》正式上映。文学创作成果丰硕，作家庞余亮小说《野猫》获得省第三届紫金山文学奖，实现了泰州市在这一奖项中的历史性突破。《丑孩》《乱花》《月亮由此向西》《沧浪之城》《繁花落定》等10部长篇小说先后出版，一批以中青年作者为主体的长篇小说创作群体正初步形成。陈富平、汤晓祥等摄影家有140多幅作品入选省级以上展览，其中4幅入展国际展，6幅入展江苏省摄影展最高奖。戴琪、张立的书法作品入展全国新人展，曹洋的书法作品入展全国册页展、草书展、隶书展，论文入选“金陵论坛”，常秦、丁坤入展全国隶书展，滕江华、韩林的作品分别入展全国刻字展和“金陵论坛”，纪松获得全国大学生书法大赛一等奖。徐文藻的山水画获全国美术双年展优秀奖。民俗舞蹈“姜堰滚莲湘”“兴化板凳龙”两个节目参加了“中国·江苏南京首届中秋节民俗节”展演，其中“姜堰滚莲湘”还被选入在上海举办的“国际打莲湘艺术节”表演。诗词协会出版了《历代名人咏泰州》，受到社会各界的好评。

宿迁市文学艺术界联合会

综　述

2008 年，宿迁市文学艺术界联合会在市委、市政府的正确领导下，在省文联和市委宣传部的关心指导下，高举邓小平理论和“三个代表”重要思想伟大旗帜，深入贯彻实践科学发展观，团结带领全市广大文艺工作者，紧跟形势发展，努力发挥文艺界应有的作用，服务大局，贴近群众，传递温暖，鼓舞人心。协助市委宣传部常年开展的“惠民演出”活动，在宿迁地区产生了很好的社会影响。全年在广场、农村、社区、企业等地组织文艺演出 250 多场次，参与的文艺工作者达 8 700 多人次，观众 17 万多人次，形成欢乐、和谐、积极、向上的良好社会氛围。各文艺家协会创作的文学、戏剧、曲艺、音乐、舞蹈等各类文艺作品在市以上发表、展演 6 000 多篇（件），其中有近 300 件作品在省以上出版、发表、展演、获奖。

重要会议

3 月 6 日，召开宿迁市文联二届五次全体委员（扩大）会议。市文联主席张绪正作了工作报告，报告对 2008 年的工作进行了全面总结，对 2009 年的工作进行了具体安排，并对沭阳县文联、泗阳县文联、市书法家协会、市摄影家协会等文艺工作先进集体在大会上进行了表彰。市委常委、宣传部长王益到会作重要讲话。会后，主席团召集有关协会负责人对大会工作部署和市委领导的指示精神进行了认真讨论，并研究了具体落实措施。

重要活动

春节期间，以市委宣传部、市文联、市文化局的名义，给宿迁籍在外地的退休老艺术家发去了慰问信，代表市领导和文化艺术界向他们表示问候和祝福。他们来电感谢领导的关怀和文化艺术界朋友的关心，并表示将一如既往地发挥余热，为宿迁文化艺术事业的繁荣发展继续作贡献。市领导和市文联领导组成慰问团，登门慰问在宿的老艺术家，给他们送去关心和温暖。

9 月，市文联牵头承办由市政府主办的首届“西楚文化节”民间工艺大赛。自年初制订方案、宣传、发动到多次基层巡回联络、指导创作，历时半年，共收到雕刻、泥塑、编织、剪纸、绣品、烙书画等各种参赛作品 800 多件，评奖后在市文化艺术中心美术馆展出，较全面地检阅了全市近年来民间工艺的创作现状和制作水平。活动盛况空前，成为本次艺术节的一大亮点，受到领导和社会各界的热情赞扬，市文联获得优秀组织奖。

10月上旬,牵头组织"中国著名诗人——创业宿迁行"大型创作采风活动。邀请全国著名诗人8人和本市诗人共30人分赴宿迁各地采风创作诗词作品200多首,遴选优秀诗作80首汇集成册。11月上旬宿迁市第三届创业文化节闭幕时,挑选朗诵诗歌9首,在市文化艺术中心剧院举行大型诗、歌咏唱会,产生了很好的社会影响。

为更好地配合"辉煌巨变"江苏省纪念改革开放30周年大型摄影图片巡回展活动,举办宿迁市"万佳地产杯"纪念改革开放30周年摄影大赛活动。大赛共收到摄影作品400多件,经外请评委三轮公开评出金奖1件,银奖3件,铜奖5件,入选奖22件。30件获奖作品于12月中旬和省巡展作品一起展出两周,深受各界观众好评。

文艺创作

在由中国书法家协会主办的全国性大展赛活动中,宿迁市书法家获奖、入展20人次。其中在全国首届册页书法展览中,全国400多件作品中有宿迁6位作者的作品入展;张守跃、王浩、孙冲3人参加了中国书协主办的"当代名家工程——千人书法精品大展";张守跃、王浩、吕浦3人作品参加了中国千名书法名家精品走进奥运场馆活动,并在水立方展出;范青、王浩作品入展全国第二届草书艺术大展;在全国第七届刻字艺术展暨第十二届国际刻字艺术交流大展中,洪林的作品荣获"全国奖",另有5人作品入展。本市的获奖、入展数在苏北领先。

丁立江美术作品参加江浙沪三地纪念改革开放30周年联展和江苏省30年书画展;臧成贤美术作品入展2008全国造型艺术新人展、第七届工笔画展、全国首届艺术研究生画展;徐淮作品入展江苏省纪念改革开放30周年美展、五星工程美展、省民间艺术大展;另有9人作品入选第三届全省美术新人展。

宿迁广电总台电视栏目剧《偷偷借出去的钱》获得全国优秀电视栏目剧评选好作品奖;电视宣传片《青春宿迁》获得全国文明之声网络展播优秀节目奖;《连线四川灾区》获得全国城市电视台抗震救灾节目评选优秀电视节目奖;《小鞋匠》获得江苏省第二十四届电视金凤凰奖评选二等奖。

潘新文作词曲的《可爱的小书包》获得全国

原创校园歌曲征歌大赛三等奖。

罗冠军、陆启辉摄影作品分获《摄影杂志》月赛一等奖。

于洪楠编剧、潘新文导演、王梅主演的音诗剧《多情的土地》获得江苏省国土系统文艺汇演一等奖；胡亚民编剧、刘勇导演、刘勇和王梅主演的话剧小品《爱的回音》获得第五届江苏省小戏小品大赛三等奖、省五星工程铜奖。

胡继风的长篇小说《长根须的石头》荣获第二届梁斌文学奖；杨鹤高的长篇小说《长河落日》获得天津市第十七届文化杯全国梁斌小说奖三等奖；傅丁本旧体诗获得“浮瑶仙芝”杯全国诗词大赛二等奖等。

理论研究

5月上旬，市文联会同宿豫区委宣传部、区文联、区文化局，赴皂河镇对业余柳琴剧团进行了现场走访调研，进行了深入地探讨。6月初，市委常委、宣传部长王益亲自主持召开宿豫区乡镇文化建设和柳琴戏剧目创作专题会议，对柳琴戏特色文化项目的品牌打造、队伍建设和发展方向等提出了具体要求和指导意见。会后，市文联与区文联、区文化局就会议精神的落实及对宿迁柳琴戏如何保护、传承、促进其不断发展进行了进一步讨论研究。经过对柳琴戏现状和未来发展的分析，撰写了调研报告并提出了落实措施和建议。

队伍建设

圆满完成宿迁市广播、电视艺术家协会的筹备、成立工作。5月7日在市广电总台召开成立大会，经选举产生第一届主席团，市委常委、宣传部王益部长到会作重要讲话，省电视艺术家协会副主席凡兵、秘书长魏云辉及淮海经济区和本省周边市相关协会、广电总台的领导到会祝贺，会后举行了会员自编自演的文艺演出。至此，宿迁市基本完成了和省各专业文艺家协会的对应，标志宿迁文艺队伍不断壮大，文艺专业人才更加全面。

文艺惠民

春节前组织20名书法家义务送春联到乡村、部队和企业，以爱国爱家、勤俭持家、移风易俗、廉洁为民、拥军爱民等为主题，现场写对联600余副，受到广大工人、农民和部队官兵的热烈欢迎和广泛好评。

市府市民广场“周周乐”惠民演出52场，宿豫区千鸟园广场惠民演出80场，宿城区府广场联动单位专题演出20场，沭阳虞姬生态园、万德福广场惠民演出15场，全年送戏下乡和社区、工业园区联谊演出148场。

文艺交流

7月上旬，举办苏州、宿迁文艺界联谊活动。苏州市文联领导和部分中层干部、书画家一行12人首次到宿，这也是两地首次较大规模的文化交流。苏州同行参观了宿迁市容、市貌，对宿迁经济社会的快速发展发出了由衷的赞叹。双方介绍了各自文艺工作的经验和体会，两地书画家进行了交流笔会，切磋了技艺，增进了友谊。12月中旬，与省书法家协会、盐城市文联、连云港市文联联合主办在盐城举行的三市书法联展活动，宿迁市有38位书法家的作品参与了展出。

自身建设

市文联主办的《楚苑》杂志创刊十年来，得到上级领导的肯定和广大作家、文学爱好者的欢迎。为感谢广大作者、读者和社会各界对杂志的关心支持，编辑部将市领导、省作协领导的题词和兄弟市文联、知名作家、企业家发来的贺词、纪念文章编发了特刊，以纪念《楚苑》杂志创刊十周年。在市委、市政府的关心、支持下，刊物质量不断提高，读者群不断扩展，作者队伍不断壮大。

上半年组织、联络各县（区）文联和市各文艺家协会，对基层协会和全市文艺人才进行全面调查、统计和整理，初步建立了会员电子档案管理系统。为及时、准确地掌握、了解各级会员的学习、生活、创作、活动等情况，提供快捷、翔实的信息；为做好联系、服务文艺家工作提供基础保障。

认真组织做好音乐考级工作，为发现、培养青少年音乐人才积极努力。面对音乐考级日趋复杂的局面，音乐家协会付出了极大的努力和艰辛。宿迁考级已历时 10 年，从开始的 200 多人发展到今年的 1 200 多人。原来只有省音协一家考级单位，现在有 4 到 5 家前来争夺生源。为巩固成果，守住阵地，负责考级人员服务到家，服务到人，努力减轻考生、家长、老师在考级活动中的困难和负担，创造优良的服务环境，赢得了他们的信赖和支持。近年来，音协考级人数每年都有递增，考级质量也不断提高。今年有 71 名考生获优秀成绩，全市已有 30 多位指导老师获得省音协颁发的“优秀指导老师”奖牌。

江苏省文学艺术界联合会各部门、单位

办公室

综　述

2008年，省文联办公室工作紧紧围绕建设文化强省、实现“两个率先”的奋斗目标，坚持服务文化建设全局、服务党组中心工作和服务基层的宗旨，与机关各部门密切配合，强化大局观念和服务意识，制定机关工作制度，完成综合性文件和领导讲话的起草工作，认真履行联络协调、机关运转、会议组织、财务管理、机要保密、档案管理、文秘处理、宣传信息、来信来访、安全保卫等工作，努力为文联领导及各单位提供服务。

重要活动

1.精心筹备，确保各种会议的顺利召开。

2008年，办公室共筹备组织了工作会议、座谈会、研讨会等各种会议20多场，都出色地做好了文稿、会务等工作。2月25日至26日，省文联七届五次全委会在南京召开，省委常委、宣传部部长杨新力出席并作重要讲话，勉励全省广大文艺工作者按照胡锦涛总书记提出的“高举旗帜、围绕大局、服务人民、改革创新”的总要求，关注实践，深入群众，辛勤耕耘，为丰富人民群众精神文化生活、推进文化强省建设作出积极贡献。省文联主席顾浩宣读了省委关于江苏省文联党组主要负责人，党组、书记处成员调整的任免决定，王慧芬同志全票当选江苏省文学艺术界联合会常务副主席。省文联党组书记、常务副主席、书记处第一书记王慧芬作了工作报告，全面总结了省文联2007年的工作，并对2008年的工作做出具体部署。南京市文联等6家单位作了交流发言。

2.统筹协调，保证重大活动圆满成功。

对省文联的重要活动从策划到举办，省文联办公室都全程参与，密切配合，全力支持。2008年，省文联办公室参与学习实践科学发展观、中国百家金陵画展、中国江苏首届中秋民俗节、江苏省百名文艺家百场惠民演出、迎奥运和纪念改革开放30周年系列活动等重大活动，为活动材料的起草、资金的运转、车辆的调度、人员的接待、对外联络协调等做好服务工作，确保重大活动顺利举办。

3.开展调研，为领导决策提供咨询参考。

办公室积极配合有关部门，参与调研及有关课题的组织。由省文联党组书记、常务副主席王慧芬带队，组成以办公室、组联部、人事部、有关协会、中心等有关部门负责同志为成员的调研组，先后赴淮安、无锡、南京、苏州、盐城、浙江等地调研考察，撰写了《我省在文化强省建设中亟待解决的文艺问题及对策》等调研报告。通过调研，既了解了基层文联情况，拓宽了视野，又加强了联络沟通，为省文联召开全省基层文联工作会议、推动基层文联建设等有关决策提供了咨询参考。

4.注重工作成效，提高服务水平。

财务科加强财务监管，做好重大活动资金专项的报批、使用与审计，为领导提供财务决策咨询。档案室认真做好档案的收集整理，对文联工作特别是重大活动的档案进行了及时、系统地整理。资料室积极为文联的重大活动等提供资料。行政服务中心认真做好后勤保障工作，及时为日常办公及重大活动提供服务。办公室全体同志在认真做好本职工作的同时，还加强学习、不断增强业务水平，切实提高服务能力。

5. **严格行政管理，加强制度建设**。

为了进一步规范管理，提高综合素质，办公室还在认真调研的基础上，根据档案室、财务科、行政科、车队的不同特点与不同专业要求出发，参与制定了《党组书记处议事规则》《江苏省文联财务管理制度》《宣传信息工作规范》等省文联的9项制度。还针对办公室的情况，制定了《车队管理制度》《图书借阅制度》《文印室制度》《机要保密制度》等多项制度，加强了制度建设，强化按章办事，使省文联各项工作更加规范化、制度化，激发了工作活力，提高了工作效率。

人事部

综 述

2008年，人事部在省文联党组的领导下，在省组织人事部门的指导和文联各部门、单位的支持下，认真履行职责，扎实开展工作，部门全体同志团结、协作、进取，较好地完成了全年工作目标任务。

重要活动

1. **协会换届**。

根据党组工作部署，年内省美协、省杂协、省摄协换届。人事部较好地完成了3个协会新一届主席团成员的民主推荐、投票测评、考察谈话以及与省委宣传部主管处室、人选所在单位的沟通协调等工作。同时，与相关协会一起，做好换届代表大会选举的会务、材料等工作，严格程序、细致操作，圆满顺利完成3个协会新一届主席团成员、新一届理事会理事的选举工作。省美协选举产生第四届理事会理事66名，主席宋玉麟，副主席尹石、朱道平、吴为山、李向伟、陈坚、陈世宁、周京新、胡宁娜、高云、徐惠泉。省杂协选举产生第五届理事会理事28名，主席费广生，副主席朱伏生、吴其凯、沙雪芬、曹志龙。省摄协选举产生第七届理事会理事40名，主席沈遥，副主席于先云、于惠通、汤德胜、许益民、李培林、范钦尧、赵浏兰、梁玉飞。

2. **学习培训**。

与剧协一起，承办江苏省第十二期文艺家读书班、第十八期戏剧知名演员暑期读书班。两个读书班首次合办，资源共享，有近150名学员参加，省委常委、宣传部部长杨新力到班并作讲话，中国文联副主席、书记处书记杨志今，中国曲协分党组书记、副主席姜昆，常州市市长王伟成，省社科院副院长张颢瀚，省作协副主席毕飞宇，南京大学美术研究院院长吴为山，省演艺集团昆剧院院长柯军，省赴川抗震救灾救援队队员邓鹏、医疗队队员厉婷婷，分别以科学发展观为指导加强文化建设、艺术专题、德艺双馨和抗震救灾先进事迹、民生建设等几个方面的内容作了讲座，期间还组织学员集体采风考察、笔会、联欢等活动，通过热忱的服务为文艺工作者提供创造了一个内容丰富、生动活泼、温馨和谐的学习生活环境，读书班结束前，还对办班形式、内容等进行了意见征询。继续组织落实好机关及所属单位干部“菜单式”选学、普法、党校学习等培训工作。

3. **文艺人才推荐选拔**。

人事部认真做好省政府特贴人选、省突贡中青年专家、省“333”人才培养工程人选、省“五个一批”备选人才、省高评委库专家人选等的推荐工作，协助有关协会做好文艺人才评选工作等。

4. **工资及干部档案管理**。

根据统一部署，今年实施规范省级机关公务员津贴补贴。按照调整方案，对省文联参照公务员管理和执行行政工资的在职、离退休人员津贴补贴进行归并。此项工作政策新、时间紧、涉及时间跨度长，对此人事部克服人手少的困难，抓紧时间、加班加点，认真、严谨地反复核算，并将套改方案、核算结果等与涉及的63位同志一一见面核对，按时完成了清算、报批、补发工作。适应工资管理工作的新要求，安装、建立工资业务综合管理系统。人事部所完成的干部档案重新核定和整理工作于四月份以较高分通过省委组织部的复查。

5. **其他工作**。

做好干部调整调配的考察、任用、手续办理等工作。做好文联委员推荐、更替替补等工作。与相关协会一起,做好参加全国文艺家协会代表大会代表、理事的推荐工作。做好军队转业干部、退伍战士的接收工作以及相关编制的落实等工作。做好职称报评及聘任工作,年内报评高级职称资格6人,办理聘任高级职称7人。做好年度考核、重点项目考核等工作。做好相关退休工作,年内办理退休5人。做好有关人事问题的调研、材料准备、报批及与相关主管部门的沟通工作。处理社保办理等事宜。开展全省文艺人才队伍建设现状与对策的调研,形成专题报告。完成党组书记处交办的其他工作任务。

机关党委

综　述

按照省文联七届五次全委会的工作要求，机关党委以邓小平理论和“三个代表”重要思想为指导，以深入开展学习实践科学发展观活动为动力，以加强和提高联络、协调、服务、指导的能力与水平为重点，努力加强文联机关党员队伍素质建设，建立健全保持共产党员先进性的长效机制，巩固了机关作风建设的成果，促进了机关党的思想、组织、作风和制度建设，全面完成了机关党委会确定的年度工作。

重要活动

1. **组织中心组成员理论学习**。

按照省委宣传部关于《2008 年全省县以上党委(组)中心组专题学习计划》的要求，机关党委结合实际，以学习“三个代表”重要思想和科学发展观为重点，通过个人自学、集中学习讨论和开办各类学习讲座等形式，认真组织中心组全体成员进行理论学习。全年累计完成学习日超过了规定时间，平均到课率为 90%。通过学习，提高了中心组成员的理论水平和政策水平。

2. **探索保持共产党员先进性的长效机制**。

为了探索保持共产党员先进性的长效机制，机关党委多次召开专题会议，认真研究，建立起保持共产党员先进性长效机制的责任制，做到任务到人、责任到人；实际工作中，所属各党支部能结合文联工作特点，认真贯彻执行《中共江苏省文联机关委员会支部工作规则(试行)》。机关党委成员经常与各部门、协会、中心、杂志社的负责同志和部分党员群众谈心，坦诚交流思想，诚恳征求意见，真诚沟通信息。机关党委成员之间开展谈心活动已经成为制度，大家敞开思想，坦诚相见，进一步加深了解，统一思想，达成共识。各党支部书记也都能与本支部所有党员开展谈心，及时了解党员和群众思想动态，征求他们对文联建设发展的意见建议。对困难党员和群众家庭，机关党委和各支部能够及时了解情况，尽力协调解决实际困难。

3. **加强组织建设**。

机关党委委员按照各自的分工，认真完成年初确定的本年度各项任务，切实有力地推动了省文联机关党的建设工作。机关党委所属的 4 个党支部，把支部工作与业务工作结合起来，一起部署，一起检查，一起考核。各党支部能够围绕本部门中心工作开展党的活动，活动方式灵活多样，不拘一格，充分发挥了党支部在机关各项工作中的战斗堡垒作用。在认真总结保持共产党员先进性教育活动成功经验的基础上，机关党委建立完善了使广大机关党员“长期受教育、永葆先进性”的长效机制。坚持“三会一课”制度，注重改进工作方式，注重教育管理实效。加强机关流动党员和离退休党员的教育管理。按照“坚持标准、保证质量、改善结构、慎重发展”的方针，认真做好新形势下机关党员发展对象的工作，本年度有 1 位同志加入了党组织、有 3 位预备党员转正。认真贯彻《中国共产党党员权利保障条例》，大力发展党内民主，逐步推进党务公开，保障党员的参与权、知情权、选举权、监督权等权利，使机关党员更好地了解和参与党内事务，充分发挥广大党员的先锋模范作用。机关党委所决定的重要事项，能及时向各支部和党员进行通报，并

根据实际情况,以适当的形式向省文联群众公开

4. **加强机关作风建设**。

机关党委认真贯彻落实党风廉政建设的各项规定,进一步加强对党员特别是对党员领导干部的教育和监督。认真贯彻落实中央和省委颁发的党风廉政建设规章,结合典型事例进一步加强对党员干部的宗旨教育、法纪教育、道德教育、警示教育和廉政文化教育,筑牢党员干部拒腐防变的思想道德防线和党纪国法防线,坚持用制度规范机关党员干部的日常工作,促进机关党员高效服务。按照上级党组织的要求,帮助党组成员开好民主生活会。机关党委成员根据具体的决定和分工,切实履行职责,积极参与集体领导,带头执行民主集中制,在职责范围内独立负责地开展工作。机关党委成员互相信任,互相支持,自觉维护和增强团结。引导党员牢固树立求真务实的精神。灵活运用多种形式,积极引导党员迎接挑战,克服困难,形成"讲团结、干实事、谋发展"的和谐氛围,引导党员着力营造真抓实干的创业环境。坚持定期组织检查党员在思想作风、工作作风、工作效率、精神面貌等方面存在的问题,针对弱点,加大整改力度,在省文联机关逐步形成了良好的工作作风。

5. **开展评比先进党支部和优秀共产党员活动**。

年初,机关党委就评选先进党支部和优秀共产党员工作进行了认真研究和部署。经各支部充分酝酿,全体党员发扬民主,通过无记名投票推选,并报经文联党组批准,综合党支部被评为2007年度省文联机关先进党支部、毛贵民等14位同志被评为2007年度省文联机关优秀共产党员。

6. **开展反腐倡廉警示教育**。

在认真学习贯彻中央关于建立健全惩防体系《工作规划》和省委《实施纲要》精神的基础上,机关党委与人事部一起修订并下发了《省文联关于贯彻〈建立健全教育、制度、监督并重的惩治和预防腐败体系实施纲要〉的意见》,加强党风廉政建设和反腐败工作,推进广大党员、干部进一步落实为民、务实、清廉的要求,切实构筑起拒腐防变的思想道德防线。加强党风廉政建设,深入扎实地开展党性、党风、党纪教育,以"三个有利于"为衡量标准,用"三个代表"的重要思想和科学发展观武装头脑,转变思想作风,不断增强党员领导干部的廉洁自律意识和勤政为民意识,使党员干部特别是领导干部牢记"两个务必",永葆党的先进性和纯洁性。

7. **组织赈灾慈善活动**。

年初,我国江南大部分地区遭受到50年未遇的特大雪灾,文联机关全体人员特别是全体共产党员本着自愿原则奉献爱心,为灾区群众捐款。汶川大地震发生后,文联机关全体人员又紧急行动起来,踊跃向灾区人民捐款。文联机关人员总数共172人(含离退休人员),参加赈灾捐款的人数为168人,参与率达到97.7%。文联机关全体党员还通过交纳特殊党费的形式参与抗震救灾工作,机关党委共87名中共党员,有85名交纳了特殊党费,参与率达98%,共收到特殊党费88 910元。

8. **开展"2008读书竞赛活动"**。

为推动机关党员干部和全体人员学习必备的现代知识和岗位技能,学习服务"两个率先"、建设先进文化所必需的现代经济、科技、法律、文艺和社会管理知识,努力改进知识结构,创建学习型文联,本年度机关党委开展了省文联机关"2008读书竞赛活动"。共有86人报名参加了本次活动,竞赛期间,共收到读书笔记300余篇,有8位同志被评为本次读书竞赛活动的优胜者。

9. **其他工作**。

做好老干部日常服务与保障工作。机关离退休人员已达53人,且高龄者日益增多。省委老干部局对做好老干部工作的要求越来越高。机关党委在人手紧缺、工作量大、工作要求高的情况下,积极探索老干部管理服务工作的新思路新办法,自加压力,努力把老干部工作做深做细,尽最大限度为每一位老干部提供便利条件。按照省委法宣办的要求,认真做好"五五"普法工作;积极参与省级机关工委组织的"纪念改革开放30周年江浙沪摄影作品联展"活动;"推动科学发展、建设美好江苏"网上知识竞赛活动和省市共创南京文明城市活动;积极参与中纪委组织的"《建立健全惩治和预防腐败体系2008—2012年工作规划》知识竞赛答题"活动等等。

组织联络部

综　述

2008年，组联部按照省文联党组、书记处的要求，围绕大局，同心协力，团结奋进，积极履行职能，创造性地开展各项工作，较好地完成了各项工作任务。

重要活动

1.围绕年初省文联七届五次全委会的召开，精心做好先进县市文联典型交流发言和评比表彰工作。

南京市、苏州市、徐州市、南通市、高邮市、通州市文联等6家市、县文联分别从不同角度、不同层面在省文联全委会上作了交流发言，介绍了过去一年来取得的阶段性成果。为整体推进全省文联系统的组织建设与发展，在各市文联推荐的基础上，评比表彰了南京市鼓楼区文联等39家单位为“2007年度江苏省先进县(市)、企业文联”。同时，还评比表彰了“美在新江苏”采风创作活动优秀组织工作单位。

2.承办“永远的怀念——纪念周恩来同志诞辰110周年活动”。

2月27日，在纪念周恩来同志诞辰110周年之际，由中国文联和省委宣传部主办，省文联、淮安市委、市政府承办的《永远的怀念》大型广场文艺演出在周恩来的故乡淮安举行，这也是中国文联2008年“送欢乐、下基层”系列活动的最后一次大型慰问活动。中国文联党组副书记、副主席覃志刚，中共江苏省委常委、宣传部部长杨新力，江苏省副省长张桃林，江苏省人大常委会副主任、中共淮安市委书记丁解民，中国文联国内联络部主任夏潮，中国书协分党组书记赵长青，江苏省文联党组书记王慧芬，淮安市市长樊金龙和周秉德、邓林等老一辈党和国家领导人的亲属出席并观看演出。演出阵容强大，节目精彩纷呈。在李扬、张泽群、刘芳菲、王莉梅的主持下，殷秀梅的一曲《共和国选择了你》拉开了演出的序幕。王宏伟、刘劲、李丹阳、李欣、王蓉蓉、毕杨、杜镇杰、周彦宏、祖海、拉苏荣、邓玉华、山翀、汪正正、刘一祯、文欣、严当当、刘全和、刘全利、魏金栋、陈思思、高保利、田毅、皓天、王亚民、郭兰英、黄越峰、王丽达和上海马戏学校的艺术家们共同携手为淮安群众献上了异彩纷呈的节目。当天下午，艺术家们不辞辛苦，又兵分两路，到洪泽湖和周恩来童年读书处为基层百姓慰问演出，受到当地人民的热烈欢迎。

3.深入开展百名文艺家百场惠民演出暨“美在新江苏”系列采风创作活动。

组联部会同大型活动部精心策划百名文艺家百场惠民演出暨“美在新江苏”系列采风创作活动方案，先后和南京市秦淮区文联多次具体联络落实方案。4月17日上午启动仪式在南京市秦淮区中华门城堡隆重举行。省人大副主任赵龙，省政府副省长张桃林，省政协副主席包国新，省委老领导、省文联主席顾浩，省委宣传部副部长孙学玉，省文联领导王慧芬、言恭达、杨启鹏等出席仪式。张桃林副省长代表省人民政府，对百名文艺家百场惠民演出暨“美在新江苏”系列采风创作活动给予了高度评价，要求我们进一步增强文艺为人民服务、为社会服务、为基层服务的观念，进一步创新文艺惠民形式，丰富文艺惠民手段，提高文艺惠民能力，建立文艺惠民的长效机制,努力让更多的文艺成果普惠于民。

随后,省文联百名文艺家百场惠民活动先后赴扬州高邮波司登制衣有限公司和卸甲乡、回族菱塘乡演出,观众达万余人。我们还随团到南京浦口、江阴海澜集团和淮安、泰州等地演出,迄今共演出70余场,受到基层人民群众的热烈欢迎。

4. **积极展开调研,针对基层文联建设和发展现状主动寻求发展新思路**。

根据省文联党组、书记处的指示精神,结合学习实践科学发展观活动,积极面向全省就县、市(区)、企业文联建设与发展情况展开调研,先后赴常州、镇江、淮安、徐州、泰州、南通、连云港等地与基层文联负责同志座谈交流,着力从围绕中心、服务大局,贯彻落实文艺方针政策的新思路、新举措,文艺资源开发利用情况,各级文联的机构及人员配置、经费及运行机制情况,文艺队伍建设、品牌创建、文艺创作和奖励机制情况,以及如何拓展职能,提高服务效率等方面广泛征求意见,形成了《关于全省基层文联建设情况的调研报告》。报告全面梳理了近年来基层文联的建设情况,分析了存在的主要问题,并提出了相应的对策和建议,随后及时上报党组、书记处。通过调研,我们熟悉掌握全省文联系统的建设与发展现状,进一步理清工作思路,为面向基层履行指导职能打下坚实的基础。

5. **精心筹办江苏省基层文联工作现场交流会,并积极贯彻落实落实会议精神**。

6月22～24日,江苏省基层文联工作现场交流会在苏州隆重举行。省文联党组书记、常务副主席王慧芬,中共苏州市委常委、宣传部部长徐国强,省文联副主席、书记处书记言恭达,省文联党组成员、书记处书记杨企鹏和来自省、市、县三级文联及企业、行业文联的负责同志160余人参加了交流会。

会议结合学习实践科学发展观活动,围绕新时期充分发挥基层文联职能作用的新方式新途径等主题,认真听取了王慧芬书记的工作报告,精心挑选了具有代表性的苏州市及常熟市、江阴市、丰县、雨花区和丹阳市文联等6个市、县、区文联典型,从各个不同侧面介绍工作经验。会议还组织全体与会代表参观了新形势下金阊区文联的建设成果,就现阶段如何加强基层文联工作进行了研讨。会议求真务实、目的明确、内容丰富、主题突出,并就基层文联履行职能、充分发挥作用提出了指导性意见,具有较强的思想性和指导性。

在分组讨论中,大家结合实际,紧紧围绕王慧芬书记的报告,围绕《关于加强基层文联工作的指导意见(征求意见稿)》,围绕先进典型交流和实地参观考察金阊区文联等展开研讨,气氛热烈,发言踊跃。各地文联负责同志不仅纷纷为基层文联发展建言献策,而且通过总结基层文联工作经验,交流加强基层文联工作的新途径新举措,进一步认清了形势,增强了做好新形势下文联工作的责任感、紧迫感和使命感;深化了认识,提高了贯彻落实党的十七大精神和建设"文化强省"的自觉性和主动性;进一步明确了对基层文联职能、任务和目标的认识,面对先进典型找到了差距;振奋了精神,坚定了开创基层文联建设新局面的信心和决心。

会后,各市文联结合实际,积极行动起来,深入贯彻会议精神,南京、苏州、扬州、徐州等市文联有针对性地提出抓紧筹建基层文联的要求和举措,明确相关县、市、区争取在年内建成一批有一定工作基础、条件相对完备的乡镇一级的文联组织。目前,南京江宁区东山镇,江都市丁伙镇、小纪镇、大桥镇、邵伯镇等相继成立了镇级文联,基层文联的成立有效地扩大了各市文联的工作层面,夯实工作基础,壮大文艺力量。

6. **加强指导,不断规范民间社团组织工作**。

目前,省文联共有26个挂靠管理的二级协会。我们根据《社会团体登记管理条例》,依据省民政厅的要求,从年度业务工作开展情况、社团资产、财会审计等方面,组织二级协会进行了年度检查。积极联系省民政厅,协调办理刘天华阿炳中国民族音乐基金会的登记注册手续,协调部分协会延期换届事宜。同时,还主动与省民政厅沟通交流,积极探讨文联在发展行业管理方面的职能拓展问题。在我们的联络、协调和帮助下,适时成立了公安文联,行业文联系统工作取得新的突破。

7. 坚持横向沟通，加强与省市文联的交流与合作。

为学习借鉴全国省、市、自治区文联的工作经验，我们积极加强与省市文联之间的协调和沟通，注重在工作中走出去、请进来，做到“四个到位”，即自身形象到位，热情服务到位，礼节礼貌到位，保障工作到位。汶川地震期间，我们作为全国第一家文联及时对四川省文联进行联络和慰问。积极联络协调赴浙江采风学习，热情接待中国文联及湖北、云南、山西等省文联代表团来宁调研和采风交流活动。在组织座谈中，双方相互介绍各自文联的建设和发展情况，交流彼此工作经验和心得，达到增进了解和友谊，共同发展繁荣的目的。

8. 结合实际，开展对外文艺交流。

年初，我们按照省文联的部署制定了今年的对外文艺交流计划，但是5·12汶川地震使得对外交流计划必须加以变更。根据外交部、省政府及省外办的指示精神，结合我会实际，我们适量削减、中止或延缓了今年的对外交流活动项目。按照深入学习实践科学发展观的要求，进一步健全完善省文联外事管理制度。组织出访项目4个，分别赴巴西、日本和台湾等地进行艺术交流活动，出访人数13人。尤其是克服困难，成功指导南通市文联赴日本与爱知艺协联合举办了以家庭为主题的摄影展览，协调办理美国旧金山杂技艺术家来华进行教学培训事宜。

创作研究部

综　述

省文联创作研究部负责研究、制定省文联创作规划，参与省文联创作项目的论证、策划、实施和表彰奖励；负责省文联工作研究；汇总、研究、分析有关文艺信息，把握文艺思潮、文艺动态；协同评论家协会对当前的艺术创作实践以及优秀作品进行研讨，为领导掌握文艺动态和开展艺术活动决策提供信息资料；编辑整理出版省文联晚霞文库；负责省文联重大品牌活动的宣传策划工作。

重要活动

1. **参加学习实践科学发展观试点教育活动**。

通过学习科学发展观，在省文联党组、书记处领导的带领下，紧紧围绕当前文艺工作和文联工作呈现的热点和难点，开展的调查研究，完成了有情况、有分析、有建议、有对策的《建设江苏文化大省亟待解决的文艺问题及对策》《如何在继承与创新中繁荣江苏文艺创作》两篇调研报告，进一步明确了全省文联工作的实际情况，提出了繁荣文艺、加强创作机制建设等方面的建议与意见，为文联党组提供了决策参考。其中《我省在文化强省建设中亟须解决的文艺问题及对策》一文提交给省委、省人大、省政府、省政协、省委宣传部和有关省领导，文章的建议部分提出，要组织有关部门与单位，研究、建立包括创作机制，资金投入、管理、使用的长效机制，文艺人才选拔培养机制等在内的一整套文艺工作机制；建议出台《关于加强各级文联建设的意见》；加大营造良好文艺氛围的力度等。该调研文章已被江苏科学发展观学习实践活动领导办公室收入《调研文章汇编》，中国文联理论研究室收入《文艺专题报告》。

2. **协同省文艺评论家协会召开江苏省文联创作座谈会**。

各艺术门类理论评论家和各艺术家协会驻会负责人参加了座谈讨论。座谈讨论进行得认真而热烈，大家回顾总结了省文联艺术创作情况，对当下文艺创作提出了建议，共同谋划 2009 年省文联艺术创作。会议总结了江苏文艺创作的现状，着重指出了当前存在的问题：一是缺少创作资金储备及良好的运作机制，缺少全面配套的创作激励机制，缺少创作统一规划与创作协调机制；二是在理论建设上，缺少文艺创作基地和理论批评阵地，全省还没有一本创作理论刊物，主流文化在多样文化面前往往会处于失语状态。

会议对 2009 年江苏文艺创作的提出了几点思考，简要概括为“一个中心、二翼推进、三大工程、四项建设”。“一个中心”，即以创作为中心；“二翼推进”，即要用创作和理论为翅膀推进文艺繁荣；“三大工程”，即努力抓好人才工程、品牌工程和精品工程；“四项建设”即基地建设、机制建设、品牌建设和理论建设。会议强调文联工作要以文为魂，以联为体，一切工作要立足于江苏文化强省的高度，立足当前文化大发展大繁荣，自觉回应时代风云的高度，以文化自觉做到出精品、出人才、出成果、出思想。所以要十分重视文化创意、文化积累、文化批评。会议进一步强调 2009 年文联的工作应重点围绕建国 60 周年开展活动，分类指导，分层推进。优化品牌项目求创意性、完善重点项目求特色性、扶持探索项目求前瞻性，以更加科学的理念明晰创作工作思路，以更加创新的举措落实创作工作任务，以更加务实的追求取得更大更好的创作效益，弘扬人文精神，彰显学术品质，召唤责任担当，实现审美理想。

事业部

综　述

2008年，事业部在文联党组和书记处的正确领导下，以邓小平理论和“三个代表”重要思想为指导，全面贯彻落实科学发展观，围绕中心、服务大局，克服了人员少，任务重的困难，认真履行职能，较好地完成了省文联2008年30项重点工作中第17项的以“整合资源，发挥优势，推动和促进我省文化产业发展”为重点的各项工作任务。

年初，省文联党组、书记处根据省委、省政府提出的将我省建设成文化强省的“三强”目标要求，省文联作为建设文化强省的主要群体，文联党组王慧芬书记对事业部提出了“整合资源，发挥优势，推动和促进我省文化产业的发展”的文化产业调研和资源整合任务，并将其列入省文联2008年重点工作之一。为了确保工作取得成效，我们主要做了三个方面的工作：一是在党组、书记处的带领下奔赴杭州，对浙江省文联近几年来的文化产业开展情况进行学习调研，听取情况介绍、分组讨论交流及实地参观考察等；二是利用各种方式，包括打电话和各种会议的机会对各市文联进行面对面或电话调研，听取他们对发展文联系统的文化产业的建议和意见；三是在杨企鹏书记的带领下，对我会所有文化产业经营单位包括挂靠单位进行走访了解，多次认真听取他们的想法或征求意见。

5月底，在充分调查研究的基础上，形成了“整合资源，发挥优势，推动和促进我省文化产业的发展”的调研报告，并在省文联深入学习实践科学发展观第二阶段动员大会上交流，对我省及省文联今后一个阶段文化产业发展提出了建设性意见。

重要工作

1. **完成有关挂靠单位撤销工作。**

在调研的基础上，对那些市场开拓不力、经营不善的挂靠公司进行了重点考察，特别是近年来对无法履行合同、无法扩大文化产业生产的省文联十九山雕塑院、江苏标志雕塑中心，在耐心做好思想工作的前提下，报经省文联党组批准，给予撤销挂靠的清理通知，并要求其自行承担在近几年的生产经营中产生的债权债务，今后，不得再使用“江苏省文联十九山雕塑院”进行生产经营和宣传。

2. **对书画研究中心进行了开办资金的审计。**

根据党组、书记处的要求，对多年停止营运的省文联书画研究中心进行审计工作。由于长期没有经营，审计困难较多，在有关部门的配合下，圆满完成了审计任务。同时，我们还积极配合财务科完成了国有固定资产的清查任务。

3. **认真高效地完成了对资源整合单位的审计任务。**

根据党组书记处的指示要求，11月24日事业部对文企联谊会、文促会、交流中心，乡土和歌迷杂志社等五家文化产业经营单位开展了全面的财务审计工作。这次审计工作，是省文联十多年来对生产经营性单位开展的比较全面的审计。时间紧、担子重、任务急，我们在党组书记处的领导下，发扬了连续作战、不怕疲劳的精神，加班加点，有条不紊地开展工作。审计开始前，杨企鹏书记对5个单位的负责人进行动员布置，提出要求,事业部会同江苏省富华会计师事务所对5家单位提出了审计时间、地点、审计期限及审计材料准备的具体要求。通过审计,推动和促进了被审单位聘用会计的业务水平和负责人的财务管理水平;增强了被审单位会计和负责人的法律意识和科学发展观的意识;凸显了文联党组书记处对文化产业的正确领导和全面贯彻科学发展观的具体举措。从审计的情况看,总体情况是好的,没有发现违法违纪现象,但是也发现了一些问题,针对存在的问题,对今后工作提出了改进意见和建议。

4. **欠款催缴**。

结合文化产业调研和整合资源的工作,我们对所有文化产业经营单位的2005—2007年所拖欠的管理费情况逐一进行了清理,共催缴拖欠的管理费70万元人民币。

5. **机构整合**。

在省文联党组、书记处的领导下,做好省文联文化交流中心、书画研究中心、文促会、文企联谊会、文艺人才培训中心等机构整合的相关工作,进一步优化文化产业资源配置。

创作研究中心

主要工作

丁浩在《雨花》《大众文学》《扬子晚报》等报刊上发表散文作品40余篇，约8万字。

王承刚写作了电视剧本《谁是谁的地狱》、话剧剧本《危机逼近》，策划了多个电视剧项目；大型电视连续剧《好想回家》已由中央电视台播出；电视连续剧《山楂树之恋》《关于老大的幸福问题》等几部电视剧即将投拍。他还担任了省内多个舞台艺术评奖的评委，担任了南京大学文学院兼职教授，培养了3个艺术学硕士。

韩兰成参加了省曲协"芦花奖"评委工作，参与江苏小戏小品大赛的评选工作，参加多台中国曲协"送戏下基层"慰问活动，参加中国第六届曲艺节，参与第九、第十场和闭幕式的演出活动。同时，他还参加了中国"牡丹奖"颁奖晚会的创编工作；在中国矿业大学举办"兰成相声艺术"专场讲座；在全国煤炭系统创作学习班举办讲座，介绍相声创作；为中央电视台《曲苑杂坛》特别节目撰稿，组织中央电视台2008年八一晚会及公安部相声小品精品展演。出版专著《江苏优秀曲艺作品选》。

王大进在《清明》《广州文学》《布老虎丛书》等刊物上发表中、短篇小说约10万字，其中的3篇小说被《小说选刊》转载，在光明日报发表了中篇小说《暖》。其中篇小说《葬礼》获第三届紫金山文学奖，长篇小说《欲望之路》被中国作家出版集团、国家图书馆、国家教育部编入"建国以来500部长篇小说"工程。

张国擎写作散文集《〈春秋吕氏〉今览》《江南园林杂记·苏州篇》及《江南古镇》。完成长篇小说《朋友》的修改定稿工作。

大型活动部

综　述

大型活动部在省文联党组、书记处的领导和关心下,在深入学习实践科学发展观,全面贯彻落实党的十七大精神,围绕中心、服务大局,根据大型活动部的实际工作特点,制定了全年的工作计划,在全年工作中,以创新工作思路和灵活的机制,充分利用"百名艺术家百场惠民演出"系列活动的丰富资源,推动全省文化事业大发展、大繁荣,实现"全面达小康,建设新江苏"宏伟目标,积极面向基层,服务群众,投身建设社会主义和谐社会。

重要会议

按照省文联书记处的工作安排,江苏省文联书画考级、未成年人才艺大赛暨第十五届全国推新人大赛江苏赛区、江苏省青少年书画协会工作会议于3月14日在南京市学士园酒店召开,我们对2007年的各项工作做了全面的总结并对2008年工作做了详细的部署,并就其些项目进行了充分的研讨。会上还为在2007年度取得优异成绩的各市文联颁发了荣誉证书及奖金。省文联领导杨企鹏书记在会上作了重要指示,并对全年的工作提出了新的要求。

重要活动

1.组织全国推新人大赛江苏赛区比赛。

3月14日,工作会议结束以后,我部门工作人员立刻投入到今年才艺大赛的准备工作中。对于今年的省大赛,我们开拓了思路,将部分比赛的地点从南京搬到常州,并取得了很大的成功。我们的这样一个举动不仅推动了当地选手参与的积极性、也推动了当地文联的活动意识,同时为2009年的才艺大赛能举办得更好打下了基础。7月5日,省组委会工作人员以及常州文联的部分工作人员全部进驻比赛地点办公并做赛前各项工作的部署,大赛共分四轮进行,分批分年龄分项目比赛。整个大赛始终健康有序地进行,所有获奖证书均于8月15日前发放到各分赛区组委会。7月底,在北京进行的第十五届"全国推新人大赛"28个单项决赛中,江苏赛区选送的选手不负众望,获得十佳的人数超过150名选手,充分展示了江苏省艺术人才的后备军实力强劲,为江苏争得了荣誉。江苏省文联获唯一的最佳组织奖。

2.组织全省书画考级。

2008年度书画考级工作规范运作,全面工作健康有序发展,于12月圆满完成了全年的任务,取得了可喜成绩,参加人数呈逐年上升趋势。3月全省书画考级工作会议正式拉开帷幕,会上对书画考级工作进行了总结、研讨,并对全年工作进行了布置。我们严格按照考级大纲要求,根据不同级别的特点,认真出好考题;联合教育出版社,出版发行《书画考级教材》;统一改进制表打印程序;为稳定生源设立新的培训机构;聘请资深书画家对作品进行仔细的考评。面对目前激烈的市场竞争态势,我们的考级工作健康有序稳步发展,考级工作评比的优秀地区:苏州市文联把考级工作当成重要工作齐心协力,组织严密并专设奖学金,今年继续处于全省首位;常州市文联考级由培训中心具体负责,围绕考级组织活动,规范操作,科学管理,工作卓有成效,连年处于领先地位；扬州市文联措施得力，发展较快。好的做法值得大家借鉴。另外，根据08年各市考办的总体概况，各地发展水平不太平衡，有些市考办差距较大，还存在个别的不设考场直接收件的现象，有的考生盲目高报的现象还继续存在，我们将在09年考级工作会议上提出相关的问题进行研讨，坚持标准，规范运作，不断完善。

文艺惠民

为全面贯彻落实党的十七大精神，积极保障人民群众的基本文化权益，由江苏省委宣传部、省文联共同策划开展的江苏省百名艺术家百场惠民演出活动于4月17日上午在南京中华门城堡广场隆重拉开序幕。本次惠民演出活动是江苏省文艺界全面落实科学发展观，紧紧围绕加快文化强省建设，实现“全面达小康，建设新江苏”的宏伟目标，积极面向基层，服务群众，投身建设社会主义和谐社会的重要举措。百名文艺家百场惠民演出是让全体人民共享文化成果的实际行动，省委领导要求广大文艺工作者要始终把人民群众的认可和满意作为检验文艺工作的根本标准，进一步增强文艺为人民服务、为社会服务、为基层服务的观念，进一步创新文艺惠民形式，丰富文艺惠民手段，提高文艺惠民能力，建立文艺惠民的长效机制，努力让更多的文艺成果普惠于民。

12月15日下午，百名艺术家百场惠民演出走进武警指挥学院，为广大武警官兵带来了一台精彩生动的文艺节目，同时也为今年的百名艺术家百场惠民演出活动划上了完美的句号。全年文联总共完成演出一百二十余场，其中我部门完成30余场。在全年的演出活动中，我们的足迹遍布了江苏大地，从厂矿、基层、农村到学校、军营、街道，所到之处都受到当地广大人民群众的热烈欢迎。参加演出的艺术家们虽然很辛苦，但他们表示通过演出他们深切地感受到了人民群众对文化艺术的渴求和喜爱，看到观众们被他们演出打动，感到十分欣慰。艺术家们的努力让广大群众感受到了艺术的魅力，观众也实实在在的感受了“文化惠民”。

文艺交流

为了贯彻落实《中共中央国务院关于进一步加强和改进未成年人思想品德建设的若干意见》精神，在广大青少年中进一步普及和开展艺术教育活动，使青少年在各类活动中走向社会、扩大视野，经过2007年首届江苏省青少年中日书画大赛和交流活动的顺利进行，2008年8月，由江苏省文学艺术界联合会和日本爱知县日中友好协会联合主办，省文联组联部、大型活动部、江苏舜天海外国际旅行社承办的“第二届江苏省青少年中日友好书画大赛和交流活动”隆重开幕，全省有上千人参加这次大赛决赛，并从获奖选手中精选出32位书画小使者，有部分小选手由家长陪同，加之公派及工作人员总共60人参加了中日友好书画交流，他们不负众望，圆满完成出访任务，具有积极而深远的影响。在多方的共同努力下，由江苏省文联选送的100多幅优秀作品参加了中、日、朝三国青少年书画大赛，得到了专家的高度评价。日本东海电视台、中日新闻报社对活动作了现场报导。

文艺交流中心

综　述

2008年是中国历史上极其不平凡的一年，全国人民经历了雪灾、地震的痛苦，经历了北京奥运会、残运会的顺利召开，航天梦实现的喜悦，在中国共产党的领导下，我们中华民族达到了空前的团结。在这一年里，江苏省文艺交流中心在省文联党组书记处的领导下，组织十余位我省著名作家走进南汽体验生活，创作了报告文学《逐鹿英伦》，该书于4月份出版发行。5月19日，参加"我们万众一心"大型赈灾义卖活动，全年策划、组织参与了10场"百名艺术家百场惠民演出"活动，参与拍摄、制作沛县经济开发区的宣传片《歌风飞扬》和相关画册，10月份继续主办了第十九届世界超级模特大赛江苏选拔赛。

重要活动

省文艺交流中心积极参与省文联在5月19日组织了"我们万众一心"大型赈灾义卖活动，按照省文联统一部署，积极捐赠1万元赈灾款，在有关企业的支持下，完成了省文联交办的5万元的赈灾任务，中心同志也积极参加了捐献活动。江苏省文艺交流中心于10月份继续主办第十九届世界超级模特大赛江苏选拔赛，获奖选手将于2009年初赴三亚参加总决赛。

深入学习实践科学发展观。

4月份，省文联作为全国学习"科学发展观"试点单位，省文化交流中心积极参与，按照学习的具体要求和安排，完成了省委对省文联的要求为全面落实科学发展观，完成省委、省政府提出的做大做强文化事业，特别是要抓好文化人才队伍的建设的任务。江苏省文艺交流中心在江苏省文联党组和书记处的领导下，认真学习科学发展观，紧密结合文化艺术工作，以提高全民文化素质为根本，面向市场，开拓进取，求真务实，为江苏的经济更加发展、民主更加健全、科教更加进步、文化更加繁荣、社会更加和谐、人民生活更加殷实而奋斗，努力建设和谐新江苏！

文艺惠民

全年共计完成10场惠民演出：①江苏省文艺交流中心积极策划、参与了"百名艺术家百场惠民演出"活动。在有关单位的支持下，分别于9月19日、20日在徐州新沂市民广场、剧场进行四场演出。近30位艺术家的表演，受到了两万余观众的欢迎，省、市新闻单位对此进行了报道；②与电影家协会于年初组织了中国电影艺术家赴江苏省徐州市沛县开展以"构建和谐社会、培育文明风尚，促进社会主义新农村建设"为主题的"送欢乐、下基层"5场惠民演出以及看望徐州下水道四班的慰问活动。向沛县及徐州下水道四班捐赠了电影放映机、DVD机、相关书籍和电影光盘、防寒服、护肤品等物品；③与省文联大型活动部联合承办了"走进马庄"的惠民演出。我们组织的惠民演出，所到之处均受到了当地政府、人民的热烈欢迎。

艺术人才培训中心

主要工作

1.对全省艺术培训市场的诸多方面进行了调研。

培训中心与全省18家市、县文联进行了联系和沟通，对他们当前培训工作的现状进行了有针对性的调查。从初步调查的情况分析，我们既看到基层文联程度不等地都具备了开展艺术培训的条件，也了解到他们对省文联艺术培训工作的开展及联动意向是支持和欢迎的，部分文联主动要求设立分部，进行项目合作。通过这方面工作的开展，省、市、县(区)文联上下联动架构的形成已具备了一定的条件和基础。

通过调查所掌握到的情况，了解市场对各艺术门类的需求程度，及时掌握了其他艺术培训机构的工作现状，确立我们自身的优势专业和优势项目，我们初步规划了培训规模、培训层次和培训内容等，完成制订了一些有针对性的特色项目。对部分社会力量办学机构的管理模式和运作模式进行了有针对性的考察，并联系相关单位落实意向性合作。充分发挥省文联艺术家自身的优势，计划开设示范性培训项目和班级，以优质的教学吸引社会资源进行合作，直接或间接参与到一些社会性的培训单位进行指导，加快本中心对社会资源的吸纳和整合。特别是对一些比较成熟的优质资源，我们本着双赢的指导思想，根据其机构属性、优势项目等因素，具体制订了合作方案，为提高本中心的专业影响及社会整体培训能力而努力。在这一指导思想下，中心已与大厂区文化馆、秦淮区教师进修学校、南京外国语学校、南京晓庄师范学院附属小学等单位进行了项目洽谈，并初步确定了合作意向。

2.完成了社会力量办学准入资格的申请，确定了专业设置的基本框架。

联系落实了省教育厅、省物价局，办理准入资格性质的“社会办学许可证”和“物价收费许可证”。在对市场需求进行了充分调查，认真考虑了自身硬件设施的配备、师资队伍的构成、单位工作的性质、网络资源的掌握等情况后，在维护江苏省文联艺术人才培训中心这一品牌的专业性、权威性、涉众性的前提下，初步确定了器乐、舞蹈、美术、表演、文学五大专业分类，在每大类下设置了数量不等的各专业班。同时根据专业班的情况和教室的配置，制订出课时的分配方案，并由此而制订了各专业班学期课时规定。

3.制订了一系列与教学教务相关的规章制度。

教学教务制度包括确保教学有序进行，实现教学效果最大化的教学方面的规章制度，也包括维系中心整个运作秩序的教务管理方面的规章制度。我们制订的一系列相关规章制度有：关于学员管理的《学员手册》《报名须知》《学生档案管理制度》，关于教师队伍管理的《教师兼职教学协议》《教学管理办法》《教学考核制度》，关于对教务管理人员进行管理的《教务管理人员职责》，关于对家长提出的《家长委员会管理办法》等。

4.初步进行了教师队伍的建设。

中心拟定了专家顾问团，法律顾问。聘用我省各艺术门类资深的艺术家担任中心的艺术顾问，加强中心教学的权威性。对于一线教学队伍，中心制订了《教师聘用方法》，拟从专业性、权威性入手，同时考虑教育的特殊性，主要选择具有相关专业艺术院校教学经验的中青年骨干教师加以聘用。

5. **品牌项目和特色项目的规划与建立**。

经过对各个方面进行认真考虑后，中心初步确定了品牌及特色项目为：彩虹美术培训基地、小小演奏家器乐培训基地和炫舞台表演艺术培训基地，这三大培训基地形成了三大艺术特长培训板块。另外，中心还针对艺术高考开设了艺术高考集训营，针对中老年人开办了老年大学等。从音乐、舞蹈、美术、表演等门类入手，中心致力于打造各具特色的品牌培训单元，并最终形成高水平的培训体系。

6. **前期的运作实施和宣传设计**。

在诸多前期工作中，中心还对宣传工作进行了专门的设计。认真制作宣传彩页、招生专业一览表、教师队伍一览表等对外宣传文字资料，以周边学校、幼儿园、附近小区为宣传工作的重点，向河西全境及公交、地铁沿线一站式到达的相关区域辐射，进行递进式的招生宣传，做到文字资料派发到位，宣传活动重点进行。同时，我们通过媒体广告，软性宣传，网络拓展等形式，扩大了中心在社会上的知名度。

宣传信息中心

综　述

2008 年，省文联党组、书记处研究决定，将省文联宣传信息中心列入办公室系统，作为省文联宣传信息的职能部门。主要职责为：江苏文学艺术网的管理和信息发布，省文联工作通讯《繁荣》的编、印、发工作和省文联对外新闻宣传报道工作。

在党组、书记处的领导下，宣传信息中心发挥宣传及信息工作"对内交流，对外宣传"和为领导部门科学决策、指导工作提供服务的职能作用，强化责任意识和信息意识，认真负责地做好省文联对外新闻宣传工作、省文联工作通讯《繁荣》的编辑工作、江苏文学艺术网的信息发布工作，及时准确地报道全省重大文艺信息，圆满完成了省文联党组、书记处交办的各项工作任务。

主要工作

(1)认真办好省文联官方网站江苏文学艺术网，进一步完善了网络信息工作，做到了消息发布及时准确。实时开辟重点活动专栏，与省文联维权网等相关职能网站、省辖市文联网站进行了链接，使其功能更全，内容更丰富。全年采集、撰写省文联开展的各项活动、展事、专题的新闻稿件(图片)1 200余篇(条)，编辑、发布各类文艺图文信息 9 000 余条(幅)。

(2)编辑出版省文联工作通讯《繁荣》。全年共编辑出版省文联工作通讯《繁荣》13 期。2008 年，《繁荣》进一步扩大发放至全省各县(区)、乡镇文联，扩大了省文艺界的信息交流和省文联的影响。《繁荣》工作通讯和江苏文学艺术网刊发的文艺信息被全国多家互联网站转载。

(3)与省内外报刊、广播电视、网站等各媒体建立了良好的热线联系，做到省文联重大活动在省主流媒体的宣传报道无一遗漏。全年共协助省文联、各文艺家协会举办新闻发布会 30 余场，较好地配合了省文联党组、书记处完成 30 项重点工程的宣传报道。我中心还为中国文联、中国作家协会以及《中国艺术报》、《中国文化报》、《中国文联网》、《光明日报》、《新华日报》、江苏机关党建网等新闻单位，以及省委宣传部宣传快报、《中国文联组联通讯》等媒体及时提供第一手的图文新闻信息。

(4)积极参与省文联、各艺术家协会和全省各地基层文联开展工作的新闻采访工作，多次深入到全省各地直接参与省文联及各文艺家协会承办的各项重大文艺活动进行及时报道，编发了省文联支援地震灾区抗震救灾、牡丹奖颁奖系列活动、2008 百家金陵画展(油画)等《繁荣》专刊。

(5)为江苏人民政府内部网络省文联专线(机要、财务、机关党委、人事)，提供了安全技术保障。为机关互联网通讯提供了技术服务工作。

(6)为省文艺交流中心编辑图书《逐鹿英伦》(刘兰荣主编)，为省舞蹈家协会编辑图书《为人民而舞，为人生而舞——纪念吴晓邦百年诞辰文集》(胡春田主编)，为南京市委宣传部、中山陵园管理局、省文联事业发展部编辑图书《清声雅韵颂国魂——中国(南京)咏梅诗词歌曲征集优秀作品集》(戴中礼主编)。

文艺著作权维护中心

综　述

2008年,在省文联党组书记处的正确领导之下,在各部门、协会、中心等单位的支持配合下,省文联维权中心按照党组书记处提出的强化"六种意识"要求,认真履行职能,积极推进省文联维权工作的科学发展,以为文艺家服务的责任感,围绕著作权法律宣传、咨询、援助和版权登记等工作努力提高服务水平。举办了"第二届江苏省文学艺术界保护知识产权论坛"系列活动,参与省文联关于"如何在继承与创新中繁荣江苏文艺创作"重点课题的调研活动,并承担调研报告中部分内容的起草工作。积极与省版权协会、律师事务所等单位加强合作,做好成立省版权协会文化艺术专业委员会的筹备工作。配合汇业律师事务所对江苏省动漫产业版权保护情况进行调研,修订了《江苏省动漫行业知识产权保护方案》。接受法律咨询120多次,受理文艺著作权投诉案件5件,受理作品版权登记45件;为机关有关部门、杂志社联系版权管理部门和律师,帮助制定有关法律文书和解决工作中遇到的法律问题;配合有关协会开展维权工作,帮助修订完善电影家维权手册等。

重要会议

4月23日,由江苏省文联举办的"江苏省文艺著作权服务网开通暨第二届江苏省文学艺术界保护知识产权论坛"在南京召开。省文联党组书记、常务副主席、书记处第一书记王慧芬作了主题讲话,并点击开通了"江苏省文艺著作权服务网"。江苏省版权局版权处处长陆幸生,南京大学法学院教授解亘博士,南京汇业律师事务所主任魏青松高级律师,以及省文联的同志和部分在宁艺术家参加了这次活动。当前,在我国知识产权侵权案件中,著作权纠纷案件已居首位,成为我国知识产权保护的一大重点问题。在市场经济条件下,加强对文艺作品的依法有效使用,既是保护广大文艺工作者利益,也是保护文艺创新,激发民族创新活力,促进文化大发展大繁荣的重要手段。胡锦涛总书记在全国第八次文代会、第七次作代会上代表党中央要求各级文联、作协"依法维护文艺工作者的权益",在十七大报告中又指出:"支持工会、共青团、妇联等人民团体依照法律和各自章程开展工作,参与社会管理和公共服务,维护群众合法权益"。从总书记的报告中,我们看到"维权"已成为人民团体的一项重要职能。近几年,江苏省文联在拓展维权职能方面做了一些有益的探索实践,在全国文联系统内,最先将"提供法律援助维护艺术家合法权益"写进文联《章程》,最先获得政府版权管理部门授权从事维护、保障、代理本省文艺家著作权权益的职能。并先后成立了"江苏省文艺家权益保障委员会""江苏省文艺著作权维护中心""江苏省文艺家权益保障委员会各专业委员会",积极开展文艺维权工作。

重要活动

10月28日至30日,中国文联党组副书记、副主席李牧等一行4人来江苏文联调研文艺家权益保护工作,29日上午在省文联召开座谈会。省文联党组书记、常务副主席、书记处第一书记王慧芬主持了座谈会,省文联副主席、书记处书记言恭达简要介绍了江苏省文联的基本情况，并从认识、做法、问题、思考等四个方面，向中国文联调研组汇报了省文联开展文艺家权益保护工作的情况。省文联党组成员、书记处书记杨企鹏参加了座谈会。江苏省版权协会副秘书长李吾川，江苏省文联文艺家权益保障委员会法律顾问、上海汇业律师事务所南京分所主任、高级律师魏青松，分别从如何做好文艺著作权的维护以及近年来与省文联维权中心的合作等方面作了发言，省文联机关有关部门负责人和部分文艺家协会秘书长参加了座谈会并作了交流发言。

近年来，江苏省文联面对文艺界越来越多的著作权侵权纠纷和侵权诉讼，积极开展著作权维权工作，将代表文艺界主动维护广大文艺工作者的合法权益作为新形势下文联的重要工作，并在拓展维权职能方面做了许多有益的探索与实践。通过近年来的维权实践，江苏省文联在依法维护广大文艺工作者合法权益方面取得了明显成效，为文联系统拓展维权工作积累了宝贵经验。

李牧在听取汇报后，对江苏省文联的维权工作给予充分的肯定，他说：维权工作是新时期中国文联的重要职能之一，由于种种原因，此项工作的开展还比较薄弱也比较困难。但是，江苏文联的维权工作走在了全国的前列，总结出的工作思路和探索出的一整套行之有效地做法，为文联系统开展维权工作摸索出前进道路，提供了宝贵经验。李牧提出了三点希望：一是希望各级文联要积极争取在体制、编制和经费上得到党委、政府的支持，推进文联维权工作深入开展；二是希望开展多种形式的培训、咨询、交流和宣传等工作，提高文艺家的维权意识；三是希望各级文联克服没有建制、编制、经费等困难，创造条件更好地为文艺家提供全面的维权服务。

最后，王慧芬书记说：为了健康、顺利地推进文联维权工作，文联要积极主动地开展文艺知识产权的宣传普及工作，大力提高广大文艺工作者的自觉维权意识，继续争取党委、政府的支持和法律、政策的保障，逐步健全文联维权工作的管理体制和工作机制。同时，她建议中国文联对维权工作继续加强指导，能够由上而下地在文联系统内建立一套指导维权工作的管理体系和工作机制。

理论研究

4 月 26 日是第八个“世界知识产权日”。为了更好地开展我省文艺著作权维权工作，提供网上著作权服务平台，宣传普及著作权知识，积极营造我省文艺界“尊重知识、崇尚创新、诚信守法”的良好文化氛围，省文联精心策划举办了“江苏省文艺著作权服务网开通暨第二届江苏省文学艺术界保护知识产权论坛”活动，并通过“网上文艺作品推介窗口”推介精品力作，保护原创作品，传播主流文化，弘扬先进文化。省文联党组书记、常务副主席、书记处第一书记王慧芬针对我省文艺界的特点，提出了省文联将在以下几个方面进一步推进版权保护工作：

一是加强调查研究，充分了解文艺行业维权所面临的难点问题，发挥文艺团体和文艺家的力量，形成合力努力提高维权工作的水平和效力。

二是逐步完善全省文联系统维权组织结构，形成全省文联系统省、市、县三级文联联动的维权网络。

三是对于一些文艺团体和文艺工作者合法权益受到重大侵害以及对文艺界发展有重大影响的事件，积极主动介入，并以适当的形式组织剖析和评议，公开文联、文艺家协会的主张和立场，维护文艺界利益。

四是加强与版权行政、司法、学术界以及版权产业界的联系，整合各方面的力量，积极为文艺继承与创新营造和谐环境。

省文联副主席、书记处书记言恭达主持了这次活动。4 月 23 日下午，言恭达就江苏省文艺著作权保护工作，接受了中国江苏网独家专访。

文艺家企业家联谊会

重要活动

1. **认真学习科学发展观**。

通过学习,一是深刻认识到了科学发展观是坚持以人为本,全面、协调、可持续的发展观;二是能够抓住科学发展观本质,结合工作实际边学边改;三是进一步地解放了思想,理清了工作思路、找准了工作定位,突出了工作重点。

2. **积极参加省文联组织的文艺家读书班和浙江文联考察活动**。

通过学习和考察,对党的文艺路线有了深层次的认识,对全国全省经济形势有了一定的了解,对文联的工作性质也有了一个新的认识,对文联的文化产业应该怎样做更适合文联的特点也有了清晰的思路。

3. **积极参加机关党委和支部组织的党员学习和活动**。

在学习和活动中能认真做笔记写心得体会,始终提醒自己是一名党员,要保持党员的本色,按照党员的标准要求自己,做一名党员应该做的事;响应党组织的号召在汶川地震中交特殊党费,部门带头捐款捐物。

4. **围绕本部门的工作性质开展工作,较好地完成了全年工作计划**。

(1)2007 年省人大确定银杏、茉莉花为我省省树、省花。各市也先后确定了市花。我会邀请了全省 80 位在花鸟画领域有着较深艺术造诣的花鸟画家以省树、省花、市花为题材创作出了 80 幅精品,同时邀请了全省 60 位企业家以歌颂省树省花、市花为题材的诗词创作了 60 多幅书法作品,于 11 月 15 日在省美术馆同时展出。言恭达书记专门为此次展览作了点评,受到作者们热烈欢迎。此次展览达到了两个目的:一是将传统的绘画和书法赋予了时代气息,具有现实主义意义;一朵花在这里展示的是一个城市的象征,一首诗词反映的是一个城市的人文精神;二是将文艺家企业家联谊活动搬到了省美术馆的艺术殿堂里进行,扩大了影响,增强了文企联谊的凝聚力。艺术家和企业家面对自己创作的作品相互交流,互相学习,共同进步。

(2)完成了 4 次文艺家企业家联谊活动。开展好文艺家企业家联谊活动是我会工作的一条主线,而每次联谊活动都有一定的主题和内容,这样联谊活动才能持续性发展。3 月,组织了公务员队伍的艺术家访问日本。在访问期间,与日本的艺术家共同举办了一场书法展览,在东京进行了一场书法笔会,与全日本中国博士协会、全日本江苏发展促进会进行了联谊,5 月,汶川特大地震发生后,我会及时组织部分企业家联谊座谈,会议结束后,大家主动认购了文联抗震救灾艺术品 10 万元。8 月初,我会组织了迎奥运文艺家企业家书画展联谊活动,畅谈百年奥运,为奥运喝彩加油。11 月,第四次联谊活动结合第二届文艺家企业家艺术展的时机,进行了一天的联谊活动,上午第二届文艺家企业家艺术展后,由省文联副主席、书记处书记言恭达对展览作品进行点评。下午,由中国商学院国学院院长张开心教授为大家讲解易经与人身健康的课题,省文联书记处书记杨企鹏到场进行指导总结。通过这四次活动,提升了文企联谊会联谊的层次,扩大了影响,进一步打下了可持续发展的基础。

文化艺术促进会

综　述

2008年是非常繁忙的一年，省文化艺术促进会策划了4项国际文化交流活动：1月1日，荷兰阿姆斯特丹交响乐团演奏的“新年音乐会”；2月22日，民生银行“感恩、祈盼、祝福新年晚会”；5月18日南京大学成立106周年，南京大学交响乐团与德国莱比锡大学交响乐团联合演奏的交响音乐会；12月30日，挪威指挥家彼得·万博格和上海交响乐团张国勇指挥演奏的“南京新年音乐会”。策划了7场文化及惠民演出活动。

重要会议

4月22日，由省文化艺术促进会牵线，北京圆明园管理处和江苏美人鱼景观公司在江苏句容市打造的“圆明园十二肖兽首像”研制工程竣工暨新闻发布会召开，组织了北京、上海、江苏的十多位专家、学者参加。央视、江苏卫视为首的23家新闻媒体进行了跟踪报道，目前这一项目已成为句容打造文化产业的品牌工程。

重要活动

开展慰问灾区学生的五场校园行活动。

当省文化艺术促进会得知，根据中央要求，江苏首批接收了800名来自绵竹重震灾区的同学消息之后，在最快的时间里拿出了以“呵护心灵·还原笑脸”为主题的策划方案。仅用一周时间，省文化艺术促进会组织了由武警蓝盾、前线、省歌、江苏卫视、南航、南艺等单位的艺术家于6月13日到15日在省内行程千里，从苏北、苏中、苏南走进了江苏接受灾区学生的的五所院校为来自灾区的同学们献上精彩的演出。经过努力，还争取到江苏省慈善总会为孩子们捐助的70万元。江苏电视台、四川德阳、绵竹电视台对演出进行了近一小时的节目转播，中央电视台、各市新闻媒体都作了报道，社会影响甚广。

这几场校园行活动，从主持人的撰稿、舞台的调度、节目编排导演、场内气氛互动，省文化艺术促进会倾注了全部心血，按文联党组要求，不增加地方负担，由本会赞助本活动，为抗震救灾作出了我们应有的贡献。

文艺创作

8月24日至9月2日，省文化艺术促进会与江苏东航联手组织了“东航文化”新疆采风活动。11天的时间里，文促会带领企业家和艺术家走进新疆的乌鲁木齐、吐鲁番、喀纳斯、塔里木等地，深入社会，走进自然，开阔视野，体验生活。

深入学习实践科学发展观。

为全面落实科学发展观，实现省委、省政府提出的做大做强文化事业，特别是要抓好文化人才队伍的建设的目标，省文化艺术促进会根据省文联党组学习实践科学发展观步骤第二阶段的要求，查找在实际工作中所存在的不符合、不适应科学发展观方面的问题，对此提出了整改措施：

(1)加强学习，端正和省文联党组保持一致的思想认识，在完成任务的过程中从大局考虑，从一盘棋角度考虑。

(2)在落实具体工作的过程中，要严格贯彻党组的统一工作思路和大局观念，和组织保持一致。

(3)发展企业文化的同时,要以社会为面,企业为点,让企业和文化艺术有机结合起来,充分发挥好我协会的桥梁作用,培养企业的全民艺术欣赏内涵与品位。

(4)在工作中始终保持和企业的热线联络,同时也要把企业文化的发展和新的发展导向及时汇报给文联党组,以便文联党组及时出台新的工作思路。

省文化艺术促进会在江苏省文联党组和书记处的领导下,认真学习科学发展观,紧密结合文化艺术工作,以提高全民文化素质为本,面向市场,开拓进取,求真务实。为江苏的经济更加发展、民主更加健全、科教更加进步、文化更加繁荣、社会更加和谐、人民生活更加殷实努力作出自己的贡献。

《歌迷大世界》杂志社

综 述

《歌迷大世界》是由省文联主办的一本流行音乐类娱乐杂志，现为半月刊，面向海内外公开发行。采用国际高档超大16开本，进口全铜版纸彩色印刷，紧跟国际时尚潮流，极具观赏和收藏价值。《歌迷大世界》创刊十多年以来，以内容丰富、图文并茂、版式活泼、印刷精美以及和明星互动的特点，结合竭诚为歌迷服务的办刊宗旨，在业界独树一帜，并产生了广泛的社会影响，获得由中宣部、国家新闻出版总署倡议，由中国期刊协会评选的向百家全国精神文明先进单位指定赠送期刊的荣誉。该刊发行量在同类期刊中名列前茅，被誉为“中国歌迷第一刊”，深受广大青少年、大中学生、流行音乐爱好者、音乐工作者、演艺明星、音乐制作公司及艺人经纪公司等的青睐和厚爱。

2008年可谓是极不平凡的一年，发生了许多重大事件。《歌迷大世界》作为一本完全市场化的杂志，不可避免地受到了严重影响，遇到了很大的困难。不过，在省文联党组、书记处的正确领导下，杂志社全体同仁坚定信心、努力克服困难，依然取得了一定的成绩。

2008年，《歌迷大世界》努力贴近市场，以精美的文字、图片、版式吸引读者、贴近读者、引导读者。全年刊发文字约400万字、图片约2万张，其中有大量的独家报道、独家专访，深受读者喜爱，每期杂志均有多篇文章被各类网站、论坛转载。2008年，《歌迷大世界》继续保持“一级期刊”的称号；继续被选为由中宣部、国家新闻出版总署倡导的“全国百家期刊阅览室”共建单位，每期向中南海国旗班、南京路上好八连、大庆油田、井冈山市图书馆、韶山图书馆、西藏拉萨小学等全国近百家精神文明先进单位赠送杂志，全年捐赠的杂志码洋达万元，杂志深受获赠单位读者的喜爱。

读者的喜爱就是对编辑出版工作最好的评价、最大的支持，4月19日，《歌迷大世界》作为全省文化及文学艺术类期刊的代表，参加了在南京山西路广场举行的由省新闻出版局和省期刊协会主办的“江苏省名优期刊读者节推介会”活动。入选参加这次活动的共有34种期刊，是从全省439种期刊中遴选出来的，其中文化和文学艺术类的期刊代表只有11种，这充分证明了《歌迷大世界》的品牌影响力。

歌迷大世界杂志社在积极扩大社会效益的同时努力创造经济效益，虽然杂志社2007年期刊发行收入和总收入这两项指标均突破1 000万元，在全省期刊中名列第一，但是2008年受重大事件以及金融危机的严重影响，这两项指标都有所下降，不过全年依然实现盈利数十万元，完成了省文联下达的经济指标，并上缴增值税、所得税30余万元。

2008年，在省文联党组和书记处的大力关心和精心指导下，杂志社在搞好《歌迷大世界》的同时，精心编辑出版《江南音乐》专刊。《江南音乐》专刊紧紧围绕中心，服务大局，大力扶持原创音乐创作，推作品、推新人，为繁荣江苏的音乐事业贡献了一份力量。

2008年《江南音乐》专刊共出版了6期，发表了创作歌曲300余首、歌词100余首，以及多篇音乐评论文章。《江南音乐》积极扶持基层的音乐创作，每期都集中展示一两个市(县)的音乐创作成果，2008年刊登了南通、常州、苏州等地的作品专栏。《江南音乐》更积极推介江苏近年涌现的优秀青年词曲作家，集中展示他们的创作成果。《江南音乐》还十分重视对基层音乐创作队伍的建设和新人的发掘与培养，7月，杂志社在苏州举办了"《江南音乐》江浙沪歌曲创作讲堂"，邀请专家、教授为来自江浙沪地区的50余位基层音乐创作者进行授课、创作辅导以及作品点评、修改，深受欢迎。这些都充分调动了基层音乐工作者的创作热情，培养了新作者，扶持了老作者。

由于近年来工作成绩较为突出，该社执行主编徐健2008年还被江苏省期刊协会评选为首届"江苏期刊明珠奖"获奖者。

重要活动

抗击5·12汶川特大地震灾害。

《歌迷大世界》杂志社《江南音乐》专刊注重用歌声表达责任，用作品传递爱心。5·12四川汶川特大地震发生后，在省文联党组的领导下，《江南音乐》编辑部积极行动起来，以高度的责任感和使命感，编辑出版了"抗震救灾词曲专集"，为灾区重建鼓劲呐喊。在灾难过去刚刚一个月，《江南音乐·抗震救灾词曲专集》就面市了，这本专集成为全国以抗震救灾为主题的音乐刊物中出版最快的一种，收到了良好的社会效果，其中不少作品被中央电视台及省、市电视台的各种抗震救灾晚会采用。杂志社还将刊物派发到南京、常州等地的多所中小学校，让杂志成为向广大中小学生弘扬抗震救灾精神、传播先进文化的生动教材，获得了广泛的好评。

"美在新江苏"采风创作活动 歌迷大世界杂志社积极参与省文联"美在新江苏"采风创作活动和"五走进"文化为民服务活动，立足江苏，面向华东，组织省内省外的音乐家到南通(4月15～20日，与省音协共同组织)、苏州白马涧(4月22～25日)、常州(5月7～12日)、昆山、常熟、木渎、吴江(11月28～12月2日)进行采风创作活动，深入田头乡村、企业厂矿，深入生活，精心创作了一批音乐作品，在《江南音乐》专刊以及中国音协《歌曲》、《词刊》杂志上发表，有的作品已被各地录音播放，在社会上产生了较为广泛的影响。

文艺创作

《江南音乐》创刊两年多以来刊发了许多高质量、有影响的作品。例如，该刊2006年首发的《梅兰芳》(刘鹏春词、吴小平曲)继2007年获得"中国音乐金钟奖"(第六届)之后，2008年又获得全国"五个一"工程奖。该刊2007年首发的《旗帜》(陈特明词、陶思耀曲)，在2008年由文化部艺术司、中国音乐家协会共同主办的"歌唱祖国——纪念建国60周年优秀歌曲征集活动"中，成为18首获奖歌曲之一。这首歌曲也是歌迷大世界杂志社2007年承办的"烽火80年·党在我心中"全国征歌评选一等奖获奖作品。

此外，这两年在《江南音乐》组织的采风创作活动中，词曲作家创作了很多高质量的作品，有的在全国性比赛中获奖，如2007年"江苏油田行"采风活动中创作的《两个太阳》(张景坤词、熊初保曲)在2008年"第二届中国石化优秀歌曲创作征集"活动中荣获"金曲奖"(只有这一个奖项，一共10首作品获奖)。

《乡土》杂志社

综　述

2008年《乡土》杂志坚持正确的舆论导向。人文版关注人文精神、发掘本土文化、表现和歌颂百姓生活的真、善、美，几年来一直深受读者的好评，赢得了稳固的读者群；户外钓鱼版倡导健康的户外休闲方式，引领都市人感受乡土风情，越来越受到读者的欢迎并稳定发展。编辑上，认真按时地完成每期杂志正常的编辑出版工作；发行上，除了做好每期日常的发行工作外，召开每年度的宣传发行会议，制定发行计划和目标，广泛宣传杂志，听取基层和读者的意见，拓宽发行渠道。

4月，乡土杂志社策划并成功举办了“中国游钓探索之旅”活动。活动联合户外钓鱼网及其他相关兄弟网络、四海钓鱼频道、江苏电视台体育频道等多家媒体，全程跟踪报道了本次活动，活动以寻找中国最美的钓点为主题，做了一次乡土风情的采风行。本次活动是一次中国专业媒体联盟的深度合作，让更多的人了解鱼文化，同时也是对《乡土》杂志的一种有力宣传。

为了认真贯彻党的十七届三中全会精神，积极参与中国新农村的文化建设，由省文联主办、中国社科院、上海大学、南京大学、中国农村观察杂志社联办，乡土杂志社承办的“2008中国新农村文化建设论坛”于11月13日、14日在南京大学成功举办，来自国内十多个省市的专家、学者、作家、记者进行了演讲和研讨，论坛以“关注农村经济文化生活，发扬严谨求实开放学风”为主题，希望能够切切实实地为新农村文化建设做些具体的工作。

此次活动引起了很大地反响，新闻媒体也给予了极大的关注，新华社、中央电视台、《中国艺术报》、《新华日报》、江苏电视台、《现代快报》、《扬子晚报》、《南京日报》、南京电视台、《金陵晚报》以及中国网、中国文联网、中国地方网、中国乡村发现网、新华网、中国江苏网等各大网站均作了翔实的报道。

12月21日，由省文联主办，南京电视台联办，乡土杂志社承办的“中国新农村朗诵诗会”在南京电视台演播室举行并由南京电视台全场录播。活动邀请了国内众多的知名诗人写诗描绘祖国的新农村并倾情朗诵，这是2008年新农村文化建设论坛在现实中的延续和实践，引领大众率先投身到火热的新农村建设中去。

重要活动

1.2008**中国新农村文化建设论坛**。

改革开放30年来，农村地区的文化建设和农民的精神生活得到极大改善，但与此同时，在很多地方，农村基层文化资源仍相对匮乏和单调。本着解决农村问题的态度，江苏省文学艺术联合会主办、《乡土》杂志社承办的2008中国新农村文化建设论坛在南京大学召开。目前农村文化仍存在的基础设施落后、文化产品和文化服务供给不足、文体活动相对贫乏、城乡文化发展水平差距较大等方面的问题需要得到关注，论坛就“新时期下如何推动农村文化建设”“农民真正需要什么样的文化”等议题展开了热烈和积极的讨论。

社会主义新农村建设离不开新农村的文化建设，随着社会主义新农村建设步伐的加快，农民群众对精神文化生活的需求也越来越强烈。然而,目前的农村文化建设与全面建设小康社会的目标还不相适应,与经济社会的协调发展和农民群众的精神文化需求还不相适应。因此,加强农村文化建设,加速农村文化脱贫,已经成为我国现代化建设中非常迫切的问题。不久前闭幕的党的十七届三中全会指出,社会主义文化建设是社会主义新农村建设的重要内容和重要保证。坚持用社会主义先进文化占领农村阵地,满足农民日益增长的精神文化需求,提高农民思想道德素质,是农村文化建设的重要目标。

2008中国新农村文化建设论坛邀请了中国社科院农研所研究员、研究生院教授张军、中国作协主席团委员,江苏省作协副主席,著名作家赵本夫、安徽大学社会学系教授李远行等国内一批农村问题的专家学者,他们既有来自群众文化工作的鲜活实践,又有深度的理论系统,对目前中国农村存在的多种文化形态、农民在文化建设中主体地位以及农村文化市场的培育等问题有独到的见解和深入的思考。论坛就全国各地新农村文化建设和经验进行了交流,对农村文化建设中的诸多难题进行了深入的研究,为新农村文化建设提供了有益的思路,谋划了美好的未来。论坛的成功举办,对新农村建设、特别是文化建设有新的贡献,对加快江苏文化大省向文化强省迈进注入了活力。

新农村文化建设作为建设新农村的重要内容,需要全社会的关心、支持,需要强有力的组织领导,需要各方面力量的热心关注和广泛参与。专家们表示,搞好新农村文化建设,对于丰富农民的精神生活,提高农民的思想道德素质和科学文化素质,对于促进新农村社会和谐发展,具有重要意义。

2.2008**中国新农村朗诵诗会**。

2008年冬天,一股强劲的冷气流突袭南京,南京的街头北风呼啸,满天飘舞着枯黄的落叶,然而在南京电视台内却暖意融融,“诗意盎然”,飘散着春天的气息。2008中国新农村朗诵诗会在南京电视台演播厅内上演,活动由江苏省文学艺术界联合会主办,南京电视台联办,《乡土》杂志社承办,诗会上自发来了众多诗人,诗人们用自己的耳朵去倾听新农村的“大地之音”,用自己的鼻子去嗅息新农村的“新鲜清新”,用自己的心灵去感受新农村的欣欣向荣,他们抒发了对土地的眷恋,对乡村的赞美,对劳动的讴歌,对祖国的热爱,对父母的崇敬。

诗会上他们带着对旧农村的回忆,对新农村的希望,用温暖的心灵念出我们蒸蒸日上的新农村。

江苏省文联党组成员、书记处书记杨企鹏致开幕词,并对诗人们表示了热烈的欢迎。他说,社会主义新农村建设离不开新农村的文化建设,我们的诗会旨在以文学艺术的方式积极投入到火热的新农村文化建设中去,让我们的新农村充满“诗意”。诗人们的诗歌有的描绘了新农村恬静的乡村画图,有的用诗歌记录了平原大地上各种忙碌的声音,有的书写了我们祖国伟大的山川大地,让听众们感受到了大地的广袤、雄奇和心灵的震颤,也有的在诗中描绘了江南水乡新农村的物产。

著名的老诗人丁芒早年曾在苏北打过游击,对苏北有着特殊的感情,他朗诵了自己的作品《苏北行》,表达了自己的赤子情怀。江苏兴化是里下河地区的水乡,那儿的垛田被誉为东方农业文明的奇迹,在诗人冯亦同的眼中,那些垛田恰恰是我们新农村的代表,是一副最美的画册。诗人邓海南的诗歌《用目光抚摸大地》给我们带来了一阵来自农村的清新的风。

南京电视台的五位金牌节目主持人更是用真挚的感情、优美的声音,和观众一起用心感受新农村的景象。我们的新农村建设不仅需要大家的努力,同时也需要大家付出心中的那份情感。

百家金陵画展常务办公室

"数风流人物2008·中国百家金陵画展(油画)"在宁展出

"数风流人物·2008中国百家金陵画展(油画)"于2008年10月25日,在江苏省美术馆隆重举行。出席画展开幕式的有:江苏省人大常委会副主任张艳,江苏省人民政府副省长张卫国,江苏省政协副主席黄因慧,中国文联副主席刘大为,中国美术家协会主席靳尚谊,省文联主席顾浩和省有关部门领导章剑华、梁勇等。王慧芬主持了开幕式,刘大为、张卫国分别讲话。这次展览首次以"数风流人物"为主题,艺术主张更为突出、鲜明,在全国1983位作者的2 400多幅应征作品中,经评选委员会两轮评选,最终评出入展作品100件,其中金奖10件。本次画展江苏共有25幅作品入选,其中3幅获得金奖。

作为画展重要组成部分的画展高层论坛于10月25日下午和26日上午在南京艺术学院举行。

画展开幕期间,靳尚谊、邵大箴、梁江、王宏建、尚辉分别在南京艺术学院、南京师范大学、南京航空航天大学、南京大学、东南大学举行名家讲坛。

"2005—2008·中国百家金陵画展"赴京展出

为纪念我国改革开放三十周年,中国百家金陵画展于12月8日至14日晋京展出,"2005—2008·中国百家金陵画展"于12月8日下午在北京中国美术馆隆重开幕。全国政协副主席黄孟复,中纪委副书记黄树贤,文化部副部长王文章,中国文联党组副书记、副主席覃志刚,中国文联副主席、党组成员冯远,中国文联副主席刘大为,中共江苏省委常委、宣传部部长杨新力,省政协副主席张九汉,中国作协党组成员、书记处书记杨承志,中国美术家协会分党组书记、常务副主席吴长江以及画家、理论家数百名嘉宾出席了开幕式。

王慧芬主持了开幕式,杨新力、吴长江分别讲话。这次画展共展出作品133件,包括历年金奖作品和2008年入选作品及特邀油画名家作品。

12月10日下午,中共中央政治局委员、书记处书记、中组部部长李源潮参观了"2005—2008·中国百家金陵画展",他对画展给予了高度评价,希望画展真正办成人民群众喜欢看、看得懂,反映人民群众生活的高水平展览。

12月14日下午5时许,中共中央政治局委员、国务委员刘延东观看了画展,并对画展长期坚持弘扬现实主义艺术精神,推出一批又一批的反映时代巨变的精品力作给予充分肯定。

画展在北京展出期间,人民日报、人民日报海外版、中央电视台一套、三套、数字电视书画频道、新华日报、江苏电视台、北京晚报、北京青年报等对画展进行了报道。画展也受到普通观众及美术爱好者的欢迎,每天都有千余参观者排队买票,自费前来观展。

图书在版编目(CIP)数据

江苏省文学艺术界联合会年鉴·2009/江苏省文学艺术界联合会编. —南京:南京师范大学出版社,2009.11
ISBN 978-7-5651-0047-5/G·1362

Ⅰ. 江… Ⅱ. 江… Ⅲ. 文化机构-年鉴-江苏省-2009 Ⅳ. G127.53-54

中国版本图书馆 CIP 数据核字(2009)第 207952 号

书　　名	江苏省文学艺术界联合会年鉴 2009
编　　者	江苏省文学艺术界联合会
责任编辑	王欲祥　向　磊
出版发行	南京师范大学出版社
地　　址	江苏省南京市宁海路 122 号(邮编:210097)
电　　话	(025)83598077(传真)　83598412(营销部)　83598297(邮购部)
网　　址	http://press.njnu.edu.cn
E-mail	nspzbb@njnu.edu.cn
印　　刷	南京爱德印刷有限公司
开　　本	889×1194　1/16
印　　张	19.5
彩　　插	13
字　　数	499 千
版　　次	2009 年 12 月第 1 版　2009 年 12 月第 1 次印刷
书　　号	ISBN 978-7-5651-0047-5/G·1362
定　　价	128.00 元

出 版 人　闻玉银